FOLHA DE S.PAULO

Manual da Redação

FOLHA DE S.PAULO

Manual da Redação

PUBLIFOLHA

GRUPO FOLHA

Diretoria Corporativa
Presidente: Luiz Frias
Diretor Editorial: Otavio Frias Filho
Superintendentes: Antonio Manuel Teixeira Mendes e Judith Brito
Editor-executivo: Sérgio Dávila

Conselho Editorial
Rogério Cezar de Cerqueira Leite, Marcelo Coelho, Janio de Freitas, Gilberto Dimenstein, Clóvis Rossi, Carlos Heitor Cony, Celso Pinto, Antonio Manuel Teixeira Mendes, Luiz Frias e Otavio Frias Filho (secretário)

PRODUÇÃO EDITORIAL

Comissão do Manual
Alcino Leite Neto, Ana Estela de Sousa Pinto, Armando Antenore, Carlos Eduardo Lins da Silva (coordenador), Edney Cielici Dias, Lucia Reggiani, Luiz Caversan e Rogério Ortega

Colaboradores
Demétrio Magnoli (anexo geográfico), Jairo Bouer (anexo médico), Julio Abramczyk (anexo médico), Luís Francisco Carvalho Filho (anexo jurídico), Pasquale Cipro Neto (anexo gramatical), Paulo Daniel Farah (anexo de religiões), Taís Gasparian (anexo jurídico), Thaís Nicoleti de Camargo (anexo gramatical) e Walter Ceneviva (anexo jurídico)

Consultores
Antônio Flávio Pierucci (anexo de religiões), Celso Pinto (anexo econômico), Dalton Francisco de Andrade (anexo matemático e estatístico), David Everson Uip (anexo médico), Eduardo Giannetti da Fonseca (anexo econômico), Francisco "Platão" Savioli (anexo gramatical), Gilson Schwartz (anexo econômico), Ives Gandra da Silva Martins (anexo jurídico), José Dutra Vieira Sobrinho (anexo matemático e estatístico), Julio da Motta Singer (anexo matemático e estatístico), Pierre Sanchis (anexo de religiões), René Ariel Dotti (anexo jurídico) e Roberto Romano (anexo de religiões)

Checagem de informações
Cláudia Marques, Fernanda Nagatomi e Kamila Fernandes

Leitura e revisão de texto
José Alves Martins, Magna Teobaldo, Marcelo Leite e Mauricio Puls

Índice analítico
Norma Marinheiro e José Alves Martins (revisão)

PRODUÇÃO GRÁFICA

Projeto gráfico e capa
Didiana Prata

Foto da capa
Mario Fontes

Editoração eletrônica
Ponta Negra Artes Gráficas
Camila Duarte de Azevedo e Mariana Guimarães

Artes
Mário Kanno

COORDENAÇÃO DO PROJETO

Publifolha
Editores-assistentes: Adriane Piscitelli e Thiago Blumenthal
Coordenação de Produção Gráfica: Soraia Scarpa

Dados Internacionais de Catalogação na Publicação (CIP)
(Câmara Brasileira do Livro, SP, Brasil)

Manual da redação : Folha de S.Paulo. 17ª ed. – São Paulo : Publifolha, 2011.

Vários colaboradores.
Bibliografia.
ISBN 978-85-7402-262-8

1. Folha de S.Paulo 2. Jornalismo – São Paulo (Estado) – Manuais de estilo.

10-11593 CDD-079.8161

Índices para catálogo sistemático:
1. Folha de S.Paulo : Jornal : Normas de estilo 079.8161
2. Folha de S.Paulo : Jornal : Normas de redação 079.8161

Este livro segue as regras do Acordo Ortográfico da Língua Portuguesa (1990), em vigor desde 1º de janeiro de 2009.

PUBLIFOLHA
Divisão de Publicações do Grupo Folha

Al. Barão de Limeira, 401, 6º andar,
CEP 01202-900, São Paulo/SP
Tel.: (11) 3224-2186/2187/2197
www.publifolha.com.br

Os leitores interessados em fazer sugestões podem escrever para o Programa de Qualidade da Folha de S.Paulo, no endereço al. Barão de Limeira, 425, 4º andar, CEP 01202-900, São Paulo, SP, enviar um fax para (11) 3224-7951 ou um e-mail para manualfolha@uol.com.br

Introdução

Este manual contém as normas e recomendações que norteiam o trabalho dos jornalistas da **Folha**. Ele é uma versão revista e ampliada da edição anterior, lançada em 1992 –que, por sua vez, atualizava as edições de 1984 e 1987, fazendo acréscimos a elas.

A elaboração deste livro obedeceu a alguns princípios básicos. A exemplo das versões anteriores, ele procura condensar uma concepção de jornal e tornar disponível para o público leitor uma pauta de compromissos, dando-lhe a possibilidade de fiscalizar sua execução.

Esta edição procurou também atender ao interesse dos leitores que utilizam o manual como fonte de consulta. Assim, ela traz uma série de anexos (gramatical, jurídico, médico e outros) cujo objetivo é oferecer ao público uma obra de referência –concisa, porém abrangente– e ao mesmo tempo dar subsídios à atividade jornalística, sem ter, evidentemente, a pretensão de substituir a consulta a especialistas.

O novo manual também traduz uma flexibilização progressiva das normas presentes nas edições de 1984 e 1987, mais impositivas. Ele consubstancia os princípios da última versão do projeto editorial da **Folha** –divulgada em 1997 e aqui reproduzida– e procura orientar a aplicação desse projeto na prática cotidiana dos jornalistas.

Os trabalhos deste livro tiveram início em março de 1998, quando a comissão responsável por sua elaboração começou a reunir-se. Todos os verbetes e os textos mais longos tiveram, quando necessário, a colaboração e a consultoria de especialistas e foram aprovados por um colegiado composto pelos integrantes da Direção e da Secretaria de Redação da **Folha**.

Como consultar este manual

O manual está dividido em quatro capítulos:

1 **Projeto Folha**, que reproduz a última versão do projeto editorial do jornal divulgada em 17 de agosto de 1997;
2 **Procedimentos**, capítulo composto de texto corrido e verbetes que explica como os jornalistas da **Folha** devem seguir, na prática cotidiana, as diretrizes estabelecidas pelo projeto editorial;
3 **Padronização e estilo**, com verbetes que apresentam as recomendações da **Folha** a seus jornalistas para a elaboração de textos;
4 **Estrutura da Folha**, que conta a história do grupo e apresenta suas empresas, unidades de negócios, principais departamentos e funções profissionais.

Esses capítulos são seguidos por 12 anexos:

1 **gramatical;**
2 **legislativo;**
3 **jurídico;**
4 **militar;**
5 **de religiões;**
6 **médico;**
7 **matemático e estatístico;**
8 **geográfico, com mapas;**
9 **econômico;**
10 **transliteração de nomes estrangeiros;**
11 **principais estrangeirismos, com a grafia adotada pela Folha;**
12 **siglas, com endereços e telefones.**

O objetivo básico dos anexos é fornecer informações úteis no momento de escrever ou de editar um texto. No final do livro, há um índice analítico detalhado, que serve para guiar as consultas ao manual.

Para facilitar a consulta, os capítulos têm cores próprias, indicadas na parte lateral da página: amarelo, laranja, vinho, roxo, azul-escuro e azul-claro. No capítulo **Procedimentos**, um sinal de exclamação destaca pontos de atenção para a atividade jornalística

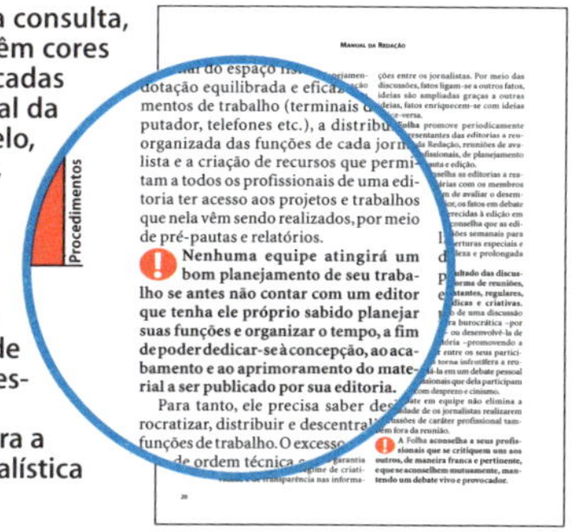

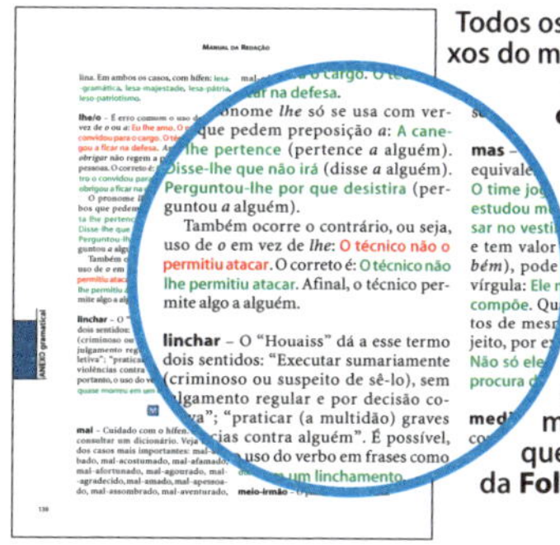

Todos os capítulos e anexos do manual obedecem a um **código de cores.** Os trechos destacados em verde correspondem aos exemplos e às determinações que os jornalistas devem seguir; as frases em vermelho sinalizam o que os profissionais da **Folha** têm de evitar

Tabelas e gráficos proporcionam compreensão imediata do assunto abordado. São mais de 60 tabelas, que trazem uso de maiúsculas e minúsculas, conversão de medidas, fusos horários do mundo, maiores acidentes geográficos e tabela nacional de distâncias, entre outros temas

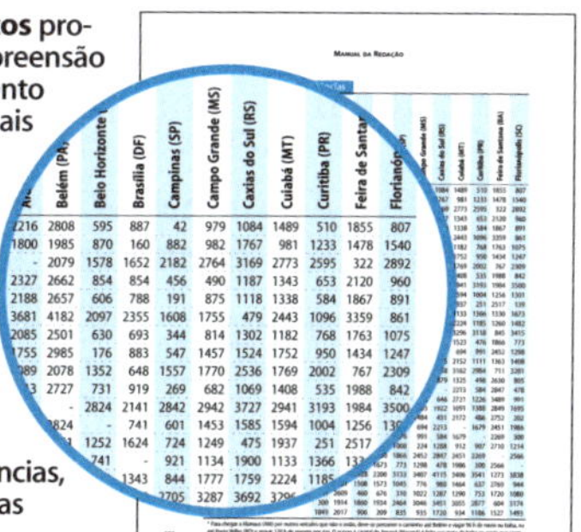

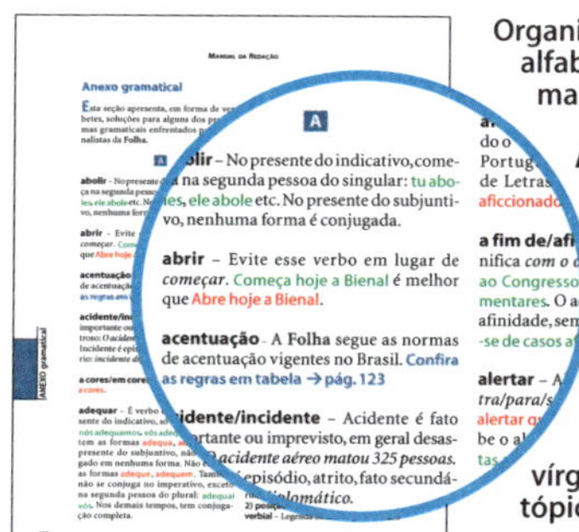

Organizadas em ordem alfabética, as dúvidas mais frequentes são solucionadas no **Anexo gramatical.** Mostra o uso correto de hifens, concordância, regras de acentuação, crase, regência verbal, grafia correta de palavras e o uso da vírgula, entre outros tópicos da gramática

Em linguagem clara e concisa, **12 anexos** trazem o essencial sobre os assuntos. O **Anexo militar** traz a hierarquia das Forças Armadas brasileiras; no **Anexo geográfico**, é possível consultar informações essenciais sobre os países, como nome oficial, capital, moeda e religião

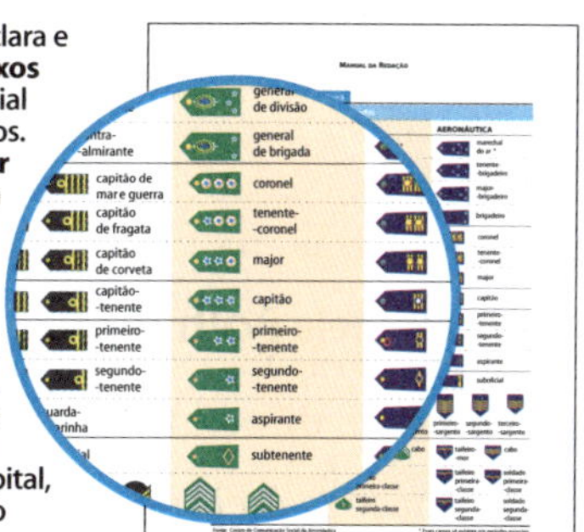

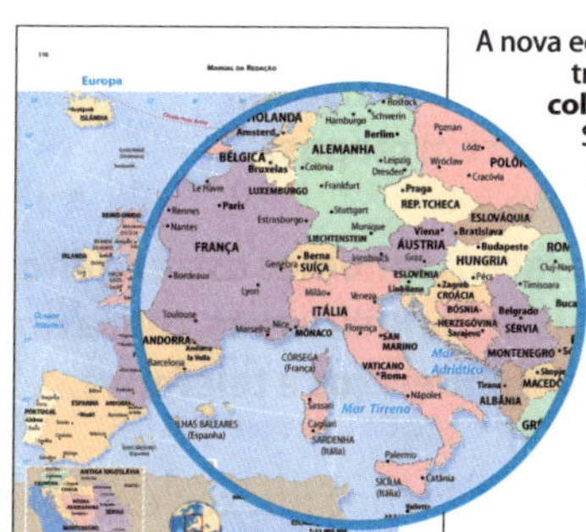

A nova edição do manual traz ainda **mapas coloridos** do Brasil, São Paulo, Rio de Janeiro, América do Sul, América Central, América do Norte, Europa, Ásia ocidental, África, Oceania, Ásia oriental e meridional e Comunidade dos Estados Independentes

Projeto Folha

A **Folha** orienta sua conduta por um projeto editorial que vem se desenvolvendo desde os meados da década de 70, com o objetivo de produzir um jornalismo crítico, moderno, pluralista e apartidário. A última versão do projeto, divulgada em 17 de agosto de 1997, está reproduzida neste capítulo.

1. Um panorama de mudanças na economia, na política e nas ideias

Sendo um registro taquigráfico da história, o jornalismo sofre necessariamente o primeiro impacto dos fatos. Até por isso convém que ele seja reexaminado periodicamente, a fim de aferir se sua atividade está sendo capaz de projetar alguma luz para além da efervescência dos acontecimentos, se seus critérios estão sendo os melhores para franquear uma leitura ao mesmo tempo fidedigna, reveladora e útil, se não da realidade, ao menos da sua superfície diária.

Toda época acredita viver transformações importantes. Os últimos dez anos ostentam, porém, uma constelação de mudanças espetaculares na política, na economia, nas ideias. Na metáfora agora tão batida da queda do Muro, entrou em colapso a concepção maniqueísta, de valores complementares e soluções opostas, que prevalecia desde pelo menos a passagem do século. É como se as cartas da ideologia estivessem sendo reembaralhadas e um novo jogo, ainda indefinido, começasse.

A dualidade política foi substituída por um consenso. Uma só superpotência impôs seu predomínio ao mundo, quase todas as sociedades procuram se aproximar de seu modelo. Com pouca variação de grau, há uma só receita econômica (o mercado), uma só fórmula institucional (a democracia), num mundo que tende inevitavelmente à "globalização". Pois não se trata de um sistema estanque, mas que se propõe a enquadrar toda diversidade étnica ou cultural num mesmo modelo, já batizado como "fim da história", desde que cumpridos os preceitos da livre competição e da técnica.

O modelo vitorioso se impôs pela eficiência com que produz bens e serviços, prenunciando uma era de progresso e multiplicação da riqueza. Seu monolitismo é perturbado, porém, por instabilidades e exclusão. Grupos sociais estão sendo alijados do dinamismo econômico, nações inteiras correm o risco de se verem confinadas ao subdesenvolvimento. Os próprios vínculos coletivos como "nação" ou "classe", entretanto, se enfraquecem quando expostos a um modelo que premia individualmente enquanto exclui socialmente. Surgem novas formas de associação, menos definidas por sua base socioeconômica do que por valores culturais e de consumo, por isso mesmo mais voláteis e cambiantes.

O espaço público, terreno em que o jornalismo sempre lastreou sua legitimidade, passa por um terremoto que ainda não assentou; até a terminologia do debate (direita e esquerda, por exemplo) foi desorganizada. Conceito sempre difuso, a opinião pública ganha unidade com a convergência geral de ideias, mas se dispersa numa segmentação de interesses que desafia a linguagem em comum. O jornalismo reflete fraturas e deslocamentos que ainda estão por mapear e se defronta com dilemas capazes de pôr seus pressupostos em questão: o que informar, para quem e para quê?

2. Investimentos, novas tecnologias e pressões de mercado

Idêntico movimento –um mesmo paradoxo entre convergência e dispersão– acontece na base empresarial, tecnológica e de mercado das comunicações. Empresas locais associam-se a investimentos estrangeiros, por sua vez aglutinados na forma de grandes blocos em seus países de origem. Todas as modalidades de comunicação foram convertidas em uma mesma linguagem tecnológica, o que permite a esses blocos integrar um amplo espectro de serviços, do jornalismo ao entretenimento, passando por televisão, telefonia, cinema, vídeo, editoração e internet.

Tais grupos tendem a acumular poder e por isso sofrem restrições mesmo nos países onde a legislação econômica é considerada liberal. No entanto, sendo sua lógica a do mercado, voltada para o atendimento de demandas que remunerem, o risco parece ser menos o de manipulações conspiratórias contra o público do que o de uma atitude, crescente nos meios de comunicação em geral, que se limita a espelhar as expectativas de um consumidor estatisticamente médio.

As associações em nível empresarial colocam uma quantidade inédita de recursos a serviço das comunicações, ao mesmo tempo em que a integração tecnológica permite dar escala econômica a uma imensa gama de interesses específicos. A confluência desses dois fatores está propiciando uma explosão das possibilidades de acesso ao conhecimento. Fala-se em direito à não informação, sintoma de um público que se ressente não já da falta, mas de um excesso inassimilável de dados, de uma verdadeira cacofonia da comunicação.

A proliferação da oferta acirra a disputa pelo tempo do consumidor. Como o leque de opções é amplo na televisão paga e praticamente inesgotável na internet, a tendência é que as inclinações pessoais, especialidades e hobbies encontrem seus nichos, levando o usuário a dedicar parte crescente do tempo a eles. Ademais, o aperfeiçoamento tecnológico dos novos meios ainda está em curso, conforme eles convergem para um mesmo aparelho físico, capaz de enfeixar e redefinir o uso do televisor, do telefone, do livro, da revista e do jornal.

Aqui, é preciso estabelecer uma distinção entre o suporte físico do meio –o papel e a tinta– e seu conteúdo. A reiterada pergunta sobre se os jornais vão sobreviver possivelmente comporta as duas respostas –sim e não. Há uma grande massa de informações, para não mencionar o trabalho analítico em torno delas, que o consumidor não precisa receber em ritmo mais frequente do que o diário. Embora exista quem julgue insubstituíveis as vantagens do formato papel, é provável que ele venha a decair ao longo das próximas décadas, sem que os jornais desapareçam no que é a sua essência: um panorama dos principais acontecimentos da véspera tal como filtrado por uma personalidade editorial coletiva. Seria o caso de perguntar se a internet vai substituir a rotativa, não o jornal.

Tudo indica que nos países desenvolvidos os jornais atingiram há algum tempo o ponto de saturação das tiragens, que se estabilizaram, quando não tendem a decrescer gradualmente. A situação é outra em países emergentes como o Brasil, onde um largo contingente da população, à medida que seus padrões de educação e consumo melhorem, poderá ser incorporado ao público leitor. Os índices de circulação alcançados pela imprensa brasileira sugerem que isso já está ocorrendo. Segundo estimativas da Associação Nacional de Jornais, a circulação de periódicos em todo o país cresceu 21% entre 1991 e 1996. Se tomarmos como ponto de partida a redemocratização, em 1985, a circulação dos quatro jornais de influência nacional aumentou 67% (no caso da **Folha**, 116%); a das duas principais revistas, 135%. Pode-se objetar que parte desse crescimento não decorreu do aumento de leitores, mas de consumidores atraídos por promoções ou descontos vinculados à compra do produto. A estratégia mercadológica que prevaleceu, no entanto, foi agregar produtos de valor cultural (atlas, enciclopédias, dicionários, vídeos etc.) congruentes com a natureza do produto jornalístico.

Contam-se aos milhões as residências que receberam, muitas pela primeira vez, esse acervo mínimo. Não existe razão pela qual as empresas jornalísticas devam abandonar o recurso, ao menos enquanto ele continuar sendo compensatório para ambas as partes, permitindo ainda que uma faixa de não leitores venha a se converter em leitores de jornal.

3. Um jornalismo cada vez mais crítico e mais criticado

A evolução do jornalismo brasileiro na década de 80 culminou no impeachment do presidente da República em 1992, no qual a imprensa teve papel determinante. Os telejornais ganharam desenvoltura informativa, firmou-se nos meios impressos o prestígio de um profissionalismo independente, submetido apenas às forças de mercado. A democracia adquiriu consistência, conforme as instituições mostravam que podiam funcionar. Os meios de comunicação passaram a refletir pressões crescentes de democratização do poder público, expressas em timbre moralizador, tanto mais intensas quanto mais o Estado se mostrava incapaz de atender expectativas mínimas da população, represadas havia muito.

Entrou em grande evidência um jornalismo baseado na investigação, nem sempre conscienciosa, de irregularidades na administração pública, divulgadas de forma categórica, às vezes bombástica. O impeachment ocupa entre nós posição análoga à do caso Watergate na evolução da imprensa norte-americana, seja no sentido de ter revitalizado a função político-institucional do jornalismo, seja no de revelar falhas que o próprio aumento da influência dos meios de comunicação tornou patentes.

Assim como cresceu a percepção crítica da imprensa em relação aos poderes instituídos, especialmente os de natureza pública, aumentou também a recepção crítica dos meios de comunicação por parte da sua base social, o público que consome a mercadoria-informação. O mal-estar que cerca a imprensa passou a se traduzir em três acusações predominantes: ela seria superficial, invasiva e pessimista.

Em vez de se voltar para o esclarecimento de processos complexos e contraditórios, a imprensa opta –de acordo com a primeira crítica– por pinçar seus fragmentos mais estridentes, praticando simplificações que só aparentemente refletem uma disposição crítica, na verdade conivente com as estruturas que finge ignorar. Para o segundo tipo de acusação, no afã de obter revelações chocantes, a imprensa atropela quaisquer limites, sobrepondo um suposto interesse público, cuja extensão ela mesma estabelece, aos direitos individuais de privacidade e reputação. Tangida pela competição à busca do "furo pelo furo", permeada por uma atmosfera de descrença reinante nas Redações, a imprensa adota uma linha destrutiva -daí o seu alegado pessimismo.

Não se trata de acusações descabidas, ainda que generalizem exceções, tomando-as por regra. Subordinado a um regime de pressa que faz parte de sua utilidade pública, o jornalismo está sujeito a erros e distorções, raramente premeditados. Pode-se argumentar que alguma incidência nesses erros seja o preço a pagar para que a sociedade possa usufruir de um valioso patrimônio público, a livre circulação de informações e ideias. Mesmo assim, está claro que uma resposta para os problemas do jornalismo contemporâneo terá de corresponder à sensibilidade de parcelas crescentes do público, que reclamam um emprego mais criterioso do poder de informar.

Os objetivos a compatibilizar nem sempre parecem congruentes. Como praticar um jornalismo mais interessante (pois há queixas também nessa direção) e ao mesmo tempo mais ponderado? Como manter e até ampliar o diapasão de crítica, sem ferir direitos nem utilizar métodos capciosos? Como aprofundar os enfoques sem perder a necessária vivacidade jornalística? Como evitar tanto o conformismo como a crítica pela crítica? Mais especificamente, essas questões deverão assumir forma prática com a nova legislação de imprensa, que provavelmente tornará mais ágeis e frequentes as punições nos casos em que prevalecer, em juízo, o entendimento de que houve negligência ou abuso.

4. Seleção de fatos e compreensão de seus nexos num texto mais livre

Foram relacionados, até aqui, alguns dos desafios que assediam o jornalismo de modo simultâneo e sob diversos prismas: político, empresarial, tecnológico, mercadológico, jurídico. Não existe, evidentemente, uma fórmula capaz de responder de antemão a todos eles. Somente a experiência dos próximos anos permitirá defini-la, conforme os prognósticos que hoje é possível esboçar forem corroborados ou tiverem de sofrer retificações.

Determinadas linhas de ação, no entanto, parecem claras como diretrizes a serem adotadas pelo jornalismo diário. O atendimento cada vez mais copioso e eficaz de demandas específicas não faz desaparecer –ao contrário, ressalta– a necessidade de meios que possam funcionar como âncoras de referência geral. Em meio à balbúrdia informativa, a utilidade dos jornais crescerá se eles conseguirem não apenas organizar a informação inespecífica, aquela que potencialmente interessa a toda pessoa alfabetizada, como também torná-la mais compreensível em seus nexos e articulações, exatamente para garantir seu trânsito em meio à heterogeneidade de um público fragmentário e dispersivo.

Em outras palavras, o jornalismo terá de fazer frente a uma exigência qualitativa muito superior à do passado, refinando sua capacidade de selecionar, didatizar e analisar. É recomendável que a gama de assuntos a serem cobertos até mesmo se reduza em alguma medida, desde que em contrapartida sua seleção seja mais pertinente e o tratamento que receberem, mais compreensivo.

Uma tal mudança implica repercussões na pauta, na reportagem, no texto, na edição. É preciso maior originalidade na identificação dos temas a serem objeto de apuração, bem como uma focalização mais precisa de sua abordagem. Pesquisas de opinião possibilitam conhecer um pouco melhor as necessidades do público e aproximar da vivência concreta do leitor a pauta do jornal. Mas não substituem o discernimento necessário para detectar a ocasião jornalística nos fatos que reúnam o geral e o específico, em que um processo relevante ou emergente apareça entrelaçado com sua manifestação mais sintomática e humana. Essa preocupação deveria nortear a elaboração do jornal, da pauta à edição.

A transição de um texto estritamente informativo, tolhido por normas pouco flexíveis, para um outro padrão textual que admita um componente de análise e certa liberdade estilística é consequência da evolução que estamos procurando identificar. Trata-se, porém, de política a ser administrada com parcimônia e cautela, seja para que não se perca a base objetiva de informação, seja para que o leitor não fique à mercê dos caprichos da subjetividade de quem está ali para, antes de mais nada, informar com exatidão. A um texto noticioso mais flexível deve corresponder um domínio superior do idioma, bem como redobrada vigilância quanto à verificação prévia das informações, à precisão e inteireza dos relatos, à sustentação técnica das análises e à isenção necessária para assegurar o acesso do leitor aos diferentes pontos de vista suscitados pelos fatos.

Sobrecarregada, até certo ponto, por tarefas que a tecnologia colocou sob sua alçada, a edição enfrenta também o desafio de mobilizar as possibilidades de pesquisa propiciadas pela informática, utilizar melhor a computação gráfica, desenvolver a utilização elegante de imagens coloridas. Será cada vez mais importante que esses esforços parciais sejam integrados de modo criativo e didático, a fim de assegurar uma apresentação mais aguda de tudo o que se decidiu considerar importante no dia.

5. Treinamento, reciclagem e combate sistemático a erros

O êxito da transição para um modelo como o delineado acima depende de vários fatores. Depende da capacidade das empresas para preservar e ampliar a distinção entre seus interesses econômicos e sua autonomia editorial, compreendendo que esta convém àqueles. Depende de uma articulação eficaz entre diversos setores: Redação, Publicidade, Circulação, Planejamento, Impressão, Informática, Recursos Humanos, Marketing. Depende de seus níveis de investimento em tecnologia e pessoal qualificado.

Mas esses fatores precisam ser complementados por um esforço profundo de aprimoramento intelectual e técnico no âmbito das Redações. São as próprias exigências competitivas do mercado que se refletem sobre a formação do profissional de imprensa, compelindo-o a uma reciclagem permanente por meio de cursos, estágios, viagens e períodos sabáticos. Para tratar determinado assunto de maneira ao mesmo tempo mais abrangente e explicativa, é indispensável conhecê-lo melhor.

Também os mecanismos de recrutamento devem evoluir, com vistas à elevação do nível médio dos quadros profissionais.

A abertura para temas até agora pouco frequentados pela pauta jornalística; a "desestatização" do noticiário, num jornalismo ainda fortemente atrelado a agendas, fontes e declarações oficiais; uma disposição para conferir maior evidência aos assuntos de alcance nacional e internacional; a interpretação dos mananciais estatísticos, em que nem sempre é fácil separar o relevante do incidental; a demonstração dos vínculos entre a aparência e o substrato de cada fato importante –tudo isso reclama uma qualificação profissional em constante evolução. É preciso incrementar o jogo de estímulos recíprocos entre melhores condições de remuneração e trabalho, por um lado, e uma cultura jornalística que incentive o aprendizado, a autocrítica e a imaginação, por outro. A densidade dessa cultura interna será elemento decisivo tanto para garantir a sobrevivência dos jornais em conjunto como para assegurar posições de liderança entre o público leitor.

Os programas de qualidade se converteram em imperativo de gerência empresarial. Embora a qualidade jornalística seja em parte insuscetível de uma medição em termos objetivos, ela tem pelo menos uma dimensão –os erros– apta a ser quantificada e submetida a programas desse tipo. A adaptação de programas de qualidade à esfera das Redações tem mostrado que é possível reduzir a incidência dos erros de forma (linguagem e digitação), ao mesmo tempo em que abre caminho para um combate pela primeira vez metódico aos erros mais importantes, os de conteúdo, cujos mapeamento, prevenção e retificação ainda são, quando muito, incipientes.

6. Crítica, pluralidade e apartidarismo num espaço em reformulação

Em documentos anteriores a este, a **Folha** cristalizou uma concepção de jornalismo definido como crítico, pluralista e apartidário. Tais valores adquiriram a característica doutrinária que está impregnada na personalidade do jornal e que ajudou a moldar o estilo da imprensa brasileira nas últimas décadas. Cabe questionar, porém, à luz das transformações sumariadas acima, se a implementação desses valores não deveria passar por revisão também, até com a finalidade de sacudir os automatismos fixados pelo hábito.

Se a premissa destas notas está correta –ou seja, se o jornalismo atravessa um período de qualificação, que ultrapassa a ênfase normativa do período anterior–, a decorrência é que aqueles valores devem ser tomados, também eles, de modo mais qualificado. Isso não significa que o jornalismo deva aplacar a sua disposição crítica, mas refiná-la e torná-la mais aguda num ambiente que não é mais dicotômico, no qual o debate técnico substituiu, em boa medida, o debate ideológico.

O pluralismo, apequenado muitas vezes na auscultação meramente formal do "outro lado" da notícia, deveria renovar-se na busca de uma compreensão mais autêntica das várias facetas implicadas no episódio jornalístico. Mesmo a atitude apartidária, que veda alinhamentos automáticos e obriga a um tratamento distanciado em relação às correntes de interesse que atuam sobre os fatos, não pode servir de álibi para uma neutralidade acomodada, quando não satisfeita em hostilizar por hostilizar.

Os meios de comunicação têm assegurado grande visibilidade para a linha de reformas liberalizantes observada pelos últimos três governos. Ao fazê-lo, refletem uma tendência internacional que recebe apoio crescente na opinião pública interna. A discussão pormenorizada do conteúdo e da extensão dessas reformas, dos prós e contras de seus diferentes matizes, no entanto, é assistemática. Propostas alternativas têm sido objeto de pouca atenção. Da mesma forma, a demora no enfrentamento das carências sociais –problema básico num país como o Brasil– raramente vai além da repetição de enunciados genéricos. Existe um consenso, por exemplo, de que educação e saúde configuram o nó do desenvolvimento do país, mas a imprensa ainda não conseguiu articular enfoques que coloquem esses temas na ordem do dia, acoplando-os à agenda imediata de eventos.

A necessidade de adaptação nacional à dinâmica externa, imperativo aguçado na época que atravessamos, atualiza os problemas tradicionais de uma sociedade em que a divisão entre um setor integrado e um setor excluído nada tem de novo. Espelhar essa contradição e contribuir para que ela seja transposta, pela integração de seus termos na sociedade de mercado e na democracia política, é provavelmente a principal tarefa do jornalismo hoje, até porque de seu sucesso depende a amplitude e mesmo a sobrevivência de um espaço público em reformulação.

Procedimentos

Neste capítulo, o "Manual da Redação" da **Folha** apresenta as diversas etapas da produção do jornal. A descrição de cada uma delas é acompanhada de exemplos concretos e dicas práticas que informam como aspectos clássicos do jornalismo se veem modificados por necessidades contemporâneas. Trata-se de um guia para nortear os procedimentos internos e também as aspirações dos jornalistas, a fim de que a **Folha** possa firmar sua singularidade e relevância na era da informação eletrônica. Uma lista de verbetes complementa o texto.

Entre os acontecimentos concretos e a sua exposição diária nas páginas do jornal há um longo caminho. Embora ele seja percorrido velozmente, o trabalho dos jornalistas deve ser meticuloso e refletido, a fim de oferecer ao leitor a mais correta expressão dos fatos.

Na **Folha**, esse percurso abrange a observação e a investigação detalhada dos acontecimentos, a redação clara e precisa, a atitude de independência, a edição pluralista e criativa, mas sobretudo a organização crítica e hierárquica das notícias. Assim, as páginas do jornal tornam-se relevantes em um mundo no qual a internet e a TV competem para trazer o fato bruto ao conhecimento das pessoas no menor tempo possível.

Planejamento e debate

A fim de oferecer ao leitor não só uma visão atual, crítica e útil, mas também clara, complexa e original dos fatos, a **Folha** valoriza o planejamento do trabalho jornalístico e a discussão em equipe dos acontecimentos.

Essas são atitudes fundamentais que antecedem a elaboração da pauta, que é a seleção refletida dos fatos que serão investigados pelos jornalistas, efetivamente publicados como notícia no jornal e transmitidos organizadamente ao leitor.

Planejamento

O planejamento é uma ferramenta técnica que precisa ser desenvolvida individualmente e em equipe. Ele propicia o domínio do tempo de trabalho, da prática jornalística e do material noticioso, evitando assim o improviso, a confusão, o erro e o mau acabamento da mercadoria-informação.

No âmbito individual, o planejamento implica que cada jornalista seja capaz de organizar seu próprio material de trabalho, mantendo sua agenda atualizada, seus arquivos pessoais e anotações em ordem, suas leituras em dia, o contato regular com suas fontes de informação e a disponibilidade para um diálogo profissional aberto, estimulante e criativo com seus colegas e editores.

Anotações feitas em pedaços de papel que poderão se perder, mesas desarranjadas, desinteresse em ouvir as pessoas, má vontade com relação a obrigações elementares da profissão, como atender o telefone e checar as mensagens eletrônicas, incapacidade de dispor de tempo para se atualizar por meio de livros, filmes, cursos e palestras, perda de contato com a vida concreta de sua cidade e de seu país – tudo isso tende a contribuir para a deterioração da capacidade investigativa e crítica do jornalista.

No âmbito da equipe, o planejamento precisa contemplar a estruturação racional do espaço físico da Redação, a dotação equilibrada e eficaz de instrumentos de trabalho (terminais de computador, telefones etc.), a distribuição organizada das funções de cada jornalista e a criação de recursos que permitam a todos os profissionais de uma editoria ter acesso aos projetos e trabalhos que nela vêm sendo realizados, por meio de pré-pautas e relatórios.

! Nenhuma equipe atingirá um bom planejamento de seu trabalho se antes não contar com um editor que tenha ele próprio sabido planejar suas funções e organizar o tempo, a fim de poder dedicar-se à concepção, ao acabamento e ao aprimoramento do material a ser publicado por sua editoria.

Para tanto, ele precisa saber desburocratizar, distribuir e descentralizar as funções de trabalho. O excesso de obrigações de ordem técnica e o planejamento mal realizado de seu cotidiano profissional tendem a tolher a autonomia criativa e mental do editor. Não se pode esquecer que o jornalismo é uma atividade intelectual, que envolve a equipe como um todo e na qual o editor cumpre a função de incentivar, organizar e distribuir ideias, com liberdade e sem paternalismo.

! Não há planejamento que possa compensar a atitude anti-intelectualista, ou seja, de menosprezo do trabalho mental, crítico e de educação próprio do jornalismo.

Discussão em equipe

A discussão em equipe é a garantia para estabelecer um regime de criatividade e de transparência nas informações entre os jornalistas. Por meio das discussões, fatos ligam-se a outros fatos, ideias são ampliadas graças a outras ideias, fatos enriquecem-se com ideias e vice-versa.

A **Folha** promove periodicamente com representantes das editorias a reunião geral da Redação, reuniões de avaliação de profissionais, de planejamento especial e de pauta e edição.

O jornal aconselha as editorias a realizar reuniões diárias com os membros de sua equipe, a fim de avaliar o desempenho do dia anterior, os fatos em debate e as perspectivas oferecidas à edição em processo. Também aconselha que as editorias realizem reuniões semanais para planejamento de coberturas especiais e avaliação mais complexa e prolongada dos acontecimentos.

! Para o bom resultado das discussões, feitas na forma de reuniões, estas devem ser constantes, regulares, organizadas, metódicas e criativas. Prejudica o resultado de uma discussão realizá-la de maneira burocrática –por simples convenção– ou desenvolvê-la de maneira intimidatória –promovendo a tensão e o rancor entre os seus participantes. Também torna infrutífera a reunião transformá-la em um debate pessoal entre os profissionais que dela participam ou tratá-la com desprezo e cinismo.

O debate em equipe não elimina a necessidade de os jornalistas realizarem discussões de caráter profissional também fora da reunião.

! A Folha aconselha a seus profissionais que se critiquem uns aos outros, de maneira franca e pertinente, e que se aconselhem mutuamente, mantendo um debate vivo e provocador.

Cumpre sobretudo ao editor incentivar esses diálogos entre os membros de sua equipe e dialogar com eles, para estimular o trabalho individual e desfazer a impressão de isolamento que frequentemente atinge os profissionais.

! O editor não pode ser aquele que só se manifesta para sua equipe a fim de repreendê-la. Da mesma forma, cumpre a cada jornalista cobrar de seus superiores a chance de ser ouvido com distinção e respeito.

As discussões no âmbito de uma equipe podem ser incentivadas também por outros mecanismos, como observações emitidas pela Direção de Redação, pelo Programa de Qualidade, pela crítica diária do ombudsman ou por intermédio da crítica da edição –comentário do editor sobre o que foi realizado e publicado em sua editoria no dia anterior.

Pauta

Um bom planejamento individual e de equipe, além de uma sólida e constante discussão sobre os fatos –assim como de sua repercussão na realidade–, determina o sucesso de uma pauta.

Cada editoria dispõe de profissionais capazes de elaborar tecnicamente a pré-pauta e a pauta consolidada, que será objeto do trabalho da equipe. A **Folha** recomenda aos jornalistas que, diariamente, consultem a pauta consolidada, a fim de terem uma noção clara e de conjunto do que será produzido.

! O pauteiro deve ter claro em seu planejamento o conjunto editorial do caderno, conhecendo de antemão o espaço de que dispõe, o número de textos principais que terá, quantos serão acessórios e para quais reportagens realmente necessitará de fotos. Com isso, ele evitará a desorganização, o desperdício de trabalho e a redundância.

A pauta não surge apenas de uma iniciativa técnica nem é unilateral. Compete a cada jornalista buscar e investigar os fatos para oferecer à sua editoria sugestões de reportagens e novos e melhores ângulos para uma notícia. Também não nasce apenas da imaginação, mas do trabalho exaustivo com as fontes de informação, da leitura diária de variadas publicações impressas e eletrônicas, inclusive internacionais (e não só aquelas especificamente ligadas ao trabalho de cada um), da observação da vida na cidade, da reflexão sobre os acontecimentos em processo no mundo, da capacidade de manter o olhar atento e curioso, da suspeição permanente em relação a tudo que seja consensual ou habitual e da percepção do que seja útil ou válido para a informação e o entendimento do leitor.

Seletividade e hierarquia

A seletividade na escolha das pautas é um recurso clássico do jornalismo. Nesta época, contudo, é também uma forma de organização das notícias, de criação de nexos entre elas e de estabelecimento de parâmetros para o leitor sobre o que é relevante ou necessário ao seu conhecimento e ao seu cotidiano.

! Selecionar significa também priorizar assuntos, mesmo em detrimento de outros, de modo a concentrar o trabalho principal da equipe naquilo que a edição julgar mais relevante.

Assim, as pautas devem obedecer a hierarquias estabelecidas pelas editorias. Os fatos de incontestável interesse geral e as notícias de utilidade pública ocupam o topo da hierarquia das pautas. Dentre as de mesmo impacto, as investigações exclusivas devem ter prioridade. O jornal deve, sempre que possível, aprofundá-las, buscando os meandros e detalhes dos fatos.

! Investigações exclusivas exigem também, muitas vezes, trabalho de maior duração e pesquisa mais aprofundada, que devem ser incentivados nas equipes.

São assuntos de incontestável interesse geral os acontecimentos que podem modificar as estruturas políticas, econômicas e culturais de uma cidade, de um país ou do mundo, afetando a história de uma comunidade, de um povo ou de toda a humanidade –como a queda do Muro de Berlim, o impeachment de um presidente, a eleição de um prefeito.

As notícias de utilidade pública dizem respeito a tudo que afete fundamentalmente a vida cotidiana dos leitores, no presente ou numa perspectiva futura, em todos os âmbitos. Elas podem abranger áreas como saúde (uma epidemia de dengue, por exemplo), educação (mudanças no vestibular para a universidade), ciência (a criação de uma nova vacina), economia (mudanças na taxa de juros), legislação (a alteração do Código Penal) e organização urbana (nova lei de zoneamento urbano). Elas não devem ser confundidas com serviço ao leitor, recurso editorial que visa auxiliar a pessoa quanto a certos procedimentos práticos.

No segundo patamar da hierarquia das pautas encontram-se os acontecimentos que provocam grande comoção pública, a dinâmica das relações entre instituições e seus integrantes e as reportagens contendo análises originais.

Acontecimentos que geram grande comoção pública interessam ao jornal à medida que os leitores passam a compartilhar de uma situação que lhes seria possível viver de alguma forma, embora tenha ocorrido a outrem. Essa situação torna-se, assim, objeto exemplar de admiração, catarse ou empatia da parte do leitor, como a morte da princesa Diana, a queda de um avião, a disputa brasileira pelo hexacampeonato de futebol.

Nesses casos, a **Folha** recomenda que sejam evitados a emotividade e o sensacionalismo.

! A busca da objetividade jornalística e o distanciamento crítico são fundamentais para garantir a lucidez quanto ao fato e seus desdobramentos concretos.

A dinâmica das relações entre instituições e seus integrantes (como convenções nacionais partidárias) deve ser mediada pela análise e pela visão de conjunto. Esse procedimento visa evitar que o jornal se transforme em porta-voz involuntário e intermitente de interesses políticos ou que sobrevalorize notícias a respeito do mundo institucional da política, como as discussões teóricas entre membros do governo.

As reportagens produzidas a partir de análise original nascem de percepções pertinentes capazes de reunir numa mesma interpretação acontecimentos diversos ou distantes entre si, mas de grande relevância para a compreensão da realidade. Por exemplo, a percepção, seguida de investigação e explicação, de que existe uma relação entre a popularização dos programas televisivos e o aumento da venda de aparelhos de TV para as classes D e E. A análise original pode resultar também no perfil de um personagem, associado a um acontecimento. A reportagem analítica sempre depende do trabalho de apuração e investigação.

A hierarquização das pautas é apenas o primeiro passo para uma boa organização das notícias. Em seguida, é necessário que se tenha de cada uma delas uma visão específica e clara, para evitar generalidades e generalizações. O jornalista deve saber exatamente qual sua linha de conduta em relação a cada reportagem, as perguntas a que deve responder para o leitor. Precisa também refletir sobre o diferencial que dará à sua reportagem e os níveis de contextualização de que ela necessita.

Diferencial

O diferencial é o modo como a edição escapa das armadilhas do consenso, do hábito ou do lugar-comum.

! **É importante atentar para o fato de que o diferencial é resultado de uma atitude crítica. Ele é a maneira pela qual o jornal pode surpreender e inquietar o leitor, bem como pôr em xeque ideias feitas.** A dúvida, a curiosidade e o entusiasmo são os melhores antídotos à visão convencional dos acontecimentos.

Ao comprar o seu jornal, o leitor estabelece com ele um pacto de interlocução, justamente com o objetivo de enriquecer sua opinião e seu conhecimento dos fatos. Temer o leitor ou adular sua opinião é, paradoxalmente, contrariá-lo na relação que ele presume ter com o jornalismo.

Contextualização

Nenhuma pauta estará completa sem que se desenvolva a relação dos fatos com contextos variados e pertinentes, a fim de oferecer ao leitor os nexos históricos, sociais, causais, estatísticos e culturais da notícia.

Quanto mais nexos a pauta for capaz de estabelecer entre as notícias e os assuntos, mais rica será a reportagem. Esta precisa utilizá-los de maneira integrada ao texto e articulada a informações essenciais, presumindo que quem irá ler o texto é um grupo heterogêneo de pessoas, não necessariamente informado sobre todos os aspectos da notícia.

! **Um maior número de nexos surgirá entre os fatos quanto maior for também o número de fontes de que se dispõe, sejam elas pessoas ou documentos. Quanto mais numerosas as fontes, mais rica a reportagem.**

Textos de apoio

Os textos de apoio, de caráter explicativo, didático e analítico, devem também ser previstos na pauta de cada jornalista e da editoria. O jornalismo contemporâneo transformou esses adendos em instrumentos essenciais à leitura em um mundo de especialização e segmentação dos interesses. Desse modo, os jornalistas em geral (e não apenas editores e seus assistentes) devem dedicar a eles e às notícias a mesma atenção.

Esses adendos podem consistir numa memória histórica dos fatos, em mapas, gráficos, explicações didáticas, demonstrações visuais de acontecimentos, apresentação biográfica de personagens envolvidos na notícia, glossário de termos técnicos ou específicos e indicações de leituras, entre outros recursos.

Os textos de apoio precisam ser usados com economia, precisão e inteligência. Sobretudo devem ser organizados de modo que se completem uns aos outros, possibilitando uma visão de conjunto para o leitor.

! A utilização burocrática e sem criatividade desses elementos nada acrescentará. Antes de planejá-los, portanto, a própria pauta deve perguntar-se a respeito de que aspectos realmente é preciso estabelecer ligações.

Produção

Uma vez organizada a pauta, segue-se, na produção de um jornal, a apuração de informações para reportagens, análises da notícia, comentários, infográficos de apoio e todo o material jornalístico que comporá a edição.

Reportagem

Reportagens têm por objetivo transmitir ao leitor, de maneira ágil, informações novas, objetivas (que possam ser constatadas por terceiros) e precisas sobre fatos, personagens, ideias e produtos relevantes. Para tanto, elas se valem de ganchos oriundos da realidade, acrescidos de uma hipótese de trabalho e de investigação jornalística.

Gancho jornalístico

Todas as reportagens devem partir do gancho jornalístico. A situação política dos Estados Unidos, por exemplo, é um tema permanente que adquire sentido atual em situações como a eleição presidencial, uma candidatura em ascensão ou uma votação polêmica no Congresso americano –que são os ganchos jornalísticos.

! A relação do gancho com uma reportagem não deve ser automática, mas sim passar pelo crivo do jornalista, pela sua análise crítica.

Isso deve ser feito porque muitos fatos são "construídos" com o objetivo de conseguir sua entrada na mídia.

Nas sociedades atuais, a informação adquire cada vez mais um valor de troca. Assim, acontecimentos que se crê estarem obedecendo a uma "ordem natural dos fatos" podem ser resultado de artifícios planejados por agentes específicos (políticos, empresários, publicitários, assessores, profissionais de marketing e mesmo os próprios jornalistas), a fim de responder a uma demanda da sociedade ou de criá-la.

Que um fato seja "construído" não quer dizer, no entanto, que ele seja menos verídico ou real do que outros. Uma vez produzido por agentes sociais relevantes, passa, assim como fatos espontâneos, a influenciar igualmente uma dada realidade, tornando-se por isso objeto de reportagem e crítica.

Por exemplo, um parlamentar que ambicione concorrer à Presidência da República pode propor um projeto de lei de grande impacto popular pouco após ter tido sua imagem pública arranhada.

A notícia do projeto de lei é, sem dúvida, a principal (é o primeiro gancho). Mas também é necessário dar atenção ao fato de que esse projeto pode ter o interesse de melhorar o conceito do parlamentar.

Para que esse segundo tópico ganhe dimensão noticiosa, é preciso apurar quando ocorreu ao autor a ideia do projeto de lei, por que ele não fora proposto antes, de que modo e em que circunstância ele foi difundido nacionalmente pela primeira vez, qual o aparato de comunicação que cercou o anúncio público do projeto, se o parlamentar teve o auxílio de alguma equipe especializada na sua elaboração, quando a equipe foi mobilizada para o trabalho, como a mídia nacional difundiu os acontecimentos etc.

! A desatenção ao efeito de construção midiática dos fenômenos resulta em abordagem ingênua e anacrônica. A sua ocultação voluntária, por outro lado, é prova de má-fé.

Fatos construídos precisam ser distinguidos das chamadas notícias "plantadas". Como os fatos construídos, esse tipo de notícia também pode produzir consequências ou acontecimentos concretos. Por exemplo, o boato da destituição do presidente do Banco Central brasileiro é capaz de provocar a queda da Bolsa de Valores.

! Para evitar a difusão inconsequente de ganchos construídos ou notícias "plantadas", o jornalista deve ser crítico em relação a assessorias de imprensa, press releases, boatos, pronunciamentos oficiais, declarações descontextualizadas, pesquisas de opinião, estatísticas, informações difundidas por grupos, partidos ou organizações e notícias veiculadas por outros meios de comunicação.

O cuidado com a observação crítica dos acontecimentos não deve, no entanto, enrijecer nem atrasar a atividade jornalística. Boa parte dos fatos são "espontâneos", ou seja, não foram objeto de cálculo oportunístico. Fora isso, fatos relevantes, construídos ou não, devem ser publicados no jornal o mais rapidamente possível. Não havendo tempo para a apuração completa, o jornalista deve publicar aquilo de que dispõe no momento, desde que rigorosamente checado, e pode estender sua investigação aos dias seguintes, se o fato for significativo o suficiente para voltar às páginas do jornal.

Hipótese de trabalho

Definido o gancho, o jornalista procura a hipótese de trabalho de sua reportagem, que é principalmente um pretexto para a discussão prévia sobre os conteúdos possíveis de uma notícia e sua relevância social.

! A hipótese será a mola mestra da pauta e do trabalho de reportagem. A notícia da liberação das mensalidades escolares pelo governo, por exemplo, pode ser trabalhada segundo diferentes hipóteses. Pode ser: (a) um ângulo interpretativo (a hipótese, a ser confirmada, de que o Estado irá, pouco a pouco, "liberalizar" o mercado de ensino); (b) um aspecto do fato que será enfatizado (quais os efeitos imediatos dessa liberação, qual o aumento previsto pelas escolas); ou (c) uma forma imprevista de expor os fatos no jornal (a narração personalizada de um pai que se encontra "inadimplente" com a escola explicando por que motivo isso ocorreu).

! A hipótese de trabalho deve ter elasticidade suficiente para ser alterada pelos que a formularam, desde que a realidade lhes ofereça outra perspectiva.

Assim, na hipótese (a), se não for confirmado que o Estado irá "liberalizar" o ensino, é preciso alterar a ideia original, a fim de não trazer à luz uma inverdade. Refutar a hipótese pode ser jornalisticamente tão válido quanto comprová-la.

Forçar uma realidade a encaixar-se na hipótese previamente idealizada é o mesmo que abandonar a tarefa jornalística. Atuar jornalisticamente sem a hipótese de trabalho, seja qual for, pode levar o repórter a se perder entre as várias possibilidades de sua pauta ou entre as formas de redigi-la, tornando a reportagem inócua, despersonalizada e sem força.

O jornalista também deve ter agilidade para alterar sua hipótese de trabalho enquanto realiza a própria reportagem, como na situação em que um entrevistado faz uma declaração forte e inesperada que resulta, por si só, em notícia.

! A hipótese de trabalho é sempre um risco assumido pelo jornalista a partir de seu conhecimento acumulado dos fatos, de sua reflexão e sua intuição. Risco que permanece durante todo o tempo em que estiver trabalhando na reportagem.

Furo ou informação exclusiva

A reportagem visa em geral a informação exclusiva (o furo). Este ganha especial importância nas condições contemporâneas de reprodução de notícias por afirmar, para o leitor, a prevalência do jornal que ele lê sobre os demais jornais e meios de comunicação.

! A proliferação de agências de notícias on-line pode levar os meios a uma indistinção se estes não possuírem talento e mecanismos para captar furos, ou seja, reportagens que sejam difundidas com exclusividade e que tornem a leitura de determinado jornal um ato único e singular de informação.

Para obter informações exclusivas, o jornalista deve estar atento aos fatos em geral, procurar se informar da melhor maneira possível, ler variados tipos de publicação e sobretudo cultivar fontes em sua área de atuação. Estas fornecerão ao jornalista informações contínuas e fundamentadas, que, no entanto, precisam ser apuradas e confirmadas. O apuro técnico, a credibilidade e a constância do trabalho do jornalista tornarão sua relação com as fontes mais firme e operante.

A busca do furo não deve ser uma obsessão do jornalista e de sua equipe a ponto de paralisar o trabalho de difusão regular de notícias não exclusivas. Tão importante quanto a obtenção da informação exclusiva é a capacidade do jornalista de oferecer ao leitor a cobertura mais completa, precisa e original de fatos relevantes que possam eventualmente estar em outros veículos.

Cruzamento de informações e o outro lado

Toda boa reportagem exige cruzamento de informações. Esse mecanismo jornalístico consiste em, a partir de um fato transmitido por uma determinada fonte, ouvir a versão sobre o mesmo fato de outras fontes independentes. O recurso é útil tanto para comprovar a veracidade de uma notícia quanto para enriquecer a reportagem com aspectos não formulados pela fonte original.

! Atualmente, o jornalista deve atentar para as informações que capta na internet. Elas também –e sobretudo– devem estar sujeitas a confirmação cuidadosa, uma vez que o simples fato de estarem difundidas em um meio de alcance global não significa necessariamente que sejam procedentes e verídicas.

Quando o repórter dispõe de uma informação que possa ser considerada prejudicial a uma pessoa ou entidade, é obrigatório que ele ouça e publique com destaque proporcional a versão da parte atingida –esse procedimento, na **Folha**, é chamado de "ouvir o outro lado".

Isso não deve ser feito de forma mecânica, apenas para cumprir uma praxe técnica ou burocrática. Caso o jornalista não consiga obter a opinião de uma das partes envolvidas no assunto, ele deve deixar claros para o leitor os motivos por que isso ocorreu.

O outro lado também pode levar o jornalista a refazer sua apuração, ou mesmo abandonar a notícia, se trouxer uma informação procedente que desminta a perspectiva inicial da reportagem. Por exemplo, se a informação inicial de que um criminoso é parente de um candidato à Presidência for posta em xeque mais tarde pelo mesmo candidato. Para dar prosseguimento à notícia, o jornalista teria que voltar à sua apuração e se certificar inteiramente do fato que vai noticiar.

É preciso que o jornalista considere ainda que o simples ato de publicar uma acusação pode transmitir aparência de veracidade, o que implica uma espécie de julgamento a priori com a chancela do jornal. Para evitar prejulgamentos e execrações públicas, o jornalista, levando em conta que a repercussão do fato será sempre imprevisível, deve saber refletir com severidade e equilíbrio sobre a difusão de notícias que possam conduzir, no limite, à ruína social de um indivíduo ou de um grupo de pessoas, à destruição de um negócio ou de uma empresa, a situações de ansiedade ou pânico coletivos.

Nas duas primeiras situações, serve de contraexemplo o caso Escola Base, em São Paulo, em 1994, cujos proprietários foram acusados pela polícia de produzir filmes pornográficos com os alunos, versão divulgada amplamente pelos meios de comunicação e mais tarde provada inverídica pela Justiça. No terceiro caso, a opinião de grupos milenaristas de que um eclipse assinalaria o final do mundo deve ser discutida com argumentos científicos.

Mesmo em situações que não impliquem acusações graves, o jornalista precisa estar atento a abordagens que acarretem prejuízos de ordem moral, social ou econômica.

As práticas de cruzar informações e de ouvir o outro lado baseiam-se nos conceitos de que todo fato comporta mais de uma versão e de que o julgamento desse fato não compete ao jornalista, mas ao leitor. A este, a ausência, mesmo justificada, de um dos enfoques em uma reportagem sugere desleixo do jornalista e negligência do jornal.

! Cruzar informações e ouvir o outro lado permite, ainda, que o jornalista não endosse versões interessadas, que visem a manipulação da opinião pública, nem o erro que possa ser cometido por pessoas, instituições, empresas ou grupos. É sempre importante perguntar-se a quem uma notícia vai interessar, a quem ela traz prejuízos e quem dela se beneficia. São perguntas que ajudam a esclarecer o jogo de interesses por detrás dos fatos.

Vida privada e cuidados éticos

A vida privada só tem relevância jornalística se estiver crucialmente ligada a fato de interesse ou legítima curiosidade públicos. Uma notícia pode estar relacionada à intimidade da pessoa, mas, em si mesma, a intimidade raramente dará origem a uma notícia.

Se uma pessoa submete-se a uma lipoaspiração, esse é um fato que lhe diz respeito particularmente e não apresenta relevância jornalística. Se a cirurgia for malsucedida e ela entrar em coma, o fato deixa de ser privado e torna-se notícia. Diversamente, uma operação igual (de lipoaspiração) feita por um governante é sempre notícia relevante, uma vez que implica seu afastamento do governo e pode indicar aspectos de sua personalidade e a mudança de sua imagem pública.

Estão naturalmente mais expostas à curiosidade da mídia e do leitor aquelas personalidades que optaram por ter uma vida pública: políticos e membros do governo, estrelas do show business e do esporte e, em menor grau, personalidades de grande expressão nacional ou internacional (notabilizadas pelos cargos ou pelas posições sociais que ocupam, por prêmios que receberam, serviços que prestaram a uma comunidade ou ao país, descobertas científicas etc.).

Quando a intimidade estiver ligada ao interesse público, ela estará naturalmente mais sujeita à exposição. Se ela tiver um interesse público relativo ou menor, sua exposição deve ser feita com moderação.

A superexposição atinge não só aspectos da vida íntima, como a sexualidade, mas também os grandes dramas vividos pelos personagens, como sequestros, e mesmo a sua morte ou a de pessoas que lhes são próximas.

! Além do cuidado com a exposição da privacidade alheia, o jornalista deve ter outras preocupações éticas. Por exemplo: agir sempre em cumprimento estrito das leis; não atuar nunca em interesse próprio, escrevendo sobre empresa ou negócio com que tenha relação, mesmo indireta; não alimentar uma excessiva intimidade com suas fontes; e não intimidar ou ameaçar personagens de sua reportagem.

O jornalista também não deve utilizar recursos que iludam as pessoas com o intuito de obter informações nem envolvê-las em artifícios que possam ameaçar sua integridade, honra ou caráter.

Também não cabe ao jornalista praticar funções de policiamento e fiscalização da maneira como são exercidas por órgãos públicos. A investigação dos fatos diz respeito ao compromisso do jornalismo com a verdade e a crítica, e não com a promoção de atos de julgamento, que competem à Justiça.

Redação da reportagem

Toda reportagem deve ser iniciada com a informação que mais interessa ao leitor e ao debate público (o lide); deve ainda contextualizar os fatos e expô-los objetiva e criticamente, com exatidão, clareza, concisão, didatismo e uso correto da língua.

Lide

O lide tem por objetivo introduzir o leitor na reportagem e despertar seu interesse pelo texto já nas linhas iniciais. Pressupõe que qualquer texto publicado no jornal disponha de um núcleo de interesse, seja este o próprio fato, uma revelação, a ideia mais significativa de um debate, o aspecto mais curioso ou polêmico de um evento ou a declaração de maior impacto ou originalidade de um personagem.

! Imprescindível à valorização da reportagem e útil à dinâmica da leitura contemporânea –por ser uma síntese da notícia e da reportagem–, não existe, no entanto, um modelo para a redação do texto do lide. Nem pode ele

ser realizado de maneira automática, com escrita burocrática. Se assim for feito, mesmo que ele contenha o núcleo da reportagem, poderá gerar desinteresse instantâneo ou provocar no leitor a impressão de irrelevância da notícia, como na formulação: "Será lançada nesta semana pela Editora X a nova tradução da 'Ilíada', de Homero, feita por Fulano de Tal".

Se os fatos são urgentes e fortes, eles tendem a impor ao lide um estilo mais direto e descritivo, respondendo às questões principais em torno do acontecimento (o quê, quem, quando, como, onde, por quê, não necessariamente nessa ordem). É o que ocorre quando da morte de personagens famosos ou da revelação de um escândalo político, como no lide: "O presidente eleito, Tancredo Neves, morreu ontem, dia de Tiradentes, às 22h23, no Instituto do Coração, em São Paulo. Ele tinha 75 anos. A sua morte ocorreu 38 dias após sua internação no Hospital de Base de Brasília, na véspera da posse. A causa foram problemas cardíacos provocados e agravados por infecção hospitalar".

! É preciso atentar também para o fato de que muitas vezes o lide de uma notícia não deve antepor ao próprio fato quem ou o que produziu o acontecimento. Assim, evite lides de tom oficioso, como: "O governo vai editar na próxima semana uma medida provisória liberando o preço das mensalidades escolares". **A notícia é:** "As mensalidades escolares serão liberadas a partir da próxima semana por medida provisória do governo".

O texto do lide dependerá sobretudo da própria argúcia do jornalista para descobrir, no conjunto de sua apuração, aquilo que é o ponto mais forte, atual e de mais amplo interesse em relação à realidade que está vivendo.

Dependerá também da capacidade do autor de ler a própria reportagem, trazendo ao início do texto o que desencadeará o restante, e de sua habilidade em utilizar analogias com fatos recentes para enriquecer a introdução, como no lide: "A pouco mais de 300 km de onde se trava hoje o conflito de Kosovo, ocorreu a maior guerra da literatura, recontada na 'Ilíada', de Homero. O poema épico grego ambientado em Troia (na costa oeste da atual Turquia) acaba de ganhar uma nova tradução para o português, que será lançada nesta semana".

Um modo prático de aferir o interesse de uma reportagem (por exemplo, uma entrevista) cujo lide não esteja naturalmente visível consiste em contar seu conteúdo a pessoas de sua confiança, a fim de descobrir que aspecto mais chamou a atenção delas.

Contextualização e síntese

A diferença fundamental entre uma revista e um jornal está na pouca durabilidade deste (um dia, ou menos) e no tempo de leitura a ele dedicado pelas pessoas. Reportagens veiculadas em um jornal tendem a ser superadas ou ampliadas cotidianamente pelas que são publicadas no dia seguinte –fator que não atinge da mesma maneira os artigos, críticas ou crônicas.

! É necessário que o jornalista saiba incorporar essa dinâmica ao próprio texto, tornando-o no dia a dia sintético, ágil, interessante, aprofundado e abrangente em reduzido espaço. É importante partir do princípio de que o leitor pode não conhecer,

necessariamente, fatos que precederam a notícia que se divulga. Assim, é preciso sempre fornecer a ele contextos claros e uma perspectiva histórica recente dos acontecimentos.

A ampliação das redes noticiosas de TV e a difusão de notícias em tempo real impõem ainda outras exigências à redação no jornalismo impresso. Para o leitor que tenha tido acesso ao longo do dia às informações transmitidas por essas mídias, o jornal, ao ser lido pela manhã, pode dar a impressão de atraso em relação à veiculação dos fatos.

Desse modo, além da importância da informação exclusiva, ganham grande relevância o tratamento singular dado aos fatos, a sua fundamentação, a solidez da apuração e a boa análise da notícia.

A palavra escrita, ao exigir a reconstrução imaginária, tende a provocar no leitor uma atitude reflexiva superior à propiciada pelas imagens na TV.

A possibilidade de ler informações selecionadas, acompanhadas de contextualizações e análises, transmite ao leitor um sentimento de organização e coesão dos fatos que ele não tem ao consultar informações em tempo real. Para a imprensa, constitui uma característica e um caminho a ser tomado o estímulo ao pensamento, ao conhecimento e ao debate na publicação selecionada, organizada e contextualizada dos fatos.

! O fato de os jornais e os jornalistas estarem lançados ao mesmo tempo na dinâmica veloz dos acontecimentos, além da escassez e do encarecimento do papel e da pequena durabilidade do jornal, deve servir de estímulo para que cada profissional encontre a melhor forma de associar essas diversas condições, em vez de utilizá-las umas contra as outras. A falta de tempo ou de papel não é argumento contra a profundidade.

Essa associação diz respeito a uma nova economia do texto no jornalismo impresso –que passa a depender da alta concentração e seletividade de fatos e ideias num espaço reduzido, da vibração estilística, do contraste brusco dos eventos, da força dos argumentos e imagens e do abandono da descrição extensiva e prolongada.

A distribuição do espaço disponível, portanto, deve ser precedida de uma avaliação severa a respeito do tempo de leitura realmente necessário para a exposição das informações e das ideias, bem como da forma de tornar essa leitura atraente e abrangente. O repórter deve sugerir aos editores o espaço de que precisa para expor o que tem a dizer, sabendo que a vastidão do texto não é sinal de excelência.

! O jornalista tem de se concentrar na obtenção de um bom domínio da língua portuguesa, a ponto de ser capaz não apenas de escrever com correção, mas também com precisão vocabular e variedade de recursos estilísticos. A diversidade no uso de vocábulos deve ser regida pela precisão, e não pela retórica. A variedade estilística deve seguir o encadeamento lógico e interessante dos fatos, sem submetê-los a modelos pseudoliterários.

Análise da notícia

A análise da notícia situa-se num campo intermediário entre a crônica, a crítica ou o comentário (mais subjetivos) e a notícia propriamente dita (mais objetiva). Para realizá-la, seu autor –que pode ser repórter, redator, editor ou especialista convidado pelo jornal–, além das qualidades necessárias a um comentário (clareza, originalidade, correção e vigor estilístico), deve dispor de elementos concretos e informações fundamentadas que justifiquem suas conclusões.

O analista deve ter nítido o seu objeto, precisa reunir leituras e dados seguros a respeito do tema, mesmo que não utilize todos eles em seu texto, e tem de refletir sobre a relevância de sua análise para a vida pública e para o interesse do leitor. Esses são fatores que dilatam a liberdade de argumentação do texto, ampliam o seu alcance de leitura e dinamizam o seu dispositivo polêmico, caso ele o tenha.

! É preciso evitar a tendência, muito comum, de transformar a análise da notícia em artigo ou comentário.

Crônicas, críticas ou comentários podem ter autonomia em relação aos demais temas de um jornal, mas a análise da notícia é sempre publicada como texto de apoio a uma reportagem principal, a fim de enriquecê-la. Assim, análises precisam desdobrar uma nova gama de argumentos, enfoques e informações.

Suponha-se o seguinte fato: uma grande manifestação de estudantes no Irã em defesa da abertura política no país. Como exemplo de comentários subjetivos livres, poderão ser publicados artigos de quem se oponha aos estudantes ou de quem os apoie; de alguém que lamente a ausência de valores ocidentais no país ou de alguém que defenda a especificidade da cultura islâmica.

Já a análise da notícia, que depende de dados concretos e informações, terá outros campos de trabalho, tais como:

a) a contextualização crítica dos vários elementos da notícia (no caso, como os estudantes representam uma força política no Irã; que princípios opõem os aiatolás entre si; como se posicionam os Estados Unidos em relação ao fato);

b) a discussão sobre o modo de exposição midiática do assunto (como a cobertura dos acontecimentos no Irã é tratada em diferentes países árabes, em decorrência de sua linha religiosa e política. O modo como o mesmo fato é tratado na imprensa ocidental permite também uma análise, embora menos rica);

c) a rememoração crítica de episódios históricos assemelhados ou que esclareçam a atualidade (a ação dos estudantes na derrubada do xá e a ascensão do aiatolá Khomeini);

d) o perfil crítico de personagens da notícia (como é a vida do jovem no Irã, hoje, comparada com a de um jovem ocidental; como são as organizações estudantis no país);

e) a exposição de dados suplementares oriundos de outras fontes (o que os relatórios internacionais diagnosticam sobre a vida econômica e social do Irã). A análise também pode incluir o debate das diferentes linhas interpretativas (qual a opinião dos especialistas internacionais a respeito dos acontecimentos no país).

Essas análises da notícia se distinguirão, por sua vez, dos textos e infográficos de apoio, que poderão ser, por exemplo: mapa com a localização do Irã, acompanhado de informações básicas sobre o país, como PIB, população, área etc.; cronologia política das últimas décadas;

organograma sobre o ensino no país; quadro de perguntas e respostas sobre o acontecimento em questão; quem é quem na vida política etc.

! Não apenas os editores e seus assistentes devem ter a iniciativa de imaginar e sugerir temas para as análises das notícias e os textos e infográficos de apoio. É fundamental que também os repórteres e redatores atuem nesse processo, que visa enriquecer a notícia, a reflexão e o conhecimento do leitor.

Fotografia

A maneira mais convencional e acomodada de encarar a fotografia é tratá-la como um mero complemento da informação escrita. Ela é muito mais que isso, e o fotojornalismo tem uma história à parte do jornalismo escrito para comprová-lo.

O recurso visual do jornalismo impresso moderno deve ser entendido como uma possibilidade complementar e suplementar à informação textual. Não serve apenas para "arejar a página" ou "valorizar a notícia", tampouco para preencher eventuais vazios que a falta de planejamento tenha criado.

Em geral, a foto é uma decorrência da agenda de assuntos já contemplados pela pauta geral do jornal, o que não quer dizer que ela deva se limitar a isso.

! Cabe ao repórter-fotográfico, em sintonia com o editor de fotografia e os seus prepostos, buscar uma identidade própria ao produto que vai oferecer para a elaboração da página que chegará ao leitor.

O fotojornalismo moderno exige de seus profissionais conhecimento técnico muito apurado e uma predisposição efetiva para buscar a integração com a Redação como um todo. Sempre existiu nas Redações algum tipo de resistência a um entendimento maior da fotografia, em geral escudada nas especificidades técnicas –o que acabou redundando num desconhecimento relativo da linguagem fotográfica.

Isso pede um esforço redobrado da parte do repórter-fotográfico contra um isolamento que, apesar de considerado "natural" por muitos, está na origem de inúmeros empecilhos à criatividade.

No outro lado da questão encontra-se a atuação dos que, ao longo do processo de feitura do jornal, manipulam as fotos sem que disponham de um manancial informativo adequado em relação ao universo fotográfico.

O entendimento mínimo das técnicas fotográficas e de suas possibilidades estéticas é uma necessidade em todos os patamares da hierarquia de uma Redação, não apenas de fotógrafos e editores.

A elaboração da pauta já com uma perspectiva visual e plástica dos eventos que ela abrange traz, usualmente, acréscimos positivos ao resultado final.

O repórter de texto que tem uma visão abrangente de sua atividade sabe que a "dobradinha" com o fotojornalista só enriquece o resultado final do seu próprio trabalho. É fundamental, nesse caso, a sintonia entre ambos e de cada um deles com os demais setores do processamento da informação.

Isso significa dizer que o jornalista de imagem não pode se ater ao seu universo particular de atuação, que é sempre tecnicamente específico e pode propiciar um isolamento involuntário. Ele deve estar sempre pronto a se inteirar de todo o processo de produção e criação do qual faz parte.

! Sua cultura geral e seu grau de informação a respeito não somente do foco de sua atenção, mas também de todos os seus contextos e implicações, são tão importantes quanto o seu envolvimento com o corpo da Redação, como uma peça imprescindível ao seu funcionamento. O jornalista da imagem também deve estar sempre atualizado quanto às novas tecnologias em sua área.

Dessa maneira, é recomendável que o editor –tanto o editor de fotografia como os responsáveis pelas demais editorias– comporte-se como o elo entre as duas linguagens e promova a interface delas. A edição também deve saber, diante de uma foto, o melhor corte a lhe ser dado, em decorrência da ênfase que importa à edição e do conjunto visual da página.

O equilíbrio entre texto e imagem e a valorização da informação visual dentro das concepções básicas de edição, as quais ensinam a priorizar o que mais desperta o interesse do leitor, são resultados naturais dessa dupla leitura. Para tanto, se o editor precisa cumprir requisitos mínimos em relação ao texto –conhecimento, precisão, capacidade de articulação–, esperam-se dele também conhecimentos básicos em relação à foto, tais como foco, enquadramento, conteúdos informativos e plásticos.

Edição

A exposição hierárquica e contextualizada das notícias e a distribuição espacial correta e interessante de reportagens, análises, artigos, críticas, fotos, desenhos e infográficos constituem a edição do jornal.

Uma edição bem-sucedida tem por fundamento o desempenho jornalístico eficaz na apuração dos fatos, a disponibilidade de informações exclusivas, a redação correta e envolvente dos textos e a boa qualidade do material fotográfico e dos infográficos.

! Tudo isso concretiza-se em uma disposição planejada, organizada e criativa dos assuntos, feita com cuidado e acabamento visual, para conquistar a atenção do leitor e fazê-lo interessar-se pelo assunto tratado.

Antes da fase conclusiva da edição, cabe ao editor, ao editor-adjunto e aos editores-assistentes zelar para que as diretrizes estabelecidas na pauta sejam seguidas e para que as reportagens se baseiem nos ganchos e nas hipóteses de trabalho.

Retornos

A equipe de edição precisa, portanto, conversar com os repórteres, para obter deles o retorno sobre suas tarefas. Retornos podem ser dados oralmente ou por escrito pelo jornalista enquanto realiza sua reportagem ou após tê-la feito. Eles permitem que os editores tomem conhecimento do conteúdo da reportagem e possam enriquecê-la com sua opinião.

No caso de reportagens que sejam feitas em maior espaço de tempo, é aconselhável que a equipe de edição tenha retornos diários do jornalista. Em outros casos, quanto mais cedo os editores obtiverem retorno, mais tempo terão para refletir sobre a importância da reportagem para o produto final.

Retornos devem ser dados pelo repórter antes mesmo que ele chegue ao jornal para escrever seu texto, de modo que os editores já possam se adiantar na concepção da edição. O jornalista não deve surpreender o editor com seu texto na hora em que o entrega para publicação.

Para que isso não ocorra, é imprescindível que o repórter, além de dar os retornos, termine o seu texto a tempo de ele ser lido pelo editor ou por seus assistentes, com prazo suficiente para que possa haver modificações ou complementos.

Leitura dos textos e visão de conjunto

! **Ao ler os textos, o editor avalia a relação do material jornalístico produzido com a realidade reportada e seu efetivo potencial polêmico ou crítico.** Assim, lacunas nesse material se tornarão mais visíveis, podendo ser preenchidas. Enfoques novos poderão ser vislumbrados. Frases e descrições pouco elaboradas poderão ser corrigidas e dinamizadas. Explicações mais claras poderão ser desenvolvidas.

Atenção especial deve ser dada à sequência de títulos e reportagens nos cadernos. A edição deve ser capaz de hierarquizar a leitura, em cada página e na sequência delas, de maneira clara, organizada e em ordem progressiva de interesse, a fim de não confundir o leitor. O editor só conseguirá realizar essa ordenação se tiver uma visão clara do conjunto das reportagens que está publicando e do peso relativo de cada uma delas no todo da edição.

Ao mesmo tempo em que toma conhecimento dos textos principais a serem publicados, o editor deve se dar conta do espaço de que dispõe para a publicação das notícias, deve verificar as fotos e infográficos de maior destaque a serem utilizados e saber quais os principais fatos que estão sendo reportados pelas demais editorias no dia.

! **Uma boa edição nasce da capacidade de estabelecer nexos coerentes e contextualizações firmes e compreensíveis para o leitor. Nasce também da capacidade de o editor apostar, desde a pauta, em hipóteses, conceitos e fatos que ele ou membros de sua equipe tenham julgado os mais inéditos ou relevantes para serem reportados, investigados ou criticados. Uma edição que não assume riscos ou desafios tende a tornar-se burocrática e provocar o desânimo da equipe.**

Caso a aposta assumida pela editoria resulte em erro jornalístico, isso não deve ser motivo para cercear a atividade criativa futura. O editor precisa ser suficientemente crítico e autocrítico para poder rever seus métodos e as dinâmicas de criação sem paralisar o esforço de invenção.

Esse esforço de invenção é tarefa geral dos editores e trabalho primordial daqueles ligados aos suplementos do jornal ou a seus cadernos especiais. Na edição dos suplementos, a ousadia, o arrojo e o aprofundamento dos temas são fatores fundamentais para tornar atrativos e jornalisticamente relevantes os cadernos que não se beneficiam das notícias urgentes.

Acabamento

O editor também tem de ser sempre ágil e interessado, a fim de que possa modificar a edição até a última hora, se isso for necessário para o melhor acabamento. A edição final está sempre sujeita aos movimentos imprevisíveis da própria realidade e ao espaço realmente disponível para os textos. Ela segue um processo dinâmico, organizado e coletivo, que se enriquece à medida que é discutido e desenvolve na prática os resultados.

! **O caráter coletivo de uma edição deve ser constantemente recordado aos membros de uma equipe. Devido à quantidade de tarefas de um editor, é útil que cada jornalista tenha consciência e domínio dos recursos de que dispõe para a publicação de seu texto.** O autor deve antecipadamente refletir sobre a melhor forma de dividir e produzir os subtextos e infográficos que porventura acompanhem a reportagem principal. Precisa cuidar para que fotos de qualidade venham a acompanhar seu texto. É necessário que seja possível localizá-lo até o momento final de fechamento, para que ele possa ajudar a resolver problemas e encontrar soluções rápidas e adequadas à publicação de sua reportagem.

Na **Folha**, toda edição obedece a um padrão de design formulado no projeto gráfico do jornal. Há regras para a titulação dos textos, para a disposição deles, das fotos e dos infográficos e para a formatação dos diversos elementos que compõem o produto final. Com isso, o jornal como um todo ganha personalidade.

Dentro dos limites dessa formatação gráfica, compete à edição buscar as soluções mais criativas para expor os assuntos, seja na elaboração dos títulos, seja na produção das imagens fotográficas e desenhos ou na composição visual do conjunto.

Do mesmo modo como ocorre com as reportagens, a edição está sujeita ao olhar crítico do leitor, que desenvolveu mecanismos de interpretação da forma como as notícias estão organizadas no espaço do jornal.

! **Essa semiótica do espaço jornalístico está ao alcance dos consumidores da cultura visual e não deve ser julgada um privilégio de jornalistas e profissionais que lidam com elementos imagéticos, como os publicitários. A edição deve levar em conta esse fato, para amadurecer seu trabalho, sofisticar permanentemente seus recursos e encontrar soluções que sejam as mais adequadas e vibrantes para o leitor.** Além disso, o editor precisa refletir sobre o conteúdo informativo das imagens e dos recursos de descrição (como legendas), bem como seus efeitos estéticos.

Assim, uma sequência de fotos de um filme que esteja sendo mantido até então em segredo apresenta maior relevância para o leitor do que o mesmo recurso utilizado para um filme que não despertou ainda a sua atenção. Uma reportagem que cite com ênfase um personagem cuja imagem não consta do produto final publicado demonstra o desmazelo da própria edição. Por sua vez, a utilização de imagens depreciativas com objetivo irônico passou a ser um recurso facilmente identificável pelo leitor, bem como o uso de fotos que visam impacto sensacionalista ou emotividade imediata. Ambos devem ser evitados.

Quando as fotos são pautadas, deve-se supor a dificuldade que é prever o espaço que elas realmente terão na edição final. Assim, no momento de realizá-las, é preciso que o fotógrafo calcule diferentes planos de enquadramento do objeto fotografado. Isso permitirá que haja opções visuais suficientes e de igual informação e impacto, independentemente do tamanho em que as fotos forem publicadas.

Não constitui uma regra que boas fotos dependam de um grande espaço para serem exibidas. Obviamente, fotos maiores provocam maior interesse no leitor, mas desde que sejam também boas imagens.

Títulos, subtítulos e lides atraentes e fortes são preocupações permanentes do editor, sobretudo se houver pouco espaço para a elaboração visual de uma página.

! Os títulos devem ser, ao mesmo tempo, capazes de tornar claro, em poucas palavras e em ordem lógica, o objeto da notícia e de atrair o leitor, incitando seu interesse. O fato de dispor de pouco espaço para a formulação dos títulos não deve ser desculpa para eventual imprecisão.

Uma atenção especial precisa ser dedicada ao acabamento de reportagens. Erros costumam ocorrer de maneira muito frequente em informações como nomes, endereços e horários. **A publicação de um horário incorreto de exibição de um filme pode representar um grande transtorno para o leitor que confiou na informação.**

Conferir ilustrações e infográficos, em que costuma haver grande incidência de erros, também é tarefa importante para o bom acabamento de uma edição.

Além da correção desses materiais, é preciso ficar atento à sua praticidade de leitura e qualidade visual. Infográficos devem evitar o rebuscamento, pois visam justamente sintetizar informações e facilitar o entendimento do leitor. Sempre que for possível resumir elementos em fórmulas gráficas claras e definidas, isso deve ser feito, mas de maneira econômica e refletida.

A proliferação de infográficos e quadros com o objetivo de dar a impressão de variedade e completude acaba, em geral, por frustrar o leitor caso este não disponha também de textos variados, interessantes e bem escritos.

! Todo o processo da edição deve estar a serviço do leitor –de sua inteligência, sua sensibilidade e seu conhecimento. Assim, o esforço de continuidade nos trabalhos de uma editoria não deve ser encarado como rotina, mas como aprofundamento. O esclarecimento do contexto das notícias e a criação de nexos entre os fatos e as próprias reportagens precisam ser tomados como ações obrigatórias, e não burocráticas. A busca da sofisticação no produto final, sobretudo, é a tarefa que culmina na edição.

O editor é, na rede de produção de um jornal, aquele que mais próximo está do interesse do leitor. Privilegiado, portanto, porque é o primeiro leitor, o editor deve ser também o primeiro crítico do trabalho realizado, transmitindo sistematicamente à sua equipe o que considerou bem-sucedido na edição anterior e o que ainda precisa ser aprimorado na edição seguinte.

Verbetes

A

análise – São requisitos indispensáveis ou valiosos na composição da análise jornalística:

1) Elencar os antecedentes do acontecimento focalizado, bem como suas prováveis consequências e implicações.

2) Delinear o ambiente em que o acontecimento se deu, procurando identificar tendências ou forças que o impeliram. Esclarecer se esses vetores convergiram ou estiveram em conflito.
3) Apontar personagens, grupos ou entidades que se beneficiam ou que são prejudicados pelo acontecimento em foco, assim como de que modo sua atuação no episódio contribuiu para o desenlace.
4) Sempre que pertinente, destacar de que modo o acontecimento analisado pode afetar a vida e a consciência do leitor.
5) É normal haver mais de uma resposta para cada questão implícita nos itens anteriores. Quando cabível, a análise jornalística deve oferecer duas ou mais interpretações a respeito de cada item.

Análise não é opinião. Num texto de opinião, o autor se coloca, toma partido, manifesta uma preferência e apresenta argumentos que a justifiquem. No texto de análise, o autor procura contextualizar um acontecimento e aprofundar a compreensão de seus diversos ângulos.

apartidarismo – Princípio editorial da **Folha**. O jornal não se atrela a grupo, tendência ideológica ou partido político, mas procura adotar posição clara em toda questão controversa. Mesmo quando defende tese, ideia ou atitude, a **Folha** não deixa de noticiar e publicar posições divergentes das suas.

B

bairrismo – Atitude de apego excessivo a bairro, cidade ou Estado, que leva a pessoa a hostilizar ou desprezar os demais. A **Folha** é um jornal de repercussão nacional. Evite bairrismo tanto na concepção das pautas quanto na sua realização.

barriga – Publicação de grave erro de informação. Quando a **Folha** erra, reconhece o erro. Quando outro veículo de informação erra, a **Folha** noticia o lapso se este tiver grande importância jornalística.

bastidores – São o lado encoberto ou o interior de uma organização ou de um fato, não acessível ao público. Os bastidores da política e da economia, em especial, merecem investigação jornalística permanente.

C

campanha – A **Folha** realiza campanha em situação especial, quando dirige seus esforços para promover determinada causa que julgue ser do interesse público. Em 1984, por exemplo, a **Folha** se engajou na campanha pelas eleições diretas para presidente da República. O jornal, porém, obriga-se a publicar pontos de vista contrários às posições que defenda na campanha, mesmo durante seu transcurso.

A **Folha** nunca participa de campanhas para enaltecer ou desacreditar pessoas nem serve a interesses particulares de partido político, grupo ou tendência ideológica.

censura – A **Folha** repele e condena publicamente qualquer tipo de ingerência do poder do Estado sobre a atividade intelectual. Lutar contra a censura, em qualquer forma que ela assuma, é obrigação de todo jornalista da **Folha**.

Não se considera censura a tarefa de editar exercida pelos responsáveis por meios de comunicação.

checagem de informações – Nomes próprios e informações de serviço são fontes constantes de erro. Peça ao entrevistado que soletre seu nome e verifique a ocorrência de acentos. Informações como endereços, horários de funcionamento, preços etc. devem ser conferidas rigorosamente. Telefones devem ser verificados a partir do número que consta no texto já redigido, e não a partir de anotações, para que seja possível constatar eventuais erros de digitação.

classificação de fontes – Hierarquizar as fontes de informação é fundamental na atividade jornalística. Cabe ao profissional, apoiado em critérios de bom senso, determinar o grau de confiabilidade de suas fontes e o uso a fazer das informações que lhe passam.

Esse bom senso também deve ser aplicado em relação à internet: há sites de grande confiabilidade, como o do IBGE, e outros cujas informações exigem cruzamento com uma ou mais fontes.

A **Folha** distingue quatro tipos de fonte. As informações obtidas de cada uma delas exigem procedimentos diferentes antes da preparação do texto final. São elas:

1) Fonte tipo zero – Escrita e com tradição de exatidão, ou gravada sem deixar margem a dúvida: enciclopédias renomadas, documentos emitidos por instituição com credibilidade, videoteipes. Em geral, a fonte de tipo zero prescinde de cruzamento. Para não repetir erros já publicados, evite ter um periódico do tipo jornal ou revista como única fonte para uma informação.

2) Fonte tipo um – É a mais confiável nos casos em que a fonte é uma pessoa. A fonte de tipo um tem histórico de confiabilidade –as informações que passa sempre se mostram corretas. Fala com conhecimento de causa, está muito próxima do fato que relata e não tem interesses imediatos na sua divulgação. Embora o cruzamento de informação seja sempre recomendável, a **Folha** admite que informações vindas de uma fonte tipo um sejam publicadas sem checagem com outra fonte.

3) Fonte tipo dois – Tem todos os atributos da fonte tipo um, menos o histórico de confiabilidade. Toda informação de fonte dois deve ser cruzada com pelo menos mais uma fonte (do tipo um ou dois) antes de publicada.

4) Fonte tipo três – A de menor confiabilidade. É bem informada, mas tem interesses (políticos, econômicos etc.) que tornam suas informações nitidamente menos confiáveis. Na **Folha**, há dois caminhos para a informação de fonte tipo três: funcionar como simples ponto de partida para o trabalho jornalístico ou, na impossibilidade de cruzamento com outras fontes, ser publicada em coluna de bastidores, com a indicação explícita de que ainda se trata de rumor, informação não confirmada.

A classificação de uma fonte varia conforme as circunstâncias políticas, o relacionamento pessoal da fonte com o jornalista, a atitude dela em relação ao veículo que o profissional representa.

Mesmo uma boa fonte zero pode conter erro de informação: a edição de 1989 da enciclopédia "Britannica", por exemplo, cita o escritor argentino Adolfo Bioy Casares como brasileiro.

colunas de notas – Embora as colunas de notas sejam um espaço do jornal em que se pode ter mais liberdade para especular e usar informações "off the record", elas devem se ater aos princípios do "Manual da Redação".

comitê de imprensa – Entidade formada por jornalistas que cobrem determinado evento ou setor. Pode beneficiar o interesse corporativo de jornalistas ou de empresas jornalísticas em detrimento do interesse do leitor. A **Folha** não integra comitês de imprensa e desconsidera medidas adotadas em seu nome, como embargos, precedência em entrevistas ou cálculos de multidão.

consulta obrigatória – Devem ser previamente submetidos à Direção de Redação textos, fotos ou infográficos que:
1) possam, na avaliação do editor, colocar em risco a segurança pública ou a de pessoa ou empresa;
2) façam menção à **Folha** ou a outros veículos da mídia brasileira;
3) façam menção a pessoas que trabalhem na **Folha** ou colaborem regularmente com ela;
4) contenham acusações criminais;
5) contenham ataques contra terceiros sem ouvir os atacados;
6) contenham material que possa ser considerado obsceno;
7) contenham palavrões;
8) contenham ataques pessoais a autoridade constituída;
9) sejam destinados a publicação na seção "Erramos".

cozinhar – Em jargão jornalístico, é reescrever texto publicado em outro veículo. O jornalista da **Folha** não deve cozinhar textos, mas apurar informações ele mesmo. Quando é indispensável cozinhar –porque não foi possível apurar as informações em tempo e o jornal considera essencial que seu leitor tenha acesso a elas–, a **Folha** cita o nome do autor do texto e do veículo que o publicou.

custos – Informe sempre o custo de promoção, projeto, evento ou realização que sejam objeto de reportagem. Quando se tratar de projetos ou obras públicas, os contribuintes, que as financiam com o pagamento de impostos, têm o direito de saber o seu custo. Informe também se há verba prevista no Orçamento.

D

declaração textual – Quanto menos usado o recurso da declaração textual, mais valor ele adquire. Reserve-o para afirmações de grande impacto, por seu conteúdo ou pelo caráter inusitado que possam ter: "Cunhado não é parente", disse o governador; "Graças a Deus chegamos a um acordo", afirmou o presidente, que se diz ateu. A reprodução das declarações deve ser literal. Só podem ser reproduzidas entre aspas frases que tenham sido efetivamente ouvidas pelo jornalista, ao vivo ou em gravações.

Reproduzir declarações textuais confere credibilidade à informação, dá vivacidade ao texto e ajuda o leitor a conhecer melhor o personagem da notícia.

Reproduza apenas as frases mais importantes, expressivas e espontâneas: O jogo terminou às 15h45, em vez de Segundo o juiz, "o jogo terminou às 15h45". Informações de caráter universal ou de fácil averiguação não devem ser atribuídas a alguém, mas assumidas pelo jornalista: A água ferve a 100°C, e não "A água ferve a 100°C", informou o químico. Na reprodução de declaração textual, seja fiel ao que foi dito, mas, se não for de relevância jornalística, elimine repetições de palavras ou expressões da linguagem oral: hum, é, ah, né, tá, sabe?, entende?, viu? Para facilitar a leitura, pode-se suprimir trecho ou alterar a ordem do que foi dito –desde que respeitado o conteúdo.

A **Folha** não usa em textos noticiosos o travessão para substituir ou reforçar aspas. A declaração deve estar entre aspas, ainda que se trate de diálogo.

Na necessidade de chamar a atenção do leitor para algo de errado ou estranho em declaração, admite-se o uso da expressão latina *sic* (assim mesmo) entre parênteses. Restrinja o uso desse recurso. Ao introduzir informações em declarações textuais, use colchetes para deixar claro que se trata de inclusão da Redação: "Aquilo [a Polinésia] é um paraíso", disse o ator.

Cuidado com os sujeitos e os verbos ao reproduzir declarações textuais. Não escreva A testemunha declarou que "vi com meus próprios olhos" nem A testemunha declarou que "viu com seus próprios olhos". Use: "Vi com meus próprios olhos", disse a testemunha; ou A testemunha disse ter visto com seus "próprios olhos"; ou ainda A testemunha disse: "Vi com meus próprios olhos".

divulgação de pesquisas eleitorais – Cuidado com a publicação de informações sobre resultados de pesquisas eleitorais, especialmente as não produzidas pelo Datafolha. Siga o seguinte roteiro, que leva em conta instruções do Tribunal Superior Eleitoral:

1) Verifique quem financia a pesquisa (candidato, partido, entidades), identificando quais são os interesses políticos envolvidos.

2) Cheque os dados com o próprio instituto de pesquisa e pergunte detalhes sobre metodologia (universo pesquisado, datas de campo, margem de erro).

3) Certifique-se de que a pesquisa tenha sido registrada na Justiça Eleitoral, exigência legal para que os dados possam ser divulgados. É desejável que o jornal tenha cópia desse registro e, se possível, do questionário aplicado. Os documentos devem ser arquivados na Secretaria de Redação.

4) Observe se o levantamento é uma pesquisa com base científica ou uma simples enquete (como ocorre com frequência nas sondagens realizadas pela internet ou em eventos localizados).

5) Dúvidas devem ser discutidas com a Secretaria de Redação.

E

editorial – Os editoriais não dirigem o noticiário, mas temas que neles aparecem com frequência devem ser explorados pela reportagem. A **Folha** procura publicar artigos assinados que discordem das posições dos seus editoriais.

Nada impede que o jornal mude de opinião sobre determinado assunto. Nesse caso, deve dizê-lo com clareza.

engajamento – A **Folha** considera que o engajamento em organizações político-ideológicas pode prejudicar o desempenho profissional do jornalis-

Procedimentos

ta, em especial daquele que cobre a área política. Não se espera, com isso, que o jornalista não tenha ideologia, opiniões e preferências; mas ele deve ter sempre em mente que o envolvimento partidário pode torná-lo vulnerável a paixões, parcialidade, falta de espírito crítico e mesmo ingenuidade.

O jornalista não deve desempenhar sua função ostentando símbolo de partido, lobby, empresas, agremiações esportivas, campanhas ou outros símbolos que possam levantar suspeitas sobre sua imparcialidade: isso pode prejudicar seu trabalho e até iludir ou agredir o entrevistado.

A **Folha** recomenda aos colunistas do jornal que evitem, nas suas colunas, proselitismo eleitoral ou declaração pública de voto, oferecendo àqueles que o considerarem relevante a possibilidade de publicar artigo na seção "Tendências/ Debates" (**Opinião**, pág. A3).

entrevista – A finalidade de caracterizar um texto jornalístico como entrevistado é permitir que o leitor conheça opiniões, ideias, pensamentos e observações de personagem da notícia ou de pessoa que tem algo relevante a dizer. Em geral, a **Folha** adota o estilo indireto ao publicar entrevistas.

Pode-se editar entrevista na forma de pergunta e resposta (pingue-pongue) quando o entrevistado está em evidência especial ou diz coisas de importância particular.

O segredo de uma boa entrevista está na elaboração de um bom roteiro. Levante sempre o máximo de informações sobre o entrevistado e o tema de que ele vai falar. Com esse material em mãos, reflita sobre o objetivo a que pretende chegar. O melhor caminho é redigir perguntas tão específicas quanto possível. Perguntas muito genéricas resultam em entrevistas tediosas.

Observe as seguintes recomendações quando fizer e redigir uma entrevista:

1) Marque-a com antecedência.
2) Informe o entrevistado sobre o tema e a duração do encontro.
3) Anote e, de preferência, também grave a entrevista, para poder reproduzir com absoluta fidelidade eventuais declarações curiosas, reveladoras ou bombásticas.
4) Vista-se sem destoar do ambiente em que será feita a entrevista, para não inibir ou incomodar o entrevistado.
5) Faça perguntas breves e diretas, que não contenham resposta implícita.
6) Identifique contradições, cite pontos de vista opostos e levante objeções, sem ser deselegante com o entrevistado.
7) Não deixe de abordar temas considerados "sensíveis" pelo entrevistado. Faça perguntas diretas e ousadas. Insista quantas vezes achar necessário se o entrevistado se recusar a responder a alguma pergunta.
8) Registre essa recusa, se for significativa.

O entrevistado tem direito de retificar e acrescentar declarações. Se for relevante, o jornalista pode registrar as duas versões (original e posterior). Se o entrevistado solicitar que certos temas não sejam abordados, que as perguntas lhe sejam apresentadas por escrito e com antecedência ou que o texto final seja submetido a ele antes da publicação, o jornalista deve consultar a Direção de Redação.

enviado especial – Jornalista destacado para cobrir acontecimento fora da cidade onde habitualmente trabalha.

Na **Folha**, o enviado especial deve:

1) Informar-se previamente das características sociais, políticas e culturais da região para onde vai.

2) Providenciar o material necessário para o trabalho (computador, telefone celular, gravador, mapas, dicionários etc.).

3) Durante a cobertura, manter pelo menos dois contatos diários com a editoria à qual seus textos se destinam para combinar prioridades, enfoques, forma e extensão do material a ser produzido.

4) Manter a sede informada de todos os fatos importantes que ocorram durante a cobertura.

5) Mudar de cidade apenas quando autorizado pelo jornal, exceto em caso de impossibilidade de contato.

"Erramos" – A **Folha** retifica, sem eufemismos, os erros que comete. A retificação deve ser publicada assim que a falha for constatada, mesmo que não haja pedido externo à Redação. As correções são feitas na seção "Erramos" ou, em casos de gravidade excepcional, na **Primeira Página** ou na capa de cadernos, aí também acompanhadas do título "Erramos".

A publicação de uma correção depende de consulta prévia à Direção de Redação. Ao redigi-la, informe qual o erro cometido, corrija-o e procure acrescentar informações de forma didática. Identifique claramente data, editoria, página e texto, citando seu título.

Na correção de informações publicadas na seção "Erramos", a **Folha** registra a responsabilidade de empresas de assessoria de imprensa ou departamentos de comunicação, quando forem as únicas fontes disponíveis.

Para isso, o jornalista que utilizou informação incorreta deve apresentar comprovação escrita da origem da incorreção. Esse procedimento não isenta o profissional da responsabilidade por aquilo que publica.

O press release deve ser encarado com precaução. Cabe ao jornalista checar, antes de publicar, as informações que veicula.

ética – O jornalista da **Folha** deve pautar sua conduta pela preocupação de seguir os mais altos princípios éticos da profissão, que incluem nunca usar sua condição de jornalista para obter vantagens pessoais e não escrever sobre assuntos em que tenha interesses pessoais diretos.

Para evitar real ou aparente conflito de interesse, o jornalista da **Folha** não deve possuir ações de empresas sobre as quais escreve com regularidade. A recomendação vale para todos os profissionais, não apenas para aqueles que cobrem o mercado financeiro. Por exemplo, jornalistas que cobrem saúde não devem ter ações de planos de saúde, quem cobre o mercado imobiliário não deve manter ações de construtoras.

O jornalista da **Folha** deve obrigatoriamente alegar impedimento e recusar pautas sobre empresas e demais organizações com as quais tenha algum tipo de relacionamento.

Qualquer convite que receba na condição de jornalista da **Folha** deve ser objeto de consulta a seu superior imediato antes de ser aceito. O jornal não se compromete a publicar textos sobre assuntos do interesse de quem convida; critérios exclusivamente jornalísticos devem decidir o que será aproveitado.

Devem ser submetidos à Direção de Redação convites para viagens, colaboração com outros veículos de comunicação, participação em conferências, seminários, cursos, bolsas de estudo, estágios e concessão de entrevistas a qualquer veículo de comunicação na condição de jornalista da **Folha**. Serão vedadas participações em eventos quando houver real ou aparente conflito de interesses.

Em muitos casos, a presença de um jornalista pode alterar a rotina de funcionamento de um determinado serviço ou evento. Ao testar os serviços de um restaurante, por exemplo, é conveniente que o repórter permaneça no anonimato e obrigatório que pague sua conta. De outro modo, sua avaliação poderia ficar comprometida por um atendimento especial ao qual seu leitor não teria acesso.

No caso de viagens, quando o convite é aceito e resulta em texto publicado, o jornal informa com clareza que o jornalista teve suas despesas pagas pelo patrocinador.

O jornalista da **Folha** não deve participar de anúncio comercial. Fica facultada, porém, a possibilidade de atuação em anúncios de campanhas de interesse público, com autorização prévia da Direção de Redação.

O jornalista da **Folha** não deve aceitar presente de nenhuma espécie ou valor, incluídos itens materiais ou eventuais descontos especiais em estabelecimentos comerciais ou industriais. Todo presente enviado ao jornal ou à casa do jornalista deve ser encaminhado à Secretaria de Redação para devolução, com carta-padrão de agradecimento e explicação. Ficam de fora dessa determinação produtos destinados a divulgação e avaliação crítica, como cópias de discos, DVDs, livros e softwares.

É proibido ao jornalista da **Folha** pedir ingresso para eventos culturais, como shows e peças de teatro. Sempre que possível, a **Folha** pagará pelo ingresso dos profissionais que forem cobrir tais eventos. No caso de shows em que há áreas exclusivas para jornalistas, o jornal pode solicitar o credenciamento.

Em encontros de trabalho com fontes em restaurantes ou cafés, o jornalista da **Folha** deve pagar sua parte na conta. O jornal reembolsará o profissional mediante aprovação de seu superior.

F

fechamento – Processo de conclusão do trabalho de edição. Na **Folha**, quem fecha deve estar tão preocupado com a qualidade da edição quanto com o cumprimento do cronograma industrial. Deve se dispor a reabrir a edição sempre que um imprevisto relevante o exigir, mas apenas com autorização da Secretaria de Redação. O atraso no fechamento prejudica a impressão e a distribuição do jornal.

furo tomado – A **Folha** não deixa de publicar informação que outro jornal, revista, emissora de rádio ou TV já tenha noticiado com exclusividade. A **Folha** cita nominalmente o veículo de comunicação que tenha dado um furo importante.

G

gravador – Deve-se usar gravador em qualquer entrevista, ainda que a gravação não venha a ser usada. O jornalista que usa gravador fica ao abrigo de desmentidos. A gravação permite citação textual exata, mas microfone e aparelho de gravação podem intimidar o entrevistado.

O uso do gravador não dispensa as anotações. Convém anotar palavras que identifiquem passagens importantes e o número que corresponde a cada uma delas no marcador do aparelho, para facilitar a consulta. Não se esqueça de testar o gravador e zerar o marcador no começo da entrevista.

O jornalista deve decidir com seu superior por quanto tempo a gravação deve ser conservada. A publicação do conteúdo de uma gravação feita sem o conhecimento do entrevistado depende de consulta prévia à Direção de Redação.

greve – A notícia sobre greve, paralisação, conflito ou negociação trabalhista deve garantir tratamento igual às partes envolvidas. Ouça diretorias de sindicatos de trabalhadores e patronais, oposição sindical (se houver), autoridades e empresas atingidas. Essas fontes devem indicar o número aproximado de pessoas em greve e comentar o movimento e as negociações.

I

idade – Deve-se informar sempre a idade de personagens ativos ou preponderantes da notícia –por exemplo, aqueles dos quais se reproduzem declarações textuais. Quando a pessoa não quiser informar a idade ou pedir que ela seja omitida, respeite. Não é necessário mencionar no texto que ela se recusou a dizer a idade, embora em alguns casos isso possa se tornar relevante para a notícia. Os repórteres sempre devem perguntar a idade das pessoas entrevistadas, mesmo que se trate, à primeira vista, de personagem secundário.

Se o personagem aparecer em mais de um texto na mesma página, a idade deve constar apenas em um deles, de preferência no primeiro. Também não é necessário que a idade e outras informações de referência (localização, hora) apareçam logo no lide, congestionando-o.

identificação de foto – É responsabilidade do repórter-fotográfico elaborar legenda informando data, local, horário e contexto de cada foto de sua autoria, assim como identificar os personagens que nela aparecem, com as respectivas idades.

importância da notícia – Critérios elementares para definir a importância de uma notícia:

1) Ineditismo (a notícia inédita é mais importante do que a já publicada).

2) Improbabilidade (a notícia menos provável é mais importante do que a esperada).

3) Interesse (quanto mais pessoas possam ter sua vida afetada pela notícia, mais importante ela é).

4) Apelo (quanto maior a curiosidade que a notícia possa despertar, mais importante ela é).

5) Empatia (quanto mais pessoas puderem se identificar com o personagem e a situação da notícia, mais importante ela é).

6) Proximidade (quanto maior a proximidade geográfica entre o fato gerador da notícia e o leitor, mais importante ela é).

Ao levar em consideração esses critérios, não se esqueça de que as reportagens da **Folha** devem atender às necessidades de informação de seus leitores, que formam um grupo particular dentro da sociedade. Esses interesses mudam, e o jornal participa de modo ativo desse processo.

independência – A independência econômica e financeira da empresa jornalística é condição essencial para a independência editorial e política do jornal que ela publica. Não há jornalismo crítico nem independente em jornais editados por empresas que dependem direta ou indiretamente de governo, grupo econômico ou partido político.

informação sigilosa – O dever de manter sigilo sobre a informação é do responsável por ela. O dever do jornalista é apurar e divulgar qualquer informação que seja do interesse do leitor, sigilosa ou não.

"inside information" – Significa "informação de dentro". É inadmissível que o jornalista recorra a informação sigilosa a que tenha acesso para auferir vantagens pessoais.

íntegra – Na **Folha**, documentos, discursos ou debates importantes devem ter sua íntegra publicada na internet, com remissão na versão impressa. Para poupar tempo do leitor que não quer ler a íntegra, deve-se publicar um resumo jornalístico de seu conteúdo, se possível por meio de arte.

J

jornalismo crítico – Princípio editorial da **Folha**. O jornal não existe para adoçar a realidade, mas para mostrá-la de um ponto de vista crítico.

Mesmo sem opinar, é sempre possível noticiar de forma crítica. Compare fatos, estabeleça analogias, identifique atitudes contraditórias e veicule diferentes versões sobre o mesmo acontecimento.

A **Folha** pretende exercer um jornalismo crítico em relação a todos os partidos políticos, governos, grupos, tendências ideológicas e acontecimentos.

jornalismo moderno – Princípio editorial da **Folha**. Entende-se por moderna a introdução na discussão pública de temas que não tinham ingressado nela, de novos enfoques, novas preocupações, novas tendências.

L

lapso – Se o entrevistado comete um lapso significativo, o jornalista pode registrá-lo no texto. Isso pode ajudar o leitor a entender melhor a notícia ou a personalidade do entrevistado.

Um ato falho pode ser mais revelador que uma declaração pensada. Se o entrevistado pedir retificação de um lapso revelador, esse pedido pode ser registrado. Lapsos inexpressivos não merecem divulgação.

O mesmo vale para declarações irônicas e brincadeiras feitas pelo entrevistado: se forem reveladoras de sua personalidade, devem ser relatadas ao leitor. Nesse caso, o texto deve explicar o contexto da declaração, deixando claro que se trata de afirmação jocosa.

legalidade/legitimidade – Tudo o que está disposto na legislação em vigor é legal. Cada um tem o direito de considerar ilegítima, ainda que legal, uma lei que não tenha sido produzida de acordo com procedimentos que considere aceitáveis.

Na **Folha**, o jornal ou o jornalista pode atacar uma lei, afirmando que ela é ilegítima. Mas a **Folha** não publica texto que incite ao não cumprimento de lei, legítima ou não. Só poderá fazê-lo, em condições excepcionais, se a Direção de Redação declarar o jornal em estado de desobediência civil.

A **Folha** não permite que seus jornalistas pratiquem atos ilegais para obter informações. O jornalista da **Folha** deve se identificar como tal para obter informações, a não ser quando o anonimato seja imprescindível.

leitor – É quem sustenta, em última análise, o jornal. Leitor primário é aquele que o compra. Leitor secundário é aquele que tem acesso ao jornal, embora não tenha o hábito de comprá-lo.

A **Folha** procura manter relação transparente com seus leitores. Isso se expressa na instituição do ombudsman, no reconhecimento de seus erros e omissões e na disposição para corrigi-los. Expressa-se também na divulgação de seus documentos internos, como este manual.

Faz parte da filosofia editorial da **Folha** poupar trabalho a seu leitor. Quanto mais trabalho tiver o jornalista para elaborar as reportagens, menos trabalho terá o leitor para entender o que o jornalista pretende comunicar.

O jornal deve relatar todas as hipóteses sobre um fato, em vez de esperar que o leitor as imagine. Deve publicar cronologias, biografias e mapas, em vez de supor que o leitor recorde ou pesquise por conta própria. Deve explicar cada aspecto da notícia, em vez de julgar que o leitor já esteja familiarizado com eles. Deve organizar os temas de modo que o leitor não tenha dificuldade de encontrá-los ou lê-los.

lobby – Grupo de pressão formado para influenciar pessoas com poder de decisão e de convencimento, como congressistas, integrantes do Poder Executivo, juízes e jornalistas. A função é institucionalizada nos Estados Unidos. No Brasil, não está regulamentada.

Em muitos casos, o lobby pouco se diferencia do simples aliciamento. O jornalista deve dispensar ao lobista a mesma atenção cautelosa que dispensa ao assessor de imprensa, relações-públicas ou divulgador.

M

mandato do leitor – Nas sociedades de mercado, cada leitor delega ao jornal que assina ou adquire nas bancas a tarefa de investigar os fatos, recolher material jornalístico, editá-lo e publicá-lo. Se o jornal não corresponde a suas exigências, o leitor suspende esse mandato, rompendo o contrato de assinatura ou interrompendo a aquisição habitual nas bancas.

A força de um jornal repousa na solidez e na quantidade de mandatos que lhe são delegados.

mídias sociais – Ao aderir a mídias sociais, como Twitter e Facebook, o jornalista da **Folha** deve evitar manifestar posições partidárias e políticas; antecipar reportagens que serão publicadas ou divulgar bastidores da Redação, a menos que seja decisão do jornal; emitir juízos que comprometam a independência ou prejudiquem a imagem da **Folha**. O jornalista deve agradecer a eventuais críticas e indicações de possíveis erros e encaminhá-las ao superior hierárquico. Em caso de dúvida, o editor ou a Secretaria de Redação devem ser consultados.

O

objetividade – Não existe objetividade em jornalismo. Ao escolher um assunto, redigir um texto e editá-lo, o jornalista toma decisões em larga medida subjetivas, influenciadas por suas posições pessoais, hábitos e emoções.

Isso não o exime, porém, da obrigação de ser o mais objetivo possível.

Para relatar um fato com fidelidade, reproduzir a forma, as circunstâncias e as repercussões, o jornalista precisa encarar o fato com distanciamento e frieza, o que não significa apatia nem desinteresse. Consultar outros jornalistas e pesquisar fatos análogos ocorridos no passado são procedimentos que ampliam a objetividade possível.

"off the record" – Em inglês, fora dos registros. Designa informação de fonte que se mantém anônima. O oposto de "off" é a informação "on", em que a fonte aparece identificada. No Brasil, a maioria das informações "off the record" é publicada. **Não se deve dizer "em off".**

A Folha trabalha com três tipos de informação "off the record":

1) "Off" simples – Obtido pelo jornalista e não cruzado com outras fontes independentes. Se tiver relevância jornalística, pode ser publicado em coluna de bastidores, com indicação explícita de que se trata de informação ainda não confirmada. Eventualmente, um "off" simples de fonte muito confiável pode ser publicado como notícia sem cruzamento.

2) "Off" checado – Informação "off" cruzada com o outro lado ou com pelo menos duas outras fontes independentes. Em texto noticioso, o "off" checado deve aparecer sob a forma "A **Folha** apurou que...", a ser usada com comedimento. Admite-se que o texto indique a origem aproximada da informação: "A **Folha** apurou com médicos do manicômio Santa Izildinha que o ministro está internado para tratamento de psicose maníaco-depressiva".

3) "Off" total – Informação que, a pedido da fonte, não deve ser publicada de modo algum, mesmo que se mantenha o anonimato de quem fornece a informação. O "off" total serve só para nortear o trabalho jornalístico.

Exemplo: um assessor da prefeitura diz, em "off" total, que um novo sistema de multas de trânsito será implantado na cidade e já está em estudos na Secretaria de Transportes. O jornalista não publica a informação, mas começa a investigar, na secretaria, o teor das mudanças.

Sempre que solicitados, repórteres devem comunicar a origem de informações "off the record" aos seus superiores hierárquicos. Estes, conhecendo a identidade das fontes que são mantidas no anonimato, devem cuidar da manutenção do sigilo.

ouvir o outro lado – Quando uma informação é ofensiva ou contém acusações a uma pessoa ou entidade, ouça o outro lado e publique as duas versões com destaque proporcional. Por exemplo, dê o outro lado em retranca à parte ou mencione-o no sobretítulo.

Se não for possível ouvir o outro lado no mesmo dia, o texto deve ser submetido à Direção de Redação, que decidirá sobre a publicação.

O texto que não contém o outro lado exige uma explicação: "Fulano, procurado pela **Folha** para responder às acusações do investigador Beltrano, não foi encontrado em seu escritório entre 14h e 20h".

Quanto mais específica puder ser a explicação, melhor.

P

palavrão – Evite. Sua publicação depende de consulta prévia à Direção de Redação.

patriotismo – A **Folha** não adultera nem omite notícias por pretenso patriotismo. A melhor maneira de um jornal ajudar o país é informar tudo que é relevante.

pauta – Primeiro roteiro para a produção de textos jornalísticos e material iconográfico. Cada editoria faz sua própria pauta e a discute com as outras editorias e com a Secretaria de Redação em reunião matinal diária. Cada editoria deve ter uma relação de temas a serem periodicamente acompanhados. Essa lista deve ser definida em razão da estratégia de cada editoria, levando em conta o perfil do leitor e os temas que são mais importantes no seu cotidiano.

Além da pauta do dia a dia, cada editoria deve produzir pautas especiais, discutidas uma vez por semana com os outros editores e a Secretaria de Redação. As editorias devem ter planejamento de longo prazo para encartes, cadernos especiais etc.

pesquisa de opinião – A Folha encomenda pesquisas de opinião ao Datafolha. O tema de cada pesquisa é decisão da Redação, mas sua abordagem deve ser discutida com o Datafolha. As pesquisas devem ser solicitadas por intermédio da Secretaria de Redação e só podem ser realizadas depois de aprovados os orçamentos.

As pesquisas da **Folha** devem ser planejadas com antecedência, exceto as provocadas por fatos jornalísticos que exijam repercussão imediata.

Os números de pesquisas realizadas por outros institutos que não o Datafolha só podem ser publicados com autorização da Direção de Redação.

pluralismo – Princípio editorial da **Folha**. Numa sociedade complexa, todo fato se presta a interpretações múltiplas, quando não antagônicas. O leitor da **Folha** deve ter assegurado seu direito de acesso a todas elas.

Todas as tendências ideológicas expressivas da sociedade devem estar representadas no jornal.

polêmicas – A **Folha** estimula polêmicas em suas páginas. Elas devem estar presentes em artigos e críticas e se refletir em reportagens e entrevistas. A **Folha** publica também discordâncias conceituais entre seus jornalistas.

Polêmicas que se prolongam tendem a cansar o leitor e descambar para ataques pessoais. Quem edita deve recomendar aos polemistas que evitem esse tipo de ataque. A maneira correta de encerrar uma polêmica é avisar as partes de que terão apenas mais uma oportunidade e igual número de linhas para se manifestar e publicar essas manifestações lado a lado.

pool – Designa grupo de jornalistas reunidos para uma cobertura importante que, pelas circunstâncias, não comporta a presença de todos nela interessados ou para ela credenciados. Esses jornalistas são sorteados ou escolhidos por critérios como nacionalidade, tempo de profissão, idade. O grupo assume o compromisso de informar os colegas excluídos da cobertura.

A **Folha** participa e admite obter informação de pool apenas quando não houver outra forma de fazer a cobertura. Nesse caso, explique como as informações foram obtidas. A **Folha** não faz acordo para esconder informação do leitor, boicotar personagem pública ou combinar estimativa de números.

pornografia – A **Folha** não deve publicar material que possa ser considerado pornográfico. Em caso de dúvida, cabe ao editor consultar previamente a Direção de Redação.

pressão – A **Folha** não deve ceder a nenhum tipo de pressão. Seu compromisso deve ser apenas com o leitor: é ele quem garante a independência do jornal.

problema particular – Ao receber pedido de leitor para noticiar um problema particular, avalie-o com cuidado para determinar se ele é representativo de outros similares e se tem relevância social.

Quando não for esse o caso, explique com gentileza ao leitor que o jornal não pode atendê-lo. Se possível, encaminhe-o a alguma instituição que possa auxiliá-lo. É o caso de pessoas desaparecidas, pedidos de donativos para doentes, briga entre vizinhos etc.

R

razões de segurança – Em regra, a **Folha** publica tudo o que sabe. Mas pode decidir omitir informação cuja divulgação coloque em risco a segurança pública, de pessoa ou de empresa. Essa decisão deve ser tomada em conjunto pela Direção de Redação e pela Direção da Empresa Folha da Manhã S.A.

reclamação – O jornalista que recebe uma reclamação –por escrito, pessoalmente ou por telefone– tem obrigação de atender a pessoa com delicadeza e encaminhar a queixa rapidamente ao seu superior. Caso o problema se refira a qualquer outra área do jornal ou da empresa, ponha a pessoa em contato com o setor competente: outras editorias; Folha Emergência, no caso de reclamação de consumidor ou relativa a serviço público; "Painel do Leitor", se vier por escrito e for solicitada a publicação; Serviço de Atendimento ao Assinante, em assuntos correlatos.

repercussão – Notícia que possa gerar grande reação, transtorno ou comoção merece que o jornal ouça várias pessoas e publique a repercussão, de preferência na mesma edição.

Estas são as recomendações da **Folha** para jornalistas encarregados de investigar e editar a repercussão de uma notícia:
1) Informe-se sobre o fato em detalhes.
2) Verifique com o editor a possibilidade de fazer pergunta original e importante, que fuja do tradicional "O que o sr. achou de...".
3) Componha uma lista extensa, diversificada e pluralista de pessoas a serem ouvidas, prevendo que muitas delas não serão encontradas.
4) Evite ouvir pessoas que não tenham ligação ou afinidade com o tema nem conhecimento dele.
5) Reproduza apenas o trecho principal de cada entrevista, sempre entre aspas.

6) Disponha as entrevistas no texto em ordem decrescente de importância.

S

segurança de jornalistas – Ao fazer reportagem em áreas de risco (por exemplo, favelas dominadas pelo tráfico), repórter e fotógrafo têm de manter contato regular com a chefia e tomar todas as precauções que seus chefes considerarem necessárias. O jornalista não deve entrar sozinho em regiões de risco, muito menos se oferecer para intermediar negociações em caso de cerco ou sequestro. Reportagens investigativas que requeiram recursos como infiltração e omissão de identidade só podem ser feitas em situações excepcionais e de comprovada relevância, depois de esgotados todos os recursos normais de apuração e com o conhecimento e a aprovação da Direção do jornal.

suplementos – Sua principal característica é não terem periodicidade diária, mas semanal ou mensal, com circulação regular em dias definidos da semana ou do mês. Em geral, distinguem-se por:
1) tratar de assuntos de interesse específico;
2) ser voltados para públicos definidos;
3) tratar de temas de interesse geral, mas de maneira aprofundada.

No primeiro caso encontram-se, por exemplo, os suplementos que contêm classificados de venda de imóveis ou veículos para os que desejam adquiri-los. No segundo, aqueles voltados para crianças ou adolescentes. Exemplos do terceiro caso são os suplementos que apresentam e exploram as novidades e técnicas da informática ou os que aprofundam temas da cultura e da sociedade.

Na **Folha**, todos os suplementos, até os de interesse específico, estão submetidos às mesmas regras, diretrizes e recomendações aplicadas aos cadernos diários. Devem visar permanentemente a investigação jornalística original e aprofundada e responder ao interesse e à curiosidade dos leitores, por sua utilidade, sua originalidade e seu didatismo.

T

transparência – A **Folha** procura manter uma atitude de permanente transparência diante dos seus leitores. Essa disposição se expressa em diversos procedimentos do jornal:
1) Manter uma seção diária, em espaço nobre, para o registro de seus próprios erros e omissões.
2) Editar as cartas de leitores que contenham críticas ao jornal com o mesmo destaque das que trazem elogios.
3) Colocar seus documentos internos (manual, projeto editorial) à disposição dos leitores.

V

vazamento – Informação originalmente não destinada à divulgação pública que é passada a jornalistas ou chega a seu conhecimento. É preciso cuidado com o vazamento, que muitas vezes é parcial e direcionado para favorecer interesses específicos. A **Folha** recomenda a seus jornalistas que sejam críticos em relação a vazamentos, que podem até ser benéficos a quem aparentemente prejudicam.

Padronização e estilo

Neste capítulo, na forma de verbetes, resumem-se as recomendações que a **Folha** faz a seus jornalistas para a elaboração de textos de acordo com os critérios de excelência do jornal.

A

abertura – Elemento principal de um texto jornalístico, deve ser bem redigida, com o objetivo de conquistar o leitor.

abreviatura – Seu uso deve ser evitado em textos. Não invente abreviaturas. As mais usadas na **Folha** são: **tabela** ↓

Abreviaturas e símbolos

Mais usados

al.	alameda	m^2	metro quadrado
av.	avenida	km^2	quilômetro quadrado
pça.	praça	jan.	janeiro
r.	rua	fev.	fevereiro
tel.	telefone	mar.	março
apto.	apartamento	abr.	abril
a.C.	antes de Cristo	mai.	maio
d.C.	depois de Cristo	jun.	junho
etc.	et cetera	jul.	julho
mi	milhão	ago.	agosto
bi	bilhão	set.	setembro
tri	trilhão	out.	outubro
g	grama	nov.	novembro
kg	quilo	dez.	dezembro
kHz	quilohertz	Cia.	companhia
Hz	hertz	Ltda.	limitada
MHz	megahertz	S.A.	sociedade anônima
W	watt	S.C.	sociedade comercial
kWh	quilowatt-hora		
h	hora		
min	minuto	Kbyte	quilobyte
s	segundo	Mbyte	megabyte
m	metro	Gbyte	gigabyte
km	quilômetro	Mpixels	megapixels

acidente geográfico – Comece sempre com minúscula, exceto quando a designação do acidente fizer parte de substantivo próprio: ilha de Fernando de Noronha, Ilhas Salomão; cabo Horn, Cabo Verde. Atenção: em mapas, a identificação dos acidentes deve começar com maiúsculas, como no início de qualquer frase.

acreditar – Evite o uso desse verbo para introduzir declaração de personagem da notícia. É impossível para o repórter saber se alguém acredita ou não em alguma coisa. Prefira a forma "dizer acreditar": O deputado diz acreditar que o governo vencerá a eleição, em vez de O deputado acredita que o governo vencerá a eleição.

a.D. – Abreviatura de "anno Domini"; em latim, *no ano do Senhor*. Traduza para d.C.

adjetivo – Evite usar em textos noticiosos adjetivos que impliquem juízo de valor: bonito/feio; verdadeiro/falso; certo/errado. Utilize o que torna mais preciso o sentido do substantivo: amarelo/azul; redondo/quadrado; barroco/clássico. Em vez de "O artista trabalha com telas grandes", procure dar a dimensão, se não exata, pelo menos aproximada das telas.

Nos editoriais, comentários, críticas e artigos, permite-se maior liberdade para o uso do adjetivo. Mesmo assim, recomenda-se usá-lo com sobriedade. A opinião sustentada em fatos é mais forte do que a apenas ou excessivamente adjetivada.

admitir – Não use como sinônimo de *dizer*, *declarar* ou *afirmar*. Significa aceitar ou reconhecer fato em geral negativo: O candidato admitiu a derrota depois de abertas as primeiras urnas. Evite sobretudo introduzir com o verbo *admitir* respostas insinuadas na própria pergunta do jornalista: O ministro admite que a inflação pode voltar (ele respondeu "talvez" à pergunta).

advérbio – Evite começar um período com advérbios formados com o sufixo *-mente*, sobretudo em textos noticiosos: Curiosamente, a convenção do partido transcorreu sem incidentes. É melhor escrever: Ao contrário do que previam os governistas, a convenção do partido transcorreu sem incidentes.

Evite advérbios que expressem juízos de valor: certamente, evidentemente, efetivamente, bastante, fielmente, levemente, definitivamente, absolutamente. Não se fazem restrições a advérbios que ajudem a precisar o sentido, como os de lugar (acima, abaixo, além) ou tempo (agora, ainda, amanhã).

aeronave/espaçonave – Em nomes de aeronaves e espaçonaves, use hífen antes do numeral: Boeing-767, DC-10, DC-6B, Apollo-13, MiG-17, Viking-2.

Quando a especificação de modelo ou tipo incluir um segundo numeral, separe com uma barra: *Boeing-737/300*. Para os casos de dúvida, adote a grafia da publicação "Jane's All the World's Aircraft".

Em alguns casos, a **Folha** adota a grafia aportuguesada: Magalhães, e não Magellan; Galileu, e não Galileo.

"Agora" – A Folha se refere ao jornal "Agora São Paulo" como "Agora" (entre aspas e em claro).

Aids – Não é necessário escrever por extenso o significado em português: síndrome da imunodeficiência adquirida, vinculada à infecção pelo vírus HIV (vírus da imunodeficiência humana). Só mencione que alguém tem Aids quando isso for relevante no contexto da informação. Se o texto trata da atividade profissional de uma pessoa, não é necessário falar da doença, a não ser que ela a impeça de trabalhar ou afete seu trabalho. Não deixe de mencionar a síndrome quando o texto trata do estado de saúde da pessoa e o jornal está seguro de que ela está doente.

Em textos noticiosos, prefira o termo doente de Aids a aidético, que pode ser considerado pejorativo.

Não confunda *ter Aids* com *ser portador do vírus HIV* ou *soropositivo*. Uma pessoa pode ter sido contaminada pelo vírus, mas não ter desenvolvido a doença.

Quando a morte de alguém decorrer de Aids, não omita a causa (nos diagnósticos e autópsias, quase nunca a Aids é mencionada, e sim outras doenças decorrentes da síndrome, como pneumonia). Nesses casos, a **Folha** só revela a orientação sexual do personagem morto se houver autorização da família.

alegar – Significa *citar como prova, explicar e então desculpar-se*. Não use se não se tratar de explicação ou tentativa de justificar-se diante de uma acusação qualquer. Exemplo: O presidente disse que estava viajando, em vez de O presidente alegou que estava viajando.

aleijado – Não use. Se for relevante no contexto, procure dar uma descrição objetiva: cego do olho direito; tetraplégico; que tem a perna direita atrofiada por causa de poliomielite.

além disso/além do que – Evite. Em geral pode ser substituído por *e* ou por um ponto. O tenor italiano exigiu duas geladeiras e sauna no quarto do hotel. Além disso, determinou que três presuntos fossem fornecidos a cada dia. É melhor escrever: O tenor italiano exigiu duas geladeiras e sauna no quarto do hotel e determinou que três presuntos fossem fornecidos a cada dia.

algarismos romanos – A Folha não usa algarismo romano, exceto em transcrição ou citação de texto legal (título I, seção IV, capítulo III, inciso V) e nomes próprios, como XV de Piracicaba (time de futebol) e Centro Acadêmico XI de Agosto. Nomes de soberanos e papas são grafados com algarismos arábicos (ordinais até 10º e cardinais daí em diante): João Paulo 2º; Carlos 5º; Leão 10º; Luís 14; João 23.

álibi – Significa prova de que o acusado de um crime estava em outro local que não o do delito quando este ocorreu. Não significa explicação falsa. Também não designa a testemunha que sustenta o álibi.

Alvorada – O nome da residência oficial do presidente da República é Palácio da Alvorada. A forma *o Alvorada*, no masculino, é usada quando a palavra "palácio" é suprimida. Exemplos: O presidente passou o Natal no Palácio da Alvorada; Os ministros foram recebidos no Alvorada.

ambiente/meio ambiente – Prefira ambiente ao pleonasmo meio ambiente. *Não* use *ecologia* como sinônimo de *ambiente*, pois a ecologia é uma disciplina, ramo da biologia.

americano – Admite-se o uso do termo para designar cidadão dos Estados Unidos da América.

anacoluto – Evite essa interrupção brusca no rumo do raciocínio de uma frase: A seleção, esse time nunca jogou tão mal.

ano – Escreva sempre sem ponto de milhar: 1999, e não 1.999.

antigo – Use apenas para qualificar coisas que existem há muito tempo. Quando fizer referência a pessoas ou coisas que não são mais o que foram, escreva *ex*: o ex-presidente, e não o antigo presidente. Pode ser empregado também *então*, desde que haja referência ao período de tempo em que a pessoa ocupava a função ou o cargo: Nos anos 50, o então presidente, Fulano de Tal, decidiu...

ao mesmo tempo – Use apenas para facilitar a compreensão do texto e substituir *simultaneamente* ou *concomitantemente*: O sequestrador ameaçava a vítima ao mesmo tempo em que fazia exigências à polícia.

ao passo que – Evite. Na maioria das vezes, pode ser substituído por *enquanto*.

apelido – Use apenas quando o personagem da notícia for mais conhecido por ele do que por seu nome real ou quando o apelido contiver alguma informação que enriqueça o texto jornalístico. Mas não deixe de citar o nome verdadeiro, se conhecido. Não use as expressões vulgo e aliás, mas sim conhecido como.

arma – No vocabulário militar, indica apenas a especialidade do oficial de Exército: Infantaria, Cavalaria, Artilharia, Engenharia, Comunicações, Material Bélico e Saúde (os dois últimos são serviços, mas têm status de arma). É errado chamar as Forças Armadas (Aeronáutica, Exército ou Marinha) de armas.

arte – Não use esse jargão para remeter o leitor do texto a um quadro, gráfico, mapa ou tabela.

aspas – Sinal gráfico (" ") usado para delimitar uma citação: *"O Estado sou eu" é a frase mais famosa de Luís 14.* A **Folha** usa aspas também em palavras e expressões estrangeiras que não tenham tradução, não tenham sido aportuguesadas ou cuja utilização seja rara em texto jornalístico: "black tie". Consulte o anexo "Principais estrangeirismos", para saber qual a grafia adotada pela **Folha**.

Evite usar aspas para enfatizar palavras, sobretudo para imprimir tom irônico. Utilize-as para destacar títulos de livros, obras artísticas (filmes, peças de teatro, música etc.), revistas e jornais, exceto a **Folha**, que aparece em negrito.

Em transcrições, a pontuação ficará dentro das aspas se a declaração constituir período completo, todo ele entre aspas. "Eu não renuncio." Foi assim que o presidente começou seu discurso. Mas: O presidente disse: "Eu não renuncio".

Admite-se usar aspas simples (' ') no lugar das aspas quando a palavra ou expressão destacada fizer parte de período já entre aspas: *Diz a nota emitida pela embaixada: "A insinuação de que a embaixadora estaria 'envolvida na desestabilização do governo' não procede"*. Mas tente evitar esse tipo de construção. É melhor: A nota oficial do governo diz que não procede a acusação de que a embaixadora está "envolvida na desestabilização do governo".

Evite o uso de aspas simples seguidas de aspas normais: A nota oficial do governo diz que não procede a "insinuação de que a embaixadora estaria envolvida na 'desestabilização do governo'".

Evite também as construções em que apenas o ponto separa aspas fechadas de outras que abrem nova frase: O acusado disse que estava "enlouquecido no momento da briga". "Estou arrependido", acrescentou. Escreva: O acusado disse que estava "enlouquecido" no momento da briga. "Estou arrependido", acrescentou.

Em títulos e legendas, admite-se o uso de aspas simples no lugar de aspas para ganhar espaço.

assassinar – Use *assassinar* sempre que alguém tira deliberadamente a vida de outra pessoa. Quando não hou-

Padronização e estilo

ver premeditação ou a morte for provocada em legítima defesa, use *matar*. Não chame de *assassino* quem não foi julgado e condenado em última instância. Nesse caso, use *acusado de assassinar* ou *suposto assassino*.

Assembleia Legislativa – Escreva sempre com maiúscula, mesmo em segunda menção: Os deputados da Assembleia. No plural, use também maiúsculas: As Assembleias Legislativas do país; os representantes das Assembleias.

astronauta – Designação dada nos Estados Unidos ao tripulante de nave espacial. Já o tripulante do programa espacial da Rússia é chamado de *cosmonauta*.

aterrissar/aterrizar – As duas formas são admissíveis, segundo os dicionários, mas a **Folha** prefere *aterrissar*.

auto – Registro escrito e autenticado de algum ato. Use apenas no seu sentido estrito: O discurso foi registrado nos autos do processo. Não use como forma reduzida de *automóvel*.

avaliação de multidões – Na **Folha**, o jornalista encarregado de avaliar o número de pessoas reunidas em eventos (comício, manifestação de rua, assembleia sindical, espetáculo etc.) deve:
1) em evento importante, usar método científico de medição do local, com assessoria do Datafolha;
2) em evento menos importante, ouvir versão do organizador, do adversário (se houver), de autoridade e de observador isento; se possível, o jornalista deve contar ou estimar o número de participantes;

O jornalista da **Folha** não faz acordo com os de outros veículos para combinar estimativa de números.

B

balear – É o verbo mais adequado em caso de ferimento por bala.

Banco Central – A **Folha** usa Banco Central ou BC, e não Bacen, para o Banco Central do Brasil.

bi – Admite-se essa abreviatura de *bilhão* apenas para referir-se a quantias em dinheiro em títulos, sobretítulos e legendas.

bianual – Evite. Se for para qualificar algo que acontece duas vezes por ano, use *semestral*. Não confunda com *bienal*, que significa uma vez a cada dois anos.

bibliografia – Recomenda-se publicação de bibliografias sobre temas ou pessoas em destaque no noticiário. Não basta, porém, fazer uma lista de nomes de livros. Para que seja útil, a informação sobre cada um dos títulos deve conter, pela ordem:
1) título grafado em letras maiúsculas e minúsculas, entre aspas (obras estrangeiras devem ter o título traduzido entre parênteses, sem aspas, caso não tenham sido editadas no Brasil);
2) subtítulo, quando houver, separado do título por espaço seguido de travessão e outro espaço;

3) nome do autor, introduzido pela preposição *de*;
4) nome do tradutor, introduzido pela expressão *Tradução de*;
5) cidade em que o livro foi editado;
6) nome da editora;
7) ano de publicação;
8) número de páginas (use a abreviatura **págs.**);
9) preço do exemplar escrito em algarismos (no caso de obra estrangeira, indicar quanto custaria no Brasil se importado e onde pode ser encomendado). Não se esqueça de informar que o livro está esgotado, se for o caso.

Exemplo: **"À la Recherche du Temps Perdu" (Em Busca do Tempo Perdido), de Marcel Proust. Paris, Gallimard, 1999. 7 volumes. 2.000 francos (R$ 400). Pode ser encontrado na livraria Trianon (tel. 0/XX/11/999-1525).**

Não confunda bibliografia com ficha técnica, publicada com resenhas ou notas de livros que estão sendo lançados.

"billion" – Atenção: no Reino Unido a palavra designa *trilhão*.

bimensal – Se for para qualificar algo que acontece duas vezes por mês, use *quinzenal*. Não confunda com *bimestral*, que significa uma vez a cada dois meses.

boato/rumor – *Rumor* é informação corrente, não confirmada, que pode ou não ser verdadeira. Só é publicada com autorização da Secretaria de Redação e com a ressalva de que se trata de rumor. Também pode ser publicada, mesmo que seja um boato –isto é, informação falsa–, quando gera notícia: *Os boatos sobre a morte de Saddam Hussein fizeram cair os preços do petróleo*. Nesse caso, deve--se deixar claro que a informação é falsa.

Não confunda *rumor*, *boato* e *fofoca*. *Rumor* é "notícia que corre", verdadeira ou não. *Boato* é notícia falsa. *Fofoca* é gíria brasileira e significa mexerico, maledicência.

box – Não use esse jargão jornalístico para remeter o leitor a um texto editado entre fios na mesma página.

C

cacique – Não use esse termo, específico dos índios tainos, para designar todo e qualquer líder temporal de grupo de índios. Quando não houver certeza sobre a designação *cacique*, use *chefe*.

cacoete de linguagem – Evite expressões pobres de valor informativo e, portanto, dispensáveis em textos noticiosos: **antes de mais nada**, **ao mesmo tempo**, **pelo contrário**, **por outro lado**, **por sua vez**, **via de regra**, **com direito a**, **até porque**. Dispense também modismos ou chavões que vulgarizam o texto jornalístico. **tabela → pág. 57**

Corte ou substitua essas expressões, sempre que for possível, em textos noticiosos. Mas atenção: às vezes elas podem dar cor ou ironia a um texto mais leve, como "sides", "features" e colunas assinadas.

Cacoetes de linguagem

Evite

- abrir com chave de ouro
- antes de mais nada
- aparar as arestas
- ataque fulminante
- atirar/lançar farpas
- a todo o vapor
- a toque de caixa
- atuação impecável (irrepreensível, irretocável)
- avançada tecnologia
- a voz rouca das ruas
- bater de frente com alguém
- caixinha de surpresas
- calorosa recepção
- caloroso abraço
- calorosos aplausos
- caminho já trilhado
- cardápio da reunião
- carreira brilhante
- carreira meteórica
- catapultar
- causar espécie
- chegar a um denominador comum
- com direito a
- confortável mansão
- congestionamento monstro
- consequências imprevisíveis
- consternar-se profundamente
- corações e mentes
- coroar-se de êxito
- correr por fora
- debelar as chamas
- desabafar (como sinônimo de dizer)
- detonar um processo
- disparar (como sinônimo de dizer)
- dispensar apresentação
- do Oiapoque ao Chuí
- duras (pesadas) críticas
- em nível de
- enquanto (quando significar na condição de)
- erro gritante
- escoriações generalizadas
- estrondoso (fulgurante, retumbante) sucesso
- extrapolar
- familiares inconsoláveis
- fazer por merecer
- fazer uma colocação
- fonte inesgotável
- fortuna incalculável
- gerar polêmica
- importância vital
- inflação galopante
- inserido no contexto
- inundar (quando não se referir a enchente)
- joia da coroa
- líder carismático
- literalmente tomado
- luz no fim do túnel
- na vida real
- no fundo do poço
- óbvio ululante
- os quatro cantos do mundo
- pavoroso incêndio
- perda irreparável
- pergunta que não quer calar
- preencher uma lacuna
- prejuízos incalculáveis
- quebrar o protocolo
- requintes de crueldade
- respirar aliviado
- rota de colisão
- ruído ensurdecedor
- sal da terra
- ser o azarão
- sonora (estrepitosa) vaia
- tirar uma resolução
- trair-se pela emoção
- trocar figurinhas
- usina de ideias
- verdadeiro tesouro
- via de regra
- visivelmente emocionado (nervoso)
- vítimas fatais
- vitória esmagadora

Não complique

Em vez de...	Use...
colisão	batida
contundido	machucado
esposa	mulher
falecer	morrer
mansão ou residência	casa
miserável	pobre
óbito	morte
sanitário ou toalete	banheiro
viatura	carro

Evite palavras que deem tom preciosista ou exagerado ao texto, como **viatura**, **residência**, **mansão**, **esposa**, **falecer**, **óbito**, **magnata**, **miserável**, **sanitário**, **toalete**, **colisão**. Use o vocabulário coloquial: **carro de polícia**, **carro**, **casa**, **mulher**, **morrer**, **morte**, **empresário**, **pobre**, **banheiro**, **batida**.

cacófato – Embora o jornal não seja em geral lido em voz alta, evite –especialmente em títulos– a ocorrência de termo chulo ou desagradável formado pela união das sílabas finais de uma palavra com as iniciais de outra: **por cada**, **conforme já**, **marca gol**, **nunca gostou**, **confisca**

gado, uma herdeira, boom da construção.

caderno/suplemento – A **Folha** prefere o termo *caderno/caderno semanal* a *encarte* ou *suplemento*.

caixa-alta/baixa – A expressão *caixa-alta* indica o emprego de letras maiúsculas. *Caixa alta e baixa*, de maiúsculas (na primeira letra das palavras) e minúsculas (nas demais); *caixa-baixa*, apenas de minúsculas.

A **Folha**, em geral, não grafa palavras inteiras com letras maiúsculas, exceto em siglas com até três letras ou que não possam ser lidas como uma palavra (*ONU*, *BNDES*) e em fichas técnicas.

Câmara dos Deputados – Escreva sempre com maiúsculas e minúsculas, mesmo em segunda menção: O presidente da Câmara.

Câmara Municipal – Escreva sempre com maiúsculas e minúsculas, mesmo em segunda menção: O diretor-geral da Câmara. No plural, use também maiúsculas e minúsculas: As Câmaras Municipais das capitais; os representantes das Câmaras.

capital – Não use como sinônimo de qualquer cidade em particular: São Paulo é capital apenas para os paulistas. Só faz sentido usar a palavra capital quando acompanhada do Estado ou país a que se está referindo: Reykjavík, capital da Islândia.

Evite citar o país no caso de capitais muito conhecidas –como Paris, Moscou, Washington– ou que se tornam conhecidas devido ao noticiário – como Bagdá durante a Guerra do Golfo.

No noticiário econômico, o termo é também usado para designar o patrimônio em dinheiro de uma empresa, pessoa ou instituição.

cardeal – A rigor, o título deve vir antes do sobrenome do prelado: *O arcebispo de São Paulo, dom João cardeal Silva, esteve ontem com o papa Bento 16.* Mas a forma não é coloquial. Prefira O cardeal dom João Silva, arcebispo de São Paulo, ou o cardeal Silva. Jamais escreva o cardeal dom João (sem sobrenome), nem dom Silva. Em todos os casos, pode-se usar a abreviatura d.

Arcebispo é um cargo hierárquico da Igreja Católica, ocupado pelo sacerdote responsável por uma arquidiocese (região de uma cidade). Cardeal é um título honorífico. Não existe, portanto, um cardeal da cidade Tal. Também é incorreto falar em cardeal emérito; pode-se ser "arcebispo emérito" (jubilado no cargo), como d. Paulo Evaristo Arns em São Paulo. Nesse e em casos análogos, use a forma cardeal d. Paulo Evaristo Arns, arcebispo emérito de São Paulo.

cargos – Escreva sempre com minúscula: presidente, secretário, ministro, diretor, professor, papa, deputado, juiz, embaixador, desembargador. Em caso de cargos com titulação composta, geralmente não se usa hífen quando for possível acrescentar antes do segundo termo a expressão *da área*. Exemplos: *diretor (da área) comercial, diretor (da área) industrial*. Usa-se hífen nos outros casos: *diretor-presidente, diretor-executivo*.

Padronização e estilo

carisma – Não empregue esse termo, como conceito da ciência política, de modo indistinto para qualquer líder que aparente ter prestígio pessoal. Reserve-o para políticos como Getulio Vargas, Juan Domingo Perón, Charles de Gaulle, Fidel Castro, Adolf Hitler.

castelhano – Prefira *espanhol* para designar o idioma, embora *castelhano* também esteja correto.

Celsius – Escala de temperatura usada no Sistema Internacional. O zero representa o ponto de congelamento da água, e o 100, o de ebulição (nível do mar). Use *Celsius* ou *ºC*, não *graus centígrados*, o que seria uma redundância: A temperatura era de 33 graus Celsius negativos ou -33ºC, e não -33 graus centígrados.

centímetro – Deve-se usar o símbolo *cm* quando a medida é antecedida de algarismo: O corte de tecido media 55 cm de largura.

Centro Tecnológico Gráfico-Folha – Grafa-se com a palavra **Folha** em claro. A sigla é CTG-F.

cerca de – Evite. A melhor informação é sempre a mais precisa. Quando for indispensável, use apenas para números redondos e que não possam ser contados com facilidade: cerca de 300 pessoas estavam na festa, nunca cerca de 157 pessoas estavam na festa nem cerca de 11 bailarinos estavam no palco.

chamada – Texto curto na **Primeira Página**, resume as informações publicadas pelo jornal a respeito de um assunto. Remete o leitor para as páginas que trazem a cobertura extensiva. Mais do que qualquer outro, é um texto jornalístico que exige frases curtas, secas, substantivas. Deve dar ao leitor ideia de completude. Recomenda-se evitar o excesso de palavras como *ontem*, *que*, *segundo*, *afirmou*.

champanhe – Vinho branco espumante da região de Champanhe, nordeste da França. Se não vier dessa região, chame de *espumante* ou *tipo champanhe*. O nome da bebida é masculino: O champanhe está gelado. Já o da região é feminino: Uma viagem pela Champanhe.

chanceler – Ministro das Relações Exteriores de um país. Na Alemanha e na Áustria, a palavra é usada para designar o primeiro-ministro. Portanto, nesses casos, não deve ser empregada para identificar os ministros das Relações Exteriores.

chefe da nação – Só use para se referir a sociedades tribais. Nas sociedades não tribais, os chefes são de Estado ou de governo. Além disso, a expressão forma um cacófato (*danação*).

chefe de Estado/de governo – Apenas a palavra *Estado* começa com maiúscula. As duas funções não devem ser confundidas. *Chefe de Estado* é aquele que representa simbolicamente o Estado nacional, como a rainha da Holanda ou o presidente de Portugal. *Chefe de governo* é o que exerce as funções do Poder Executivo, como o primeiro-ministro de Portugal.

Padronização e estilo

Nos regimes presidencialistas, o presidente é chefe de Estado e chefe de governo ao mesmo tempo. Nos regimes parlamentaristas, o chefe de Estado é o presidente ou o rei/a rainha (o chefe de governo é o primeiro-ministro).

ciência política – Só há uma ciência política. É errado escrever ciências políticas.

ciências – Escreva seus nomes sempre com minúscula: química, física, biologia, antropologia, pedagogia.

cifrão – Os cifrões que acompanham os símbolos do dólar e do real devem ser grafados com uma só barra: US$, R$.

classes sociais – Evite o jargão sociológico (burguesia, proletariado, aristocracia, lumpesinato), especialmente em textos noticiosos. Use, em vez dele, termos que tenham maior precisão: industriais do setor de papel e celulose, donos de redes de supermercados, metalúrgicos, detentores de título de nobreza, mendigos. Pela mesma razão, prefira ao substantivo capitalista palavras como empresário, banqueiro, comerciante, industrial, conforme o caso.

colchetes – Recurso gráfico ([ ]) com função semelhante à dos parênteses, mas mais abrangente. Permite introduzir breves esclarecimentos no texto, principalmente em artigos ou traduções, para deixar claro que a observação não constava do texto original: "A indicação de Lagos [Ricardo Lagos, político socialista chileno] é inquestionável, mas vem provocando reações".

Também devem ser usados quando interrompem declaração textual: "A *Escherichia coli* [tipo de bactéria frequente no intestino humano] é o burro de carga da engenharia genética", disse o cientista. Com esse recurso, deixa-se claro que a explicação foi acrescentada pelo jornalista. Utilize colchetes quando acrescentar informações a textos traduzidos. Não use colchetes para fazer remissão –bastam parênteses. Exemplo: (leia texto nesta página).

cólera – Quando significa raiva, é palavra feminina: Sua irritação chegava ao limite da cólera. Quando designa a doença, pode ser masculino ou feminino, mas a **Folha** usa o masculino: O cólera chegou ao Brasil.

coletiva – É a entrevista na qual estão presentes jornalistas de vários veículos de comunicação. Em textos, não use esse jargão jornalístico. Escreva entrevista coletiva ou apenas entrevista.

colunistas – Os jornalistas que mantêm colunas fixas no jornal, exceto os da página A2, são identificados com o crédito "colunista da **Folha**" abaixo da assinatura. Em alguns casos, o nome do colunista aparece com destaque em formato gráfico próprio para colunas. Quando um colunista do jornal deixar de publicar seu texto, a ausência deve ser explicada da seguinte forma: "Hoje, excepcionalmente, não é publicada a coluna de Fulano de Tal". Em caso de férias, usa-se "Fulano de Tal está em férias".

concisão – O texto jornalístico deve ser conciso. Tudo o que puder ser dito em uma linha não deve ser dito em duas.

"conferência de imprensa" – A tradução da expressão de língua inglesa *press conference* é *entrevista coletiva*.

congressista – Senador ou deputado, integrante do Congresso Nacional, que é a denominação do conjunto formado pelo Senado Federal e pela Câmara dos Deputados.

Congresso Nacional – Use sempre com maiúsculas e minúsculas, inclusive em segunda menção: O presidente do Congresso.

Constituição – Com maiúscula quando designar a Lei Fundamental ou o conceito político.

contemplar – Significa *olhar*, *considerar ou dar algo como prêmio*. Evite usar como sinônimo de *prever*, *estabelecer* ou *regular*: A Constituição estabelece a punição, e não A Constituição contempla a punição.

cosmonauta – Designação dada a tripulante ou passageiro de nave do programa espacial da Rússia. O de programas norte-americanos é chamado de *astronauta*.

créditos – A **Folha** adota as seguintes regras para identificar a autoria de seus textos:
1) cada jornalista deve usar apenas um crédito;
2) cabe à Direção de Redação definir qual o crédito a ser usado por pessoas que tenham mais de um cargo na Redação;
3) por se tratar de um fórum externo à Redação, e não de um departamento jornalístico da **Folha**, Conselho Editorial não deve aparecer em créditos. Membros do Conselho Editorial devem usar em créditos a outra função que exerçam na Redação (colunista, articulista, crítico da **Folha**). Os que tiverem mais de um cargo na Redação devem escolher qual será usado em seus textos;
4) assinaturas por extenso aparecem apenas no alto dos textos e não devem ser repetidas em uma mesma página;
5) sub-retrancas do mesmo autor que assina o texto principal são assinadas com iniciais no pé e não levam crédito;
6) sub-retrancas de outro autor que não o que assina o texto principal são creditadas ou assinadas normalmente;
7) no caso de textos produzidos por redatores ou repórteres, o crédito deve identificar a cidade em que o texto foi produzido: de São Paulo, do Rio de Janeiro, de Brasília, de Porto Alegre, de Ribeirão Preto, independentemente da função do jornalista ou da unidade para a qual trabalhe (deixam de ser usados os créditos da Reportagem Local, da Redação, da Folha Online, da Agência Folha, das sucursais e da Folha Ribeirão);
8) o crédito "especial para a **Folha**" deve ser usado apenas por autor com destaque público externo a sua atuação no jornal e será sempre acompanhado de pé biográfico. Outros colaboradores eventuais devem usar como crédito "colaboração para a **Folha**" ou "colaboração para a Agência Folha";
9) textos de agências internacionais devem receber como crédito o nome da

agência que os despachou, quando utilizados integralmente, ou "de São Paulo", quando se tratar de texto elaborado a partir de despachos de várias fontes (nesse caso, acrescente "Com agências de notícias" ao final dos textos);
10) jornalistas em cargos de comando em sucursais, Agência Folha, Universo Online, **Guia da Folha** e "Agora" terão cargo especificado até o terceiro escalão. Na **Folha**, todo cargo de chefia tem crédito;
11) jornalistas que estiverem ocupando interinamente uma função devem assinar com seu cargo original;
12) editores usam no crédito o nome de seu caderno principal: editor de **Esporte**, editor de **Mundo**, editor da **Ilustrada**;
13) articulistas, críticos e colunistas têm como crédito "articulista da **Folha**", "crítico da **Folha**" e "colunista da **Folha**";
14) é obrigatória a publicação de crédito de tradução, no pé do texto.

crise – Use com cuidado expressões como *a pior crise da história do país*. Ao longo dos anos, todas as crises políticas e econômicas têm sido assim classificadas.

crítica – A crítica deve ser fundamentada em argumentos claros. Quando escrita por especialista, deve permanecer acessível ao leigo, sem ser banal. Não deve conter acusação de ordem pessoal. O objeto da crítica é a obra ou o desempenho, e não a pessoa.

cronologia – É uma maneira importante de contextualizar para o leitor um assunto que se vem desdobrando e culmina num fato de grande importância. A cronologia rememora os eventos passados numa sequência que dispensa qualquer construção de texto além das datas e dos acontecimentos que nelas se sucederam.

cruzar informação – Significa confrontar informação originária de determinada fonte com uma ou mais fontes independentes. Qualquer informação de cuja veracidade não se tenha certeza deve ser cruzada, exceto em circunstâncias excepcionais, previstas neste manual.

culminar – Evite essa expressão como sinônimo de *terminar*. Use-a apenas no sentido literal de chegar ao ponto mais alto: A participação do Brasil nas disputas da Copa Jules Rimet culminou na conquista definitiva da taça, e não Culminando o espetáculo, o cantor apresentou sua última canção.

"curriculum vitae" – Não use. Escreva currículo.

D

d./dom – Use *d.* como abreviatura de *dom*: A independência do Brasil foi proclamada por d. Pedro 1º (ou dom Pedro 1º).

dar verba – Não use a expressão. A autoridade pública não dá verba a nenhum projeto, município, Estado ou órgão público. A autoridade libera, destina verba. Não escreva O ministro deu R$ 10 milhões ao Estado de Pernambuco, e sim O ministro liberou R$ 10 milhões para o Estado de Pernambuco.

data – Para designar datas, use algarismos arábicos para o dia, letras minúsculas para o mês e algarismos arábicos para o ano, sem ponto de separação do milhar: *31 de outubro de 1952*. Apenas o primeiro dia de cada mês é grafado com ordinal. Ao utilizar barras na grafia de datas, despreze os zeros à esquerda: escreva 2/8/00, e não 02/08/00. Em crédito de fotografia, o mês deve ser abreviado por suas três primeiras letras, e o ano, por seus dois últimos algarismos: 6.jul.60.

Nomes de datas, feriados, eventos históricos importantes ou festas religiosas e populares são grafados pela **Folha** com maiúsculas: Primeiro de Maio (ou 1º de Maio), Dia do Trabalho, Sete de Setembro (ou 7 de Setembro), Natal, Carnaval, Revolução Francesa, Dia D, Ramadã, Iom Kipur, Dia da Bandeira.

década – Quando se escreve *década de 20*, subentende-se o período de dez anos entre 1921 e o final de 1930. Para evitar confusão, pode-se usar o termo *anos 20*, que engloba o período entre 1920 e 1929. Quando usar essas expressões para outros séculos, especifique: anos 20 do século 19.

deficiência – Deficientes físicos e mentais devem receber da **Folha** tratamento que combata estereótipos, humilhações, condescendência e discriminação. Não use expressões e lugares-comuns depreciativos, como preso a uma cadeira de rodas, aleijado ou mongoloide. Seja o mais técnico possível: tetraplégico, portador de síndrome de Down.

Menção a deficiência deve ser feita apenas quando for relevante para o contexto da notícia e, nesses casos, o ideal é ser preciso: Sicrano, que é paraplégico; José, que nasceu sem o antebraço direito. Outra opção é usar "pessoas com deficiência", expressão ratificada por órgãos internacionais de direitos dos deficientes. Na designação de deficientes visuais ou auditivos, podem-se usar os termos cego e surdo. Não use os eufemismos "portador de deficiência" ou "portador de necessidades especiais" para se referir a deficientes físicos.

dengue – Use o feminino para referir-se à *virose hemorrágica* e o masculino para *faceirice, dengo*.

denunciar – Reportagens da **Folha** não denunciam. Segundo o caso, *revelam, divulgam, apontam, constatam, apuram*.

despacho – Não use em texto noticioso para designar reportagem ou artigo remetido por correspondente, enviado especial ou agência de notícias.

Deus/deus – Escreva com maiúscula apenas quando designar o ser transcendente, único e perfeito das religiões monoteístas: "Tudo no mundo emana de Deus", disse o religioso. Evite construções em que Deus é substituído por um pronome, o que obrigaria a grafar a letra inicial do pronome com maiúscula: *Implorou-Lhe perdão*.

Evite também a palavra *Senhor*. Nos dois casos, mantenha a maiúscula quando se tratar de texto de articulista ou citação literal. Use minúscula quando designar deuses de mitologias, em sentido figurado ou concreto: Os egípcios reverenciavam inúmeros deuses; A palavra deus é masculina.

Diabo/diabo – Use maiúscula apenas para designar a entidade que está no topo da hierarquia demoníaca de uma religião. Use minúscula para designar entidades mitológicas em sentido figurado ou concreto. Exemplos: O papa reafirmou a existência do Diabo; Os diabos pululam no inferno; O menino estava com o diabo no corpo; A palavra diabo é masculina.

dias da semana – Sempre com minúscula: domingo, segunda, terça. Em títulos, admitem-se as formas reduzidas *2ª*, *3ª*, *4ª*, *5ª*, *6ª*.

dias do mês – Sempre com numeral cardinal, exceto o dia 1º, com ordinal: 1º de outubro, 25 de março.

didatismo – Qualidade essencial do jornalismo e um dos objetivos básicos do Projeto **Folha**. Todo texto deve ser redigido a partir do princípio de que o leitor não está familiarizado com o assunto. Explique tudo de forma simples, concisa, exata e contextualizada.

Texto didático deve ter título também didático: Quem foi Benito Mussolini; O que foi a Revolução Russa, em vez de títulos pretensamente noticiosos, como Ditador morreu em 1945; Revolução foi marco neste século.

dimensão – Forneça sempre com exatidão as dimensões de objetos e estruturas noticiadas com destaque na reportagem. Evite adjetivos imprecisos. A ponte media 75 cm de largura, em vez de A ponte era estreita; O prédio tem 32 andares, em vez de O prédio é alto.

Quando um número não for suficiente para o leitor compreender a dimensão, use um termo de comparação capaz de dar uma noção que possa ser mais bem visualizada pelo leitor: O jardim da casa tem 36.502 m², o equivalente à área de quatro campos de futebol.

Quando for impossível apurar a dimensão exata, é melhor oferecer uma estimativa aproximada: cerca de 80 cm; quase 120 m; pouco mais de 90 kg. Não use estimativas para número que possa ser contado com facilidade (havia cerca de 11 bailarinos no palco) nem para número que não seja redondo (morreram cerca de 123 pessoas).

diplomacia – A diplomacia brasileira tem uma escala hierárquica cujo topo é o embaixador, ou ministro de primeira classe. O primeiro estágio de um diplomata, assim que ingressa no Itamaraty, é o posto de *terceiro secretário*. Em seguida, vêm os postos de *segundo secretário*, *primeiro secretário, conselheiro, ministro de segunda classe* e *ministro de primeira classe* (ou *embaixador*).

direita/esquerda – Conceitos políticos que variam com a época e o lugar. Em geral, esquerda remete às ideias de mudança da estrutura social, e direita, às ideias de conservação dessa estrutura. Por serem conceitos vagos, seu uso requer consulta ao editor, editor-adjunto ou editor-assistente.

disciplinas – Escreva seus nomes sempre com minúscula: direito, medicina, educação física, ciências sociais, filosofia, português, matemática.

discurso – Evite o uso como sinônimo de programa ou posição na esfera da política. Não escreva Líderes de seis partidos se reuniram para unificar o discurso da oposição. É melhor: Líderes de seis partidos se reuniram para unificar o programa da oposição. Reserve a palavra para ser usada em seu sentido próprio: O discurso do deputado entusiasmou os participantes do comício.

ditador, líder e dirigente – A **Folha** usa o termo *ditador* para designar o dirigente principal de um regime sem liberdades democráticas e com poderes concentrados nas mãos de um único líder, diferentemente, por exemplo, de uma junta militar ou de outro sistema de direção colegiada. Recomenda-se a palavra *ditador* na primeira menção no texto, alternando depois, para evitar repetições, com o cargo formal.

Para os casos de regimes ditatoriais não pessoais, como China e Vietnã no final do século 20, usa-se o termo *dirigente* ou *líder* na primeira menção, buscando acrescentar um adjetivo que descreva o sistema em questão. Exemplo: O dirigente comunista Jiang Zemin.

ditadura – Use com critério esse termo, que significa *dominação de uma sociedade por uma pessoa ou um pequeno grupo*. É melhor qualificar regimes autoritários de forma objetiva: governo militar; regime cujo presidente está no poder há 25 anos; regime de partido único.

Em textos noticiosos, pode-se usar a expressão ditadura militar para designar o regime que vigorou no Brasil de 1964 a 1985. Não utilize a forma Revolução de 64 em referências ao mesmo período, que também pode ser designado como regime militar.

dobra – Divisão entre as metades superior e inferior da página do jornal. Informações de maior importância devem ser colocadas acima da dobra.

doença – A Folha não omite doença de um personagem da notícia se a informação for relevante para a compreensão de um fato ou se for a causadora de sua morte. Isso ocorre mesmo que a doença tenha sido ocultada pela pessoa ou por sua família. Assim, por exemplo, se um personagem da notícia tem câncer e isso altera suas atividades ou o impede de realizá-las, é preciso designar o motivo. A informação só será publicada, no entanto, se o jornal estiver seguro do fato.

O jornal não qualifica ninguém por doença, seja física, seja mental, exceto quando for relevante no contexto da informação. Evite chavões preconceituosos, como perdido nos labirintos da esquizofrenia. Não utilize termos estigmatizantes, como lepra, para designar a hanseníase nem o adjetivo leproso para designar o hanseniano.

dona – Não use como forma de tratamento: O presidente John Kennedy e sua mulher, dona Jacqueline. Já que a **Folha** não usa nenhuma forma de tratamento além de cargo e função para homens, também não deve fazê-lo para mulheres: O presidente John Kennedy estava com a primeira-dama, Jacqueline.

dona de casa – Essa palavra é preferível a suas equivalentes do lar ou prendas domésticas.

doutor – A **Folha** não usa títulos como forma de tratamento do personagem da notícia: O dr. Fulano de Tal atendeu o jogador. Use o substantivo referente à profissão do personagem: O médico Fulano de Tal atendeu o jogador.

Quando o personagem da notícia completou estudos de pós-graduação, obtendo o título de doutor, pode-se mencionar o fato para precisar a identificação da pessoa: O médico John Doe, doutor pela Universidade Harvard, será o conferencista de hoje.

E

e – Evite começar frase com a conjunção e: O ministro anunciou o novo plano econômico. E, além disso, vai aumentar os juros... O *e* no início da frase trunca a leitura, sem acrescentar informação.

ecologia – O termo designa apenas o ramo da biologia que estuda relações entre seres vivos e seu ambiente. Não deve ser confundido com *ambiente* ou *natureza*. Por exemplo, não existe crime contra a ecologia, apenas contra a natureza ou o ambiente. *Ecologia* –uma ciência– e *ambientalismo* –um movimento social– não são sinônimos. É errado referir-se ao ambientalista Chico Mendes, por exemplo, como ecologista.

economês – A **Folha** combate o economês, vício de estilo comum em jornalismo econômico: A autoridade monetária está praticando uma política contracionista de elevação de juros reais com o objetivo de tentar conter o crescimento dos índices inflacionários significa apenas O governo está aumentando os juros para tentar segurar a inflação. Todos os termos técnicos e jargões devem ser evitados ou explicados em linguagem compreensível para qualquer leitor.

editorial – Texto que expressa a opinião de um jornal. Na **Folha**, seu estilo deve ser ao mesmo tempo enfático e equilibrado. Deve evitar o sarcasmo, a interrogação e a exclamação. Deve apresentar com concisão a questão de que vai tratar, desenvolver os argumentos que o jornal defende, refutar as opiniões opostas e concluir condensando a posição adotada pela **Folha**.

efeméride – Texto publicado em jornal por motivo de aniversário de evento importante na história: cinquentenário de revolução, aniversário de país ou cidade, centenário da morte de artista etc. O recurso não deve ser vulgarizado. São registradas na **Folha** apenas efemérides de inegável importância, de preferência em datas redondas.

elemento – Não use esse jargão policial para designar *pessoa*.

elipse – Figura de linguagem que consiste na omissão de palavras subentendidas pelo contexto. Pode ser usada em nome da concisão do texto, desde que não prejudique a compreensão: O congressista chegou ao Recife ontem. [Ele] Desembarcou [do avião] às 7h.

endereço – A **Folha** procura fornecer em suas reportagens todo endereço que possa ser útil para o leitor, mas só publica endereços e telefones pessoais com autorização do personagem da notícia.

Não deixe de checar nenhum endereço ou telefone antes de publicar. Observe as seguintes regras de padronização de grafia:

1) as palavras *rua*, *avenida*, *alameda*, *praça* e similares são escritas em minúsculas e podem ser abreviadas;

2) nomes de vias públicas são escritos com iniciais em maiúscula, inclusive quando precedidos de títulos, que podem ser abreviados: av. Dom Pedro 1º, r. Dr. Rafael de Barros, rua Dep. Lacerda Franco;

3) os números são precedidos de vírgula e sempre grafados em algarismos: pça. da Árvore, 2; r. da Consolação, 1.573;

4) os números de complementos, como apartamento, andar, sala, casa, conjunto e similares, são sempre grafados em algarismos: av. Paulista, 900, 3º andar, sala 315; r. das Palmeiras, 1.350, apto. 26;

5) o código de endereçamento postal deve ser precedido da sigla CEP e vir antes do nome da cidade e da sigla da unidade da Federação, sem ponto de milhar: CEP 05454-055, São Paulo, SP;

6) endereços eletrônicos e sites devem ser grafados em negrito e colocados no fim dos textos. Cuidado quando houver quebra de linha. Nesse caso, o endereço deve ser dividido de forma que não apareça hífen inexistente no original. Exemplo: www.folha.com.br, e não www.fo-lha.com.br.

endereços e telefones pessoais – A **Folha** não publica, exceto quando expressamente autorizada pelo usuário.

então – A palavra pode ser usada para evitar o emprego do adjetivo *antigo*: O então presidente, em vez de o antigo presidente. Atenção: deve haver antes referência ao período em que a pessoa ocupava o cargo. Nos anos 50, o então presidente...

entrevista exclusiva – Concedida a um só jornalista ou veículo de comunicação. Se for grande seu apelo jornalístico, a informação de que se trata de uma entrevista exclusiva deve constar na abertura do texto. Não use a expressão "entrevista exclusiva" quando uma personalidade concede entrevistas individuais a vários veículos de comunicação em um mesmo dia. Nesse caso, use apenas a expressão "em entrevista à **Folha**". Observe esse critério com rigor, para evitar a autopromoção sem fundamento.

entrevista pingue-pongue – Publicada na forma de perguntas e respostas. Exige texto introdutório contendo a informação de mais impacto, breve perfil do entrevistado e outras informações, como local, data e duração da entrevista e resumo do tema abordado. Eventualmente, algumas dessas informações podem ser editadas em texto à parte.

O trecho com perguntas e respostas deve ser uma transcrição fiel, mas nem sempre completa, da entrevista. Selecione os melhores trechos. Corrija erros de português ou problemas da linguagem coloquial quando for imprescindível para a perfeita compreensão do que foi dito. Mas não troque palavras nem modifique o estilo da linguagem do entrevistado. Se relevantes, eventuais erros ou atos falhos do entrevistado podem ser destacados com a expressão latina *sic* entre parênteses. Restrinja o uso desse recurso. Ao introduzir informações que complementem resposta do entrevistado, use colchetes para deixar claro que se trata de inclusão da Redação: "Nunca concordei muito com os julgamentos de Tal [Fulano de Tal, crítico de arte que viveu no início do século 19]".

Recomenda-se ainda preservar a ordem original em que as perguntas foram feitas.

era/Era – Escreva com maiúsculas quando se referir a período histórico bem definido. Nos outros casos, use minúsculas: Era Cristã, mas era nuclear. Evite o uso indiscriminado dessas expressões.

escolas artísticas – Escreva sempre com minúsculas: romantismo, barroco, surrealismo, impressionismo, dadaísmo.

especial para a Folha – Todo texto produzido para a **Folha** por personalidade ou especialista de grande destaque deve, em crédito, ter seu nome acompanhado da expressão "especial para a **Folha**". O texto deve ser acompanhado de nota biográfica no final.

esposa/esposo – Evite. Além de soar pedante, a palavra significa originalmente *prometida*, *noiva*, e não *cônjuge*. Qualifique casais como marido e mulher, mesmo que o casamento não esteja formalizado.

estado/Estado – Com maiúscula quando designar conceito político ou unidade da Federação: golpe de Estado, o Estado da Paraíba. Quando for sinônimo de situação, disposição, empregue minúscula: estado de espírito.

Estado de Direito – O Estado é uma pessoa jurídica de direito público, chefiada por um governo exercido sobre território delimitado (contínuo ou descontínuo) e geralmente submetida a regras que limitam sua intervenção na vida das pessoas.

No sentido formal, todo Estado que tem normas escritas pode ser considerado Estado de Direito, mesmo aqueles cujos governos não foram escolhidos democraticamente. Quando quiser se referir ao tipo de Estado em que os governantes são escolhidos e substituídos pelo voto, na forma da lei, em períodos predeterminados, escreva Estado democrático de Direito.

estado de exceção/estado de sítio/estado de defesa – Use em caixa-baixa. São situações caracterizadas pela restrição ou pela suspensão de algumas garantias constitucionais –como os direitos de reunião e do sigilo de correspondência–, em casos de grave ameaça à ordem pública ou à paz social.

O termo *estado de exceção*, mais genérico, pode ser usado para classificar os estados de defesa e de sítio. Só os dois últimos, porém, constam da

Constituição brasileira (artigos 136 e 137, respectivamente).

estória – Use história em qualquer acepção.

estourar – Não use como sinônimo de *descobrir* ou *invadir*. Exemplo: A polícia descobriu um cassino, e não A polícia estourou um cassino.

estrangeirismos – Em textos informativos ou reportagens, certos estrangeirismos podem dificultar a compreensão do assunto, constituir clichês ou soar de maneira pedante. Assim, prefira expressões equivalentes em português, quando houver. Exemplos: estreia, e não "preview"; personalizar, e não "customizar"; melhor, em vez de "must". Palavras ou expressões estrangeiras são usadas quando não existe equivalente em português ou quando foram consagradas pelo uso corrente: blitz, know-how, kitsch, lobby, on-line, overnight, outdoor, pop, punk, rock, show, Réveillon, status, software etc. Nesses casos, são grafadas sem aspas.

Palavra ou expressão estrangeira menos conhecida e de difícil tradução, ainda que em noticiário especializado, deve ser acompanhada de explicação: "spread", taxa de risco nos empréstimos internacionais. Nesse caso, a expressão é grafada entre aspas. Consulte o anexo "Principais estrangeirismos".

Não levam aspas nomes ou marcas de companhias estrangeiras (Boeing, TWA, Levi's, Sears), modalidades esportivas (squash, skate), denominações de naves e satélites espaciais (Vega, Challenger) e nomes de pessoas, instituições e lugares.

Nomes de órgãos e entidades estrangeiros devem ser traduzidos. Quando a tradução literal for insuficiente para a compreensão do que faz o órgão ou a entidade, use a sigla estrangeira sem aspas, traduza seu significado e cite um equivalente brasileiro: FBI (Birô Federal de Investigações, a polícia federal norte-americana). Quando se tratar de palavra ou nome pouco conhecido, informe entre parênteses a maneira aproximada de pronunciá-lo.

etc. – Abreviatura da expressão latina *et cetera* ou *et coetera*, que significa *e as demais coisas*. Evite em texto jornalístico, porque sugere incompletude, imprecisão. Não use em relação a pessoas (João, Maria etc.). Não deve ser antecedida por *e* ou vírgula. No caso de encerrar frase, não use ponto duas vezes: Evite o termo etc. em títulos, legendas, olhos etc.

etnias – A **Folha** respeita o princípio da autodeclaração e utiliza esse conceito sempre que for relevante para a informação.

Evite usar a palavra *raça* quando se referir à espécie humana. Para designar aspectos físicos de grupos étnicos, use o termo que os qualifica: O apartheid segrega os negros, em vez de a raça negra.

A **Folha** não admite referências preconceituosas ou discriminatórias contra grupos étnicos ou indivíduos que façam parte deles. Esteja atento para generalizações que possam ser interpretadas como preconceituosas ou depreciativas por grupos étnicos específicos. Por exemplo, evite o termo oriental para designar pessoas de nacionalidade ou cultura do Extremo Oriente; use chinês, vietnamita, japonês, coreano. Não use a expressão colônia para designar grupos de pessoas com laços étnicos ou religiosos em país que não é o de sua origem. Utilize, em vez dela, comunidade: comunidade islâmica, comunidade nipônica.

Não use, ao menos em textos noticiosos, palavras que sabidamente têm carga pejorativa, como crioulo ou preto para designar negro, japa para japonês, gringo para qualquer estrangeiro, ianque para americano, polaco para polonês. O mesmo vale para termos que originalmente designavam etnias e depois receberam sentido depreciativo ou que, associados a etnias, sejam pejorativos, como fariseu, negrice ou baianada.

Como regra geral, escreva negros e mulatos, respectivamente, em lugar de pretos e pardos. Dependendo do contexto, os termos *mestiço* e *moreno* também podem ser usados para designar mulato. Não denomine como "negra" a população resultante da soma de negros e mulatos. Mas atenção: ao reproduzir informações de pesquisas, a **Folha** mantém a nomenclatura utilizada nos trabalhos, porém deixa explícita a metodologia empregada. Assim, se uma organização divulgar números sobre o que classificou como "pretos", não cabe alteração da palavra, mas é obrigatória a explicação do conceito embutido nos dados.

Não confunda conceitos religiosos (muçulmano, judeu ou israelita) com étnico-linguísticos (árabe) ou nacionais (israelense). Não use *mouro* (natural do norte da África) ou *turco* (cidadão da Turquia) para designar pessoa de origem árabe. A condição étnica do personagem da notícia só deve ser mencionada quando for relevante no contexto da informação (por exemplo: o primeiro presidente negro da África do Sul).

eufemismo – Não compete ao jornalista suavizar a informação com palavras que lhe pareçam mais agradáveis. Sua função não é poupar o leitor, e sim informá-lo.

ex- – Não use no caso de pessoas mortas. Luís 14 não é ex-rei da França, assim como John Kennedy não é ex-presidente dos Estados Unidos: O presidente americano John Kennedy foi assassinado em 1963. Em alguns poucos casos, cabe a expressão *então ex-*: Em 1914, o então ex-presidente americano Theodore Roosevelt (1858-1919) participou de uma expedição ao rio da Dúvida, na Amazônia (não era mais presidente).

Para evitar estranhamento, no caso de morte de um ex-presidente (ex-governador etc.), não o classifique nem como *ex* nem apenas como *presidente*. Use sua numeração na relação de presidentes do país ou o período em que ocupou o cargo: O 36º presidente dos Estados Unidos, Lyndon Johnson, morreu ontem ou Lyndon Johnson, presidente dos Estados Unidos entre 1963 e 1969, morreu ontem.

executar – No sentido de *matar*, use apenas em dois casos: morte determinada e praticada legalmente por poder público ou morte praticada por comando militar contra subordinado ou prisioneiro em tempo de guerra. Não use *executar* quando, por exemplo, um policial mata um suspeito.

explicar – Não use como sinônimo de *dizer* ou *argumentar*. O verbo tem sentido positivo: significa que o repórter acredita que algo é verdadeiro e está sendo ensinado pela fonte. Use apenas em sentido estrito, quando de fato se tratar de explicação: No discurso, o Prêmio Nobel de Física explicou seu experimento.

exterior – Escreva sempre com minúscula, a não ser que integre nome próprio: *Ministério das Relações Exteriores.*

F

fac-símile – Designa reprodução idêntica de um documento. A **Folha** procura publicar fac-símile do todo ou de parte de documento sempre que presume existir curiosidade do leitor sobre seu aspecto ou sua autenticidade.

falecer – Em vez desse termo, use a palavra morrer. *Falecer* é um eufemismo que significa *haver falta ou carência.*

farol – Não use esse regionalismo paulista. Prefira sinal ou semáforo.

Fed – Não é sigla, mas sim o nome por que é conhecido o Federal Reserve. Escreva com maiúscula apenas a primeira letra. Sempre que usar, explique que se trata do banco central norte-americano.

Federação – Com maiúscula quando designar o conceito político: os Estados da Federação.

ficha técnica – Relação de quem participa de um filme, vídeo, espetáculo, disco, show, programa de TV, jogo esportivo ou evento. Inclui outras informações técnicas de utilidade prática para o leitor, como endereço, telefone, preço, horário etc. Usa-se também para livro e outras publicações. A **Folha** procura publicar ficha técnica em todo texto que trate desses assuntos. A linguagem da ficha técnica deve ser sucinta, mas ela deve conter todas as informações que possam ser úteis para o leitor.

Uma ficha de livro, por exemplo, pode conter o título em português, o título original, a data em que foi lançado, o nome do autor, a nacionalidade do autor, o nome da editora e seu site, o nome do tradutor, o número da edição em vigor, o número de páginas e o preço. Pode ainda conter links para sites relacionados à obra ou ao autor.

folclore – Não use com o sentido de *ridículo*, *patético*: O discurso do deputado entrou para o folclore do Congresso Nacional.

Folha – É a forma como a **Folha de S.Paulo** se refere a ela mesma. Use o termo com moderação, sempre em negrito e começando com letra maiúscula. Em títulos, legendas e Notas da Redação não use negrito. O nome do jornal só deve ser grafado por extenso na transcrição de textos de terceiros, como cartas ou íntegras. Nesse caso, mantenha o negrito e a abreviatura *S.* sem espaço antes de *Paulo*: **Folha de S.Paulo.**

Forças Armadas – As Forças Armadas brasileiras são compostas por Exército, Marinha e Aeronáutica. Não é certo classificá-las como armas –a palavra indica apenas a especialidade do oficial do Exército.

Fórmula – Categoria de automobilismo: *Fórmula 1* (abreviatura F-1), *Indy*, *Fórmula 3* (F-3), *F-3.000* e *Fórmula Ford* (F-Ford) são as principais, por ordem de importância jornalística que têm no Brasil. Não escreva Fórmula Indy nem F-Indy; use apenas Indy (é nome fantasia, não designação técnica).

Há diferenças importantes nos regulamentos dessas categorias. Como a Fórmula 1 é a mais conhecida, os textos a respeito das outras categorias devem realçar essas diferenças. Os tempos de voltas em treinos e corridas devem ser expressos em minutos, segundos e milésimos de segundo: 1min23s476.

fotomontagem – Em geral, a **Folha** não publica. Quando a imagem montada for jornalisticamente relevante, pode ser publicada com a informação, na legenda, de que se trata de uma montagem. Se possível, informe qual o recurso utilizado na produção da foto.

Também se admite a intervenção em fotos com o objetivo de proteger a identidade de personagens que não possam ser identificados e para resguardar a identidade de menores de idade em situação que possa ser considerada constrangedora.

futuro do pretérito – Evite o abuso desse tempo verbal, conhecido antigamente como condicional, para indicar incerteza. O melhor é sempre atribuir a afirmação a alguma fonte. Por exemplo, em vez de "o esquema teria a participação de servidores e beneficiou empresas que atuariam como cartel", escreva "segundo a comissão de investigação, o esquema tem (ou tinha) a participação de servidores e beneficiou empresas que atuam (ou atuavam) como cartel".

fuzilar – Use apenas quando alguém é morto por pelotão de fuzilamento ou tiros de fuzil. Quando se tratar de revólver, use *balear*. Com metralhadora, *metralhar*. Cuidado: os dois últimos verbos, ao contrário de *fuzilar*, não trazem implícita a ideia de morte.

G

gabinete – Escreva sempre com minúscula, mesmo quando designar um governo no regime parlamentarista: o gabinete González, o gabinete Chirac, o gabinete Tancredo Neves (primeiro-ministro de julho de 1961 a junho de 1962). Em regimes presidencialistas, o conjunto de ministros deve ser designado pela palavra ministério (com minúscula).

garantir – Significa *responsabilizar-se por, asseverar, afiançar*. O verbo tem sentido positivo. Não use como sinônimo de *dizer*: O presidente garantiu que o PIB brasileiro vai superar o dos Estados Unidos em 2002 é uma formulação que dá à declaração do personagem da notícia aspecto de verdade, apesar de absurda.

gay – Admite-se essa palavra como sinônimo de *homossexual*.

gêneros jornalísticos – Há diversos tipos de texto em jornalismo que podem ser agrupados em gêneros. A **Folha** comporta os seguintes:
1) análise: contém a interpretação do autor e é sempre assinada;
2) artigo: contém a opinião do autor e é sempre assinado;
3) editorial: expressa a opinião do jornal e nunca é assinado; deve ser enfático, equilibrado e informativo, apresentar a questão tratada e desenvolver os argumentos defendidos pelo jornal, ao mesmo tempo em que resume e refuta os contrários;
4) crítica: avalia trabalho artístico, acadêmico ou desempenho esportivo e é sempre assinada;
5) crônica: aborda assuntos do cotidiano de maneira mais literária do que jornalística e é sempre assinada;
6) "feature": apresenta a notícia em dimensões que vão além do seu caráter factual e imediato, em estilo mais criativo e menos formal; pode ser o perfil de um personagem ou uma história de interesse humano;
7) resenha: faz o resumo crítico de um livro e é sempre assinada;
8) notícia: relata a informação da maneira mais objetiva possível; raramente é assinada;
9) reportagem: traz informações mais detalhadas sobre notícias, interpretando os fatos; é assinada quando tem informação exclusiva ou se destaca pelo estilo ou pela análise.

Na **Folha**, os gêneros opinativos e interpretativos devem ser fundados em informações confirmadas.

gentílico – Adjetivo para pessoa ou coisa originária de determinado lugar. Escreva esses adjetivos sempre com minúscula: brasileiro, carioca, ugandense, brasiliense.

gerar – Evite o abuso desse verbo, principalmente em títulos.

gerúndio – Evite começar frase com essa forma verbal, que geralmente tem função adverbial ou adjetiva. Pode encompridar o período e tirar a agilidade do texto sem acrescentar informação relevante: O presidente resolveu baixar o decreto por considerar a situação de emergência é melhor do que O presidente resolveu baixar o decreto considerando que a situação é de emergência. Mas pode ser conveniente para evitar o uso de conjunção: O fiscal pediu impugnação da urna argumentando que houve fraude é melhor do que O fiscal pediu impugnação da urna com base no argumento de que houve fraude.

gíria – Evite ao máximo. Além de banalizar o texto, muitas vezes o significado de um determinado termo só é conhecido por parcela restrita de leitores. Em reprodução de declarações, a gíria deve ser mantida.

gordo – Evite. Se for relevante no contexto da informação, procure indicar o peso exato do personagem.

governo – Escreva sempre com minúscula: governo federal, governo estadual.

Grande – Usa-se antes de nome de centro urbano importante, com a primeira letra em maiúscula, para designar região metropolitana desenvolvida à sua volta: a Grande São Paulo, a Grande Nova York, o Grande Recife.

grosso modo – Não use em texto noticioso. Quando usar, não escreva a grosso modo nem use aspas. Em latim, significa *de modo grosseiro*, ou seja, *aproximadamente*.

Guerra – Comece com maiúscula quando se referir ao nome pelo qual uma guerra ficou conhecida: Guerra dos Seis Dias, Segunda Guerra Mundial, Guerra Civil Espanhola, Guerra do Golfo, Guerra Fria.

gueto – Não use indiscriminadamente para designar área urbana habitada por grupo social específico. A palavra designa local onde membro de minoria é forçado a viver por motivos alheios à sua vontade. Não escreva gueto intelectual ou gueto homossexual, mas sim bairro de intelectuais ou região de homossexuais.

guia – Não use esse regionalismo paulista no sentido de meio-fio.

H

Habite-se – Termo empregado para designar a autorização do órgão público para ocupação e uso de prédios. Habite-se deve ser escrito sem aspas e com *H* maiúsculo, para evitar que o substantivo seja confundido com a forma verbal.

hipérbole – Evite essa figura de linguagem, que consiste no exagero desmedido: milhões de vezes, aplauso ensurdecedor, manifestação gigantesca, lucro incalculável. O texto jornalístico deve descrever fatos e fenômenos do modo mais fiel possível à realidade.

horário – Informe, quando relevante, o horário do fato relatado. Se for impossível registrar a hora exata, indique a aproximada: O presidente demitiu o ministro no final da tarde. Observe a seguinte padronização:

1) o *dia* começa à 0h e termina às 24h ou meia-noite. A *madrugada* vai da 0h às 6h; a *manhã*, das 6h às 12h (ou meio-dia); a *tarde*, das 12h às 18h; a *noite*, das 18h às 24h;

2) não use *m* para abreviar minutos (*m* é abreviatura de *metro*). Não abrevie o termo *minutos* no registro de horário: 12h45. Em cronometragem esportiva, use as abreviaturas *min* e *s* (milésimos de segundo dispensam abreviatura): O corredor completou a prova em 2h10min36s356, quase dois minutos à frente do segundo colocado;

3) não use algarismos para registrar duração: A conferência se prolongou por duas horas e 40 minutos, e não 2h40;

4) quando o fato ocorre em local com fuso horário diferente do de Brasília, indique entre parênteses o horário equivalente: A guerra começou às 2h30 de hoje em Bagdá (21h30 de ontem em Brasília).

I

idade – A **Folha** tem como padrão informar a idade dos personagens principais da notícia. Ela deve ser informada obrigatoriamente nos seguintes casos: morte, enfermidade, posse em cargo público, perfil, biografia, prisão, premiações, crimes, casamento.

Grafe a idade conforme as regras da **Folha** para numerais. Se for mencionada entre vírgulas, após o nome, sempre em algarismo: Fulana de Tal, 40, tem um filho de dois anos; Sicrano, 4, perdeu-se dos pais.

idade/Idade – Comece sempre com maiúscula quando se tratar de período bem definido da história: Idade Moderna, Idade Média, Idade do Bronze, Alta Idade Média, mas idade das trevas, idade da razão. Também use maiúsculas no caso de outros períodos históricos bem definidos ou geológicos: Era Cristã, Antiguidade, Pré-História, Pleistoceno, Pré-Cambriano.

identificação de pessoa – Na **Folha**, todo personagem de notícia deve ser identificado por profissão, cargo, função ou condição. Qualificações passadas (ex-presidente, ex-prefeito) só devem ser utilizadas quando relevantes no contexto.

Ao identificar o personagem, procure ser específico. Informe a especialidade do médico, advogado, engenheiro, a faculdade ou escola onde o professor leciona, sua disciplina e, se for relevante, a escola em que o profissional se formou.

A naturalidade ou nacionalidade deve constar no texto quando for relevante: O jogador iraniano ajudou o americano a se colocar em pé. Atenção: não inclua na identificação do personagem da notícia cor, etnia, religião, partido político, preferência ideológica ou orientação sexual, exceto quando for importante no contexto.

idoso – Evite o eufemismo, mas não use velho (que designa o que foi deteriorado pela ação do tempo). Procure informar a idade exata do personagem da notícia. Quando não se tem a idade e é importante caracterizá-la, *idoso* pode ser usado.

igreja/Igreja – Escreva com maiúscula apenas quando integrar nome completo de instituição: A Igreja Católica tem novo papa. Quando se tratar de segunda referência à instituição ou de uma edificação, use minúscula: A igreja condena o aborto; a igreja da Consolação está em reformas.

império/Império – Comece com maiúscula quando se referir ao nome de um determinado império: Império Otomano. Em segunda referência, escreva *império*, começando com minúscula.

Jamais escreva Primeiro Império e Segundo Império referindo-se ao Brasil. Houve apenas um império, dividido em dois reinados (os de d. Pedro 1º e de d. Pedro 2º).

imprensa – Designação genérica para meios de comunicação impressos. Use o termo apenas para jornais, revistas e congêneres. Quando a intenção for abarcar rádio, cinema, televisão e outros meios, use, de preferência, meios de comunicação, em vez de *mídia*.

Não escreva imprensa escrita (pleonasmo) nem imprensa eletrônica, falada ou televisada.

indígena/índio – Originalmente, *indígena* significa natural de um país ou localidade e se opõe a *alienígena*. A palavra hoje é tomada como sinônimo de índio, natural das Américas (*Índias Ocidentais*).

Na **Folha**, nomes de nações, povos e tribos indígenas do Brasil são flexionados como os de qualquer etnia, povo ou nação: os tupis, os ianomâmis, os bantos, os apaches, os franceses, os mexicanos, os lapões.

informe publicitário – Anúncio pago; deve ser sempre claramente identificado como tal.

iniciais – Evite seu uso para abreviar nomes próprios. Quando for inevitável, não coloque espaço entre as iniciais: O.J. Simpson, H.L. Mencken.

Menores de idade infratores devem ser identificados só com as iniciais, separadas por pontos e sem espaço entre elas.

Textos jornalísticos podem ser assinados no final com as iniciais do autor. Nesse caso, elas devem vir sem pontos: MSG.

Aceita-se o uso de iniciais para personalidades conhecidas por elas. Nesse caso, não use pontos: FHC, ACM, JFK, EJ.

ínterim – Evite. Se usar, observe que se trata de palavra proparoxítona e, portanto, leva acento.

interino – Especifique sempre quando uma pessoa exerce cargo interinamente: O presidente interino da República. Nessa acepção, evite na **Folha** a expressão em exercício.

interior – Escreva sempre com minúscula, a não ser que integre nome próprio: *Ministério do Interior*.

internet – Escreva com minúscula.

"ipsis litteris" – Significa *com as mesmas letras*. Evite em texto noticioso. É melhor usar *literalmente* para enfatizar a literalidade de uma citação: O professor escreveu, literalmente, que é contra a teoria evolucionista. Mas na maioria dos casos as aspas resolvem melhor o problema. Atenção: ninguém diz nada "ipsis litteris". A expressão correspondente para declarações orais é "ipsis verbis", que significa *com as mesmas palavras*.

ironia – Originalmente, pergunta de quem sabe a resposta. Em texto jornalístico, dizer algo diferente do que de fato se pensa pode provocar confusão. Não abuse, portanto.

Admite-se o recurso, sem restrições, em textos assinados ou colunas de bastidores. Mesmo assim, requer cautela: nem sempre a ironia que parece óbvia ao autor é compreendida como tal pelo leitor e, em excesso, tende a irritá-lo.

A ironia deselegante, canhestra ou forçada ridiculariza o autor: O ministro está "vibrando" com a possibilidade de ser demitido. Nem mesmo o uso de aspas pode consertar o defeito de estilo.

itálico/negrito – Em textos escritos em itálico, palavras que originalmente seriam escritas em itálico, como nomes genéricos, devem ser escritas em redondo: *O mosquito* Aedes aegypti *virou tema de debate nacional.* Em textos escritos em negrito, palavras que originalmente seriam escritas em negrito devem ser grafadas em claro.

J

já – Evite o uso da palavra em título, no qual, com frequência, é colocada apenas para ocupar espaço. Só deve ser empregada quando tiver seu sentido exato preservado, ou seja, para mostrar que um fato ocorre imediatamente, ocorreu de antemão ou indica mudança de situação: Governadores querem privatização já.

jamanta – Não use esse regionalismo paulista como sinônimo de carreta.

jargão – O texto jornalístico não deve conter expressões de domínio exclusivo de um grupo de profissionais ou especialistas. Quando for imprescindível usar (como em reprodução de declarações textuais), explique o significado: "O porta-voz só divulga ofensas 'off the record' [jargão jornalístico para indicar que o informante pediu anonimato]", disse o deputado.

jornal – Escreva o nome de qualquer jornal, exceto o da **Folha**, com aspas e por extenso, respeitando a grafia adotada em logotipo: "The New York Times", "Le Monde", "Frankfurter Allgemeine Zeitung", "Jornal do Brasil", "Correio Braziliense", "O Estado de S. Paulo", "Agora", "Notícias Populares". Quando for necessário usar artigo antes de nome de jornal começado por artigo, elimine o segundo: o "New York Times", o "Globo". Para evitar construções estranhas como o "Monde" ou o "País", prefira o jornal "Le Monde" ou o espanhol "El País".

jovem – Evite esse adjetivo impreciso para qualificar personagem preponderante na notícia. Procure sempre dar a idade exata.

justiça/Justiça – Escreva com maiúscula quando se referir ao Poder Judiciário: O consumidor disse que vai recorrer à Justiça, mas O pastor afirmou contar com a justiça divina. Essa padronização deve ser seguida também quando se trata de profissões: oficial de Justiça, promotor de Justiça, procurador da Justiça.

justiçar – Não use no sentido de *assassinar*.

justiceiro – Não use para designar assassinos de supostos criminosos.

K

kg – Admite-se esse símbolo (atenção para a inicial minúscula) ou a forma quilo, e não kilo.

kHz – Símbolo de *quilohertz*, unidade de medida de frequência equivalente a mil hertz.

"kilowatt" – Escreva quilowatt. A abreviatura é kW.

km – Admite-se esse símbolo (atenção para a inicial minúscula) ou a forma quilômetro, e não kilômetro.

kWh – Símbolo de *quilowatt-hora*. É errada a forma kW/h.

L

latifundiário – Use apenas para designar proprietário de terra que se enquadre na definição legal de latifúndio vigente no país (lei nº 4.504, de 30/11/1964).

latifúndio – Há dois tipos de latifúndio: por dimensão (imóvel que ultrapassa 600 vezes o módulo de propriedade, definido para cada região do país) e por exploração (imóvel com menos de 600 módulos de propriedade, mas cuja exploração econômica é pequena).

legenda – Recurso essencial de edição. A legenda não é colocada sob a foto apenas para descrevê-la, embora não possa deixar de cumprir essa função. Por ser um dos primeiros elementos da página que atraem o leitor, merece tanto cuidado quanto os títulos. Deve ser atraente e conquistar a atenção.

A boa legenda também esclarece qualquer dúvida que a foto possa suscitar. Deve salientar todo aspecto relevante e dar informação adicional sobre o contexto em que a foto foi tirada. Não deve simplesmente descrever aquilo que qualquer leitor pode ver por si só.

A legenda fotográfica deve atender à curiosidade do leitor, que deseja saber o que ou quem aparece na foto, o que está fazendo, onde está. Sempre que for cabível, deve usar verbo no presente (o presente do momento em que a foto foi tirada). Recomendações:

1) evite escrever uma legenda sem conhecer a indicação do corte da foto e da posição que vai ocupar na página. É a única maneira de ter certeza de que a legenda feita se refere de fato à foto que vai ser publicada e de que não identifica pessoas ou objetos ausentes da imagem;

2) legenda de foto da personagem deve conter nome e condição ou cargo da pessoa;

3) quando aparecerem até cinco pessoas numa foto, a legenda deve procurar identificar todas elas, ainda que por um único nome;

4) em foto de grupo, conforme a necessidade, esclareça a posição que cada pessoa ocupa, sempre começando pela esquerda. Use os termos da esq. para a dir., à dir., à esq., ao fundo, no centro, atrás, na frente, de chapéu, de óculos, sentado etc. Mas não insulte a inteligência do leitor. Numa foto em que apareçam Pelé e Xuxa, por exemplo, é ridículo indicar quem está à esquerda ou à direita;

5) em foto de ação (competição esportiva, por exemplo), a legenda deve contextualizar o momento (José chuta a gol depois de receber a bola de João).

No caso de fotos agrupadas, admite-se uma legenda conjunta, em uma ou mais linhas. A legenda conjunta pode valer-se de indicações como: ao alto (para indicar foto mais distante); acima (para foto imediatamente acima da legenda); abaixo etc.

lei/Lei – Comece com maiúscula quando a lei tiver um nome (Lei Sarney,

Lei do Ventre Livre, Lei de Diretrizes e Bases), mas não quando ela for conhecida apenas pelo número (lei nº 5.250). Use maiúscula para outros textos legais, como Constituição, Código Penal, Plano Diretor.

leia mais – Recurso utilizado para remeter o leitor a um outro lugar do jornal, em que ele pode ter acesso a informações correlatas às do texto que está lendo.

A vinheta deve ser colocada no final do texto, indicando ao leitor onde ele encontrará mais informações sobre o assunto: por exemplo, LEIA MAIS sobre o jogo na página D4 (*D* corresponde à letra que identifica o caderno; *4*, ao número da página) ou no caderno X. Quando a informação estiver na mesma página, use, entre parênteses, no corpo do texto: (leia texto nesta página).

lembrar – Não use como sinônimo de *dizer*. *Lembrar* implica que o fato mencionado pelo personagem da notícia tenha realmente ocorrido: *O cantor lembrou que sua turnê de 1975 foi um sucesso*.

lepra – Não use esse termo estigmatizante. Empregue hanseníase. O adjetivo é *hanseniano*.

linguagem coloquial – O texto de jornal deve ter estilo próximo da linguagem cotidiana, sem deixar de ser fiel à norma culta, evitando erros gramaticais, gíria, vulgaridade e deselegância.

Escolha a palavra mais simples e a expressão mais direta e clara possível, sem tornar o texto impreciso. Palavras difíceis e construções rebuscadas dificultam a comunicação e tornam o texto pedante: Ele não sabe quanto gastou na compra é melhor que Ele não dispõe dos custos exatos da transação comercial.

localização – Na **Folha**, todo texto deve situar o local em que o fato noticiado ocorreu: O acidente aconteceu em Bananal, 310 km a leste de São Paulo; A nevasca isolou Santa Inés, no extremo sul do Chile.

Procure sempre situar o local da maneira mais pertinente em relação à notícia. No caso do acidente em Bananal, o que importa é localizar a cidade, que é pouco conhecida. Ao dizer *310 km a leste de São Paulo*, o texto informa o Estado e a região em que se encontra a cidade. No caso da nevasca, a informação de que a cidade fica no extremo sul, local onde ocorrem temperaturas polares, é mais pertinente do que fornecer a distância em relação a Santiago.

Não insulte a inteligência do leitor. É jornalisticamente errado dizer que São Paulo fica no Estado de São Paulo ou que Brasília é a capital federal. Isso vale para cidades como São Paulo, Rio de Janeiro, Brasília, Belo Horizonte, Salvador, Porto Alegre, Recife, Manaus etc., mas: Rio Branco (AC); Campo Grande, capital de Mato Grosso do Sul; Cuiabá, capital de Mato Grosso.

Também não há necessidade de informar em que países se situam cidades como Nova York, Washington, Moscou, Paris, Berlim, Frankfurt, Lisboa, Madri, Barcelona, Londres, Tóquio, Buenos Aires, Roma, Cidade do México etc., mas: Vaduz, capital de Liechtenstein; Vilna, capital da Lituânia; Luanda, capital angolana.

Quando o fato ocorre numa grande metrópole brasileira, mencione a região e, se pertinente, o endereço: A exposição acontece no Masp (av. Paulista, 1.578, região central de São Paulo); O crime ocorreu na favela do Campo Limpo, zona sul de São Paulo.

lorde – Comece com minúscula, exceto quando se tratar de apelido.

lua/Lua – Comece com maiúscula quando se referir ao satélite da Terra como corpo celeste: Os americanos já chegaram com suas astronaves à Lua, a Vênus, a Júpiter e a Marte. Quando se referir à luz do satélite, ao elemento da paisagem, use minúscula: Os namorados aproveitam a lua cheia para passear.

M

máfia/Máfia – Comece com maiúscula apenas quando se referir à organização de origem siciliana: A Máfia assassinou o juiz encarregado de apurar as atividades da organização, mas A máfia chinesa domina a cidade.

Não use a expressão máfia de branco para designar a categoria dos médicos.

maiúsculas/minúsculas – A Folha observa o uso corrente de inicial maiúscula no começo de frase e nomes próprios. Os casos controversos ou duvidosos são regulados abaixo, seguindo tendência simplificadora em direção às minúsculas. Este manual também resolve dúvidas específicas em verbetes próprios.

Use maiúsculas nos seguintes casos:

1) conceitos políticos importantes – Constituição, Estado, Federação, União, República, Poder Executivo, Legislativo, Judiciário, Justiça, Direito (conjunto de normas), Orçamento (quando for da União, dos Estados ou dos municípios);

2) citação direta – O ministro disse: "Acabou a inflação";

3) instituições, órgãos e unidades administrativas – Presidência da República, Supremo Tribunal Federal, Câmara dos Deputados, Senado Federal, Mesa da Câmara, Mesa do Senado, Assembleia Legislativa, Ministério da Fazenda, Secretaria da Educação, Exército, Marinha, Forças Armadas, Polícia Militar, Comissão de Relações Exteriores, Museu de Arte Moderna, Prefeitura de São Paulo, Estado (se for a divisão administrativa oficial do país em questão);

4) nomes de datas, feriados, eventos históricos ou festas religiosas e populares – Primeiro de Maio, Dia do Trabalho, Sete (ou 7) de Setembro, Natal, Ano-Novo, Réveillon, Carnaval, Revolução Francesa, Dia D, Ramadã, Iom Kipur, Dia da Bandeira, Proclamação da República, Dia do Aviador, Guerra do Golfo;

5) títulos de obras (discos, livros, filmes, pinturas, esculturas, peças de teatro, óperas, programas de TV etc.) – "O Lago dos Cisnes", "O Homem que Confundiu Sua Mulher com um Chapéu", "Mulheres à Beira de um Ataque de Nervos".

Artigos, preposições, conjunções e partículas átonas que ocorrem no meio do título são grafados com minúsculas;

6) Ocidente e Oriente – Quando se referem ao hemisfério como conceito geopolítico: O antagonismo entre Ocidente e Oriente;

7) região geográfica ou espacial, oficial ou consagrada – Triângulo Mineiro, Vale do Paraíba, Baixada Fluminense, Meio-Oeste (Costa Leste, Costa Oeste) dos EUA, Leste Europeu, Oriente Médio, Sudeste Asiático, Extremo Oriente;

8) período histórico consagrado ou geológico – Idade Moderna, Idade Média, Idade do Bronze, Alta Idade Média, Era Cristã, Antiguidade, Pré-História, Pleistoceno, Pré-Cambriano, o Seiscentos;

9) leis e normas, quando constituírem nome próprio – Lei Sarney, Lei do Ventre Livre, Lei de Diretrizes e Bases, Código Penal, Plano Diretor. Mas, atenção, se a lei for conhecida apenas por seu número, use minúscula: lei nº 5.250, portaria nº 123, medida provisória 296;

10) epítetos ("apelidos") de personagens históricos – Ivã, o Terrível; Pepino, o Breve; Ricardo Coração de Leão; João sem Terra; Maria, a Louca;

11) prêmios e distinções – Prêmio Nobel de Medicina, Ordem do Cruzeiro do Sul, Prêmio Esso de Jornalismo;

12) palavras hifenizadas – Lembre-se de que palavras separadas por hífen mantêm sua autonomia fonética. Assim, quando é o caso de escrevê-las com maiúscula, esta deve incidir sobre todos os elementos: Grã-Bretanha, Vice-Presidência. Eventuais partículas átonas permanecem com minúscula: Montemor-o-Velho.

13) nomes de constelações, galáxias, corpos celestes – Via Láctea, Cruzeiro do Sul, Sistema Solar, Grande Ursa.

Use minúsculas nos seguintes casos:

1) nação, país, governo, exterior e interior – Sempre, a não ser que integrem nome próprio;

2) república e monarquia – Quando designarem forma de governo;

3) estado – Como sinônimo de situação, disposição: estado de espírito, estado de sítio, estado sólido;

4) segunda menção – Nomes de instituições, quando aparecem pela segunda vez no texto de forma simplificada: O ar-condicionado do Ministério da Fazenda está quebrado. Os funcionários desse ministério se queixam do calor.

Mas atenção para as exceções: Presidência, Supremo, Câmara, Senado, Assembleia, Bolsa (em referências a Bolsas de Valores) sempre com maiúscula, mesmo em segunda menção, assim como os conceitos políticos importantes (veja item no começo deste verbete);

5) vias, logradouros, termos e acidentes geográficos – rua da Consolação, avenida Brasil, praça da República, alameda Barão de Limeira, largo de São Francisco, parque do Carmo, parque nacional do Itatiaia, ilha do Bananal, oceano Atlântico, cabo Horn, estreito de Magalhães, golfo do México, mar Mediterrâneo, polo Norte, hemisfério Sul.

Há exceções. Quando o acidente geográfico fizer parte de nome próprio (por exemplo, de país), use maiúscula: Ilhas Salomão, Cabo Verde, Costa do Marfim.

Lembre-se de que em mapas os nomes de acidentes geográficos, vias e logradouros aparecem isolados e portanto constituem frases, devendo ser grafados com inicial maiúscula;

6) norte/sul/leste/oeste, quando se

referirem ao ponto cardeal ou direção – O navio seguia para o norte; O vento oeste.

Mas, atenção, use maiúscula quando integrar nome próprio ou designar conceito geopolítico: Timor Leste; o antagonismo entre Norte e Sul;

7) cargos, profissões, títulos e formas de tratamento – papa, presidente, prefeito, ministro, secretário, sir John, cardeal Arns, engenheiro, doutor pela USP, mestre Abelardo, lorde Keynes, santo Antônio, são Pedro, senhor, dom, você.

Quando a designação do cargo fizer referência a instituição ou órgão de governo, atente para a manutenção da maiúscula no segundo termo: secretário da Defesa, ministro do Interior, governador do Estado;

8) ciências, disciplinas, escolas e movimentos artísticos – direito, filosofia, sociologia, português, física, engenharia, medicina, deontologia, paleontologia, arte, literatura, surrealismo, impressionismo, romantismo, simbolismo;

9) meses e dias da semana – janeiro, julho, dezembro, sexta-feira, segunda, domingo;

10) gentílicos – brasileiro, romano, carioca, norte-americano.

A tabela nas páginas 83, 84, 85 →
traz um resumo desses casos.

mandado/mandato – Não confunda *mandado*, que pode ser *de segurança, injunção, prisão*, com o *mandato* do *deputado, presidente, vereador*.

mansão – Evite a palavra em textos noticiosos. Significa *casa grande e luxuosa*, dois conceitos vagos e subjetivos.

mapa – Deve ser usado para localizar o fato noticiado, em especial quando o lugar é remoto ou fica em região que tenha passado por mudanças (de fronteiras ou nomes de países, por exemplo).Quem escreve o texto da reportagem deve ver o mapa; quem faz o mapa deve ler o texto da reportagem.

marajá – Título de príncipes e potentados da Índia. No Brasil, é coloquialmente usado como sinônimo de funcionário com alto salário e baixa produtividade. Evite em texto noticioso, exceto ao reproduzir declaração textual. O feminino é *marani*, mas na acepção brasileira chame também as mulheres de *marajá*.

mata atlântica – A expressão deve ser grafada em minúsculas. Trata-se de um tipo de vegetação (assim como floresta amazônica), não de um acidente geográfico ou região consagrada.

matar – Use esse verbo para morte ocorrida entre combatentes durante ação militar ou praticada pela polícia no estrito cumprimento do dever legal. Admite-se usar fora desses casos em títulos, por conveniência da edição, e quando houver a possibilidade de uma morte ter acontecido em legítima defesa.

matéria – Termo genérico usado para qualquer texto que se produz para jornal. Não use em textos para publicação. Prefira a denominação exata do gênero jornalístico: artigo, crítica, entrevista, reportagem etc.

"media"/mídia – "Media" é plural de "medium" e significa *meios*. Deu ori-

Maiúsculas e minúsculas – 1

Ao escrever...	Use maiúscula	Use minúscula
Acidentes geográficos	■ quando fizerem parte de nome próprio Cabo Verde, Ilhas Salomão, Costa do Marfim	■ nos demais casos oceano Atlântico, cabo Horn, estreito de Magalhães, mar Mediterrâneo
Apelidos de personagens históricos	Ivã, o Terrível; Ricardo Coração de Leão; Maria, a Louca	
Cargos, profissões, títulos e formas de tratamento		papa, presidente, sir John, cardeal Arns, engenheiro, doutor pela USP, mestre Abelardo, lorde Keynes, senhor, dom
Ciências, disciplinas, escolas e movimentos artísticos		direito, filosofia, sociologia, português, física, medicina, deontologia, paleontologia, arte, literatura, surrealismo, impressionismo, romantismo
Citações	O ministro disse: "Acabou a inflação" O primeiro parágrafo do documento afirma: "A lei pretende combater a poluição sonora da cidade"	
Corpos celestes	Terra, Marte, Sistema Solar, Grande Ursa, Cruzeiro do Sul	
Constituição	■ no sentido de Carta Magna A Constituição brasileira prevê a liberdade de imprensa	
Datas, eventos históricos, feriados ou festas populares e religiosas	Dia do Trabalho, Sete (ou 7) de Setembro, Natal, Ano-Novo, Carnaval, Dia D, Ramadã, Revolução Francesa, Guerra do Golfo, Dia da Bandeira, Proclamação da República	
Deus, Diabo	■ quando se referir à entidade absoluta Deus criou o mundo O papa reafirmou a existência do Diabo	■ nas outras acepções O diretor disse que o ator é um deus Está com o diabo no corpo
Direito	■ como conjunto de normas As normas do Direito brasileiro	■ quando se referir à disciplina acadêmica O rapaz está cursando direito
Ecossistemas		cerrado, mata atlântica, floresta amazônica
Entidades religiosas	■ quando se referir a entidades absolutas Deus, Buda, Cristo, Messias, Diabo	■ quando se referir às demais entidades arcanjo Gabriel, são Pedro, caboclo Pena Branca
Estado	■ como sinônimo de unidade administrativa ou como conceito político o Estado do Ceará, o Estado absolutista	■ como sinônimo de situação, disposição estado de espírito, estado de sítio, estado sólido
Executivo e demais Poderes	Poder Executivo, Legislativo, Judiciário, os três Poderes	
Exterior		Remeteu o dinheiro para o exterior

Maiúsculas e minúsculas – 2

Ao escrever...	Use maiúscula	Use minúscula
Federação	■ como conceito político O Rio de Janeiro é um dos Estados da Federação	
Gentílicos		brasileiro, romano, carioca, americano
Governo		O governo brasileiro
Instituições e órgãos	■ quando se tratar de nome completo Supremo Tribunal Federal, Câmara dos Deputados, Senado, Secretaria da Educação, Exército, Marinha, Forças Armadas, Polícia Militar, Museu de Arte Moderna, Prefeitura de São Paulo, Comissão de Relações Exteriores	■ quando aparecem pela segunda vez no texto, de forma simplificada* A Prefeitura de São Paulo anunciou novas obras contra enchentes. Os técnicos da prefeitura estimam seu custo em R$ 100 milhões
Justiça	■ quando se referir ao Poder Judiciário A Justiça decidiu absolvê-lo	■ como substantivo abstrato Fez-se justiça
Leis	■ quando se tratar de lei conhecida pelo nome Lei Sarney, Lei do Ventre Livre, Lei de Diretrizes e Bases, Código Penal	■ em leis com números lei nº 5.250, portaria nº 123, medida provisória 296
Lua	■ quando se referir ao corpo celeste Os astronautas chegaram à Lua	■ quando se referir à luz da Lua lua minguante, noite sem lua, noite de lua cheia
Meses e dias da semana		janeiro, julho, dezembro, sexta-feira, segunda, domingo
Monarquia	■ quando se referir a Estado "A Monarquia está sob perigo", disse o rei	■ quando se referir a forma de governo O parlamentar prefere a monarquia à república
Nação		A nação palestina
Norte, sul, leste, oeste	■ quando integrar nome próprio ou designar conceito geopolítico Timor Leste, polo Norte, o antagonismo entre Norte e Sul	■ quando se tratar de ponto cardeal O navio seguia para o norte O vento oeste
Ocidente, Oriente	■ quando se referir a hemisfério como conceito político O antagonismo entre Ocidente e Oriente	■ quando se tratar de ponto cardeal O Sol nasce no oriente e se põe no ocidente
País	■ quando se tratar de nome próprio País de Gales	■ em todos os outros casos O país elegeu seus deputados
Período geológico	Pré-Cambriano, Pleistoceno	
Período histórico	Idade Moderna, Idade Média, Antiguidade, Era Cristã	
Prêmios e distinções	Prêmio Nobel de Literatura, Ordem do Cruzeiro do Sul	

* Mas atenção para as exceções: Presidência, Supremo, Câmara, Senado, Congresso, Assembleia e Bolsa (de Valores) se escrevem sempre com maiúscula, mesmo em segunda menção.

Maiúsculas e minúsculas – 3

Ao escrever...	Use maiúscula	Use minúscula
Regiões geográficas consagradas	Triângulo Mineiro, Vale do Paraíba, Baixada Santista, Oriente Médio, Extremo Oriente, Vale do Ribeira	
República	■ quando se referir a Estado O presidente da República	■ quando se referir a forma de governo O plebiscito decidiu entre república e monarquia
Santo, são		santo Antônio, são Pedro
Sol	■ quando se referir ao corpo celeste A Terra é iluminada pelo Sol	■ quando se referir à luz do Sol Estava tomando banho de sol
Títulos de obras e programas de TV	"Guerra e Paz", "Janela Indiscreta", "Os Comedores de Batata", "Um Bonde Chamado Desejo", "O Lago dos Cisnes", "Jornal Nacional"	
União	■ como conceito político A União é dona de 200 ilhas	
Unidades administrativas	Estado	província, cantão, condado, município
Vias e logradouros	rua da Consolação, avenida Brasil, praça da República, parque do Carmo	

gem ao jargão *mídia*, para designar os meios de comunicação. "Media" não tem o plural formado pelo acréscimo de "s" e não leva acento: Os "media" no Brasil são... Como a forma original foi suplantada pelo jargão, admite-se o uso das formas singular (mídia) e plural (mídias).

Mídia eletrônica designa os meios de comunicação eletrônicos, como TV e internet. *Mídia impressa* indica os meios de comunicação impressos, como jornais e revistas. O termo também designa o profissional da área de publicidade que escolhe os veículos em que um anúncio será divulgado.

meia-noite – Horário que marca o fim de um dia, não o começo de outro. O começo de um dia ocorre à 0h: a greve começa à meia-noite de hoje é o mesmo que a greve começa à 0h de amanhã.

menor – Evite o termo para referir-se a criança ou adolescente. Não publique o nome completo de criança ou adolescente infrator; use as iniciais com ponto e sem espaço entre as letras. A **Folha** não deve publicar foto que permita identificar ou expor a situação de constrangimento criança ou adolescente infrator.

Mesa – Grafa-se em caixa alta e baixa quando se refere a Mesa Diretora de Câmara, Assembleia, Senado, Congresso.

meses – Comece com minúscula e não abrevie, exceto em infográfico e crédito de fotografia: jan., fev., mar., abr., mai., jun., jul., ago., set., out., nov., dez.

metáfora – Figura de linguagem na qual a significação imediata de uma palavra é substituída por outra, subentendendo uma relação de semelhança: *lábios de mel*. Pode ser útil para tornar um texto mais didático: Placas tectônicas são balsas que carregam os continentes sobre um mar de rocha incandescente.

Evite metáforas desgastadas pelo uso excessivo: aurora da vida, página virada, silêncio sepulcral, luz no fim do túnel.

metonímia – Figura de linguagem que consiste em substituir um termo por outro com base em contiguidade semântica: *Ler [uma obra de] Machado de Assis; beber [o conteúdo de] uma garrafa*. Se bem usada, pode tornar o texto mais conciso.

metrô/Metrô – Com minúscula, designa o meio de transporte. Com maiúscula, significa a companhia. A tarifa do metrô subiu; A greve é abusiva, segundo o Metrô.

mi – Abreviatura de milhão, admitida pela **Folha** apenas para referir-se a quantias em dinheiro em títulos, sobretítulos e legendas.

milionário – Evite. O conceito é vago, como os de bilionário e magnata. Procure sempre informar o patrimônio pessoal ou da empresa do personagem da notícia.

ministério/Ministério – Com maiúscula quando designar pelo nome próprio um dos órgãos do governo brasileiro ou de outros países: Ministério do Trabalho. Use minúscula em segunda menção ou para se referir ao conjunto de ministros: funcionários daquele ministério; o ministério de Getulio Vargas. Use caixa-baixa também quando mencionar mais de um ministério: Os ministérios da Agricultura e da Fazenda.

ministro – Escreva sempre com minúscula: ministro de Estado, ministro do TST, ministro do Itamaraty.

minoria – O conceito de minoria não é apenas definido por critério quantitativo, mas também político. São chamados de minorias grupos distinguidos por sua aparência física, linguagem, cultura, religião ou mesmo poder econômico. As minorias étnicas, raciais, religiosas, sexuais, políticas, ideológicas ou de qualquer outro tipo devem ser tratadas sem preconceitos pela **Folha**.

monarquia – Escreva com minúscula quando se referir à forma de governo; com maiúscula quando for sinônimo de Estado.

morte – Evite usar falecimento, passamento, trespasse, desencarnação ou qualquer outro eufemismo. Também evite falecido para designar morto, ou a expressão que faleceu para dizer que morreu.

Quando da publicação de notícia sobre a morte de um personagem, não omita nunca a sua causa. Esta, no entanto, só deve ser publicada se o jornal estiver seguro a seu respeito. Também não

Padronização e estilo

omita o suicídio quando ele for a causa da morte de alguém.

Use sempre *assassinar* quando alguém tira deliberadamente a vida de outra pessoa. Quando não houver premeditação ou a morte acontecer em legítima defesa, use *matar*. Não chame de assassino quem não foi julgado e condenado em última instância. Nesse caso, use acusado de assassinato. Também não o qualifique, em caso de condenação, como homicida ou matador. Use: Fulano de Tal, que matou Sicrano...

No caso de morte ocorrida entre combatentes durante ação militar ou praticada pela polícia no estrito cumprimento do dever legal, use *matar*. O verbo pode ser usado fora desses casos em títulos, por conveniência de edição, e quando houver a possibilidade de uma morte ter acontecido em legítima defesa.

Use *executar*, no sentido de matar, em apenas dois casos: morte legalmente praticada por poder público ou morte praticada por comando militar contra subordinado ou prisioneiro em tempo de guerra.

Use *fuzilar* apenas quando alguém é morto por pelotão de fuzilamento ou tiros de fuzil. Quando se tratar de revólver, use *balear*. Com metralhadora, use *metralhar*.

É comum a ocorrência de trotes dando conta da morte de pessoas famosas. Confirme a informação antes de publicá-la.

movimento militar – O de 1964, no Brasil, pode ser designado por essa expressão ou por ditadura militar, mas não por Revolução de 64.

mulheres – Trate mulheres que são personagens de notícia da mesma forma que homens. Informe sua profissão ou cargo e também a idade. Na segunda menção à pessoa em um mesmo texto, identifique-a pelo sobrenome, a não ser quando for mais conhecida pelo prenome e chamá-la pelo sobrenome possa gerar desinformação. Por exemplo, use *Ruth* e não *Cardoso* para se referir à mulher de Fernando Henrique Cardoso.

Use o gênero feminino para designar atividade, função ou cargo exercido por mulher: a embaixadora Fulana de Tal. Cuidado: há exceções como presidente, gerente e poeta, usados na **Folha** como comum de dois gêneros (a presidente).

Evite o uso de expressões estereotipadas (garota, sexo frágil, gata, boneca). Também não use o tratamento dona, da mesma forma que o jornal não usa sr. antes de nomes de homem. Não mencione características físicas (loira, atraente), a menos que citá-las seja relevante para a notícia.

N

nação – Escreva sempre com minúscula. Não use para designar o Brasil. O termo não é sinônimo de país. Designa qualquer população que compartilhe território, língua, costumes e valores.

Não designe chefe de governo ou chefe de Estado como chefe da nação – até para evitar o cacófato *danação*.

nacionalidade – Quando não se depreende a nacionalidade do personagem da notícia e ela for relevante, mencione-a: O escritor português José

Saramago. Mas nunca: O prefeito de Nova York, o norte-americano Rudolph Giuliani.

Há muitas nações no mundo que não estão organizadas como Estados. Nesses casos, registre a nacionalidade dos personagens da notícia respeitando origem nacional, e não condição legal de cidadão de determinado país: o poeta catalão, o refugiado curdo – em vez de o poeta espanhol, o refugiado iraquiano. Exceção para os casos em que um personagem nacional desempenhe cargo ou função supranacional: Jossip Broz Tito foi líder iugoslavo, e não líder croata; Stálin foi líder soviético, e não líder georgiano. Use a cidadania legal se a pessoa assim o preferir.

não obstante – Não use.

na realidade/na verdade – Evite esses cacoetes de linguagem.

nariz de cera – Parágrafo introdutório que retarda a entrada no assunto específico do texto. É sinal de prolixidade. Na **Folha**, evite em qualquer tipo de texto e não use em texto noticioso. Um exemplo:

A astronomia já viveu grandes revoluções em sua história. Das esferas de cristal, que sustentavam os astros em seus postos fixos, à revolução de Nicolau Copérnico (1473-1543) e às elipses de Johannes Kepler (1571-1630), muitos séculos de observação foram necessários para mudar a imagem do céu.

O século 20 não poderia fugir à regra. Uma descoberta anunciada na semana passada pela revista britânica "Nature" confirma o padrão. Astrônomos do Observatório Austral Europeu (ESO, na sigla em inglês) detectaram o primeiro planeta fora do Sistema Solar.

Poucos leitores ultrapassariam o obstáculo para chegar ao segundo parágrafo, que abriga a notícia propriamente dita. Note que é impossível extrair um bom título exclusivamente das informações do primeiro parágrafo.

Natal – Escreva com maiúscula o nome da festa religiosa.

neologismos – Evite em textos noticiosos. Neologismos podem ser de entendimento restrito.

Nobel – Comece sempre com maiúscula, mesmo quando se referir ao ganhador de um desses prêmios: Prêmio Nobel de Medicina; Octavio Paz, Nobel de Literatura, faz palestra hoje.

nomes científicos – Escreva em itálico, da seguinte maneira: o nome do gênero, que vem primeiro, com a inicial em maiúscula e o nome da espécie em minúscula: *Homo sapiens* (espécie humana), *Escherichia coli* (bactéria comum nos intestinos humanos). Quando o texto estiver em itálico, o nome científico deve ser escrito em redondo.

nomes e cargos religiosos – O tratamento formal dado a membros da hierarquia da Igreja Católica (como d. José da Silva) deve ser mencionado apenas na primeira referência. Nas outras vezes em que for citado, o bispo, arcebispo ou cardeal deve ser tratado pelo sobrenome (Silva) ou pelo cargo (bispo, arcebispo, cardeal), a não ser quando for mais conhecido pelo prenome. Exemplos: d. Hélder [Câmara], d. Paulo [Evaristo Arns].

nomes estrangeiros – A **Folha** adota os seguintes princípios para grafá-los:
1) nomes próprios de línguas escritas com letras latinas – A regra geral é manter a grafia original tanto no nome como no sobrenome, ignorando toda espécie de sinais quando não houver correspondente em português: Lech Walesa, e não Lech Wałęsa, mas Gaston Lefèvre, e não Gaston Lefevre. O trema também deve ser usado em nomes estrangeiros: Anaïs Nin. Indique a pronúncia aproximada do nome quando se tratar de personagem importante ou desconhecido: O ex-presidente polonês Lech Walesa (pronuncia-se lérr vauênsa) foi recebido pelo papa.

Se o nome vier de língua escrita com letras latinas, mas tiver uma forma portuguesa já consagrada, opte por esta última: João Paulo 2º, e não Giovanni Paolo ou Ioannes Paulus; Luís 14, e não Louis 14. Normalmente, personagens da Antiguidade ou Idade Média e papas têm seus nomes traduzidos: Guilherme de Ockham, em vez de William of Ockham; Henrique 5º, em vez de Henry V; Leão 13, e não Leonis XIII.
2) nomes próprios provenientes de línguas com outros alfabetos – A recomendação geral é transliterar de acordo com a pronúncia aproximada: Mikhail Gorbatchov, e não Mikhail Gorbatchev; Anuar al Sadat, e não Anwar al Sadat;
3) topônimos (nomes de lugares) – Como regra geral, a **Folha** adota a grafia original ou transliterada (quando o nome for proveniente de língua com outro alfabeto): Glasgow, Idaho, Tel Aviv, Kyoto, Bayreuth, Medellín, Buenos Aires, Verona.

O segundo princípio é adotar a forma portuguesa consagrada e de uso generalizado no Brasil, quando houver: Londres, em vez de London; Berlim, em vez de Berlin; Viena, em vez de Wien; Haia, em vez de Den Haag; Pensilvânia, em vez de Pennsylvania; Baviera, em vez de Bayern; Renânia-Palatinado, em vez de Rheinland-Pfalz; Estrasburgo, em vez de Strasbourg; Pequim, em vez de Beijing.

Cidades e Estados dos EUA que começam com "New" têm apenas essa parte do nome traduzida: Nova York, Nova Orleans, Nova Jersey.

A **Folha** respeita como atos de soberania novas grafias adotadas por países, como Mianmar (em vez de Birmânia) e Moldova (em vez de Moldávia). Para evitar desinformação, recomenda-se nesses casos explicar que houve mudança de nome e informar o nome antigo, durante período a ser definido pelo editor de **Mundo**.

Os casos de dúvida serão resolvidos pela editoria de **Mundo** depois de consulta a especialista. Caberá então à Direção de Redação estabelecer o novo padrão, em comunicado à Redação.

Consulte também regras para transliteração de algumas línguas e lista de topônimos estrangeiros no anexo "Nomes estrangeiros".

nomes próprios – Escreva de acordo com o registro oficial ou com a forma usada profissionalmente pela pessoa, mesmo no caso de pessoas já mortas: Vital Brazil, Euclydes da Cunha, Eça de Queiroz. Certifique-se sempre da grafia correta dos nomes próprios que mencionar e peça que o entrevistado soletre seu nome –há casos, por exemplo, em que a grafia pode ser Victor, Vítor ou Vitor.

A partir da segunda menção no texto, o personagem deve ser identificado apenas pelo sobrenome ou pelo nome mais conhecido: O professor John Doe pôs fogo na escola onde trabalha às 13h de ontem. Não explicou os motivos. Doe leciona sinologia. Mas: O cantor e compositor Caetano Veloso prepara um novo disco para lançar às vésperas do Natal. Caetano termina de gravar nesta semana.

Nomes próprios podem ser grafados com ou sem *s* no final. Exemplos: 10 mil Corsas, 2.000 Gol, os Maias, os Cavalcanti. O importante é que, numa mesma reportagem, seja adotada apenas uma forma.

Norte/Sul – Use maiúscula quando se referir aos hemisférios, como conceito geopolítico, ou às regiões Norte e Sul do Brasil: "Os países do Norte devem ajudar as economias subdesenvolvidas", disse o presidente do Zaire; Chuvas provocam enchentes no Sul.

nosso – Use apenas ao reproduzir declaração textual. O presidente é da República, não *nosso*; a seleção é do Brasil, não *nossa*; o correspondente é da **Folha**, não *nosso*.

nota biográfica – Texto colocado no final de artigo ou reportagem, no qual são fornecidas informações sobre o autor, quando ele não pertence à equipe do jornal. É obrigatório em todos os textos em que o autor é identificado como "especial para a **Folha**" e vetado nos textos em que a identificação é "free-lance para a **Folha**".

Nota da Redação – Na **Folha**, é utilizada para esclarecimentos –por exemplo, nos casos de carta contendo informações incorretas ou de acusação contra o jornal, quando a Direção de Redação considere necessária uma resposta. A expressão (**Nota da Redação**) aparece em negrito, com maiúsculas e minúsculas, seguida de travessão e texto (este em claro). Não use a expressão N. da R.

notícia – Puro registro dos fatos, sem opinião. A exatidão é o elemento-chave da notícia, mas vários fatos descritos com exatidão podem ser justapostos de maneira tendenciosa. Suprimir ou inserir uma informação no texto pode alterar o significado da notícia. Não use desses expedientes.

numerais – A **Folha** adota duas regras gerais para padronizar a grafia de numerais em seus textos:

1) só escreva por extenso números inteiros de *zero* a *dez*, além de *cem* e *mil*, sejam cardinais ou ordinais: Andou dez quilômetros; Acabou o percurso em sétimo lugar; Havia 50 pessoas no auditório e apenas 11 ficaram até o final; Ele foi o 23º da turma; Ele tirou nota zero em português e matemática;

2) em números iguais a 10 mil ou maiores, escreva o algarismo seguido da palavra que designa a ordem de grandeza: A China já tem mais de 1 bilhão de

Numerais

Escreva...
por extenso
■ de zero a dez/ de primeiro a décimo
■ cem/ centésimo
■ mil/ milésimo
em algarismos
■ de 11 a 99/ de 11º a 99º
■ de 101 a 999/ de 101º a 999º
■ de 1.001 a 9.999/ de 1.001º a 9.999º
com algarismos + palavra
■ de 10 mil em diante (10 mil; 20 mil; 12,5 mil; 100 mil; 100,2 mil; 1 milhão; 6 milhões; 10 milhões; 8 bilhões)
No início de frases, escreva números por extenso
Vinte e sete pessoas ficaram feridas.

Mas use algarismos em...	
idade (quando vier entre vírgulas)	Maria de Campos, 44, tem um filho de dois anos.
dias do mês	1º de junho, 10 de outubro
ano	(sempre sem o ponto que indica milhar) 1999; 2030
século	século 20; século 1º a.C.
números com decimais	2,1 metros; 3,5 pontos
resultado de jogos esportivos	O time perdeu por 3 a 1.
tabelas e gráficos	
comparação	Entre os deputados, 8 votaram a favor e 15, contra.
proporção	De cada 30 alunos, 6 já fumaram maconha.
números seguidos de símbolos*	2%, 8h, 22h45, 10s, 5 kg, 20 m, 4°C, 100 km, 360°, 1min23s476

* Acima de 9.999, use a forma algarismo + palavra.
Exemplo: em vez de 150.000 km, escreva 150 mil quilômetros.

habitantes; Um ano-luz equivale a 9,5 trilhões de quilômetros; O equipamento custou US$ 20 milhões. Atenção: seguindo essa regra, escreva Havia 2.500 pessoas na manifestação, e não Havia 2,5 mil pessoas na manifestação; 2.000, e não 2 mil ou dois mil.

Além dessas duas regras gerais, observe a seguinte padronização:

1) A **Folha** não faz uso de algarismos romanos, exceto ao citar ou transcrever texto de lei (capítulo VII, inciso IX) e para respeitar a grafia original de um substantivo próprio: papa João 23, dom Pedro 2º, mas Centro Acadêmico XI de Agosto e XV de Piracicaba.

2) Use algarismos nos seguintes casos, mesmo contrariando regras anteriores:

a) números seguidos de símbolos – 2%, 8h, 22h45, 10s, 5 kg, 20 m, 4ºC, 100 km, 360º, 1min23s476. Mas atenção: acima de 9.999, evite o uso de símbolos como *km*. Escreva Uma unidade astronômica equivale à distância média entre o Sol e a Terra, cerca de 150 milhões de quilômetros, em vez de 150.000.000 km ou de 150 milhões de km;

b) idade, quando mencionada, entre vírgulas após o nome – Maria de Campos, 4, foi sorteada;

c) tabelas e gráficos;

d) dimensão, medida, peso, proporção ou comparação – Quando forem formados por dois ou mais elementos: Um terreno de 10 metros por 40 metros; A proposta foi recusada por 45 votos a 2; 5 partes de gim e 1 de vermute; O presidente do Haiti governou 15 anos, o do Brasil, 5, o da França, 7;

e) resultado de jogos esportivos – A seleção brasileira perdeu por 3 a 0;

f) dias do mês – 1º de abril, 10 de outubro (só o primeiro dia do mês deve ser em ordinal);

g) ano – 1999; 2030 (sempre sem o ponto que indica milhar);

h) século – Jesus Cristo nasceu no século 1º a.C.; O século 20 acaba em 31 de dezembro do ano 2000;

i) números com decimais – A mesa tinha 2,1 metros de comprimento.

3) Não use algarismo no início de frase. Modifique a oração para tirar o algarismo do começo ou, em último caso, escreva o número por extenso.

4) Cuidado com pontos e vírgulas. Em português, usa-se o ponto para marcar os milhares (2.000) e a vírgula para os decimais (1,2). Como na notação inglesa ocorre o inverso, os erros são comuns.

5) Muito cuidado ao traduzir numerais de outras línguas para o português. Quem traduzir *1 billion de francs* por *1 bilhão de francos* estará perdendo 999 bilhões de francos. Em francês moderno, *billion* designa *trilhão* (10^{12}), e não *bilhão* (10^{9}). Algo semelhante ocorre em alemão, espanhol e até em português, dependendo do país. No inglês, a situação é ainda mais confusa. Quem traduzir *billion* de texto norte-americano para *bilhão* acertará. Se o texto for britânico, é preciso verificar se *billion* não tem no caso o sentido de *trilhão*, como no inglês mais clássico. Consulte quadro com as grandezas e seus nomes em várias línguas no "Anexo matemático e estatístico".

6) Na numeração de artigos de leis, decretos e portarias, usa-se o ordinal até nove e o cardinal de dez em diante: artigo 1º, artigo 9º, artigo 10. Papas, soberanos, séculos, capítulos de obras etc. recebem o ordinal até dez e o cardinal de 11 em diante: Paulo 6º, século 10º, Leão 13, século 20. Quando o numeral antecede o substantivo, usa-se sempre o ordinal: 20º capítulo. **tabela ← pág. 91**

O

Ocidente/Oriente – Escreva com maiúscula quando designar hemisfério: Aumentou o fluxo de capitais do Ocidente para o Oriente.

"off the record" – Informação que, se publicada, tem sua fonte mantida no anonimato. A informação "off" deve aparecer sob a forma A **Folha** apurou, principalmente quando houver versão que se contraponha à que o jornalista apurou: O prefeito disse que não haverá mudança no secretariado, mas a **Folha** apurou que o secretário da Administração será trocado nesta semana. A fórmula A **Folha** apurou não precisa ser usada em casos corriqueiros, em que informações "off" foram devidamente apuradas e podem ser publicadas como fato comprovado: Dois ministros se retiraram, pela saída privativa, antes do final da reunião.

oficial – Na hierarquia militar, o termo só pode ser empregado para designar integrante das Forças Armadas ou das polícias militares com patente superior à de sargento.

ombudsman – Palavra de origem sueca que significa "aquele que representa". Pronuncia-se "ômbudsman", mas no Brasil fixaram-se as formas "ombúdsman" ou "ombudsmân". A **Folha** usa o termo ombudsman tanto no feminino quanto no masculino. No plural, grafa-se "ombudsmans".

ONG – Sigla de *organização não governamental*. Deve ser sempre grafada em caixa-alta.

ontem – A maioria das notícias do jornal refere-se ao que aconteceu ontem. Evite, por isso, usar essa palavra em demasia. Basta esclarecer no primeiro parágrafo que o fato narrado ocorreu ontem.

orientação sexual – A **Folha** não discrimina negativamente orientação sexual nem se refere de maneira pejorativa a nenhuma delas. Não use, ao menos em textos noticiosos, termos depreciativos como bicha, boiola e sapatão. A **Folha** não identifica personagem do noticiário por sua orientação sexual, a não ser quando isso for relevante no contexto da informação. Exemplo: O ministro Fulano de Tal, que ontem revelou ser homossexual, foi exonerado do cargo. A **Folha** não revela orientação sexual, a não ser quando o personagem a admite.

P

padre – Escreva com minúscula: O padre José Silva, o padre Paulo.

pág. – Em quadro, ficha técnica ou remissão, deve-se usar essa abreviatura de *página*. No plural, use págs.

país – Com minúscula, mesmo quando se referir ao Brasil.

pajé – Não use esse termo tupi-guarani para designar todo e qualquer líder espiritual ou curandeiro de grupos de índios.

palavrão – Evite. Só deve ser usado quando for relevante no contexto da notícia, sempre com consulta prévia à Direção de Redação: *O diretor do Masp foi indiciado sob suspeita de ordenar a um funcionário que escrevesse a palavra "merda" nas paredes externas do museu; O bancário foi detido por ter chamado o presidente de "veado".* Não use abreviações. Em casos corriqueiros, deve-se evitar a publicação: Os torcedores xingaram o juiz, em vez de Os torcedores gritaram "filho da puta" para o juiz.

palavras estrangeiras – Não use se houver equivalente em português. A **Folha** considera sua função criar esses equivalentes sempre que possível ou aportuguesar a grafia de palavras de outras línguas.

Este manual lista as palavras aportuguesadas e estrangeiras que a **Folha** grafa com ou sem aspas. Se a palavra não estiver relacionada no corpo deste manual ou nos anexos e houver real necessidade de usá-la, grafe entre aspas.

papa – Com minúscula, exceto se fizer parte de nome próprio: o papa João 23, mas a avenida Papa João 23.

"paper" – Evite. Em inglês, documento. Na universidade, significa texto acadêmico. Nessas acepções, não traduza por *papel*: Os documentos do Pentágono, e não os papéis do Pentágono.

parágrafo – Deve conter apenas uma ideia ou raciocínio completo. Evite parágrafos longos. O ideal é que eles tenham de 8 a 10 linhas justificadas.

parênteses – Evite em texto corrido para introdução de explicações longas. Não use parênteses dentro de parênte-

ses. Utilize-os nas seguintes situações:
1) introduzir datas de nascimento de personagens da notícia – Charles Dickens (1812-1870);
2) registrar regiões de cidades – al. Santos (região dos Jardins);
3) explicar a pronúncia de palavras estrangeiras – O presidente iugoslavo Vojislav Kostunica (pronuncia-se "Vôislav Koshtunitsa");
4) informar o partido e Estado de um político – O deputado Fulano de Tal (PQ-SP);
5) informar o Estado a que pertence uma cidade – Santa Quitéria (MA);
6) remeter o leitor a um texto na mesma página – (leia texto nesta página);
7) explicar o significado de siglas – CBF (Confederação Brasileira de Futebol).

parlamentar – Prefira a palavra *congressista* para designar deputados ou senadores de regimes presidencialistas brasileiros, uma vez que *parlamentar* se refere ao sistema parlamentarista, que não é adotado no Brasil.

Parlamento/Congresso – Não são sinônimos. *Parlamento* é o conceito mais geral. *Congresso* é a palavra mais comum para designar a reunião de duas câmaras em regimes presidencialistas, usualmente chamadas de *Câmara* e *Senado*. A **Folha** prefere *Congresso* para designar o Poder Legislativo de países presidencialistas.

Use *Legislativo* para designar *Congresso* em segunda menção.

Não chame um *Parlamento* (em sentido estrito) de *Congresso*: o Bundestag é o Parlamento alemão, e não o Congresso alemão. Tampouco use o termo para designar apenas uma das câmaras em regime presidencialista.

pastor – Sacerdote protestante. Escreva sempre com minúscula.

patentes militares – Tome cuidado com patentes designadas por nomes compostos. Um almirante de esquadra pode ser chamado em título de almirante, mas referir-se a um major-brigadeiro apenas como major é um erro grave de hierarquia. Na verdade, trata-se de um oficial-general, e a simplificação correta é brigadeiro.

patriarca – Comece com minúscula, mesmo quando se referir a título hierárquico da Igreja Ortodoxa: o patriarca Nicolau.

Ph.D – Abreviatura da expressão latina *philosophiae doctor* (doutor em filosofia), comum nos países de língua inglesa. Seu uso se generalizou para outras disciplinas. Traduza por doutor.

pirâmide invertida – Técnica de redação jornalística pela qual as infor-

A questão das porcentagens

80%	**estão**	desempregados
80% do eleitorado	**está**	desempregado
80% da população	**está**	desempregada
80% dos homens	**estão**	desempregados
80% das mulheres	**estão**	desempregadas
1%	**está**	desempregado
1% do eleitorado	**está**	desempregado
1% da população	**está**	desempregada
1% dos homens	**estão**	desempregados
1% das mulheres	**estão**	desempregadas

mações mais importantes são dadas no início do texto e as demais, em hierarquização decrescente, vêm em seguida, de modo que as mais dispensáveis fiquem no final.

É a técnica mais adotada em jornais do Ocidente. Deve ser usada pelos jornalistas da **Folha** em textos noticiosos.

plágio – A **Folha** não publica texto plagiado, seja de outros autores, seja a republicação de texto do mesmo autor (ou autoplágio).

Quando reproduzir texto de outro autor ou de sua própria autoria já publicado, o jornalista deve citar claramente o autor original e, se possível, o local e a data em que o texto foi publicado, além de deixar evidente para o leitor o trecho que está sendo reproduzido.

Planalto – Nome do palácio que serve de sede ao Poder Executivo brasileiro em Brasília. Pode-se usar para designar o Poder Executivo federal: O Planalto está empenhado na aprovação da lei.

plural majestático – Uso da primeira pessoa do plural para designar ação ou pensamento realizado por indivíduo ou organização. Não use na **Folha**. Admite-se em editorial, em Nota da Redação, no título da seção "Erramos", em transcrição e em artigo assinado.

Atenção para a concordância: "Sentimo-nos cansada, disse a rainha".

Poderes – Escreva com maiúscula Poder Executivo, Poder Legislativo, Poder Judiciário, mesmo em segunda menção: Executivo, Legislativo, Judiciário, os três Poderes.

poeta/poetisa – Evite poetisa. Prefira o uso de poeta como substantivo comum de dois: o poeta, a poeta.

polaco – Não use. O adjetivo referente à Polônia é polonês.

polícia – Polícia Civil, Polícia Militar, Polícia Federal, Polícia Rodoviária, Polícia Ferroviária e Polícia Técnica devem ser grafados em caixa alta e baixa no singular. No plural, use caixa-baixa: As polícias Militar e Civil fazem uma reunião de emergência hoje.

ponto de exclamação – Nunca use em título, a não ser em casos excepcionais, com autorização da Secretaria de Redação. Em texto noticioso, só use entre aspas, na reprodução literal de declaração enfática.

pontos cardeais – Comece com minúscula quando se referir a posição geográfica ou direção: O navio ruma para o norte; Vitória está 524 quilômetros a leste de Belo Horizonte; A rebelião curda no norte do Iraque fez muitas vítimas.

Use maiúscula para designar as cinco regiões geográficas brasileiras (Norte, Nordeste, Centro-Oeste, Sudeste e Sul), quando o ponto cardeal fizer parte de nome próprio (Carolina do Norte, Timor Leste, Paraíba do Sul, Cruzeiro do Sul) ou para designar os hemisférios Norte e Sul, como conceitos geopolíticos (países do Norte).

popular – Não use o termo para designar pessoas: O acidente foi visto por dezenas de pessoas, e não O acidente foi visto por dezenas de populares.

porcentagem – Grafe sempre com algarismos: 1%, 99%.

Não confunda *ponto percentual* com *por cento*: A inflação subiu 5% em relação ao mês anterior significa que ela subiu de, por exemplo, 20% mensais para 21%. Se a intenção é dizer que a inflação subiu de 20% para 25%, escreva: A inflação subiu cinco pontos percentuais. Da mesma forma, se uma pesquisa de opinião indica um candidato com 40% e outro com 38%, a diferença entre eles é de dois pontos percentuais, não de 2%. Veja, na pág. 94, tabela com a concordância verbal adotada pela **Folha**.

Atenção: se o verbo vier *antes* do percentual, faça a concordância com esse percentual. Estava presente 1% dos deputados; Concordam com a medida 20% da população.

por consequência – Evite.

por outro lado – Evite.

porquanto – Evite.

por sua vez – Evite.

posto que – Evite.

postura – Não use como sinônimo de *posição* ou *atitude*.

povo – Evite o termo para sociedades nacionais organizadas em estruturas complexas. Use população ou sociedade: A população americana é conservadora, em vez de o povo americano é conservador. Admite-se o uso de *povo* para designar etnias: os povos eslavos.

preconceito – A **Folha** não utiliza expressões que denotem preconceito, como bicha, sapatão, crioulo, papa-hóstia. As exceções ficam por conta de reproduções de declarações, entre aspas.

A **Folha** também não qualifica ninguém por sua origem étnica, confissão religiosa, situação social, preferência sexual, deficiência física ou mental –exceto quando for relevante para a notícia: O primeiro governador negro dos Estados Unidos; O principal ativista homossexual norte-americano foi recebido pelo papa. Pode-se usar a palavra gay como sinônimo de *homossexual*.

prefeitura/Prefeitura – Só escreva com maiúscula se fizer parte de nome completo: Prefeitura de São Paulo. Em segunda menção, escreva com minúscula: Os funcionários da prefeitura estão em greve.

premiê – Do francês *premier*, isto é, *primeiro*. Usado como forma reduzida de *premier ministre* (primeiro-ministro). Se o cargo for exercido por mulher, use primeira-ministra. Na Alemanha e na Áustria, que também adotam o sistema parlamentarista, o cargo de chefe de governo tem o nome de *chanceler* (se usar, explique que se trata do chefe de governo). Não use *chanceler*, nesses casos, para designar os ministros das Relações Exteriores.

Presidência da República – Escreva sempre com maiúscula, mesmo na forma simplificada: candidato à Presidência.

Padronização e estilo

presidente – Use como substantivo comum de dois: o presidente, a presidente, sempre em minúsculas.

Primeiro Mundo – Escreva com maiúsculas, assim como Terceiro Mundo. O sentido corrente de *Primeiro Mundo* é o da reunião dos países desenvolvidos. *Segundo Mundo* designava os países do então bloco socialista. *Terceiro Mundo* reunia países que não pertenciam a esses dois blocos. Posteriormente, surgiu a expressão *Quarto Mundo*, para agrupar países muito pobres.

profissões – Escreva sempre com minúscula: médico, engenheiro, professor.

programa de TV – Escreva nomes de programas de TV entre aspas e com maiúsculas no início de cada palavra, exceto artigos, conjunções, preposições e partículas átonas. Por exemplo: "Jornal Nacional", "A Escolinha do Professor Raimundo".

prometer – Não use como sinônimo de *dizer*. Significa *assumir compromisso*. Empregue sempre que político ou membro de governo assumir compromisso de realizar algo em determinado prazo: O governador Fulano de Tal prometeu construir 1 milhão de casas neste ano.

pronúncia – Sempre que a pronúncia correta de palavra ou nome estrangeiro for pouco conhecida, convém indicá-la ao leitor quando ainda for recente no noticiário. A indicação deve ser feita entre parênteses. Ex.: Ludwig Wittgenstein (Lúdvig Vítguenstain).

pronunciamento – Evite como sinônimo de *discurso*, *declaração*, *entrevista*, que descrevem com maior precisão diferentes maneiras de manifestar opinião.

propaganda – Em sentido restrito, atividade que visa influenciar o homem, com objetivo religioso, político ou cívico. Se tiver finalidade comercial, use *publicidade*.

província – Unidade político-administrativa em alguns países, como a Áustria e a Argentina. Corresponde aproximadamente a *Estado* no Brasil. Nesses casos, escreva com inicial minúscula.

Evite a designação preconceituosa de província em relação a cidades ou regiões distantes dos grandes centros urbanos, em sentido literal (geográfico) ou figurado (cultural).

Q

qualificação ideológica – Deve ser a mais precisa possível. Não use *comunista* para designar quem defende posições de esquerda, mas para quem fez ou faz parte de partidos comunistas. No caso de pessoas com outras posições de esquerda, tente ser o mais específico possível: leninista, trotskista. Não use *fascista* para designar pessoas ou governos conservadores, mas apenas aqueles que pertencem ou pertenceram ao partido fascista italiano ou seus sucedâneos: franquismo espanhol, salazarismo português, nacional-socialismo alemão e integralismo brasileiro. Também evite polarizações simplistas, como *conservador/progressista*. Tente sempre designar a pessoa pelo partido político a que de fato pertence ou explicar ao leitor a posição que ela e seus aliados defendem. Por exemplo: as pessoas que defendem a legalização do aborto ou os congressistas que representam os interesses dos produtores rurais.

que – Evite o excesso de *ques*, para tornar o texto mais elegante e a leitura mais ágil. Muitas vezes, é melhor usar ponto e dividir o período em dois: O ministro disse que o governo vai investigar a fraude. Prometeu demitir os culpados em breve, em vez de O ministro disse que o governo vai investigar a fraude e que os culpados serão demitidos em breve.

quebra de protocolo – Evite esse cacoete de linguagem. Episódios frequentemente classificados como *quebra de protocolo* não são regidos por nenhum protocolo. Antes de recorrer à expressão, certifique-se de que havia, de fato, protocolo.

quorum – Escreva sem acento. Indica o número mínimo necessário de pessoas presentes para o funcionamento de uma sessão: A votação foi suspensa por falta de quorum.

R

rabino – Sacerdote da religião judaica. Escreva sempre com minúscula.

rádio – Comece sempre com minúscula: A rádio Verdes Mares.

rapto – Não use para designar *sequestro*.

rebelde – Qualquer grupo organizado que se opõe pelas armas a um governo.

reconhecer – Significa *admitir como certo*, *constatar*, *verificar*, *confessar*, *aceitar*. Não use como sinônimo de *dizer*, pois tem conotação negativa.

recurso – Em texto sobre decisão judicial, registre sempre se cabe recurso e informe se ele tem efeito suspensivo, ou seja, se suspende a execução da decisão até que haja outra de instância superior.

Redação – Escreva com inicial maiúscula quando se referir à Redação de um jornal (no plural, Redações), para diferenciar de redação como ato de redigir.

redundância – Evite sempre. Mas, se for conveniente rememorar fatos e tornar o texto acessível a um número maior de leitores, explique melhor a notícia, mesmo sob o risco de alguma redundância.

regiões geográficas – Com maiúscula, quando oficiais ou consagradas: Triângulo Mineiro, Vale do Paraíba, Centro-Oeste.

regionalismo – Evite palavras e expressões que tenham significado restrito a uma região ou que possam ter significados diversos em diferentes regiões do país. Exemplos de regionalismos paulistas: farol como sinal ou semáforo; guia como meio-fio; carta como carteira de habilitação; jamanta como carreta; holerite como contracheque; RG como carteira de identidade; lista como lista telefônica.

reis e soberanos – Comece sempre com minúscula, exceto se integrar substantivo próprio: O rei da Espanha, praça Rei Juan Carlos, a rainha Vitória.

reitor – Comece sempre com minúscula, exceto se integrar substantivo próprio: O reitor da Universidade de São Paulo; auditório Reitor Zeferino Vaz.

relações públicas/relações-públicas – Sem hífen, designa a atividade: Aquela empresa faz um bom trabalho de relações públicas. Com hífen, designa o profissional e é substantivo comum de dois: o relações-públicas, a relações-públicas. Não use a sigla RP.

remissão – Quando se trata de chamar a atenção, em páginas internas, para outras reportagens ou artigos da mesma edição, usa-se no final do texto a forma LEIA MAIS, seguida da frase "sobre o assunto tal na pág. tal".

Quando um texto abordar assunto comentado em editorial publicado na mesma edição, deve haver remissão: Leia a opinião da Folha no editorial "Abuso de poder", na pág. A2.

Se a intenção for remeter o leitor para texto ou infográfico na mesma página, abra parênteses: (leia texto nesta página). Evite palavras do jargão jornalístico, como *arte*. Informe exatamente qual o tipo de arte ou infográfico: tabela, mapa etc.

repetição de palavras – Uma antiga regra de estilo recomenda não repetir palavras ao longo de um texto. O emprego de vocabulário amplo enriquece de fato o texto de jornal, mas atenção: o uso de sinônimos para designar uma mesma coisa pode tornar o texto impreciso e confuso. Causídico e doutor, por exemplo, são péssimos substitutos de advogado. Em muitos casos, não há mal em repetir palavras.

república/República – Com maiúscula quando designar instituição política: presidente da República; a Quinta República francesa. Quando designar forma de governo, escreva com minúscula: república se opõe a monarquia.

ressaltar – Significa *tornar saliente, destacar*. Não use como sinônimo de *dizer*, pois dá conotação positiva à declaração.

revelar – Significa *desvelar, tirar o véu*. Não use como sinônimo de *dizer*.

Réveillon – Use Réveillon ou Ano-Novo.

revolução/Revolução – Só escreva com maiúscula quando se referir a fato de grande importância histórica e seu nome for mencionado por inteiro: A Revolução Francesa comemorou 200 anos; foi a revolução mais importante do século 18.

Admite-se o uso do conceito de revolução em sentido figurado, para expressar uma mudança drástica em processos habituais: A informática revolucionou a segunda metade do século 20. Use com moderação.

Revolução de 64 – Não use. Empregue a expressão movimento militar.

rezar/orar – Embora esses termos,

segundo os dicionários, sejam sinônimos, evite o uso da palavra *rezar* em referências a evangélicos. Prefira *orar*.

ruas, avenidas e logradouros – Escreva com minúscula: rua da Consolação, avenida Brasil, praça da República, parque do Carmo.

S

salientar/sublinhar – Significam *ressaltar*, *tornar saliente*, *visível* ou *distinto*. Não use como sinônimos de *dizer*. Reserve para quando o entrevistado de fato quis chamar a atenção sobre a passagem.

são/santo – Use sempre em minúscula, exceto em início de período ou em nome próprio. Ex.: santo Agostinho; o Estado de São Paulo.

seções internas – Grafe nomes de editorias em negrito e nomes de seções do jornal entre aspas: **Ilustrada**, "Painel do Leitor".

segurança do entrevistado – A **Folha** não publica endereço e telefones residenciais nem telefones celulares de entrevistados, a não ser que eles autorizem.

Senado Federal – Escreva sempre com maiúscula, mesmo em segunda menção: o presidente do Senado.

senador – Comece com minúscula, exceto quando integrar substantivo próprio: o senador Teotônio Vilela; Centro Cultural Senador Teotônio Vilela.

senhor/senhora – Use apenas em transcrição de entrevista. Podem ser usadas as abreviações sr. e sra.: Folha – O que a sra. pretende fazer para evitar o problema?

sepultamento – Prefira *enterro*.

servição – Jargão para designar material jornalístico que reúne grande número de informações de utilidade prática e imediata para o leitor, muitas vezes publicado em forma de infográfico. Na **Folha**, deve ser editado obrigatoriamente em feriados e no dia anterior a eles, com ampla informação sobre serviços públicos e privados que funcionarão ou não no período.

sic – Expressão usada entre parênteses, principalmente na transcrição de um documento, para indicar que é assim mesmo, por estranho ou errado que possa ser ou parecer: O presidente declarou: "Ou isso é feito ou eu explodo (sic)". Em casos excepcionais, pode ser utilizada no meio ou no final de uma declaração entre aspas, mas não para ridicularizar o entrevistado, como em "Penso de que (sic) é preciso mudar o país", disse o candidato. Nesse caso, corrija a declaração que contém erro. O recurso deve ser usado com moderação, apenas quando for relevante para o contexto.

siglas – Em geral, criam dificuldades para o leitor, porque exigem ser decifradas. A regra é evitar, principalmente em títulos, exceto em casos consagrados, como Aids, Bradesco, Embratel, ONU, OLP, USP.

Na **Folha**, observe a seguinte padronização para siglas:
1) não use pontos: ONU e não O.N.U.;
2) escreva por extenso seu significado, de preferência logo após a primeira menção: O filme vai ser exibido no MIS (Museu da Imagem e do Som). Exceção: quando a sigla for consagrada;
3) use apenas letras maiúsculas para sigla com até três letras: UD, CIA, ONU. Atenção, porém: alguns nomes, como *Efe* (a agência de notícias espanhola) e *Fed* (o banco central norte-americano), parecem siglas, mas não são;
4) use maiúscula apenas na primeira letra de siglas com mais de três letras que possam ser lidas sem dificuldade como uma palavra: Unesco, Banespa, Petrobras, Sudene, Sesc;
5) use apenas letras maiúsculas para sigla que exija leitura letra por letra: FGTS, SBPC, DNER;
6) há algumas exceções consagradas, como CNPq, UnB, MoMA;
7) se precisar formar plural, acrescente *s* minúsculo: TVs, CDs, CD-ROMs. Consulte também o anexo "Siglas".

sir – Designa o título de cavaleiro ou baronete no Reino Unido. Comece com minúscula. Não use antes do sobrenome, mas sim do prenome: sir John Silver, ou sir John, mas nunca sir Silver.

sol/Sol – Comece com minúscula quando se referir à ideia de luz ou dia. Use maiúscula quando se referir ao corpo celeste, em especial quando também forem citados outros astros: O sol nasceu às 6h10; O cientista estuda as órbitas de Netuno, Plutão e Vênus em torno do Sol.

Sua Majestade – Em textos noticiosos, não se refira a rei ou rainha por essa forma de tratamento. Use apenas o título: rei Juan Carlos, rainha Elizabeth.

Sua Santidade – Em textos noticiosos, não se refira ao papa por essa forma de tratamento. Use apenas o título: papa João Paulo 2º, papa Pio 12.

suicídio – Não omita o suicídio quando ele for a causa da morte de alguém.

superlativo – Use expressões superlativas apenas quando puder comprovar sua adequação aos números, dados e informações: O tempo do nadador foi o melhor da história dos Jogos Olímpicos.

Evite nos outros casos: Um quadro belíssimo, um acidente gravíssimo, um político celebérrimo.

Expressões como a luta do século ou o casamento do ano não devem ser usadas porque, no ano ou no mês seguinte, essa luta ou esse casamento podem ser suplantados por outros.

T

taxa – Não use como sinônimo de imposto (veja as definições no "Anexo econômico"). Cuidado com traduções do inglês, em que "tax" equivale a imposto.

"teenager" – Em inglês, adolescente. Deve ser usado só para pessoas entre 13 e 19 anos (só os números de 13 a 19 terminam com *teen*, em inglês).

tel. – Abreviatura de *telefone*, que pode ser usada apenas quando seguida do número. Não use fone.

telefones – Números de telefone devem ser sempre antecedidos pelo código de área, separado do número por barra. Se houver mais de uma operadora para a discagem do código de área, deve-se usar *xx* no local em que entram os dígitos da operadora: O telefone geral do Hospital das Clínicas é 0/xx/11/282-2811 (xx indica que deve entrar nesse local o código da operadora; 11 é o DDD). No caso de número no exterior, o código do país também deve ser escrito antes da barra: A polícia de Washington pede que informações sejam transmitidas pelo telefone 00/xx/1/202/555-2368. A **Folha** não publica telefone residencial nem celular de entrevistados ou personagens da notícia, a não ser que eles autorizem.

televisão – Escreva os nomes das emissoras sem aspas: Rede Globo, Rede Bandeirantes. Nomes de programas levam aspas: "Roda Viva", "Jornal Nacional". Para abreviar, use TV, e não tevê.

telinha – Não use esse termo para se referir a *televisão* ou *TV*.

temperatura – Use a escala Celsius, empregada no Brasil. Escreva Celsius ou °C (sem espaço entre algarismo e símbolo), não graus centígrados: A temperatura era de 33 graus Celsius negativos ou -33°C, não 33 graus centígrados negativos.

Em reportagens sobre ciência, admite-se a escala Kelvin (K), mas é obrigatório informar a conversão para Celsius entre parênteses: O zero absoluto corresponde a 0K (-273,2°C).

terrorista/guerrilheiro – Use apenas em sentido técnico, evitando a carga ideológica positiva ou negativa.

O termo *terrorista* se refere a indivíduos, organizações e governos quando praticam ações violentas contra alvos civis, ainda que não de maneira exclusiva (podem eventualmente atingir alvos militares). Seus objetivos são essencialmente de propaganda, mesmo que mantenham retórica militar. Se não for possível aplicar esses critérios adequadamente, empregue o termo *extremista*, que tem a desvantagem de ser menos preciso. Exemplos: as ações do Unabomber, o ataque com gás sarin ao metrô de Tóquio, o bombardeio de uma fábrica de remédios no Sudão pelos EUA.

Guerrilheiro é o combatente de forças paramilitares engajadas em luta armada para a conquista do poder. Em alguns casos, praticam ações terroristas.

Em caso de dúvida, discuta a aplicação desses termos com os editores.

texto-legenda – Também chamado de *TL*. Legenda ampliada que, em combinação com a foto ou ilustração a que se refere, deve esgotar o assunto de que trata. A legenda deve descrever a foto, com verbo no presente. Deve ser objetiva e combinar as qualidades do bom texto com as da boa legenda.

tiroide – Não use. Escreva tireoide.

título – Em títulos:

1) não use ponto, dois pontos, ponto de interrogação, exclamação, reticências, travessão ou parênteses, exceto

em casos autorizados pela Secretaria de Redação;
2) evite ponto e vírgula;
3) jamais divida sílabas em duas linhas e evite fazer o mesmo com nomes próprios de mais de uma palavra;
4) tente preencher todo o espaço destinado ao título no diagrama;
5) evite a reprodução literal das palavras iniciais do texto.
6) evite verbo no condicional; quando não puder assumir uma informação, atribua-a à fonte.

Nos textos noticiosos, o título deve:
1) conter verbo, de preferência na voz ativa;
2) estar no tempo presente, exceto quando o texto se referir a fatos distantes no futuro ou no passado;
3) empregar siglas com comedimento.
Para editoriais e textos opinativos, podem-se usar frases nominais em títulos: *Rombo na Previdência*.

título acadêmico – Use em sentido preciso, começando com minúscula e, sempre que possível, citando o nome da instituição acadêmica que o conferiu: Fulano de Tal, doutor em antropologia pela Universidade de São Paulo.

título de nobreza – Escreva com minúscula: o duque de Bragança.

títulos de obras – Escreva nomes de obras e espetáculos (discos, livros, filmes, pinturas, esculturas, peças de teatro, óperas, programas de TV etc.) entre aspas e com maiúsculas no início de cada palavra (exceto artigos, preposições, conjunções e partículas átonas). A primeira palavra do título também é grafada em maiúscula, qualquer que seja sua classe gramatical: "O Lago dos Cisnes"; "O Homem que Confundiu Sua Mulher com um Chapéu"; "Mulheres à Beira de um Ataque de Nervos". Grafe sem aspas apenas os títulos destas obras de caráter religioso: Bíblia, Corão (Alcorão) e Torá.

tradução – Não traduza nome de pessoa que viveu a partir do século 20, exceto papas: príncipe Charles, rainha Elizabeth, João 23. Para personagens que viveram antes do século 20, adotam-se grafias consagradas: Immanuel Kant deve ser escrito na grafia original (não Emanuel Kant), mas Erasmo de Roterdã, rainha Vitória, Carlos Magno são traduzidos.

Nomes de entidades e de eventos devem ser traduzidos: Museu de Arte Moderna de Nova York, Prefeitura de Paris, Universidade Harvard, Instituto de Tecnologia de Massachusetts, Feira de Arte de Colônia, Festival de Cannes.

Ao publicar textos traduzidos de outros veículos, a **Folha** deve sempre indicar, ao final, o nome do jornalista responsável pela tradução, com a seguinte fórmula: Tradução de Fulano de Tal. Esclarecimentos introduzidos pelo tradutor devem estar entre colchetes: O incêndio já devastou 1,6 km^2 nos arredores de Los Angeles [o equivalente à área do parque Ibirapuera].

trajetos – Embora a norma culta determine o uso do travessão em trajetos, a **Folha**, por padronização, usa hífen. Exemplos: rodovia Mogi-Bertioga, ponte Rio-Niterói, voo Belém-Brasília.

transcrição – Na **Folha**, transcrição literal de trecho de livro, artigo, conferência ou frase de autor ou personalidade deve ser feita sempre entre aspas. O jornalista deve nomear o autor e a fonte da qual o trecho foi transcrito. Declarações, ao ser transcritas, devem ter seus eventuais erros de português corrigidos, mas de resto têm de ser fiéis ao original. Quando não tiver certeza sobre a literalidade, use o discurso indireto: O ministro disse estar insatisfeito com a inflação.

tratamento de pessoa – Depois de identificado pela primeira vez, o personagem da notícia deve ser mencionado pelo sobrenome ou nome pelo qual é mais conhecido. Dispense então as formas de tratamento, como regra geral: O professor José da Silva foi detido ontem sob a acusação de atear fogo à Escola Santo Inácio, onde trabalha. Silva não quis prestar declarações aos jornalistas.

Atenção para os casos particulares:
1) Doutor – Não use *doutor* ou *dr.* como forma de tratamento, apenas como identificação: John Doe, doutor em antropologia pela Universidade de Idaho, e não O dr. John Doe. No caso de médico, a forma de tratamento segue a de outras profissões: O médico João da Silva, 37, foi nomeado diretor da Faculdade de Medicina. Silva terá mandato-tampão de dois anos;
2) Deputado ou senador – Depois da primeira menção no texto, a forma de tratamento é como a de outros personagens da notícia: Silva disse que ontem foi o melhor dia de sua carreira no Congresso. Quando citado pela primeira vez no texto, mencione, entre parênteses, o partido e o Estado: O deputado João da Silva (PQ-SP) ocupou ontem pela primeira vez a tribuna da Câmara; No caso de deputados estaduais e vereadores, basta a menção ao partido: O vereador Fulano de Tal (PSQ) apresentou ontem 15 requerimentos à Mesa da Câmara Municipal de São Paulo;
3) Dom – Prelados como bispos, arcebispos e cardeais têm tratamento especial: dom antecede o prenome, não o sobrenome do personagem. O papa recebeu ontem no Vaticano o bispo dom João da Silva. Dom João disse que aquele era o momento mais importante de sua vida. No caso de cardeais, usa-se o título cardinalício antes do sobrenome, não do prenome: Dom João cardeal Silva deixou ontem o Vaticano com destino ao Rio, ou simplesmente O cardeal Silva deixou ontem o Vaticano com destino ao Rio (prefira esta última forma);
4) Frei – Forma reduzida de *frade*. Deve ser usada apenas antes do prenome: Frei João da Silva esteve presente à cerimônia; frei João disse ter apreciado muito a refeição servida em palácio;
5) Sir – Use apenas antes do prenome: Sir John Doe foi recebido ontem pelo príncipe de Gales; sir John jogou polo com o príncipe depois da recepção.

tratamento do leitor – O jornal é sempre lido individualmente. Em texto, portanto, refira-se ao leitor sempre no singular: Leia a íntegra do documento na pág. C4, em vez de Leiam a íntegra do documento na pág. C4.

travessão – Sinal gráfico (–) que serve para destacar alguns termos da oração, fazendo às vezes o papel da vírgula: A Grã-Bretanha compreende três países

Unidades de medida

Unidade de medida	Símbolo	Unidade de medida	Símbolo
acre	ac	mililitro	ml
alqueire do norte	alq	milímetro	mm
alqueire mineiro	alq	nó	kt
alqueire paulista	alq	onça (avoirdupois)	oz av
ângstron	Å	onça troy	oz t
ano-luz	ly	palmo	pm
are	a	parsec	pc
arroba	@ ou arr	pé	ft
barril (de petróleo)	bar	polegada	pol
bushel	bsh	quilate	k
caloria	cal	quilo	kg
centímetro	cm	quilômetro quadrado	km²
centímetro quadrado	cm²	quilowatt-hora	kWh
decímetro	dm	tonelada (métrica)	t
decímetro quadrado	dm²	tonelada curta	tc ou st
galão (EUA)	US gal	tonelada longa	tl ou lt
galão (Inglaterra)	Imp gal	unidade astronômica	UA
hectare	ha	volt	V
hectolitro	hl	watt	W
jarda	yd		
joule	J	**ORDEM DE GRANDEZA**	
libra (avoirdupois)	lb av	tera	T
litro	l	giga	G
metro cúbico	m³	mega	M
metro por segundo	m/s	quilo	k
mícron	µ	mili	m
milha náutica	mima	micro	µ
milha terrestre	mite	nano	n
miligrama	mg	pico	p

Fonte: Inmetro e "Dicionário de Siglas e Abreviaturas", de Luiz Mendes Antas, Traço Editora.

–Inglaterra, Escócia e País de Gales– e é chamada de Reino Unido, com a inclusão da Irlanda do Norte.

Ao abrir o travessão, separe-o com um espaço da palavra que o antecede e una-o à palavra que vem depois. Ao fechar, una-o à palavra anterior e separe-o da que vem depois.

tri – Abreviatura de *trilhão* admitida só para referir-se a quantias em dinheiro em títulos, sobretítulos e legendas.

trólebus – Use essa grafia, em vez de *tróleibus*.

trombadinha – Não use essa designação depreciativa para *criança infratora*. Deriva de uma forma de furto caracterizada por um esbarrão na vítima.

TV – Forma abreviada de *televisão*. Pode ser usada na **Folha** tanto para designar o meio de comunicação quanto empresa do ramo ou mesmo o aparelho. Não escreva tevê.

TV paga – Designa todo tipo de TV por assinatura, independentemente do sistema (cabo, satélite ou outros).

U

União – Com maiúscula quando designar o conceito político: Orçamento da União.

unidades de medida – A **Folha** adota a norma da ABNT (Associação Brasileira de Normas Técnicas), que segue o modelo internacional. Quando as unidades de medida são escritas por extenso, devem ser grafadas em caixa-baixa: metro, watt, joule, volt, quilograma etc. Já para os símbolos há dois critérios:

1) se o nome da unidade é uma homenagem a um cientista, deve-se usar caixa-alta: *watt*, por exemplo, tem como símbolo W;

2) se ele é decorrente de convenção, usa-se caixa-baixa: m, por exemplo, para *metro*.

Veja a seguir as unidades de medida mais usuais e seus respectivos símbolos (para conversões, consulte o "Anexo matemático e estatístico").

tabela ← pág. 105

universidades – Deve-se sempre traduzir os nomes das universidades estrangeiras, tomando cuidado com suas particularidades. *Harvard University*, por exemplo, é Universidade Harvard, não de Harvard. Já *New York University* é Universidade de Nova York.

V

válido – Evite, exceto no sentido restrito de *ter validade, vigência*: Esta oferta é válida apenas hoje, e não O governo não considera válido que a oposição obstrua a votação.

van/von – Escreva essas partículas de nomes próprios com minúscula quando o nome for citado por inteiro: Vincent van Gogh. Quando for mencionado apenas o sobrenome, use maiúscula (O quadro de Van Gogh). O mesmo vale para partículas semelhantes de outras línguas, como o *de* do francês e *da*, *de*, *di* em italiano (Charles de Gaulle, o discurso de De Gaulle).

veículos de comunicação – Nomes de emissoras de TV e agências noticiosas devem ser grafados em caixa alta e baixa, sem grifo, negrito ou aspas (Rede Globo, Associated Press). Nomes de jornais devem ser escritos entre aspas e respeitando a grafia original ("O Estado de S. Paulo"). A **Folha** refere-se a si própria como **Folha** –ou **Folha de S.Paulo**, em citações–, sempre em negrito, a não ser em títulos, sobretítulos e legendas.

velho – Não use para qualificar pessoa, pois significa *deteriorado pelo tempo*. O ideal é informar a idade exata. Quando for impossível fazê-lo e importante caracterizar a faixa etária, prefira o termo *idoso*.

verbos declarativos – Use apenas para introduzir ou finalizar falas dos personagens da notícia, não para qualificá-las ou para insinuar opinião a respeito delas.

Evite, assim, verbos como admitir, reconhecer, lembrar, salientar, ressaltar, confessar, garantir, explicar, a não ser quando usados em sentido estrito. Nenhum deles é sinônimo de *dizer*. Ao empregá-los de modo inadequado, o jornalista confere caráter positivo ou negativo às declarações que reproduz, mesmo que não tenha a intenção.

Use de preferência os verbos *dizer*, *declarar* e *afirmar*, os mais neutros, quando o objetivo for apenas indicar autoria de uma declaração: O ministro disse que teve um encontro com o deputado, em vez de O ministro confessou que teve um encontro com o deputado –a não ser que o encontro tenha sido criminoso e o ministro o tenha admitido em depoimento a uma comissão de sindicância, por exemplo. tabela ↓

viatura – Evite esse jargão policial. Escreva carro de polícia.

vice – Quando o vice exerce a função do titular, ele deve ser qualificado com o cargo do titular, acrescido da palavra *interino*: O presidente interino Fulano de Tal recebeu ontem o deputado Beltrano. Não escreva O presidente em exercício Fulano de Tal recebeu ontem o deputado Beltrano.

VT – Admite-se essa abreviatura de *videoteipe* em títulos, sobretítulos e legendas.

vulgo – Em latim, significa *comumente*. Não use como advérbio; substitua por *conhecido*: Fulana de Tal, conhecida como Maria das Mortes, em vez de Fulana de Tal, vulgo Maria das Mortes. Não use como substantivo, no sentido de *povo* ou *ralé*.

Verbos declarativos

Quando empregados inadequadamente, alguns verbos declarativos adquirem carga positiva ou negativa. Prefira os neutros e só use os demais na sua acepção precisa

Neutros	Com carga positiva	Com carga negativa
afirmar	argumentar	admitir
declarar	concluir	alegar
dizer	expor	confessar
falar	garantir	reconhecer
perguntar	lembrar	jurar
responder	prometer	
	ressaltar	
	salientar	

História da Folha

A **Folha** foi fundada em 19 de fevereiro de 1921 por um grupo de jornalistas liderado por Olival Costa e Pedro Cunha, com o nome de "Folha da Noite".

O objetivo dos fundadores da **Folha** era atrair, com seu vespertino, leitores das classes médias urbanas e da classe operária. Em julho de 1925, o empreendimento ampliou-se com o lançamento de um matutino, a "Folha da Manhã".

Os títulos mudaram de donos em 1931, quando Octaviano Alves de Lima, Diógenes de Lemos e Guilherme de Almeida os compraram e alteraram a razão social da organização que os editava para Empresa Folha da Manhã Ltda. A linha editorial dos diários passou a ser marcada pela defesa dos interesses dos produtores rurais paulistas.

Essa fase durou até 1945, quando o controle acionário da empresa passou para o jornalista José Nabantino Ramos, que mudou sua razão social para a que mantém atualmente. Em 1949, ele fundou a "Folha da Tarde" e, em 1960, fundiu os três títulos em um, **Folha de S.Paulo**. O jornal adotou linha editorial identificada com os interesses das classes médias urbanas do Estado.

Em sérias dificuldades econômicas, a empresa passou em 1962 para o controle dos empresários Octavio Frias de Oliveira e Carlos Caldeira Filho.

Seu primeiro desafio foi reorganizá-la do ponto de vista financeiro e administrativo. Durante cinco anos, esse foi o principal objetivo.

De 1968 a 1974, os empresários investiram prioritariamente no aparelhamento do jornal com unidades impressoras offset, fotocomposição e um eficiente sistema de distribuição. A partir de 1974, com a infraestrutura da empresa reparada, a Redação passou a ser modificada. O jornal percebeu a abertura política do regime militar e investiu nela durante os dez anos seguintes.

Um projeto editorial, primeiro de uma série, foi elaborado em 1978 e passou a nortear os rumos jornalísticos da **Folha**, que assumiu, em 1984, a liderança –entre os veículos de comunicação do país– da campanha Diretas-Já. Dois anos depois, o jornal tornou-se o diário de maior circulação no país, condição que manteve daí em diante.

Em 1991, as ações da Empresa Folha da Manhã S.A. que pertenciam a Carlos Caldeira Filho passaram a Octavio Frias de Oliveira.

Estrutura da Folha

Nesta seção, em forma de verbetes, são apresentados os principais departamentos, funções profissionais, práticas e princípios editoriais da **Folha** e do Grupo Folha.

A

Agência Folha – Unidade do Grupo Folha que produz e distribui material jornalístico (textos e imagens). É responsável pela rede de sucursais e correspondentes, exceto Brasília, Rio e exterior. Comercializa os produtos jornalísticos da empresa e é responsável pelos serviços de telerreportagem.

"Agora São Paulo" – Jornal que pertence à Empresa Folha da Manhã S.A. e que começou a circular no dia 22 de março de 1999, em substituição à "Folha da Tarde".

aperfeiçoamento profissional – A **Folha** incentiva e subsidia iniciativas de aperfeiçoamento profissional de seus jornalistas, como cursos de especialização, bolsas de estudo, intercâmbios e pós-graduação.

articulista – Na **Folha**, indica colaborador especial que escreve com regularidade para o jornal. Usa-se o crédito "articulista da **Folha**", e não "da equipe de articulistas".

artigo – A **Folha** só publica artigos inéditos no Brasil ou, em casos excepcionais, no mesmo dia que outro jornal brasileiro. A **Folha** tem por princípio editar artigos que expressem pontos de vista diferentes sobre um mesmo tema.

O jornal se reserva o direito de não publicar artigo que, na opinião de sua assessoria jurídica, veicule calúnia, difamação ou injúria ou possa, por qualquer outro motivo legal, dar margem a processo judicial com base na legislação em vigor.

Embora a responsabilidade jurídica pelo artigo caiba a quem o assina, a responsabilidade jornalística e política cabe ao jornal. Decisão quanto à publicação ou não de artigo compete à Direção de Redação.

assessoria jurídica – A Empresa Folha da Manhã S.A. oferece os serviços de seu Departamento Jurídico para jornalistas que precisem de advogado em decorrência de sua atuação na **Folha**. Além disso, o jornal conta com consultores jurídicos para esclarecer dúvidas e redigir textos sobre sua especialidade.

avaliação profissional – Jornalistas da **Folha** são avaliados formalmente pelo conjunto de seus superiores. As avaliações (ótimo, muito bom, bom, regular e insuficiente), bimestrais, baseiam-se nos seguintes critérios: número de notas publicadas na seção "Erramos", advertências, conhecimento e aplicação das normas do "Manual da Redação", domínio de linguagem, exclusividade de informações, iniciativa, criatividade, disciplina, empenho, confiabilidade técnica, versatilidade, rapidez e ações de aperfeiçoamento profissional.

Cada jornalista recebe um formulário do qual constam suas informações exclusivas, suas notas de "Erramos" e um comentário prévio de seu superior sobre seu desempenho, além da relação de critérios que norteiam as avaliações, para que ele faça comentários e proceda à sua autoavaliação. Feita a autoavaliação, o jornalista devolve o formulário ao seu superior, que faz a avaliação final. Também são levados em conta premiações que o profissional tenha recebido e o cumprimento de metas.

A avaliação final será discutida em reunião comandada pela Secretaria de Redação e, posteriormente, submetida à apreciação da Direção de Redação.

Terminado o processo, cada jornalista recebe, em caráter reservado, carta em que a avaliação é comunicada formalmente.

O profissional que discordar do resultado que lhe foi apresentado pode recorrer. As promoções salariais e de função e os prêmios por desempenho levam em consideração o histórico da avaliação.

B

Banco de Dados Folha – O Banco de Dados de São Paulo Ltda., uma empresa do Grupo Folha, administra acervo de textos e fotos com registros da história do Brasil e do mundo desde 1921, data de fundação da **Folha**. Além da coleção do jornal, possui pastas com recortes dos principais jornais do país. O arquivo em computador das edições da **Folha** existe desde outubro de 1993, o que torna possível consulta instantânea do material publicado a partir desse período. A empresa dispõe também de biblioteca com obras de referência geral e coleção de periódicos.

A atividade principal do Banco de Dados é servir de apoio aos jornalistas do grupo, mas ele é aberto também ao público em geral, que paga uma taxa conforme o tempo de utilização do arquivo.

O Banco de Dados é responsável pelo serviço telefônico automatizado Folha Informações, que fornece boletins de economia, cultura, lazer e esporte, e pelo site que disponibiliza conteúdos de valor histórico (**http://bd.folha.com.br**).

bandeira nacional – A **Folha** reproduz a bandeira nacional em cores na **Primeira Página** das edições do Dia da Independência (7/9) e do Dia da República (15/11).

bolsas de trabalho – A **Folha** oferece a seus jornalistas a oportunidade de trabalhar por tempo determinado no exterior, como correspondentes-bolsistas. Na abertura de uma vaga de correspondente-bolsista em uma nova cidade, cabe à Direção de Redação indicar o primeiro profissional para ocupá-la. Os demais são escolhidos mediante concurso interno.

C

caderno especial – A **Folha** faz planejamento anual de cadernos especiais dedicados a temas de interesse do leitor e tem uma equipe específica para cuidar de sua publicação. Para realizar coberturas de grande importância e extensão, o jornal também pode decidir publicar cadernos especiais diários voltados para um assunto, como plano econômico, sequestro, queda de avião, guerra etc.

cadernos – A **Folha** publica seu material jornalístico organizado em cadernos temáticos. Alguns cadernos circulam em áreas geográficas específicas.

cargos de confiança – São cargos de confiança os de diretor de Redação, editor-executivo, secretário de Redação, diretor da Agência Folha, editor, coordenador do Programa de Qualidade, coordenador de Artigos e Eventos, editor-adjunto, editor-assistente, secretário-assistente de Redação, diretor de Sucursal, secretário de Redação de Sucursal, coordenador de reportagem de Sucursal, coordenador de área de Sucursal, repórter da Secretaria e correspondente internacional –entre outros que o diretor de Redação possa vir a instituir.

Centro Tecnológico Gráfico-Folha – Complexo industrial gráfico da Empresa Folha da Manhã S.A. Identificado pela sigla CTG-F, localiza-se no bairro de Tamboré, município de Santana de Parnaíba (40 km a oeste da capital). Foi inaugurado no dia 4 de dezembro de 1995.

colaborador – Pessoa que tem seu trabalho publicado pela **Folha** sem vínculo empregatício. Pode ser free-lancer ou colaborador especial. O colaborador especial é pessoa que se destaca em área de atuação externa à **Folha**. Texto de colaborador especial deve vir sempre acompanhado de nota biográfica.

A **Folha** solicita textos a colaboradores e pode publicar artigos enviados espontaneamente à Redação. Não se deve modificar texto de colaborador especial sem sua prévia concordância, exceto quando for para adequá-lo às normas de padronização gráfica e gramatical.

colunista – Designa quem escreve com regularidade em espaço fixo do jornal.

Conselho Editorial – Colegiado sem funções executivas, composto de jornalistas e não jornalistas. Na **Folha**, seus membros são convidados pelos acionistas da Empresa Folha da Manhã S.A. Sua função é avaliar o desempenho da **Folha**, discutir sua linha editorial e examinar projetos que lhe sejam apresentados. Em situação excepcional, pode ser convocado para opinar sobre o comportamento a ser seguido pelo jornal.

contratação – Na **Folha**, as contratações para funções jornalísticas se dão mediante concurso anunciado nas páginas do próprio jornal, exceto para cargos de confiança ou em casos de autorização prévia da Direção de Redação.

A primeira etapa da seleção é feita com base em currículos. A segunda inclui teste escrito e o preenchimento de um questionário. A terceira, uma entrevista pessoal. Os critérios gerais para escolha são: boa formação técnica e cultural, capacidade de trabalhar jornalisticamente com clareza, exatidão, concisão, rapidez, disciplina, criatividade, independência, senso crítico, iniciativa e afinidade com o projeto editorial da **Folha**.

Jornalistas da empresa que se candidatem a uma vaga têm preferência sobre os de fora, se estiverem igualados em todos os quesitos. Profissionais já concursados têm preferência em casos de cobertura de férias. O jornal mantém um banco de currículos.

Controle de Erros – Setor responsável pelo apontamento e pela atribuição dos erros gramaticais, de padronização, de coerência e de digitação publicados pela **Folha**. Produz o chamado jornal de erros e relatórios diários. Os editores devem usar os relatórios diários a fim de orientar o esforço permanente para diminuir o número de erros. Erros de informação e de enfoque são apontados por Direção de Redação, editores, ombudsman, Programa de Qualidade e pelos próprios leitores.

controle de fluxo – A **Folha** mantém controle diário do ritmo com que as equipes editam as reportagens e concluem a edição. A Redação recebe todos os dias relatório sobre o fluxo e os horários de fechamento de cada editoria no dia anterior. Cabe aos editores acompanhar com atenção essas informações e orientar suas equipes a cumprir os horários fixados para o fechamento.

correspondência – Toda correspondência que chega à **Folha** deve ser publicada ou respondida. Críticas ao jornal e a seus profissionais não devem servir de pretexto para não publicar cartas, fax e e-mails. Quando for o caso, devem ser enviados à Direção de Redação, que julgará a conveniência de uma resposta pública.

A **Folha** publica diariamente o "Painel do Leitor", em que leitores expressam seus pontos de vista. A seção deve publicar amostra representativa das diversas tendências de opinião apresentadas pela correspondência recebida, dentro dos princípios de pluralismo que regem a linha editorial. O jornal se reserva o direito de selecionar trechos representativos das mensagens.

Correspondência que contenha calúnia, difamação ou injúria deve ser submetida à Direção de Redação. A **Folha** não publica mensagens anônimas.

As correspondências selecionadas para publicação devem conter nome completo, endereço e, se possível, telefone para contato. Os leitores são informados, por nota veiculada no jornal diariamente, dos requisitos exigidos pela Redação para que suas mensagens sejam publicadas.

Abaixo-assinados só são publicados quando têm relevância jornalística. Nesse caso, grafa-se o primeiro nome ou os de maior notoriedade e se informa quantas assinaturas se seguem.

Erros de português de leitores devem ser corrigidos. Debates entre missivistas são estimulados, mas não devem se prolongar. Queixas ou reivindicações pessoais devem ser encaminhadas aos setores correspondentes.

crachá – A Empresa Folha da Manhã S.A. exige de seus profissionais, colaboradores e visitantes o uso de crachá na sede.

crítica à Folha – A **Folha** não deixa de publicar críticas dirigidas a ela, a seus jornalistas ou a seus colaboradores, mas resguarda o seu direito de resposta. A publicação de críticas à **Folha** ou a seus profissionais e colaboradores tem de ser previamente submetida à Direção de Redação.

crítica interna – A Direção de Redação, o ombudsman e o Programa de Qualidade fazem, internamente, críticas das edições do jornal. Recomenda-se também que as editorias realizem reuniões de avaliação da edição.

A **Folha** entende que a crítica interna é uma conquista do jornalismo moderno. Ela deve ser formulada e recebida profissionalmente, sempre entendida como instrumento valioso de melhoria da qualidade do jornal.

D

Datafolha – Instituto de pesquisas que faz parte do Grupo Folha. Realiza levantamentos estatísticos, pesquisas eleitorais, de opinião e de mercado. Atende ao grupo e também a clientes externos.

O Datafolha não realiza pesquisas eleitorais e avaliações de administrações públicas exclusivas para governos, partidos, candidatos e políticos. Essa conduta, aliada à confiabilidade técnica e à transparência metodológica, tem como objetivo o reconhecimento público quanto à imparcialidade, à isenção e à credibilidade de suas informações.

dedicação exclusiva – Os jornalistas da **Folha** são contratados em regime de dedicação exclusiva. Exceções, desde que previamente autorizadas pela Direção de Redação: atividades acadêmicas, culturais e colaborações jornalísticas.

desmentido – Quando publica desmentido, a **Folha** deve dar ao leitor a versão correta do fato e explicar por que errou. Se o jornal está seguro de que sua versão é correta, publica a contestação, mas não se refere a ela como desmentido.

desobediência civil – Em circunstância excepcional, a **Folha** admite a possibilidade de declarar-se em desobediência civil. Entende-se, nesse caso, como desobediência civil a recusa à cooperação com agentes do governo e o não cumprimento de leis consideradas injustas. Cabe à Direção de Redação, autorizada pela Direção da empresa e ouvido o Conselho Editorial, declarar o jornal em desobediência civil.

Direção de Redação – Na **Folha**, é formada por diretor de Redação, editor-executivo e secretários de Redação. Cabe a ela planejar e comandar a execução do projeto editorial da **Folha**. A seu critério, a Direção de Redação pode alterar e, em situações excepcionais, suspender a vigência de verbetes deste manual.

direito de resposta – A **Folha** admite o direito de resposta de pessoa, empresa ou instituição que se considere acusada ou ofendida pelo jornal.

E

edição nacional/edição São Paulo/DF – A **Folha** conta com duas edições diárias, além de alterações de clichês ou troca urgente e das edições regionais: a edição São Paulo/DF, que circula na Grande São Paulo e no Distrito Federal, e a edição nacional, que circula nas demais localidades. A edição São Paulo/DF é concluída algumas horas depois da edição nacional. Em ocasiões excepcionais, fazem-se edições diferentes para São Paulo e para o Distrito Federal.

edição regional – Contém caderno que aborda diariamente temas de uma região específica entre as que compõem a área de circulação do jornal. É distribuído somente nessa região. Na **Folha**, as edições regionais começaram a ser publicadas em novembro de 1990.

editor – Cabem ao editor, como responsável por uma editoria, o planejamento e o comando da execução do projeto editorial da **Folha** em sua área específica de atuação. Ele responde também pelos aspectos administrativos e operacionais da unidade. É cargo de confiança.

editor-adjunto – Substitui o editor na ausência deste. Como segundo na hierarquia da editoria, compartilha o planejamento e o comando da execução do projeto editorial da **Folha** em sua área específica de atuação. É cargo de confiança.

editor-assistente – Substitui o editor-adjunto na ausência deste ou do editor, no caso de unidade que não tenha editor-adjunto. Participa do planejamento e do comando da execução do projeto editorial da **Folha** em sua área específica de atuação. É cargo de confiança.

editoria – Unidade organizacional básica da Redação, responsável pela produção e pela edição de material noticioso de um determinado campo temático.

editoria de emergência – Coberturas especiais, de grande porte ou importância, podem requerer a formação de editoria de emergência. É uma equipe transitória, para a qual a Direção de Redação pode convocar profissionais de diversas editorias, nomear um editor de emergência e fazer alterações provisórias na estrutura funcional da Redação.

embargo – Algumas informações são fornecidas aos meios de comunicação com embargo, ou seja, com pedido para publicação apenas depois de certo horário ou data. O embargo de qualquer documento ou informação deve ser discutido com a Direção de Redação.

A palavra *embargo* é usada na Redação da **Folha** também para qualificar texto de particular importância, que depende de aprovação do editor ou da Direção de Redação antes de ser publicado.

Empresa Folha da Manhã S.A. – Empresa que edita a **Folha**.

enviado especial – Jornalista destacado para cobrir acontecimento fora da cidade onde habitualmente trabalha.

expediente – Seção fixa com informações sobre o jornal. Na **Folha**, são três:
1) com os nomes dos membros da Diretoria da Empresa Folha da Manhã S.A. e do Conselho Editorial;
2) com informações para o leitor se comunicar com o jornal;
3) com dados sobre a Empresa Folha da Manhã S.A., preços de produtos oferecidos pelo jornal, promoções e endereços de sucursais e escritórios regionais.

F

flash – Na **Folha**, designa comunicado urgente, contendo notícia importante, distribuído aos setores da Redação e do Grupo Folha que dele possam precisar.

Informação que o jornalista considerar importante deve ser comunicada a seu superior, ainda que não diga respeito diretamente a sua área de atuação. A Secretaria de Redação se encarrega de redigir e distribuir os flashes.

Folha – É a forma como a **Folha de S.Paulo** se refere a si mesma.

"Folha da Tarde" – Jornal pertencente à Empresa Folha da Manhã S.A. que circulou pela primeira vez em 22 de novembro de 1924 e deixou de ser publicado em 21 de março de 1999.

A utilização do título "Folha da Tarde" em 1924, durante pouco mais de um mês (de 22 de novembro a 31 de dezembro), foi a maneira de contornar a proibição imposta pelo governo da época ao jornal "Folha da Noite", impedido de ir às bancas.

Em 1949, o jornal voltou a ser publicado, com a "Folha da Manhã" e a "Folha da Noite". Foi editado até dezembro de 1959. No dia 1º de janeiro de 1960, os três jornais se juntaram para dar origem à **Folha**.

Pouco menos de uma década depois, em 19 de outubro de 1967, a "Folha da Tarde" voltou às bancas. Foi publicada ininterruptamente até 21 de março de 1999. A partir dessa data, começou a circular o jornal "Agora São Paulo".

FolhaGráfica – Empresa do Grupo Folha que presta serviços gráficos, como impressão de jornais, revistas, informes publicitários e cartazes para terceiros.

Folha.com – Jornal em tempo real do Grupo Folha (antiga Folha Online). Pode ser acessado no site **www.folha.com.br**.

Folhapress – Agência de notícias do Grupo Folha. Comercializa e distribui diariamente fotos, textos, colunas, ilustrações, infográficos, vídeos e áudios a partir do conteúdo editorial da **Folha**, do "Agora" e de parceiros.

G

Gerência Administrativa – Setor da **Folha** responsável pela execução dos processos de contratação, demissão, transferência e cobertura de férias de todos os profissionais ligados diretamente à Redação. Controla o orçamento geral da Redação e das editorias, encaminha o pagamento de colaboradores e da rede de correspondentes. Opera a aquisição de serviços noticiosos de terceiros, nacionais e internacionais. Organiza as viagens a serviço do jornal e administra a concessão de benefícios.

Grupo Folha – Conjunto de empresas coligadas do qual a **Folha** faz parte.

Guia da Folha SP – Roteiro de serviço e lazer, em formato de bolso, que circula nas edições de sexta-feira da **Folha**, na Grande São Paulo.

I

infografista – Profissional cuja função é criar, elaborar e executar infográficos (quadros, gráficos, tabelas, mapas) para todas as editorias do jornal. Também chamado de arte-finalista.

J

jornal de erros – Exemplar da **Folha** em que o Controle de Erros aponta as incorreções gramaticais, de padronização e de coerência publicadas. Cada editoria recebe os apontamentos correspondentes a sua produção. O jornal de erros é instrumento valioso para aprimorar a qualidade do produto jornalístico.

jornalista – No Brasil, a profissão era disciplinada desde 1969 por lei que vedava seu exercício a quem não fosse bacharel em jornalismo (a lei só foi regulamentada em 1974, e quem já exercia a profissão pôde preservar o direito adquirido). A **Folha** se opôs a essa reserva de mercado por considerá-la contrária à Constituição de 1988. O Supremo Tribunal Federal, em julgamento do recurso extraordinário nº 511.961, realizado em junho de 2009, considerou a exigência do diploma inconstitucional.

L

Livraria da Folha – Livraria on-line do Grupo Folha. Comercializa, na internet, livros de todas as editoras brasileiras. Voltada também para a divulgação de conteúdo, oferece informação detalhada sobre cada título e publica reportagens, entrevistas e material multimídia sobre livros, autores e o mercado editorial.

M

metas – A **Folha** estabelece metas de desempenho mensais e anuais para seus profissionais.

N

Nota da Redação – Alguns textos que a **Folha** recebe e reproduz podem exigir um esclarecimento na forma de Nota da Redação. Caso um jornalista da **Folha** seja criticado ou contestado em texto publicado, ele pode, após consulta à Direção de Redação, responder. A resposta aparece sob o título **Resposta do jornalista Fulano de Tal**, em fonte normal, sem negrito.

"Notícias Populares" – Jornal que passou ao controle do Grupo Folha a partir de outubro de 1965. Foi fundado pelo empresário Herbert Levy e circulou de 15 de outubro de 1963 a 20 de janeiro de 2001.

O

ombudsman – Representante dos interesses do leitor na estrutura do jornal. A **Folha** foi, em 1989, o primeiro jornal brasileiro a adotar a instituição.

Cabe ao ombudsman atender os leitores da **Folha** e encaminhar suas reclamações à Redação. As providências que se seguem são comunicadas a ele pela Direção de Redação, que centraliza todos os contatos.

Diariamente, o ombudsman redige uma crítica interna, que circula na Redação e em áreas afins. Aos domingos, a **Folha** publica a coluna do ombudsman, em que ele faz uma crítica dos meios de comunicação, particularmente do desempenho do próprio jornal. Suas observações e sugestões não têm caráter deliberativo.

É facultado a todos os jornalistas da

Folha responder às observações feitas pelo ombudsman tanto na crítica interna quanto na coluna semanal. Quem centraliza o trâmite desses casos e os arbitra é a Direção de Redação.

opinião da Folha – A opinião do jornal é expressa em editoriais não assinados, que são publicados na segunda página do jornal e, excepcionalmente, na primeira. Os editoriais da **Folha** são mencionados na capa do jornal sob o título "Opinião da Folha".

orçamento da Redação – A Redação da **Folha** está dividida em unidades administrativas para efeito de orçamento. Cada editor é responsável não apenas pelo enfoque editorial dos assuntos de sua área, mas também por administrar o orçamento de sua unidade. O responsável por uma unidade recebe todo mês a previsão do orçamento que deve gerir. Em caso de necessidade, pode rediscuti-lo com a Direção de Redação.

P

perfil do leitor – Ampla pesquisa, realizada a cada dois anos pelo Datafolha, que caracteriza em detalhes os diversos tipos de leitor da **Folha** e apresenta as avaliações dos leitores sobre o jornal. Contém informações sobre posição social, renda familiar e preferências políticas e culturais dos leitores, além da avaliação que fazem do jornal como um todo e de suas editorias, suas seções e seus colunistas.

plantão – A **Folha** sempre tem jornalistas de plantão fora do horário de funcionamento da Redação. Além disso, todos os jornalistas da **Folha** cumprem plantão em esquema de rodízio nos fins de semana.

Plural Indústria Gráfica – Joint venture do Grupo Folha com a Quad/Graphics, empresa americana do setor gráfico.

premiação – A **Folha** estimula seus jornalistas também por meio de premiações. Elas obedecem a uma gradação que vai do cumprimento formal aos profissionais que se destacam no exercício de suas tarefas às premiações pecuniárias por excelência do trabalho jornalístico ou alcance de metas. As premiações recebidas são levadas em conta no momento de fazer a avaliação do jornalista.

prioridades – A Secretaria de Redação define as prioridades para o conjunto da edição. Os editores, editores-adjuntos e editores-assistentes devem dedicar atenção especial a elas.

Programa de Qualidade – Núcleo de apoio à Redação que tem como objetivo ajudar o jornal a cumprir suas metas de excelência editorial. Está entre suas atribuições organizar iniciativas de combate a erros de informação, de gramática, de digitação e de padronização. Cabe também ao programa zelar pelo respeito às normas deste manual e auxiliar a implementação do projeto editorial da **Folha**.

Programa de Treinamento – Iniciativa da **Folha** dirigida a estudantes e profissionais com pouca experiência jornalística, selecionados por concurso público. Durante o curso, os participantes põem em prática os princípios do projeto editorial do jornal: seleção criteriosa dos temas, abordagem abrangente dos fatos, reportagens ponderadas, críticas aprofundadas e redação de textos didáticos e contextualizados. Também se familiarizam com o "Manual da Redação".

Projeto Folha – A **Folha** orienta sua conduta por um projeto editorial que vem se desenvolvendo desde meados da década de 70. Sucessivos documentos têm detalhado esse projeto. O objetivo essencial é produzir um jornalismo crítico, moderno, pluralista e apartidário. O texto integral da versão de 1997 do projeto se encontra no início deste manual.

promoção por mérito – Concedida na **Folha** com base na avaliação do desempenho do jornalista.

pseudônimo – O jornalista da **Folha** não deve se identificar por pseudônimo. Casos especiais são arbitrados pela Secretaria de Redação.

publicidade – Os anúncios são parte do conjunto de informações que o leitor procura todos os dias no jornal. A receita da **Folha** provém não apenas da venda do jornal, mas majoritariamente da venda do espaço para publicidade. O interesse do leitor, entretanto, tem sempre prioridade sobre qualquer outro, inclusive o do anunciante.

A Redação e a Diretoria Comercial (área responsável pela publicidade) da **Folha** são departamentos autônomos, sem relação de subordinação. Apenas a Direção de Redação está autorizada a manter contato com a Diretoria Comercial, que tem prioridade na divisão do espaço do jornal. É ela que determina a distribuição dos anúncios nas páginas. Mas não se deve subordinar o trabalho jornalístico aos interesses, presumidos ou manifestos, de anunciantes. A **Folha** não produz matéria paga. Também não publica informe publicitário sem deixar clara para o leitor essa condição.

Publifolha – Divisão de publicações do Grupo Folha. Publica, comercializa e distribui livros no varejo editorial (livrarias, supermercados, bancas selecionadas, internet). Seu catálogo apresenta títulos em 23 áreas que incluem turismo, referência, ciências humanas, artes, literatura, infantis, saúde, gastronomia e culinária, entre outras.

publisher – Designa o proprietário de órgão de imprensa ou seu representante.

punições – A **Folha** tem um código progressivo de advertências para aplicar ao profissional que cometa erro grave no exercício de sua função. A primeira delas é verbal e pode ser aplicada pelo editor sem consulta prévia a seus superiores. Nos casos de erros mais graves ou de reincidência, o editor deve propor à Direção de Redação advertências escritas (com ou sem registro pelo Departamento de Pessoal, mas obrigatoriamente com registro na Secretaria de Redação) e, em situações excepcionais, suspensões ou demissão.

R

redator – Jornalista responsável por executar tarefas de finalização da edição: leitura das reportagens, elaboração de títulos, legendas e textos de apoio. Cabe a esse profissional a apreciação crítica geral do que está sendo publicado, levando em conta o uso correto da linguagem escrita, a coerência das informações e a aplicação dos procedimentos deste manual. A qualidade do trabalho de redator também é avaliada pela capacidade de sugerir pautas e, eventualmente, executá-las.

repórter – Jornalista que capta informações, apura, checa, confronta e redige. Deve mostrar grande capacidade de registrar e analisar fatos e detalhes a que o leitor não tem acesso. Trabalha como uma espécie de intérprete e deve, por isso, escrever com correção e clareza.

Na **Folha**, o repórter precisa ter texto final. Cabe também a ele sugerir infográficos, fotos, sub-retrancas, títulos e legendas e adequar seu texto ao tamanho determinado pela edição.

repórter da Secretaria – Repórter especial que integra o grupo de repórteres diretamente subordinado à Secretaria de Redação.

repórter-fotográfico – Jornalista que capta informações e as elabora por intermédio da fotografia. Na **Folha**, o repórter-fotográfico é responsável pela apuração das informações essenciais das legendas que acompanham as fotos que produz.

reunião – A prática de reuniões é importante no processo de produção jornalística. Na **Folha**, elas devem ser rápidas, objetivas e eficientes.

Há duas reuniões diárias no jornal, com a participação de jornalistas de todos os setores da Redação e comandadas pela Secretaria de Redação: uma pela manhã, quando são definidos os assuntos prioritários do dia, e outra à tarde, na qual se escolhem os assuntos que irão para a **Primeira Página**.

revisão – A **Folha** não mantém equipe destinada exclusivamente à revisão. O autor é o responsável pelo texto que escreve. Por isso, é fundamental que os profissionais tenham domínio do português. Erros são levados em consideração na avaliação do jornalista. Os profissionais contam com o auxílio de consultores de português para esclarecer dúvidas.

revistas – O Núcleo de Revistas da Folha é a unidade de negócios da Empresa Folha da Manhã S.A. responsável pela elaboração de produtos jornalísticos no formato de revista.

S

sãopaulo – Revista semanal que traz o melhor da programação cultural e reportagens sobre assuntos da cidade. Circula com as edições de domingo da **Folha**.

Secretaria de Redação – Órgão responsável pela coordenação dos trabalhos jornalísticos da **Folha**. É dividida em Secretaria de Redação –Produção e Secretaria de Redação –Edição. Os secretários de Redação respondem ao editor-executivo e ao diretor de Redação. Há também secretários-assistentes de Redação, que respondem aos secretários das respectivas áreas.

A Secretaria de Redação -Produção comanda todo o processo de elaboração do material jornalístico que será publicado. Ela determina quais são os assuntos que devem ser tratados com prioridade pelo jornal e comanda o trabalho dos repórteres da Secretaria.

A Secretaria de Redação -Edição é responsável pela finalização do material editorial e comanda o fechamento das edições. Cuida do fluxo do fechamento, fazendo a interface com o setor industrial da empresa. É responsável pela **Primeira Página** da **Folha.**

seminários – A **Folha** promove seminários internos desde 1985. São palestras de especialistas ou encontros com profissionais de áreas diversas, com o objetivo de aperfeiçoar a formação dos jornalistas. Os jornalistas podem sugerir a realização de seminários, que são coordenados pela Secretaria de Redação.

senha – Cada profissional possui código de identificação com senha exclusiva para utilizar os computadores da rede do jornal. A senha jamais deve ser compartilhada.

O sistema possibilita a identificação de autoria de texto, a mensuração da produção dos profissionais e o apontamento dos erros.

site da Folha – O endereço da **Folha** na internet é **www.uol.com.br/fsp.**

sucursais – Em Brasília e no Rio, a **Folha** dispõe de sucursais independentes da Agência Folha. Produzem noticiário e fotografias para todas as editorias e suplementos do jornal. Os diretores de sucursal são os responsáveis pelo comando e respondem diretamente à Direção de Redação. São auxiliados por secretário de Redação, imediatamente abaixo do diretor na hierarquia, e coordenadores, que organizam a cobertura em áreas específicas, como política, economia etc.

T

telerreportagem – Tipo de jornalismo que produz noticiário a partir de informações obtidas por telefone ou programação de rádio e TV. Na **Folha**, o serviço de telerreportagem é feito pela Agência Folha. Serve a todas as editorias.

trainee – A palavra designa, internamente, quem participa dos programas regulares de treinamento em jornalismo oferecidos pela **Folha** (pronuncia-se "treini"). As principais qualidades exigidas dos candidatos ao treinamento são sólida formação cultural, interesse no trabalho jornalístico, iniciativa e senso crítico.

Transfolha – Empresa do Grupo Folha que transporta e distribui produtos editoriais. É responsável pelo transporte e pela distribuição da **Folha.**

treinamento – A **Folha** considera que a realização de seu projeto editorial depende de profissionais capacitados. O investimento do jornal em treinamento teve como marcos a criação de seminários internos, em 1986, de cursos de treinamento, em 1988, e da Editoria de Treinamento, em 1991.

U

Universo Online (UOL) - Provedor de conteúdo e de acesso à internet criado pelos grupos Folha e Abril. Oferece aos seus assinantes diversos conteúdos da internet, como informação, banco de dados, conteúdo interativo, arquivos de jornais e revistas, serviços, entretenimento, comércio eletrônico. Conteúdos editoriais produzidos pelos grupos **Folha** e Abril, assim como diversos outros produtos de terceiros, podem ser encontrados no endereço do UOL (**www.uol.com.br**).

V

"Valor" - Jornal especializado em economia, que circula de segunda a sexta e é publicado pela empresa Valor Econômico S.A., que pertence aos grupos **Folha** e Globo. Começou a circular em 2000 em todo o país.

Anexo gramatical

Esta seção apresenta, em forma de verbetes, soluções para alguns dos problemas gramaticais enfrentados pelos jornalistas da **Folha**.

A

abolir – No presente do indicativo, começa na segunda pessoa do singular: tu aboles, ele abole etc. No presente do subjuntivo, nenhuma forma é conjugada.

abrir – Evite esse verbo em lugar de *começar*. Começa hoje a Bienal é melhor que Abre hoje a Bienal.

acentuação – A **Folha** segue as normas de acentuação vigentes no Brasil. Confira as regras em tabela → pág. 123

acidente/incidente – Acidente é fato importante ou imprevisto, em geral desastroso: *O acidente aéreo matou 325 pessoas.* Incidente é episódio, atrito, fato secundário: *incidente diplomático.*

a cores/em cores – A TV é em cores, não a cores.

adequar – É verbo defectivo. No presente do indicativo, só há duas formas: nós adequamos, vós adequais. Não existem as formas adequa, adequam. No presente do subjuntivo, não é conjugado em nenhuma forma. Não existem as formas adeque, adequem. Também não se conjuga no imperativo, exceto na segunda pessoa do plural: adequai vós. Nos demais tempos, tem conjugação completa.

Obs.: embora o dicionário "Houaiss" registre esse verbo como regular, não há unidade entre os gramáticos quanto a esse aspecto.

aficionado – É a forma correta, segundo o "Vocabulário Ortográfico da Língua Portuguesa", da Academia Brasileira de Letras, e os dicionários. Não existe aficcionado.

a fim de/afim – A locução *a fim de* significa *com o objetivo de*: O presidente foi ao Congresso a fim de acalmar os parlamentares. O adjetivo *afim* indica ideia de afinidade, semelhança, parentesco: Trata-se de casos afins.

alertar – Alguém alerta alguém *de/contra/para/sobre* alguma coisa. Não existe alertar que. É possível omitir quem recebe o alerta e escrever isto: Os economistas alertam (alguém) contra/para/sobre o risco de quebradeira no país. Não é possível escrever isto: Os economistas alertam que o país corre risco de quebradeira.

ambiguidade – Duplicidade de sentido de uma palavra ou expressão. Deve ser evitada no texto jornalístico. São causas frequentes de ambiguidade:

1) ausência de vírgulas – A prefeitura tem procurado aproveitar os espaços públicos como ruas, estacionamentos... (a falta de vírgula depois de *públicos* pode dar a entender que a prefeitura vai transformar os espaços públicos em ruas ou estacionamentos);

2) posição inadequada do adjunto adverbial – Legenda de foto: O governador e

ANEXO gramatical

Acentuação

Tipo de palavra	Quando acentuar	Exemplos	Não acentue
Proparoxítonas	sempre	simpática, lúcido, sólido, cômodo	
Paroxítonas	terminadas em: L	fácil	as terminadas em ENS: hifens, polens as terminadas em OO: voo, doo, moo, coo
	I	táxi	
	IS	tênis, táxis	
	N	hífen	
	UM, UNS	álbum, álbuns	
	US	vírus	
	R	caráter	
	X	látex	
	PS	bíceps	
	Ã, ÃS	ímã, órfãs	
	ditongo, seguido ou não de S	bênção, órfão, cárie, árduos	
Oxítonas	terminadas em: A, AS	vatapá (s)	as terminadas em I, IS, U, US: Morumbi, abacaxi, parti-lo, tatu, Itu, obus Exceção: as terminadas em hiato recebem o acento: atraí-lo, Jundiaí, baú, Jaú.
	E, ES	igarapé (s)	
	O, OS	avô, avós	
	EM, ENS	refém, parabéns	
Monossílabos tônicos	terminados em: A, AS	vá, pás	os terminados em I, U, EZ, OZ ou OR: vi, nu, fez, foz, cor, dor, for, flor
	E, ES	pé, mês	
	O, OS	pó, pôs	
Hiatos	quando I, IS, U ou US estão sozinhos na sílaba tônica do hiato (desde que, nas paroxítonas, não haja ditongo na sílaba anterior; nas oxítonas, mesmo havendo ditongo antes da sílaba tônica, existe acento)	saída, saúde, saía, raízes, traíste, país, balaústre vascaíno; Piauí, teiú, tuiuiú	quando a sílaba seguinte começa com NH: rainha, moinho quando o hiato é formado por vogal repetida: sucuuba quando, nas paroxítonas, um ditongo antecede a sílaba tônica: feiura bocaiuva, baiuca, Sauipe, taoismo.
Ditongos abertos	EI, EIS	réu (s), véu (s)	esses ditongos nas palavras paroxítonas: ideia, assembleia, heroico, estoico, tireoide, joia, palavras como constroem e destroem
	EU, EUS	destrói, lençóis	
	OI, OIS	anéis, papéis	
	Só existe acento nos monossílabos e nas palavras oxítonas		

ANEXO gramatical

Acentuação

Tipo de palavra	Quando acentuar	Exemplos	Não acentue
Verbos ter e vir	na terceira pessoa do plural do presente do indicativo	eles têm eles vêm	
Derivados de ter e vir (obter, manter, intervir etc.)	na terceira pessoa do singular do presente do indicativo, use acento agudo	ele obtém, ele intervém, ele detém, ele convém	
	na terceira pessoa do plural do presente do indicativo, use acento circunflexo	eles obtêm, eles intervêm, eles detêm, eles convêm	
Acento diferencial	pôde (pretérito perfeito) e pôr (verbo) Em fôrma (substantivo, sinônimo de "molde"), o acento é opcional, recomendado em casos de desambiguação		expor, depor, repor (nenhum derivado de pôr recebe esse acento)
Verbos crer, ler e ver (e derivados)	na terceira pessoa do singular do presente do indicativo	crê, lê, vê	as formas de terceira pessoa do plural, com "ee": eles creem, eles leem, que eles deem
Verbo dar	na terceira pessoa do singular do presente do subjuntivo	que ele dê	
Trema	somente em palavras estrangeiras e delas derivadas	Citroën, Müller, mülleriano Gisele Bündchen	linguiça, pinguim sequestro, aguentar etc.

sua mulher, que morreu há um mês, na sacada da casa (a colocação de *na sacada da casa* no final da frase, mesmo com vírgula, pode dar a entender ao leitor apressado que ela morreu na sacada da casa. Isso pode ser evitado escrevendo o seguinte: Na sacada de sua casa, o governador e sua mulher, que morreu há um mês);

3) sucessão inadequada de termos, orações ou frases – Um protesto contra a impunidade e a lentidão da Justiça (a colocação de *impunidade* antes de *lentidão da Justiça* pode dar a entender que houve um protesto contra a impunidade da Justiça); é melhor escrever isto: Um protesto contra a lentidão da Justiça e a impunidade;

4) colocação do "que" em outra posição que não logo depois do nome que substitui – O cliente esqueceu o código do cartão, que ele já cancelou (o cliente cancelou o código ou o cartão?); a dúvida só pode ser resolvida com paráfrases como O cliente esqueceu a senha do cartão, que já foi cancelada ou O cliente esqueceu a senha do cartão, que já foi cancelado;

5) abuso da preposição "de" – Festa de passagem de ano do navio (o navio faz aniversário? Não, a festa foi no navio).

à medida que/na medida em que – *À medida que* indica ideia de proporção; equivale a *à proporção que*: À medida que se aproximam as eleições, intensifica-se o uso da máquina administrativa. *Na medida em que*, expressão condenada por muitos autores, indica ideia de causa; equivale a *porque*, *visto que*: A crise cambial foi catastrófica na medida em que o governo não foi capaz de agir no momento certo.

a meu ver/ao meu ver – Prefira *a meu ver*: A meu ver, o time não tem condição de vencer.

a nível de – Evite, pois trata-se de modismo. Numa situação como Isso só ocorre em nível estadual, empregue, por exemplo, o termo "âmbito": Isso só ocorre em âmbito estadual.

Antártida – Use essa grafia para o continente onde fica o polo Sul. O adjetivo, porém, é *antártico*, cujo feminino é *antártica*.

ao contrário/diferentemente – Erro muito comum. *Ao contrário* significa *ao invés*; exige oposição entre dois termos: Ao contrário do que a **Folha** publicou na edição de ontem, o piloto José da Silva morreu no acidente, e não sobreviveu. Há oposição clara entre sobreviver e morrer. *Diferentemente* não requer oposição entre dois termos: Diferentemente do que a **Folha** publicou na edição de ontem, o

Artigos definidos

Situação	Uso obrigatório	Uso proibido	Uso facultativo
Nomes de naves	o Titanic, a Apollo-13		
Ao substantivar palavras	os sem-terra, o hoje, o cantar, o sempre		
Nomes de pessoas			havendo tratamento informal ("último show do Caetano"*)
Nomes de cidades	o Rio de Janeiro, o Porto, o Cairo, o Havre	São Paulo, Paris, Madri e a maioria das cidades	Recife, o Recife
Cidade caracterizada por expressão	a bela Paris, a impressionante Siena		
Nomes de Estados brasileiros	todos os demais	GO, MT, MS, PE, RO, RR, SC, SP e SE	AL e MG (prefira sem o artigo)
Nomes de países	a maioria dos países pede o uso do artigo: o Peru, a Itália, o Brasil, os Estados Unidos	não pedem artigo, entre outros: Marrocos, Israel, Angola, Moçambique, Andorra, Cabo Verde, Cuba, S.Tomé e Príncipe, Portugal, San Marino	
Antes de pronomes possessivos			ele disse que (a) sua equipe é melhor
Superlativo	superlativo relativo: Fulano, o cantor mais popular do país		
Enumeração de substantivos	quando há artigo no primeiro: Convocou os diretores, os professores e os funcionários.	quando não há artigo em nenhum: Convocou diretores, professores e funcionários.	
Apostos			John Doe, (o) presidente dos EUA, visitará o Brasil
Com horários	das 12h às 18h		

* Atenção: na **Folha**, esse uso é permitido APENAS na reprodução literal de declarações, entre aspas.

jogo entre Palmeiras e São Paulo será disputado no Pacaembu, e não no Morumbi. Não há oposição entre Pacaembu e Morumbi.

ao invés de/em vez de – *Ao invés de* significa *ao contrário de*: Com a colheita da safra, ao invés de baixar, o preço subiu. A expressão indica a oposição entre dois termos. Não confunda com *em vez de*, que significa *em lugar de*: Em vez de estudar, acabou indo ao cinema. Portanto é errado escrever isto: Ao invés de estudar, acabou indo ao cinema.

a par de – Significa estar ciente de alguma coisa: O governador manteve o presidente a par do que acontecia. A locução *ao par* só se usa em relação ao câmbio: O peso argentino ainda estava ao par do dólar. De qualquer forma, evite, porque é jargão econômico.

aquele – Veja *este/esse*.

artigos – Em títulos, a tendência no jornalismo é suprimir os artigos, sobretudo os definidos. O fato já é consagrado. Fora dos títulos, há muitas situações em que os artigos definidos são obrigatórios. Já o artigo indefinido, muitas vezes, é usado inutilmente: O presidente disse que até o começo do mês apresentará uma outra proposta. Basta dizer: O presidente apresentará outra proposta. Uma boa maneira de evitar o abuso do artigo indefinido é verificar como fica a frase sem ele. Se não fizer falta, elimine-o. Veja algumas considerações sobre o uso dos artigos em tabela ← pág. 125.

assistir – No sentido de *estar presente, comparecer, ver*, aparece tradicionalmente como transitivo indireto: Poucas pessoas assistiram ao jogo; Nenhum aluno assistiu ao seminário; Ela não deixa de assistir à novela. No sentido de *prestar assistência, auxiliar, socorrer*, é transitivo direto ou indireto: O médico assistiu o/ao doente; O hospital não assiste os/aos segurados adequadamente.

até as/até às – Nunca use até às: Ele ficou lá até as 20h. Veja crase.

à toa – O Acordo Ortográfico eliminou a diferença gráfica entre o adjetivo e a locução adverbial, portanto não há mais hífen em nenhum dos casos: Perdeu a tarde com um probleminha à toa (locução adjetiva); O funcionário passou a tarde toda à toa (locução adverbial).

através – Segundo os dicionários, o primeiro significado de *através* é físico ou temporal: O ladrão escapou através de um túnel cavado pelos detentos; Estudou a literatura através dos séculos. Também se registra o emprego de *através* com o sentido de *por intermédio de*: Conseguiu a vaga através de um amigo. Não introduza o agente da passiva com *através de*: A revelação foi feita através de um assessor do presidente. O time venceu com um gol marcado através de fulano. Para evitar problemas, muitas vezes é possível substituir *através* por um simples *por*.

avaliar – Alguém avalia alguma coisa. Não existe avaliar que. É possível escrever o seguinte: Segundo avaliação dos economistas, a crise está no fim. Não é possível escrever isto: Os economistas avaliam que a crise esteja no fim.

B

banir – É verbo defectivo. Conjuga-se como *abolir*.

barato/caro – O preço é *alto* ou *baixo*, não *caro* ou *barato*. *Baratas* ou *caras* são as mercadorias: Ela cobra preços baixos; As blusas são caras. Não variam quando advérbios, equivalentes a *pouco/muito*: Os livros custam barato; A blusa custa caro.

bem – O uso do hífen nem sempre é tarefa simples. Convém consultar um dicionário. Veja alguns casos em que essa palavra se agrega a outra com hífen: bem-acabado, bem-agradecido, bem-aventurado, bem-comportado, bem-disposto, bem-dotado, bem-educado, bem-estar, bem-humorado, bem-intencionado, bem-nascido, bem-posto, bem-querer, bem-sucedido. **tabela → pág. 150**

blitz – Forma reduzida de "Blitzkrieg" (guerra-relâmpago, em alemão). É singular: Foi organizada uma blitz. O plural é *blitze*: Foram organizadas várias blitze.

C

carioca – É relativo à cidade do Rio de Janeiro, não ao Estado. Todo carioca é fluminense, mas nem todo fluminense é carioca. O campeonato de futebol do Estado do Rio de Janeiro não é carioca. Se quiser evitar Campeonato Fluminense, escreva Campeonato Estadual do Rio ou Campeonato do Estado do Rio de Janeiro.

chegar a – Na língua padrão, o verbo *chegar* rege a preposição *a*. Chega-se a algum lugar: John Doe chega amanhã a São Paulo; O piloto José da Silva chegou cedo ao autódromo. A única exceção é a expressão *chegar em casa*, consagrada pelo uso, seja no padrão formal, seja no informal. O substantivo *chegada* também rege *a*: A chegada do presidente a Brasília foi tumultuada.

cheque – O correto é cheque sem fundos (provisão em dinheiro), não sem fundo.

cheque/xeque – Não confunda o cheque de banco com o xeque de xadrez (*xeque-mate*) ou com o título árabe: Ele assinou o cheque; O argumento foi posto em xeque; O xeque entrou em sua tenda.

colocação de pronomes oblíquos átonos – Trata-se de questão problemática. Há diferenças entre o padrão português e o brasileiro.
Com exceção de um ou outro caso, a tendência da **Folha** é adotar a colocação pronominal brasileira. Veja as principais recomendações: **tabela → pág. 128**

concordância verbal – A regra básica é muito simples: o verbo concorda em número (singular ou plural) e pessoa (1ª, 2ª ou 3ª) com o sujeito da oração. Veja os casos que merecem atenção especial: **tabela → pág. 129**

conferência – Em português, conferência é *palestra*, *ato de conferir*, *confronto*, *conversação entre duas ou mais pessoas* etc. Conferência *não* é sinônimo de *secção* ou *seção*, *parte*, *divisão*. Portanto, quando se tratar da NBA (liga do basquete americano), não escreva Conferência Leste, Oeste, Sul, Norte etc. Escreva *grupo*, *divisão* ou qualquer outra palavra portuguesa equivalente.

cores – Adjetivos que indicam cores são variáveis: camisas amarelas, sapatos verdes, calças azuis. Quando a palavra cor está explícita ou implícita, não se faz flexão: sapatos cor-de-rosa, camisas (cor de) vinho, carros (cor de) limão, paredes (cor de) gelo, tons (cor de) pastel.
Obs.: apenas o termo cor-de-rosa se escreve com hifens. Os demais se escrevem sem o sinal: cor de vinho, cor de laranja etc.

crase – A palavra é grega e significa *fusão*, *mistura*. Em gramática, a crase se refere basicamente à fusão da pre-

Colocação pronominal

Situação	Usa-se próclise (pronome antes do verbo)	Usa-se ênclise (pronome depois)	Usa-se mesóclise (pronome no meio)
Partículas negativas	não o vi, nada me atinge, ninguém me disse		
Pronomes relativos	que, o qual, quem, quando, onde etc.: Fulano, que se aposentou há três anos		
Pronomes indefinidos	algum, alguém, muito, tudo etc.: Muito se disse hoje		
Advérbios e conjunções subordinativas	como, quando, sempre, hoje, lá, que, já, brevemente: Quando se feriu		
Gerúndio precedido de "em"	em se tratando de esporte, prefiro futebol		
Verbo no infinitivo, mesmo com palavra atrativa	**uso opcional:** tudo para não o magoar	**uso regular:** tudo para não magoá-lo	
No início de orações		Machucaram-se vários jogadores, Queimaram-se duas crianças; nunca Se machucaram ou Se queimaram	
Orações imperativas		cuide-se	
Com gerúndio		disse que, concretizando-se a proposta, agirá	
Futuro do presente ou do pretérito	eles se dariam as mãos, elas se encontrarão na fronteira		na **Folha**, só em textos de articulistas
Locuções verbais com particípio	Ele se tinha queimado	Ele tinha se queimado	

Obs. locuções verbais - em geral, o pronome fica entre os dois verbos: Eles estão se preparando; Disse que quer se perpetuar no cargo. Quando o verbo principal está no particípio e não há palavra atrativa, admitem-se duas possibilidades: Eles se tinham preparado; Eles tinham se preparado. Quando há palavra atrativa, embora a norma culta não preveja a colocação do pronome entre os dois verbos, a **Folha** admite esse uso: Disse que se quer preparar melhor; Disse que quer preparar-se melhor ou Disse que quer se preparar melhor.

Concordância verbal

Caso	Usa-se singular	Usa-se plural	Uso facultativo
Coletivos	**não especificados:** Um bando invadiu a sala.		**especificados por termo no plural:** Um bando de cães invadiu/invadiram a sala. (prefira o singular)
A maioria, boa parte, grande parte, a maior parte, metade, o grosso	**não especificados:** A maioria aprovou; Grande parte viajou para o norte.		**especificados:** A maioria dos peixes morreu/ morreram. (prefira o singular) **com verbo de ligação (ser, estar etc.):** A maioria dos índios estava nua/ estavam nus. (prefira o plural)
1 milhão de, 1,2 milhão de, 1,99 milhão de			1 milhão de paulistas deixou/deixaram o Estado. (prefira o plural)
A maioria dos que, boa parte das que		**o verbo depois de "dos que" vai para o plural:** A maioria dos alunos que foram reprovados achou a prova difícil.	
Cada um	Cada um tinha dois filhos.		
Um dos que		Ele foi um dos que mais lutaram pela paz.	
Um e outro		Um e outro chegaram cedo; Um e outro aluno saíram.	Eventualmente se emprega o singular.
Nem um nem outro	Nem um nem outro esteve lá.		Já se emprega o plural também.
Um ou outro	Um ou outro o receberá.		
Núcleos ligados por "ou"	**se houver exclusão:** O Flamengo ou o Vasco ganhará o jogo.	**sem exclusão:** O aluno ou o professor podem fazer a inscrição.	
Nem repetido			Nem fulano nem beltrano chegou/chegaram a tempo. (prefira o plural)
Com	**para enfatizar o núcleo:** O *presidente*, com seus aliados, *venceu*.	**quando "com" se equipara a "e":** O general com seus oficiais tomaram a cidade.	
Não só... mas também tanto... como assim... como		Não só ele mas também seu pai ficaram feridos.	

Concordância verbal

Caso	Usa-se singular	Usa-se plural	Uso facultativo
Verbo antes de sujeito composto			Renunciou/ renunciaram o presidente e os ministros. (prefira o plural)
Núcleos em gradação	**para enfatizar o último termo:** Em Roma, um dia, um mês, um ano passa voando.	**para enfatizar todos os termos:** Em Roma, um dia, um mês, um ano passam voando.	
Núcleos resumidos por "tudo", "nada", "ninguém", "nenhum"	Visitas, presentes, amigos, nada o tirava da apatia.		
Quem	Não foram eles quem sujou a parede.		Pode ocorrer a concordância com o termo antecedente (construção popular): Não foram eles quem sujaram a parede.
Que	**precedido por singular:** Não foi ele que sujou a parede	**precedido por plural:** Não foram eles que sujaram a parede.	
Pronomes de tratamento/ Vossa(s)	Vossa Excelência está cansado?	Vossas Excelências estão cansados?	
Infinitivos	**infinitivos genéricos:** Nadar e correr faz bem à saúde.	**determinados ou expressando ideias opostas:** Rir e chorar fazem parte da vida; O comer e o dormir são necessários.	
Plurais aparentes (nomes próprios de países, Estados, cidades, acidentes geográficos, empresas)	**sem artigo ou com artigo no singular:** O Amazonas nasce no Peru; Minas Gerais produziu grandes escritores no século 20.	**com artigo no plural:** Os Estados Unidos assinaram o acordo; As Casas Bahia fundiram-se com o Grupo Pão de Açúcar.	
Plurais aparentes (nomes de obras literárias)	**sem artigo:** "Suspiros Poéticos e Saudades" marca o início do romantismo no Brasil.	**com artigo no plural:** "Os Lusíadas" representa um marco na literatura.	**com artigo no plural e verbo "ser":** "Os Lusíadas" é/são uma obra-prima.
Verbo associado à palavra "se"	**transitivo indireto fica invariável:** Trata-se de novo produto; Precisa-se de secretárias.	**na voz passiva, concorda com o sujeito:** Vendem-se casas.	
Pronome relativo precedido de plural		A maioria dos soldados que estavam no quartel ouviu a notícia.	

Crase

Caso	Uso obrigatório	Uso proibido	Uso facultativo
Antes de palavras masculinas	**quando estiver implícito "à moda de":** Móveis à Luís 15; **quando subentendido termo feminino:** Vou à [praça] João Mendes.	viajar a convite de, traje a rigor, passeio a pé, sal a gosto, TV a cabo, barco a remo, carro a álcool etc.	
Antes de verbos		disposto a colaborar	
Antes de pronomes		**antes da maior parte deles:** Disse a ela que não virá; Nunca se refere a você.	**pronomes possessivos:** Enviou a carta à sua família/Enviou a carta a sua família.
Quando "a" vem antes de plural		A pesquisa não se refere a mulheres casadas.	
Expressões formadas por palavras repetidas		Cara a cara; ponta a ponta; frente a frente; gota a gota	
Depois de "para", "até", "perante", "com", "contra" e outras preposições		O jogo está marcado para as 16h; Foi até a esquina; Lutou contra as americanas.	
Antes de cidades, Estados, países	Foi à Itália (voltou **da** Itália); Chegou à Paris dos poetas.	Foi a Roma (voltou **de** Roma); Foi a Paris (voltou **de** Paris).	
Locuções adverbiais, conjuntivas ou prepositivas de base feminina	às vezes, às pressas, à primeira vista, à medida que, à noite, à custa de, à procura de, à beira de, à tarde, à vontade, às cegas, às escuras, às claras etc.		**locuções femininas de meio ou instrumento:** à vela/a vela; à bala/a bala (prefira crase quando for preciso evitar ambiguidade: Receber à bala)
Aquele, aqueles, aquilo, aquela, aquelas	Referiu-se àquilo; Foi àquele restaurante; Dedicou-se àquela tarefa.		
Com demonstrativo "a"	A capitania de Minas Gerais estava ligada à de São Paulo; Falarei às que quiserem me ouvir.		

posição *a* com o artigo feminino *a*, com o pronome demonstrativo *a*, com o *a* inicial de *aquele/s*, *aquela/s*, *aquilo* e com o *a(s)* inicial dos pronomes relativos *a qual* e *as quais*. Em "Vou à escola", por exemplo, o verbo *ir* (vou) rege a preposição *a*, que se funde com o artigo exigido pelo substantivo feminino escola: *Vou à (a+a) escola*. A ocorrência de crase é marcada com o acento grave (`). A troca de *escola* por um substantivo masculino equivalente comprova a existência de preposição e artigo: *Vou ao (a+o) colégio*. É erro colocar acento grave antes de palavras que não admitam o artigo feminino *a*, como verbos, a maior parte dos pronomes e as palavras masculinas. **tabela ← pág.131**

D

descrição/discrição – Não existe discreção. Quem é discreto possui a qualidade da discrição, cujo antônimo é *indiscrição*. *Descrição* é o ato de descrever.

diferentemente – Veja *ao contrário/diferentemente*.

dia a dia – O Acordo Ortográfico eliminou a diferença gráfica entre a locução adverbial e o substantivo composto. Grafa-se "dia a dia" em qualquer dos casos: Ela melhora dia a dia. É duro o dia a dia da maioria dos brasileiros.

E

embaixador/embaixatriz – A *embaixatriz* é a mulher do *embaixador*. Quando o titular de uma embaixada é mulher, usa-se o termo *embaixadora*.

embaixo/em cima – Atenção para a separação no segundo caso.

em cores – A TV é em cores, não a cores.

em função de – Não use com o sentido de *em razão de*. *Em função de* expressa relação de dependência. Não use, portanto, a expressão em frases como Não viajou em função do mau tempo. Nesse caso, diga Não viajou em razão do mau tempo. Em seu sentido próprio, use normalmente a expressão *em função de*: Vivia em função da família.

em nível de – Veja a nível de.

em vez de – Veja *ao invés de*.

e nem – Não use se *nem* equivaler a *e não*. Use *e não* ou *nem*: Não canta e não compõe. Não canta nem compõe. Quando isso não acontece, não há problema no uso: Ele me viu e nem me cumprimentou.

este/esse – Na língua escrita, é fundamental diferenciar *este* de *esse*. Veja, a seguir, os casos mais importantes:
1) Este, esta, isto – Indicam o que é da pessoa que fala ou o que (ou quem) está perto dela: Este livro (que estou lendo) é muito bom. Esta cidade (em que vivemos ou estamos) é suja. Isto (aqui, em minhas mãos) é trabalho que se apresente? Este (aqui, ao meu lado) é o novo diretor da empresa.

Usam-se também para indicar o tempo presente: Neste mês não se registram temperaturas baixas. Esta semana é especial para o cantor. Este trimestre certamente será o mais fraco do ano para a indústria automobilística. Neste ano, não se esperam boas vendas.

Esses pronomes também servem para anunciar o que será dito ou explicado em seguida: A proposta do governador é esta: vender o banco.

Por fim, quando se citam dois elementos, usa-se *este* ou *esta* para retomar o último: O delegado interrogou fulano e

ANEXO gramatical

sicrano. Este negou que tivesse participado do crime.

2) Esse, essa, isso – Indicam o que é da pessoa com quem se fala ou o que (ou quem) está perto dela: Esse livro (que você comprou) é muito bom. Essa cidade (a que você se refere) é muito suja. Isso (aí, nas suas mãos) é trabalho que se apresente? Esse (aí, ao seu lado) é o novo diretor da empresa?

Tratamento formal de autoridades

	Forma de tratamento	Sobrescrição de correspondências
almirante	Sua/Vossa* Excelência	Exmo. Sr. Almirante
arcebispo	Sua/Vossa Excelência Reverendíssima	Exmo. e Revmo. Dom
bispo	Sua/Vossa Excelência Reverendíssima	Exmo. e Revmo. Dom
brigadeiro	Sua/Vossa Excelência	Exmo. Sr. Brigadeiro
cardeal	Sua/Vossa Eminência Reverendíssima (ou Eminência)	Emmo. e Revmo. Cardeal (ou Dom)
cônego	Sua/Vossa Reverendíssima	Revmo. Sr. Côn.
cônsul	Sua/Vossa Senhoria	Ilmo. Sr. Cônsul
coronel	Sua/Vossa Senhoria	Ilmo. Sr. Cel.
deputado	Sua/Vossa Excelência	Exmo. Sr. Deputado
embaixador	Sua/Vossa Excelência	Exmo. Sr.
frade	Sua/Vossa Reverendíssima	Revmo. Sr. Fr.
freira	Sua/Vossa Reverendíssima	Revma. Ir.
general	Sua/Vossa Excelência	Exmo. Sr. General
governador de Estado	Sua/Vossa Excelência	Exmo. Sr. Governador
irmã (madre, sóror)	Sua/Vossa Reverendíssima	Revma. Ir. (ou Madre ou Sóror)
juiz	Sua/Vossa Excelência (ou Meritíssimo Juiz)	Exmo. Sr. Dr.
major	Sua/Vossa Senhoria	Ilmo. Sr. Major
marechal	Sua/Vossa Excelência	Exmo. Sr. Marechal
ministro	Sua/Vossa Excelência	Exmo. Sr. Ministro
monsenhor	Sua/Vossa Reverendíssima	Revmo. Sr. Mons.
padre	Sua/Vossa Reverendíssima	Revmo. Sr. Padre
papa	Sua/Vossa Santidade (ou Beatitude)	A Sua Santidade Papa (Ao Beatíssimo Padre)
patriarca	Sua/Vossa Excelência Reverendíssima (ou Beatitude)	Exmo. e Revmo. Dom (Ao Beatíssimo Padre)
prefeito	Sua/Vossa Excelência	Exmo. Sr. Prefeito
presidente	Sua/Vossa Excelência	Exmo. Sr. Presidente
reitor (de universidade)	Sua/Vossa Magnificência (ou Magnífico Reitor)	Exmo. Sr. Reitor
secretário de Estado	Sua/Vossa Excelência	Exmo. Sr. Secretário
senador	Sua/Vossa Excelência	Exmo. Sr. Senador
tenente-coronel	Sua/Vossa Senhoria	Ilmo. Sr. Ten.-Cel.
vereador	Sua/Vossa Excelência	Exmo. Sr. Vereador
demais autoridades, oficiais e particulares	Sua/Vossa Senhoria	Ilmo. Sr.

* Use "Sua" quando se referir à autoridade sem se dirigir diretamente a ela. Use "Vossa" quando estiver se dirigindo diretamente à autoridade.

Usam-se para indicar o tempo passado ou futuro: Registraram-se ventos fortes em novembro. Nesse mês, houve também chuvas intensas na região./ O cantor apresentou-se durante todos os dias da semana. Essa semana foi muito especial para ele./ No segundo trimestre de 2008, houve queda nas vendas de veículos. Esse trimestre certamente foi o mais fraco do ano para a indústria automobilística./ No próximo ano, talvez já tenhamos resolvido nossos problemas; nessa época, nossas preocupações já deverão ser outras.

Esses pronomes também servem para retomar o que já foi dito ou explicado: Vender o banco. Essa é a proposta do governador.

3) Aquele, aquela, aquilo – Indicam coisa ou pessoa distantes do emissor e do receptor: Feche aquela janela, por favor. Pegue aquele livro. De quem é aquele carro? Passei belos dias naquela cidade.

Usam-se para indicar tempo muito distante: Naqueles dias, imaginava-se que a Terra fosse quadrada.

Quando se citam dois elementos, usa-se *aquele* ou *aquela* para retomar o primeiro: O delegado interrogou fulano e sicrano. Este negou participação no crime; aquele confirmou.

Como regra, o texto de jornal deve evitar essas construções quando forem muito complexas. Às vezes, é melhor repetir termos para não truncar a leitura.

existir – Esse verbo sempre concorda com o sujeito: Existem complicações. Existirão ressalvas. O fato de existirem muitos interessados na empresa surpreendeu os operadores. Existiam muitos professores de latim naquela época. Quando usado em locução verbal, exige que o verbo auxiliar concorde com o sujeito: Devem existir muitos interessados. Hão de existir provas materiais de seu envolvimento com a Máfia.

explodir – O dicionário "Houaiss" o registra como verbo de conjugação completa; o "Aurélio" o classifica como defectivo (conjugado como *abolir*). Na tradição da língua, é defectivo.

F

falir – É defectivo. No presente do indicativo só existem duas formas: nós falimos, vós falis. No presente do subjuntivo, não é conjugado em nenhuma forma. Também não se conjuga no imperativo, exceto na forma afirmativa da segunda pessoa do plural. Nos demais tempos, tem conjugação completa.

falsas traduções – Nunca use palavras e expressões mal traduzidas do inglês ou de outras línguas, cujo emprego é corriqueiro em algumas áreas. Termos como customizar, nominar (no sentido de *indicar*) e realizar (no sentido de *perceber*) não existem em português. Use os verbos corretos: personalizar, indicar e perceber, respectivamente. Na dúvida, consulte o dicionário.

fantasma - Quando seguir um substantivo, como determinante específico, use o hífen (empresa-fantasma, conta-fantasma, navio-fantasma, trem-fantasma).

fazer – Quando usado para indicar intervalo entre dois fatos, é impessoal, ou seja, não tem sujeito, portanto não

ANEXO gramatical

sai do singular: Faz dois anos que ela foi embora. Já fazia três anos que ele estava doente. Quando usado em locução, exige que o auxiliar fique no singular: Deve fazer três anos que ela saiu. Vai fazer quatro anos que a ponte está bloqueada. Também é impessoal quando indica fenômenos da natureza: Faz noites frias no Sul. Nos demais casos, tem plural: O político ficou dez anos no cargo. E dez anos fazem muita diferença.

fim – Fim de século, fim de ano, fim de semana, todas essas locuções se escrevem sem hifens.

formas de tratamento – Ao se dirigir formalmente, por correspondência, a personalidades que ocupem cargos conhecidos, tenham patente ou título, o jornalista da **Folha** deve utilizar-se do tratamento adequado. A seguir, os casos mais corriqueiros, com a fórmula de tratamento e a maneira correta de sobrescritar a correspondência: **tabela ← pág. 133**

frase/oração/período – *Frase* designa qualquer enunciado capaz de comunicar alguma coisa a alguém. Pode ser desde uma simples palavra (*Obrigado!*) até o mais complexo período proustiano. Quando a frase afirma ou nega alguma coisa, ou seja, quando apresenta estrutura sintática, pode ser chamada de *oração*: *Deus é luz.* Toda oração tem verbo ou locução verbal, mesmo que às vezes não estejam expressos. *Período* é o nome que se dá a uma frase constituída de uma ou mais orações. É simples (uma única oração) ou composto (com várias orações): *Padre Marcelo disse que Deus é luz.* Em textos noticiosos, evite períodos muito longos.

frei/frade – Embora frei seja, em geral, o termo usado com o prenome (frei Luís) ou com o apelido (frei Caneca), há casos consagrados em que a palavra antecede o sobrenome (frei Galvão). Escreva sempre com minúscula, exceto quando começar frase ou fizer parte do nome próprio: Frei Betto (incorporado ao nome), rua Frei Caneca (topônimo).
Frei é uma forma reduzida de *freire*, *frade*. O plural, assim, é *frades*: Os frades Luís e João rezaram durante a tarde toda. Em segunda menção, também escreva *frade*. Vale lembrar o título da obra teatral "Auto do Frade", de João Cabral de Melo Neto, que narra a história do frei Caneca.

G

gradação/graduação – *Gradação* significa aumento ou diminuição gradual: O arco-íris apresenta uma gradação de cores que vai do vermelho ao violeta. *Graduação* quer dizer divisão em graus: A graduação do termômetro era ilegível.

grama – A unidade de massa é substantivo masculino: o grama do ouro; 200 (duzentos) gramas de queijo.

H

haver – Cuidado com os seguintes casos:
1) No sentido de *existir*, *ocorrer*, *acontecer*, é impessoal, ou seja, não tem sujeito, portanto não se flexiona: Houve vários acidentes nesta semana. Há muitos pobres no Brasil. Caso haja outras cassações, haverá protestos. Não havia cadeiras suficientes. Se houvesse mais professores, mais alunos poderiam ter aulas. Quando o sentido do verbo for esse, nunca o escre-

va no plural (Haverão problemas. Haviam 200 convidados).

Quando usado em locução (com o sentido de *existir*, *ocorrer*, *acontecer*), exige que o auxiliar fique no singular: Deve haver novas cassações. Podia haver mais soterrados. Poderá haver pancadas de chuva.

2) Há dez anos/Havia dez anos – Quando indica ideia de intervalo entre dois fatos, equivale a *fazer* e, como este, é impessoal, por isso não tem sujeito e não sai do singular: Há muitos anos, não chove. Quando o traficante o conheceu, já atuava naquela região havia dez anos.

Note que é fundamental estabelecer a correlação entre o verbo *haver* e os outros verbos da frase.

Cuidado com os exageros no cumprimento dessa norma. Na frase O presidente jantou onde a burguesia francesa jantava havia 200 anos, por exemplo, afirma-se que a burguesia francesa viveu mais de 200 anos. O correto nesse caso seria onde a burguesia francesa jantava há 200 anos (equivalente a onde, há 200 anos, a burguesia francesa costumava jantar). Por outro lado, uma frase como Gás vazava há nove dias (nove dias atrás, o gás estava vazando) é bem diferente de Gás vazava havia nove dias (o gás vinha vazando durante os nove dias).

3) "Há dez anos atrás" – Não use. Ao pé da letra, a construção é pleonástica. Use Há dez anos ou Dez anos atrás.

4) Há/a – Não empregue *há*, mas sim a preposição *a*, para indicar distanciamento no tempo (futuro ou passado) ou no espaço: A peça estreia daqui a duas semanas. A um ano da morte do presidente, o Congresso realizou uma sessão solene em sua memória. Ele mora a 2 km do escritório. O avião voava a mil metros de altitude. Estava a anos-luz de entender o problema.

5) Haviam, houveram, haverão – São formas verbais corretas, desde que usadas em casos em que o verbo *haver* não seja sinônimo de *existir*, *ocorrer*, *acontecer*, nem seja equivalente a *fazer* na indicação de intervalo entre dois fatos: Os ministros não haviam comparecido à solenidade. Os brasileiros haverão de conseguir o bem-estar.

hífen – Busque informação nos dicionários ou no "Vocabulário Ortográfico da Língua Portuguesa", da Academia Brasileira de Letras. Este traz a grafia oficial das palavras, portanto é a fonte mais segura para elucidar dúvidas. tabela → pág. 150.

I

implicar – Verbo transitivo direto quando significa *acarretar*, *trazer como consequência*: A decisão do presidente implicará o cancelamento do projeto. A derrota implica a demissão do técnico. O desenvolvimento da ciência implica benefícios para a humanidade. O discurso do candidato implica o recrudescimento da disputa. No sentido de *comprometer* ou *envolver*, o verbo é transitivo direto e indireto: No depoimento, o deputado implicou o senador no crime.

incidente – Veja *acidente/incidente.*

inclusive – Significa *com inclusão de* e se opõe a *exclusive*: Havia 35 pessoas na sala, inclusive o diretor. Os dicionários registram esse vocábulo também com o sentido de *até* ou *até mesmo*: O técnico

ANEXO gramatical

tentou inclusive jogar com três atacantes. Ele chegou inclusive a prometer...

infinitivo – Não há regras inequívocas. Leve em conta harmonia, clareza e eufonia. Veja os casos mais importantes:
1) Infinitivo pessoal com sujeito diferente do do verbo da oração anterior – A flexão é obrigatória: O presidente fez o possível para os executivos estrangeiros aceitarem a proposta. O sujeito do primeiro verbo (*fez*) é *o presidente*; o do segundo verbo (*aceitarem*) é *os executivos estrangeiros*.
2) Infinitivo pessoal com sujeito igual ao do verbo da oração anterior – A flexão é optativa, mas a recomendação é não flexionar: Eles foram a Brasília para conversar com o presidente.

Se a oração infinitiva vier antes da principal, convém flexionar o infinitivo: Para conversarem com o presidente, eles foram a Brasília.
3) Infinitivo regido por preposição e que funciona como complemento de substantivo, adjetivo ou verbo – Não se faz a flexão: Foram proibidos de entrar. Eles não têm chance de vencer. Foram incumbidos de abrir a exposição. Todos estão obrigados a comparecer. Ele convenceu os filhos a morar na Europa.
4) Verbo passivo, reflexivo ou pronominal – Se a oração infinitiva for passiva ou possuir verbo reflexivo ou pronominal, flexiona-se o infinitivo: Cada um foi para um lado, para não serem vistos juntos. Viviam juntos sem se conhecerem. Estão dispostos a se reconciliarem.
5) Deixar, fazer, mandar, ouvir, sentir ou ver + infinitivo – Se o sujeito do infinitivo não for um pronome oblíquo, a flexão é optativa: Faça os meninos calar/calarem a boca. Mande os cozinheiros preparar/prepararem a comida. Ouvi os pássaros cantar/cantarem. Com pronome oblíquo, não flexione o infinitivo: Deixe-os ficar. Faça-os sair. Não os ouvi chegar. Senti-os chegar. Mande-os sair.
6) Locução verbal – Não flexione o infinitivo: Eles devem chegar logo. Queiram, por gentileza, comparecer ao estacionamento.

intermediar – É irregular. Segue a conjugação de *mediar*: Ele intermedeia a transação.

intervir – Conjuga-se como *vir*, verbo do qual deriva: Eu intervim. A polícia interveio. Os policiais intervieram. Se ela intervier. Se nós interviéssemos.

isto/isso – Veja *este/esse*.

J

já – Evite o uso pleonástico de *já*: Ela já não canta mais. Basta dizer Ela já não canta ou Ela não canta mais.

junto a – Evite modismos. Não escreva Ele pediu um empréstimo junto ao banco. O Corinthians contratou o jogador junto ao Grêmio. Entrou com recurso junto ao Tribunal de Justiça ou coisas semelhantes. Opte pelo básico: Ele pediu um empréstimo ao banco. O Corinthians contratou o jogador do Grêmio. Entrou com recurso no Tribunal de Justiça.

L

lesa/leso – Nos compostos, *lesa* se usa com palavra feminina, e *leso*, com masculina. Em ambos os casos, com hífen: lesa-gramática, lesa-majestade, lesa-pátria, leso-patriotismo.

lhe/o – É erro comum o uso de *lhe* em vez de *o* ou *a*: Eu lhe amo. O ministro lhe convidou para o cargo. O técnico lhe obrigou a ficar na defesa. *Amar*, *convidar* e *obrigar* não regem a preposição *a* para pessoas. O correto é: Eu o/a amo. O ministro o convidou para o cargo. O técnico o obrigou a ficar na defesa.

O pronome *lhe* só se usa com verbos que pedem preposição *a*: A caneta lhe pertence (pertence *a* alguém). Disse-lhe que não irá (disse *a* alguém). Perguntou-lhe por que desistira (perguntou *a* alguém).

Também ocorre o contrário, ou seja, uso de *o* em vez de *lhe*: O técnico não o permitiu atacar. O correto é: O técnico não lhe permitiu atacar. Afinal, o técnico permite algo a alguém.

linchar – O "Houaiss" dá a esse termo dois sentidos: "Executar sumariamente (criminoso ou suspeito de sê-lo), sem julgamento regular e por decisão coletiva"; "praticar (a multidão) graves violências contra alguém". É possível, portanto, o uso do verbo em frases como quase morreu em um linchamento.

M

mal – Cuidado com o hífen. É melhor consultar um dicionário. Veja alguns dos casos mais importantes: mal-acabado, mal-acostumado, mal-afamado, mal-afortunado, mal-agourado, mal-agradecido, mal-amado, mal-apessoado, mal-assombrado, mal-aventurado, mal-educado, mal-entendido, mal-estar, mal-habituado, mal-humorado, mal-intencionado, malcheiroso, mal-comportado, malconceituado, malconservado, malcriado, maldisposto, maldizer, maldormido, malfeito, malnascido, malparado, malposto, malsucedido, malvisto. tabela → pág.150

mal/mau – Há um artifício clássico: *mal* se opõe a *bem*; *mau*, a *bom*. *Ele joga mal* se opõe a *Ele joga bem*; *Ele é mau jogador* se opõe a *Ele é bom jogador.*

mas – Há vírgula antes de *mas* quando equivalente a *porém*, *contudo*, *todavia*: O time jogou bem, mas perdeu. Fulano estudou muito, mas não conseguiu passar no vestibular. Quando liga orações e tem valor aditivo (associado a *também*), pode ser ou não precedido de vírgula: Ele não só canta (,) mas também compõe. Quando o *mas* soma elementos de mesma função (núcleos do sujeito, por exemplo), não se usa vírgula: Não só ele mas também o filho saíram à procura do deputado.

mediar – É irregular. Conjuga-se como *odiar*: medeio, medeia, medeiam, medeie, medeiem. Comportam-se da mesma maneira os verbos *intermediar*, *remediar*, *ansiar*, *odiar* e *incendiar*.

meio/meia – *Meio* é invariável quando equivale a *um pouco*: Ela estava meio nervosa (um pouco nervosa). Quando indica ideia de *metade*, é variável: Meio-dia e meia (meia hora, metade de uma hora), duas meias porções.

meio-irmão – O plural é *meios-irmãos*.

Plural de substantivos compostos

Caso	Só o primeiro vai para o plural	Só o segundo vai para o plural	Os dois vão para o plural
Quando as duas palavras são variáveis			cirurgiões-dentistas, quintas-feiras, guardas-civis
Quando o segundo elemento limita o primeiro em finalidade ou semelhança	**admite-se o uso:** carros--bomba, couves-flor, frutas--pão, navios-escola, homens-rã		**uso mais comum:** frutas--pães, homens-rãs, couves--flores, pombos-correios
Quando o segundo elemento é "chave"	homens-chave, postos-chave, palavras-chave		**admitem-se:** homens--chaves, postos-chaves, palavras-chaves
Quando só o segundo elemento é variável		ave-marias, guarda--roupas, mal-educados, sempre-vivas, vice-presidentes	
Quando são palavras repetidas		reco-recos, tico-ticos	
Quando são verbos repetidos		corre-corres, empurra--empurras, quebra--quebras, treme-tremes	**admite-se a flexão dos dois:** corres-corres, quebras-quebras
Composto formado por três elementos, com preposição no meio *	pés de moleque, autos de fé, pores do sol, testas de ferro, luas de mel		

Casos especiais: os arco-íris, os bem-te-vis, os bem-me-queres, os bota-foras, os chove não molha, os diz que diz que, as grã-cruzes, as grã-finas, os grão-duques, os grão-senhores, os leva e traz, os lugar-tenentes, os perde--ganha, os sem-terra, os sem-teto

* Se o primeiro elemento é verbo, não há plural: os faz de conta, os louva-a-deus.

Plural de adjetivos compostos

Caso	Só o segundo vai para o plural	Nenhum dos dois elementos varia	Exceções
Os dois elementos formadores são adjetivos	questões político-partidárias, olhos castanho-claros, senadores democrata--cristãos		surdos-mudos
O primeiro é adjetivo e o segundo é substantivo		tapetes verde-musgo, saias amarelo-ouro, olhos azul-turquesa	

mim – Preposições regem o pronome *mim*, e não *eu*: O problema deve ser resolvido por mim e ela. Entre mim e ela as coisas vão muito mal. Em casos como Ela fez o possível para eu ficar, a preposição não rege o pronome, mas toda a oração. O pronome *eu* é sujeito de *ficar*.

N

não – O Acordo Ortográfico eliminou o hífen com o *não* que tem valor de prefixo: não agressão, não fumante, não beligerante, não violência, não participação, não periódico.

necropsia – Os dicionários e o "Vocabulário Ortográfico" só registram a forma necropsia (sem acento). Não escreva necrópsia.

negar – Esse verbo exige uso do subjuntivo na oração que o complemente: O deputado negou que estivesse envolvido/nega que esteja envolvido. Não escreva O deputado negou que estava envolvido/ nega que está envolvido.

nenhum/nem um – *Nenhum* é o contrário de *algum*, de *pelo menos um*: Nenhum policial agiu decentemente (é o contrário de *Algum policial/Pelo menos um policial agiu decentemente*). *Nem um* equivale a *nem um sequer*, *nem um único*: Faltava tudo lá. Nem um prato ele tinha.

O

oficial/oficiala – O "Aurélio" e o "Houaiss" registram *oficial* como substantivo masculino e *oficiala* como feminino, inclusive nas acepções ligadas às Forças Armadas.

onde/aonde – Use *onde* apenas com referência a lugar: Aquela é a cidade onde o presidente nasceu. Foram à Itália, onde visitaram muitas cidades históricas. Não use nunca com ideia de tempo, causa, motivo, dedução: O Brasil vive um período onde...

Aonde não é sinônimo de *onde*. Use apenas com verbos de movimento, que regem a preposição *a* (*ir, chegar, dirigir-se, levar*): Aonde ele quer chegar com essas propostas? Não escreva A cidade aonde nasceu o deputado.

P

para – Como verbo, nas palavras compostas, quase sempre é ligado por hífen ao segundo elemento: para-brisa, para-choque, para-lama, para-raios. O Acordo eliminou o acento agudo da forma verbal e eliminou também o hífen de *paraquedas* e correlatas (paraquedismo, paraquedista). Como prefixo, indica ideia de proximidade ou semelhança e liga-se à palavra seguinte segundo as regras estabelecidas para os prefixos (paramédico, paramilitar, paranormal, parapsicologia). Na dúvida, consulte a **tabela → pág. 150**.

particípio – Muitos verbos da língua portuguesa têm duplo particípio: salvado/salvo, aceitado/aceito, entregado/entregue, expulsado/expulso, prendido/preso, soltado/solto etc. Nesses casos, use o particípio regular (aquele que termina em *ado/ido*) com *ter* e *haver*: Com apenas nove minutos de jogo, o árbitro já tinha/havia expulsado três jogadores.

Use o particípio irregular (aquele que não termina em *ado/ido*) com *ser* e *estar*: Três jogadores foram/estão expulsos.

Com *ganhar*, *gastar*, *pegar* e *pagar*, a forma irregular do particípio (*ganho*, *gasto*, *pego* e *pago*, respectivamente) pode ser usada com qualquer auxiliar (*foi/tinha ganho/gasto/pego/pago*). Também é possível seguir a regra padrão, isto é, usar *ganhado*, *gastado*, *pegado* e *pagado* com *ter* e *haver* (*tinha ganhado/gastado/pegado/pagado*) e *ganho*, *gasto*, *pego* e *pago* só com *ser* e *estar*.

penalizar – Na tradição da língua, significa *causar pena*, *afligir*. O "Houaiss" e o "Aurélio" já o registram também com o sentido de *punir*, *infligir pena a* (anglicismo semântico).

perguntado – Os dicionários (novos e antigos) registram o uso de *perguntar* com objeto direto de pessoa (A polícia perguntou quase todos os presentes), o que legitima a construção passiva: Perguntado pelos policiais, o traficante preferiu manter-se calado; perguntado por sua natureza, lei e vivenda, dizia ser natural da ilha de Chio (o último exemplo é de frei Luís de Sousa, citado por Celso Luft). O "Houaiss" dá esse uso como "antigo". Assim, recomenda-se substituir *perguntado* por *questionado*: Questionado sobre as recomendações do FMI, o ministro desconversou.

Evite a construção Questionado se faria aquilo. Opte, por exemplo, por Questionado sobre sua intenção de fazer aquilo.

peso – Ao se referir ao lutador de boxe, use as grafias registradas no "Vocabulário Ortográfico": peso-galo, peso mais que pesado, peso meio mosca, peso meio pena, peso meio pesado, peso-mosca, peso-pena, peso-pesado, peso-pluma.

Quando fizer referência aos nomes das categorias, escreva: galo, médio-ligeiro, mosca, pena, pesado.

pleonasmo – É o uso de termos redundantes. Não escreva elo de ligação, criar novas oportunidades, acabamento final, há dez anos atrás, conviver junto, erário público, ganhe grátis, planos para o futuro, inaugurar novas escolas, habitat natural, todos são unânimes, já não funciona mais, lançar um novo disco etc.

plural de palavras compostas – Uma palavra composta, basicamente, pode ser um substantivo ou um adjetivo. O primeiro passo é justamente verificar o que é o composto. Em seguida, deve-se verificar o que é cada elemento do composto para, por fim, aplicar as regras básicas de formação do plural. **tabelas ← pág. 139**

ponto e vírgula – Indica uma pausa maior que a da vírgula e menor que a do ponto. Emprega-se:

1) Para separar orações coordenadas assindéticas, ou seja, não unidas por conjunção, que informam aspectos autônomos de um mesmo assunto: Presidente demite ministros; líder do governo nega rompimento de seu partido com o presidente.

2) Para separar orações coordenadas, quando pelo menos uma delas já tem elementos separados por vírgula: O resultado final da votação foi o seguinte: 20 deputados votaram a favor da emenda; 39, contra.

Regência verbal

Verbo	Exemplo
Aspirar	Diariamente, aspira o ar poluído.
	O governador aspira ao Planalto
Avisar	Segue a regência de informar
Chegar	Ele chegou a Brasília
Implicar	A decisão do presidente implica cancelar o projeto
	Isso implica o cancelamento do projeto
Informar	Ele informou o governador do (ou sobre o) fato
	Ele informou o fato ao governador
Ir	Ele irá a Brasília
Obedecer	Ele obedece aos sinais de trânsito
Permitir	O governador não lhe permitiu sair da sala
	Ela não lhe permitiu que fizesse as acusações
Preferir	Ele prefere cinema a teatro
Responder	O acusado deverá responder a processo
	Ele respondeu que não aceitará o cargo
	Ele não respondeu ao questionário
	Ela responde a dois inquéritos
Simpatizar	O governador não simpatiza com a ideia
	(o verbo não é pronominal)

3) Para separar blocos de orações que se opõem pelo sentido: Uns trabalham, lutam, criam; outros comem, dormem, locupletam-se.

por que, porque, por quê, porquê – *Por que* não se escreve só com ponto de interrogação. Grafa-se *por que* nas perguntas diretas ou indiretas, isto é, sempre que for possível substituí-lo por *por qual razão*: Ela não disse por que (= por qual razão) não aceitou a proposta. O ministro não sabe por que (= por qual razão) as verbas não chegam aos destinatários. Por que (= por qual razão) tudo termina em pizza?

Também se grafa *por que* quando o *que* é pronome relativo e a expressão equivale a *pelo/a qual, pelos/as quais*: Só eu sei as esquinas por que (pelas quais) passei. São incríveis as situações por que (pelas quais) passamos.

Grafa-se *por quê* quando a expressão encerra o período: No governo, ninguém sabe por quê.

Grafa-se *porque* quando se dá explicação ou causa: O ministro deixou o governo porque não concorda com o aumento da carga tributária. Note que é possível substituir *porque* por *pois*, *visto que*, *já que*, *uma vez que* ou ainda por *como*, desde que se inverta a ordem das orações: Como não concorda com o aumento da carga tributária, o ministro deixou o governo.

Tome cuidado com frases como Será que alguém de fato acredita que o jogador deixou a seleção porque não recebeu a faixa de capitão? Note que, apesar do ponto de interrogação, grafa-se *porque*, já que a oração introduzida por essa conjunção dá a causa, o motivo de o jogador ter deixado a seleção.

Porquê é substantivo e equivale a *causa*, *motivo*, *razão*: Não conseguiu entender o porquê da decisão.

portenho – A palavra se refere a Buenos Aires, cidade portuária, capital da Argentina. Todo portenho é argentino, mas nem todo argentino é portenho. Usar portenho como sinônimo de argentino é o mesmo que usar londrino como sinônimo de inglês ou parisiense como sinônimo de francês.

precaver – Normalmente pronominal, esse verbo é defectivo. No presente do indicativo, só é conjugado em duas formas: nós (nos) precavemos, vós (vos) precaveis. Não é conjugado no presente do subjuntivo: não existem as formas precavenho, precavenha, precavenham. Também não se conjuga no imperativo, exceto na forma afirmativa da segunda pessoa do plural: precavei. Nos demais tempos, é regular e tem conjugação completa (A população se precaveu).

Q

que/do que – Nas comparações, é indiferente usar *que* ou *do que*: Ele corre mais que/do que você. O Brasil produz mais automóveis que/do que o Paraguai.

que/quê – Normalmente a palavra *que* é átona. Torna-se tônica, no entanto, quando substantivo ou quando seguida por uma pausa, marcada por algum sinal de pontuação: A atriz tem um inexplicável quê de mistério. Ela foi a Brasília, mas não disse para quê. Ele não disse por quê, mas eu desconfiei.

R

radio – Como elemento de composição, segue as regras estabelecidas pelo Acordo Ortográfico. Assim: radioamador, radioastronomia, radioatividade, radiocomunicação, radiodifusão, radiofoto, radionovela, radiorreceptor, radiorreportagem, radiossonda, radiotécnico, radiotelefonia, rádio-opacidade ou radiopacidade, rádio-opaco ou radiopaco, rádio-operador, radiotáxi. Como substantivo formador de substantivos compostos, separa-se do segundo elemento por meio de hífen: rádio-cassete, rádio-gravador, rádio-relógio, rádio-vitrola. Na dúvida, consulte tabela →pág. 150.

raio-X/raios X – Quando se referir à radiação, escreva sem hífen e com X maiúsculo, tanto no singular quanto no plural: A emissão de raio X (ou raios X) faz mal à saúde. Quando for sinônimo de radiografia, use hífen e X maiúsculo: O raio-X acusou fratura.

reaver – É verbo defectivo. No presente do indicativo, só é conjugado em duas formas: nós reavemos, vós reaveis. No presente do subjuntivo, não é conjugado em nenhuma forma. Portanto não existem as formas reavejo, reavenho, reavenha, reaveja, reavenham, reavejam. No imperativo, é conjugado apenas na forma afirmativa da segunda pessoa do plural: reavei (vós). Nos demais tempos, tem conjugação completa e baseada na do verbo *haver*: reouve, reouveram, reouvesse, reouvessem, reouver, reouverem. Cuidado: não existem as formas reavê, reaveu, reaveram, reavesse.

recurso da decisão – De acordo com as regras de regência nominal, está errado escrever Não cabe recurso à decisão, a propósito de determinações da Justiça que não dão margem a contestação. Não cabe recurso contra a decisão, não cabe recurso da decisão e não cabe recorrer da decisão são construções corretas.

regência verbal/nominal – Para empregar adequadamente as preposições, use dicionários específicos (de regência verbal e de regência nominal). Nem sempre é possível substituir *para* por *a* (fulano não é páreo a sicrano), *de* por *em* (bancos em couro, a decisão do ministro em cancelar a visita), *por* por *através* (O gol foi marcado através do atacante fulano). Lembre-se de que, com muitos verbos, a troca da preposição pode implicar a mudança de sentido. Em Ela aspirava o perfume, *aspirar* significa *sorver*, *inspirar*, *sentir o odor*; em Ela aspirava ao perfume, *aspirar* significa *desejar*, *querer*. Veja a regência considerada padrão de alguns dos verbos mais problemáticos. **tabela ← pág. 142**

"retornar a ligação" – Evite as construções retornou ou voltou o telefonema/a ligação. O correto é dizer que ela respondeu ou atendeu à ligação.

S

são/santo – Use *são* antes de prenomes que comecem com consoante: são Francisco, são Paulo (exceção mais comum: santo Tirso. Há oscilação entre as formas são Tomás de Aquino e santo Tomás de Aquino). Escreva *santo* antes de prenomes que comecem com vogal: santo André, santo Inácio de Loyola. O plural é, nos dois casos, *santos*. Para o feminino, não há forma reduzida. Use sempre *santa*.

se – Evite o uso de *se* com infinitivo em construções como estas: para se obter bons resultados, para se estudar bem esses casos, a melhor maneira de se fazer a barba, é possível se dizer a verdade, por se falar nisso, era difícil se perceber quem estava no palanque. O *se* é absolutamente dispensável nesses casos: para obter bons resultados, para estudar bem esses casos, a melhor maneira de fazer a barba, é possível dizer a verdade, por falar nisso, era difícil perceber quem estava no palanque. Quando o verbo é pronominal, o *se* fica: Para se inscrever, o candidato deverá pagar uma taxa de R$ 50.

seção/sessão/cessão – *Seção* significa *parte*, *repartição*, *divisão*: seção de transportes, seção de peças, seção de pessoal. *Sessão* costuma designar o tempo de duração de determinada atividade, evento etc.: sessão de cinema, sessão legislativa, sessão de psicanálise, sessão da Câmara. *Cessão* é o ato de ceder: O escritor não concordou com a cessão de direitos.

século – Escreva com numerais ordinais até dez (inclusive) e depois cardinais: século 1º d.C., século 10º, século 16, século 20.

sem – Leva hífen quando formar substantivo: sem-cerimônia, sem-família, sem-fim, sem-pudor, sem-pulo, sem-sal, os sem-terra, os sem-teto, os sem-vergonha. Se a expressão introduzida por *sem* tiver função adjetiva, não use hífen: trabalhadores sem terra, pessoas sem teto (exceções a este caso: sem-nome, sem-sal, sem-vergonha, como em sujeito sem-vergonha ou barbaridade sem-nome). Na dúvida, consulte um dicionário.

se não/senão – Use *senão* quando equivaler a *do contrário*, *caso contrário* (Estude, senão não conseguirá a vaga), *a não ser*, *com exceção de*, *exceto*: Ninguém senão o político pode explicar a negociata. Também se usa *senão* quando equivale a *mas*, *mas sim*, *mas também*:

Verbos defectivos*

Verbo	Presente do indicativo	Presente do subjuntivo
Abolir	tu aboles, ele abole, nós abolimos, vós abolis, eles abolem	não é conjugado
Adequar	só existem nós adequamos e vós adequais	não é conjugado: é erro "se adeque", "se adequem"
Banir	tu banes, ele bane, nós banimos, vós banis, eles banem	não é conjugado
Colorir	tu colores, ele colore, nós colorimos etc.	não é conjugado
Explodir	tu explodes, ele explode, nós explodimos etc.	não é conjugado
Falir	só existem nós falimos e vós falis	não é conjugado
Precaver/ precaver-se	só existem nós nos precavemos e vós vos precaveis	não é conjugado: é erro "que se precavenha"
Reaver	só existem nós reavemos e vós reaveis	não é conjugado: é erro "para que reaveja aquilo"

* Não possuem algumas formas na conjugação do presente do indicativo e do presente do subjuntivo e nas suas formas derivadas. Nos pretéritos e futuros, a conjugação é completa.

Comportou-se não apenas como professor, senão como amigo.

Use *se não* quando a expressão puder ser substituída por *ou*, *caso não* ou *quando não*: Haverá jogo se não chover (caso não chova). É difícil, se não (quando não) impossível, eliminar a pobreza no mundo. É rico, se não (ou) riquíssimo.

sequer – É sinônimo de *ao menos, pelo menos* (Se ele tivesse sequer um pouco de boa vontade, tudo já estaria resolvido). Para que assuma valor negativo, é preciso que a frase tenha alguma partícula negativa. Assim: Não faz sequer dois meses que está trabalhando. Passou por ela e nem sequer a cumprimentou. Se pretender o sentido negativo, evite construções como Passou por ela e sequer a cumprimentou.

socio/sócio – Quando se trata do elemento de composição que se refere a *social*, emprega-se segundo as regras estabelecidas pelo Acordo Ortográfico: sociocultural, sociolinguístico, socioeconômico, sociopolítico. Quando se trata do substantivo que designa aquele que faz parte de uma sociedade comercial etc., une-se por meio de hífen ao segundo elemento do composto: sócio-gerente, sócio-diretor etc. Consulte a **tabela pág. 150**.

superavit – Escreva sem acento. O antônimo é *deficit*. Na forma latina, essas palavras não têm plural.

T

tempos verbais – É fundamental levar em conta as regras de correlação:

1) Só no aeroporto ela percebeu que esqueceu a bolsa em casa. A forma *esqueceu* deve ser trocada por *esquecera* (ou *tinha/havia esquecido*), já que o esquecimento da bolsa é anterior à percepção do esquecimento. É por isso que se deve empregar o pretérito mais-que-perfeito (*esquecera* ou *tinha/havia esquecido*). Como o nome já diz, esse tempo indica fato passado an-

terior a outro, ou seja, mais velho que o indicado pelo pretérito perfeito.

2) O que o senhor faria se ela desistir do projeto? A forma *desistir* está errada. *Faria* (futuro do pretérito) exige o imperfeito do subjuntivo (*desistisse*): O que o senhor faria se ela desistisse do projeto? Para empregar *desistir* (futuro do subjuntivo), é necessário empregar *fará* (futuro do presente do indicativo): O que o senhor fará se ela desistir do projeto?

3) O secretário nega que está envolvido em corrupção. Use o subjuntivo: O secretário nega que esteja envolvido em corrupção. Veja o verbete *negar*.

4) O fabricante anunciou que todos os modelos seriam recolhidos. O futuro do pretérito, como o nome já diz, indica o futuro em relação a uma ação passada.

Dessa frase, entende-se que os modelos seriam recolhidos após (futuro) o anúncio do fabricante (passado).

Mas atenção: não está errado escrever O fabricante anunciou que todos os modelos serão recolhidos. Nesse caso, se a ação de recolhimento não tiver começado, mas houver certeza de que será realizada, opte pelo futuro do presente, para evitar que paire dúvida sobre a informação.

5) *Estima que haja/há*. Verbos como *estimar*, *supor*, *acreditar*, *desconfiar* –e tantos outros– expressam dúvida, possibilidade. É mais adequado o emprego de *haja* (presente do subjuntivo), apesar de ser possível o emprego de *há*, se houver a intenção de informar que existe a certeza de que a estimativa é muito próxima da realidade.

todo-poderoso – Cuidado com as flexões: todo-poderosa (*mulher todo-poderosa*), todo-poderosos, todo-poderosas.

todo/todos – Sem artigo posposto, *todo* significa *qualquer*: *Todo homem é mortal.* Seguido de artigo, significa *inteiro*: *Haverá sol em todo o país.*

Não escreva Haverá aula em todas escolas. Troque por Haverá aula em todas as escolas. Se o substantivo que vier depois de *todos* funcionar como qualificativo ou identificador, não use o artigo: Ela tem cinco filhos, todos homens. No acidente, morreram José da Silva, João das Neves e Pedro Soares, todos deputados. Com numerais não seguidos de substantivos, não use o artigo: Todos cinco são competentes. Se o numeral for seguido de substantivo, use o artigo: Todos os cinco livros são ótimos.

travessão – Sinal gráfico (–) que serve para explicar ou destacar alguns termos da oração, tendo às vezes o mesmo papel da vírgula: A Grã-Bretanha compreende três países –Inglaterra, Escócia e País de Gales– e, com a Irlanda do Norte, forma o Reino Unido.

Ao abrir o travessão, separe-o com um espaço da palavra que o antecede e una-o à palavra que vem depois dele. Ao fechar, una-o à palavra anterior e separe-o da que vem depois.

Não se esqueça de colocar depois do segundo travessão a vírgula que seria colocada depois da palavra anterior ao primeiro travessão: Publicado em 1990 –após ter sido recusado por sete editoras–, o livro foi o mais vendido daquela década.

trema – Desaparece dos grupos GUE, GUI, QUE e QUI, mas permanece nos estrangeirismos e nas palavras derivadas de estrangeirismos (Bündchen, Citroën, Müller, mülleriano, Hübner, hübneriano).

U

ultravioleta – É invariável: *raios ultravioleta.*

V

verbos defectivos – São os que não têm conjugação completa. Veja alguns dos mais importantes tabela ← pág. 145

viger – O verbo é viger (A lei deve viger a partir de 2014), sinônimo de *vigorar, entrar em vigor*. Não existe vigir.

vírgula – É o sinal de pontuação mais usado, portanto o que gera o maior número de erros. A vírgula não deve separar elementos que têm relação sintática direta, como sujeito e verbo, verbo e complementos, nomes e complementos. Por mais longo que seja o sujeito, não haverá vírgula que o separe do predicado: O novo diretor de recursos humanos da recentemente privatizada empresa de correios afirmou que será necessário contratar mais de mil carteiros. Veja os casos mais importantes de emprego da vírgula:

1) Nas enumerações de termos ou orações: Subiram ao palco para receber os aplausos o diretor, o cenógrafo, o contrarregra, o iluminador e o sonoplasta. Ela pinta, dança, borda e canta como ninguém.

2) Para isolar qualquer elemento explicativo (*isto é, a saber, aliás, ou seja*), aposto, vocativo: Fulano, governador do Estado, pretende ser presidente da República. Fulano, não se esqueça de comprar as cervejas. O presidente com sua mulher, fulana, durante o desembarque na Base Aérea de Brasília. Note que, sem as vírgulas, *fulana* deixa de ser aposto explicativo e passa a ser restritivo, o que muda radicalmente o sentido: de única mulher passa a ser uma das mulheres.

Com apostos restritivos, não há vírgula: O ex-presidente do Banco Central João da Silva dá entrevista no Rio de Janeiro.

3) Para isolar adjuntos adverbiais, em especial quando deslocados e muito longos: No momento da volta ao palco para receber os aplausos, a atriz já estava sem maquiagem. Durante os dois seminários, o presidente criticou duramente os industriais. O presidente, durante os dois seminários, criticou duramente os empresários.

Com advérbios curtos, a pontuação torna-se optativa: Ontem o presidente criticou.../Ontem, o presidente criticou.../O presidente ontem criticou.../O presidente, ontem, criticou... Em casos como esse, é fundamental lembrar que a vírgula deve isolar o adjunto, ou seja, devem ser colocadas duas vírgulas (ou nenhuma) quando o termo estiver intercalado.

4) Para separar orações adverbiais antepostas: Se não derrotar o Palmeiras, o Corinthians estará eliminado. Embora fizesse calor, todos levaram agasalhos. Se a oração adverbial vier depois da principal, a vírgula será optativa: O Corinthians estará eliminado (,) se não derrotar o Palmeiras. Torna-se obrigatória, porém, se a oração adverbial for muito longa: O governador está isolado, embora todos os líderes dos partidos que lhe dão sustentação neguem esse isolamento.

5) Antes de conjunções adversativas como *mas, porém, entretanto* etc.: O funcionário concordou em dar entrevista, mas não quis se identificar. Mesmo em títulos, essa vírgula é obrigatória: Gasolina sobe, mas fulano não admite reajuste de preços.

6) Para separar orações adjetivas explicativas: A escola tem 137 alunos, que trabalham durante o dia. Note que, sem a vírgula, há total alteração de sentido: *A escola tem 137 alunos que trabalham durante o dia.* No primeiro caso, com a vírgula, a escola tem exatamente 137 alunos, e todos trabalham durante o dia. Sem a vírgula, a escola passa a ter mais de 137 alunos, dos quais 137 trabalham durante o dia.
7) Para indicar elipse de verbo: O reitor da USP votou contra a proposta; o da Unicamp, a favor.
8) Para separar conjunções contíguas: Os industriais afirmam que, se o mercado reagir, a produção poderá ser aumentada rapidamente. A produção foi diminuída, mas, se o mercado reagir, poderá voltar rapidamente ao nível anterior.
9) Não use vírgula antes de *e* que introduza oração com o mesmo sujeito: Os deputados foram a Brasília e lá se encontraram com o presidente do partido. Em textos assinados, se o autor tiver optado pela vírgula (que nesses casos é chamada de vírgula de ênfase), deixe-a: *O presidente é refém do seu partido, e não poderá jamais se livrar disso.*
Se a oração iniciada por *e* tiver sujeito diferente do da anterior, a vírgula será obrigatória se for necessário desfazer possíveis ambiguidades: Fulano convida sicrano, e beltrano anuncia moratória. Sem a vírgula, num primeiro momento, seria possível entender *sicrano* e *beltrano* como complemento do verbo *convidar*.
10) Na **Folha**, não use vírgula antes de etc.: Comprou uva, laranja, mamão, abacate etc. **Confira em tabela → pág. 149 um resumo dos usos da vírgula**

voltar para trás – É pleonasmo. Evite.

X

xeque – Veja *cheque/xeque*.

Os principais casos de uso da vírgula

Vírgula proibida	Exemplo
Entre sujeito e predicado ou entre predicado e sujeito	O ministro das Relações Exteriores da França está em Brasília/ Está em Brasília o ministro das Relações Exteriores da França.
Entre verbo e seu(s) complemento(s)	O presidente disse aos governadores que não aceita a proposta; O ministro informou aos jornalistas que não participará da entrevista; O ministro apresentou todos os projetos de privatização aos investidores presentes.
Vírgula obrigatória	**Exemplo**
Depois de orações adverbiais antepostas	Se não chover, haverá jogo; Quando a economia entrou em colapso, o ministro renunciou; Ao deixar o governo, o prefeito voltará a dar aulas na universidade.
Antes do **que** que introduz oração explicativa	Nosso time, que ganhou o torneio neste ano, foi vice dessa competição em 55 e 56.
Quando há elipse do verbo	Os cariocas preferem praia; os paulistas, shopping.
Para separar conjunções contíguas	Irá a São Paulo, mas, se não receber o cachê antes, não cantará; Disse que, quando for a Brasília, tentará uma audiência com o presidente.
Antes de **mas** (com sentido de **porém**), **porém**, **contudo**, **entretanto**, **todavia**, **portanto**, **por isso** etc.	Jogou bem, **mas** perdeu; Estudou, **porém** foi reprovado; O acordo não será renovado, **portanto** os empregos serão mantidos.
Antes de **e** que introduza oração de sujeito diferente do da anterior, se, sem a vírgula, houver a possibilidade de entender o sujeito da segunda oração como complemento do verbo da primeira	Fifa pune Maradona, **e** Pelé recebe prêmio.
Para separar adjuntos adverbiais de natureza diferente	Ontem à noite, no Pacaembu, sem sete titulares, sob chuva forte, o Corinthians derrotou o Juventude.
Vírgula optativa	**Exemplo**
Com expressões adverbiais breves, antepostas ou intercaladas	O São Paulo enfrenta neste sábado mais um desafio (ou O São Paulo enfrenta, neste sábado, mais um desafio); O governador participará em Brasília de uma reunião com o ministro da Fazenda (ou O governador participará, em Brasília, de uma reunião com o ministro da Fazenda).
Depois de **no entanto**, **entretanto**, **por isso**, **porém**, **contudo**, **portanto**, **todavia**, quando essas palavras ou expressões iniciarem o período	No entanto o presidente deixou claro que não aceitará a proposta da oposição (ou No entanto, o presidente deixou claro que...).
Atenção: essa opção não existe quando essas palavras ou expressões não iniciarem o período	O presidente aceita participar da reunião, no entanto avisa que não aceitará a proposta da oposição.
Antes de orações adverbiais de alguma extensão que venham depois da principal	O prefeito deixará o partido se a Câmara aprovar a CPI sobre títulos públicos (ou O prefeito deixará o partido, se a Câmara aprovar a CPI dos títulos públicos); O jogador não disputará a próxima partida porque foi suspenso pelo Tribunal de Justiça da CBF (ou O jogador não disputará a próxima partida, porque foi suspenso pelo Tribunal de Justiça da CBF).

Hífen em prefixos*

O sinal ■ indica que o prefixo requer hífen antes da letra

Prefixo	Letra inicial da palavra-base: Vogal	H	R[1]	S[2]	B	Outras
ab 3		■	■		■	
acro	-o	■				
ad		■	■			-d
aero	-o	■				
além	■	■	■	■	■	■
anfi	-i	■				
ante	-e	■				
anti	-i	■				
aquém	■	■	■	■	■	■
arqui	-i	■				
auri	-i	■				
auro	-o	■				
auto	-o	■				
bem 4	■	■	■	■	■	■
bi	-i	■				
bio	-o	■				
carbo 5	-o	■				
cata	-a	■				
cerebr(o)	-o	■				
cervico	-o	■				
ciber		■	■			
circum	■	■				-m, -n
cis						
co						
contra	-a	■				
de(s)						
di	-i	■				
ego	-o	■				
eletro	-o	■				
endo	-o	■				
ex 6	■	■	■	■	■	■
extra	-a	■				
filo	-o	■				
gastro	-o	■				
geo	-o	■				
hemi	-i	■				
hepta	-a	■				
hetero 7	-o	■				
hexa	-a	■				
hidro	-o	■				
hiper 8		■	■			
hipo	-o	■				
homo	-o	■				
idio	-o	■				
ido	-o	■				
in						

Prefixo	Letra inicial da palavra-base: Vogal	H	R[1]	S[2]	B	Outras
infra	-a	■				
inter		■	■			
intra	-a	■				
intro	-o	■				
iso	-o	■				
justa	-a	■				
labio	-o	■				
linguo	-o	■				
lesa	■	■	■	■	■	■
leso	■	■	■	■	■	■
macro	-o	■				
mal 9	■	■				-l
maxi	-i	■				
medio	-o	■				
mega	-a	■				
meso	-o	■				
meta 10	-a	■				
micro	-o	■				
midi	-i	■				
mini	-i	■				
mono	-o	■				
moto	-o	■				
multi	-i	■				
não 11						
nefro	-o	■				
neo	-o	■				
neuro	-o	■				
novi	-i	■				
nuper		■	■			
ob		■	■		■	
octo	-o	■				
oni	-i	■				
opto	-o	■				
orto	-o	■				
oto	-o	■				
pan	■	■				-m, -n
para 12	-a	■				
penta	-a	■				
per						
peri	-i	■				
poli	-i	■				
pos 13						
pós 13	■	■	■	■	■	■
pre 13						
pré 13	■	■	■	■	■	■
pro 13						

Prefixo	Letra inicial da palavra-base: Vogal	H	R[1]	S[2]	B	Outras
pró 13	■	■	■	■	■	■
preter		■	■			
proto	-o	■				
pseudo 14	-o	■				
psico	-o	■				
quadri	-i	■				
quarti	-i	■				
quilo	-o	■				
quinque	-e	■				
radio 15	-o	■				
re						
recém	■	■	■	■	■	■
retro	-o	■				
rino	-o	■				
sacro	-o	■				
semi	-i	■				
sem	■	■	■	■	■	■
sesqui	-i	■				
sob		■	■		■	
sobre	-e	■				
socio 16	-o	■				
sota(o)	■	■	■	■	■	■
sub 17		■	■		■	
subter		■	■			
sulfo	-o	■				
super		■	■			
supra	-a	■				
tele 18	-e	■				
termo	-o	■				
tetra	-a	■				
trans 19						
traqueo	-o	■				
tras						
tres						
tri	-i	■				
turbo 20	-o	■				
uni	-i	■				
ultra	-a	■				
uretro	-o	■				
vaso	-o	■				
video 21	-o	■				
vice	■	■	■	■	■	■
xanto	-o	■				
xilo	-o	■				
zinco	-o	■				
zoo 22	-o	■				

Fonte: "Vocabulário Ortográfico da Língua Portuguesa".

ANEXO gramatical

1) Depois dos prefixos terminados em vogal, duplica-se o *r* quando não há hífen. Exemplo: contrarreforma.

2) Depois dos prefixos terminados em vogal, duplica-se o *s* quando não há hífen. Exemplo: extrasselva.

3) Dupla grafia: ab-rupto e abrupto.

4) Não haverá hífen se o segundo elemento não tiver vida autônoma em português: benquisto e benfazejo. O *bem* pode ainda ser usado como um simples advérbio: Ele foi bem recebido pelo presidente. A forma Benvindo designa apenas o nome próprio.
Obs.: aglutinam-se derivados de benfazer (benfeito, benfeitor etc.). Dupla grafia: bem-querença e benquerença, bem-querente e benquerente, bem-querer e benquerer.

5) Dupla grafia: carbo-hemoglobina e carboemoglobina, carbo-hidrase e carboidrase, carbo-hídrase e carboídrase, carbo-hidrato e carboidrato.

6) No sentido de pessoa que perdeu um cargo ou uma função.

7) Exceções: heteroousianismo, heteroousianista, heteroousiano.

8) Dupla grafia: hiper-hepatia e hiperepatia, hiper-hidrose e hiperidrose.

9) A exemplo de *bem*, também pode ser usado como simples advérbio.

10) Exceções: metanálise e metanalítico.

11) Não se aglutina com o elemento posterior.

12) Não confunda com a forma verbal "para" (que, antes da reforma, recebia acento). Palavras que contêm a forma verbal "para" requerem hífen ao formar compostos. Exemplo: para-raios. Exceções: paraquedas e derivados. As palavras paraldeído e paralbumina escrevem-se sem hífen.

13) Os prefixos pos/pós, pre/pré, pro/pró ligam-se à palavra-base por hífen quando são tônicos (levam acento) e se aglutinam quando átonos (sem acento). Há algumas palavras em que o prefixo costuma ser pronunciado como tônico, sendo oficialmente átono: predeterminar, preestabelecer, preexistir, prejulgar etc. Dupla grafia: pré-requisito e prerrequisito. Obs.: pro forma e pro labore são expressões latinas.

14) Exceções: pseudo-escorpião e pseudo-escorpionídeo.

15) Dupla grafia: rádio-opacidade e radiopacidade, rádio-opaco e radiopaco.

16) Não confunda com o substantivo sócio (sócio-fundador, sócio-patrocinador). Quando usado com hífen, leva acento: sócio-organização.

17) Dupla grafia: sub-humano e subumano, sub-humanidade e subumanidade, sub-hepático e subepático, sub-hirsuto e subirsuto, sub-híspido e subíspido.

18) Exceções: teleducação e teleducando.

19) Antes de termos iniciados por *s*, não há duplicação dessa consoante. Exemplo: transexual.

20) Dupla grafia: turbo-hélice e turboélice.

21) Não confunda com o substantivo vídeo. Quando usado com hífen, leva acento. Exemplo: vídeo-orgasmo.

22) Não confunda com a forma reduzida de zoológico: zoo.

Observações Gerais:

1) Perdem o hífen os compostos iniciados por "quase" (quase contrato, quase crime).

2) Perdem o hífen os advérbios tão só e tão somente.

3) Perdem o hífen os termos formados com o prefixo não (não índio, não violência).

4) Perdem o hífen os compostos ligados por preposição ou conjunção (dona de casa, chefe de gabinete, mestre de cerimônias, mesa de cabeceira, preto e branco, verde e amarelo).

Exceções:

a) nomes de espécies botânicas (ervilha-de-cheiro, cana-de-açúcar, pimenta-do-reino etc.).

b) nomes de espécies zoológicas (bicho-da-seda, quati-de-bando, jacaré-do-papo-amarelo etc.).

c) os seguintes termos, considerados "exceções consagradas pelo uso": água-de-colônia, arco-da-velha, cor-de-rosa, mais-que-perfeito, pé-de-meia, ao deus-dará, à queima-roupa.

5) Vocábulos onomatopaicos passam a ter hífen. Exemplos: lenga-lenga, rame-rame, tim-tim.

Anexo legislativo*

Poder Legislativo

O Congresso é o Poder Legislativo federal. É composto de 513 deputados, eleitos por voto direto para mandatos de quatro anos, e 81 senadores, eleitos por voto direto para mandatos de oito anos. A idade mínima para deputado federal é 21 anos; para senador, 35

O Senado representa a Federação

Só o Senado pode

- Processar e julgar o presidente, o vice-presidente, os ministros de Estado e do STF (Supremo Tribunal Federal), o procurador-geral da República e o advogado-geral da União
- Aprovar a escolha de magistrados, de ministros do TCU (Tribunal de Contas da União), de presidentes e diretores do Banco Central, do procurador-geral da República e de embaixadores
- Autorizar operações financeiras de interesse da União, dos Estados, do Distrito Federal e dos municípios
- Fixar limites da dívida pública da União, dos Estados, do Distrito Federal e dos municípios

Cabe ao Congresso

(Câmara e Senado em sessão conjunta)

- Votar medidas provisórias, vetos presidenciais, a LDO (Lei de Diretrizes Orçamentárias), o Plano Plurianual de Investimentos e o Orçamento Geral da União
- Dar posse ao presidente e ao vice-presidente
- Autorizar o presidente e o vice-presidente a sair do país por período superior a 15 dias
- Autorizar o presidente a declarar guerra, celebrar paz, permitir que forças estrangeiras entrem no país e que forças brasileiras saiam do país
- Aprovar o estado de defesa, a intervenção federal e o estado de sítio e suspender qualquer uma dessas medidas
- Deliberar sobre tratados, acordos ou atos internacionais que acarretem encargos ao patrimônio nacional
- Fixar a remuneração dos deputados federais, dos senadores, do presidente, do vice-presidente e dos ministros de Estado
- Julgar as contas do presidente
- Apreciar os atos de concessões de rádio e TV
- Aprovar iniciativas do Poder Executivo referentes a atividades de energia nuclear
- Autorizar referendo e convocar plebiscito

A Câmara representa a população

Só a Câmara pode

- Autorizar a abertura de processo contra o presidente, o vice-presidente e os ministros de Estado
- Cobrar as contas do Executivo federal quando não apresentadas ao Congresso no prazo de 60 dias depois da abertura da sessão legislativa

* Normas e procedimentos vigentes em 2000

Informações regimentais

Regimes especiais de tramitação

- **Urgência urgentíssima:** permite a votação de projeto no plenário sem passar pelas comissões. Os pareceres são apresentados diretamente ao plenário. Para aprovar esse regime, é preciso o voto da maioria absoluta dos parlamentares

- **Urgência constitucional:** é solicitada pelo presidente da República. A Câmara e o Senado têm prazo de 45 dias cada para votar o projeto. Caso isso não ocorra, a pauta fica suspensa

- **Decisão terminativa:** o regimento da Câmara e do Senado define os casos em que as comissões podem decidir sobre projetos sem a necessidade de votação no plenário. Na Câmara, por exemplo, são terminativos nas comissões permanentes projetos de lei que não tenham recebido urgência, que não tratem de códigos e que não tenham sido aprovados pelo plenário do Senado.
No Senado, são terminativos nas comissões permanentes os projetos de autoria dos senadores. Decisões de comissões permanentes estão sujeitas a recurso ao plenário, que poderá mantê-las ou rejeitá-las. Para isso, é necessária a assinatura de 10% dos parlamentares (oito senadores, 51 deputados)

Tipos de sessão

- **Ordinárias:** estão previstas no regimento da Câmara e do Senado, com horário para abertura e encerramento. Na Câmara, de segunda a quinta-feira, a partir das 14h, e nas sextas-feiras, a partir das 9h. No Senado, de segunda a quinta-feira, a partir das 14h30, e nas sextas-feiras, a partir das 9h

- **Deliberativas:** sessões marcadas para votação de projetos

- **Não deliberativas:** quando não há votações, mas apenas discursos no plenário. As sessões de segunda e sexta são não deliberativas

- **Extraordinárias:** são convocadas para tratar de pauta determinada, normalmente em horário não coincidente com o da ordinária

- **Solenes:** marcadas para homenagens. Não exigem quorum para abertura, e pessoas que não são congressistas podem entrar no plenário

Obstrução

- Instrumento utilizado pelos partidos para evitar a votação de projeto, como a retirada dos congressistas do plenário ou a apresentação de questionamentos sobre a votação

Quoruns

Quorum geral: para que haja votação, as sessões devem ter a maioria dos membros das duas casas. No Senado, 41 senadores (do total de 81). Na Câmara, 257 deputados (do total de 513)

Quorum para abertura de sessão: 10% dos deputados nas dependências da Câmara. No Senado, quatro senadores no plenário

Quorum para votação de PEC (proposta de emenda constitucional): exigida para aprovação de projetos de lei complementar (que regulamentam dispositivos da Constituição). Na Câmara, significa o voto favorável de 257 deputados. No Senado, de 41 senadores

Maiorias

Maioria simples: exigida para aprovação de projetos de leis ordinárias. Maioria dos presentes, respeitado o quorum para deliberação (257 deputados na Câmara e 41 senadores no Senado)

Maioria de três quintos: exigida para aprovação de emendas constitucionais. Na Câmara, é necessário o voto favorável de 308 deputados. No Senado, de 49 senadores

Voto simbólico: utilizado em votações que exigem maioria simples quando há um amplo acordo de líderes para aprovação. Os congressistas não precisam registrar o voto no painel eletrônico. O presidente da sessão diz: "Quem estiver de acordo permanece como está", e o projeto é aprovado

Tramitações

Medida provisória (MP)

Publicação no "Diário Oficial"

Editada pelo presidente da República, em tese tem de atender os requisitos de urgência e relevância. Depois de publicada no "Diário Oficial da União", a MP tem poder de lei por 60 dias, que podem ser prorrogados por mais 60 pelo presidente do Congresso. Mas, se ela não for votada em 45 dias, passa a trancar a pauta da Casa (Câmara ou Senado) onde estiver sendo analisada, impedindo a votação de outros projetos

■ Depois da publicação da MP no "Diário Oficial da União", o Congresso tem 48 horas para formar a comissão mista que vai analisar a medida (composta de sete deputados e sete senadores)

■ Escolhidos os integrantes da comissão, o Congresso tem 12 horas para instalá-la

■ Os parlamentares têm prazo de cinco dias depois da publicação da MP no "Diário Oficial da União" para apresentar emendas ao texto

■ A comissão mista tem prazo de cinco dias para votar a admissibilidade da MP (se ela atende os requisitos de urgência e relevância)

■ A comissão tem até 15 dias, a partir da publicação no "Diário Oficial da União", para votar a MP

■ O prazo final de votação no plenário do Congresso é de 60 dias, prorrogáveis por mais 60, a partir da publicação da MP no "Diário Oficial da União"

■ Se for alterada

Vira projeto de conversão, votado em turno único em sessão conjunta do Congresso. É aprovado por maioria simples dos parlamentares da Câmara e do Senado, que votam separadamente, apesar de a sessão ser conjunta. Também pode ser aprovado por votação simbólica. Aprovado, segue para a Presidência, que poderá sancioná-lo ou vetá-lo

■ Se não sofrer alteração

É votada em turno único em sessão conjunta do Congresso. É aprovada por maioria simples dos parlamentares da Câmara e do Senado. Eles votam separadamente, apesar de a sessão ser conjunta. Também pode ser aprovada por votação simbólica. Caso a MP seja aprovada, é encaminhada ao presidente da República para publicação

Tramitações

Projeto de lei – Tramita tanto na Câmara como no Senado

Na Câmara

pode ser apresentado por:
- deputado ou
- grupo de deputados ou
- comissões ou
- Mesa da Câmara ou
- Senado ou
- presidente da República ou
- Supremo Tribunal Federal ou
- tribunais superiores ou
- procurador-geral da República ou
- cidadãos (1% do eleitorado nacional, distribuído em pelo menos cinco Estados)

- Deve ser apresentado à Mesa da Câmara, que o distribui para comissões permanentes de acordo com o assunto

- Se aprovado pela comissão permanente, o projeto é encaminhado para a Comissão de Constituição e Justiça, que analisa a constitucionalidade e as normas de redação de lei

Projeto rejeitado
Se alguma comissão rejeitá-lo, o projeto é arquivado. Recurso ao plenário pode ser encaminhado com apoio de 51 deputados. Se a decisão for derrubada, o projeto volta a tramitar

Projeto aprovado
Segue para o plenário

Plenário
Condições de votação: quorum geral e maioria simples para aprovação, em turno único (exceto para os projetos de lei complementar, em que se exige maioria absoluta)

Projeto rejeitado
- É arquivado

Projeto aprovado
- Se teve origem na Câmara, vai para o Senado
- Se já havia sido aprovado pela Câmara e não foi alterado no Senado, vai para apreciação do presidente da República, que pode sancioná-lo ou vetá-lo
- Se já havia sido aprovado pela Câmara, mas foi alterado no Senado, volta para a Câmara, que o votará novamente e, após votação, enviará o projeto para apreciação presidencial, que pode sancioná-lo ou vetá-lo
- Se houver veto, este será apreciado em sessão conjunta do Congresso, em votação secreta. Para derrubá-lo, são necessários os votos da maioria absoluta do total dos congressistas

Tramitações

Projeto de lei – Tramita tanto na Câmara como no Senado

No Senado

pode ser apresentado por:

- senador ou
- comissão ou
- Câmara

- Passa pela Comissão de Constituição e Justiça, que analisa se é constitucional e se segue as normas de redação de lei

Parecer contrário

Projeto é arquivado. Recurso ao plenário pode ser encaminhado com apoio de oito senadores, se a decisão não tiver sido unânime. Se a decisão da comissão for derrubada, o projeto volta a tramitar

Parecer favorável

O projeto segue para comissão permanente de acordo com o tema e, depois, para a apreciação do plenário

Plenário

Condições de votação: quorum geral para votação e maioria simples para aprovação, em turno único (exceto para os projetos de lei complementar, em que se exige maioria absoluta)

Projeto rejeitado

- É arquivado

Projeto aprovado

- Se teve origem no Senado, tramita na Câmara
- Se já havia sido aprovado pelo Senado e não foi alterado na Câmara, vai para apreciação da Presidência
- Se já havia sido aprovado pelo Senado, mas foi alterado na Câmara, volta para o Senado, que votará e enviará o projeto para apreciação presidencial, que pode sancioná-lo ou vetá-lo
- Se houver veto, este será apreciado em sessão conjunta do Congresso, em votação secreta. Para derrubá-lo, são necessários os votos da maioria absoluta do total dos congressistas

Tramitações

Proposta de emenda constitucional (PEC) - Tramita tanto na Câmara como no Senado

Na Câmara

Projeto apresentado por:
- um terço dos deputados ou
- presidente da República ou
- por iniciativa de pelo menos a metade mais uma das Assembleias Legislativas do país

A PEC é enviada à Comissão de Constituição e Justiça, que tem prazo de cinco sessões ordinárias do plenário para votar parecer de admissibilidade (aceitação da proposta: se é constitucional ou não)

Parecer favorável
- É constituída uma comissão especial para apreciação do mérito da proposta
- A comissão tem prazo de até 40 sessões ordinárias do plenário para votar o parecer (aproximadamente dois meses)
- Dentro desse prazo, os deputados têm as dez primeiras sessões ordinárias para apresentar emendas

Parecer contrário
Tem de ser votado no plenário.
Se derrubado, segue adiante

Plenário
Condições de votação: presença mínima de três quintos dos membros e o mesmo número de votos favoráveis para aprovação

- Após um intervalo de duas sessões, a PEC vai para votação no plenário em dois turnos, com prazo de cinco sessões entre eles
- No plenário, os deputados podem alterar a PEC votando partes em separado (destaques) ou unindo emendas (emendas aglutinativas)
- Aprovação em dois turnos

Proposta rejeitada
- Se rejeitada pela Câmara em qualquer dos turnos de votação, é arquivada e só pode ser reapresentada no ano legislativo seguinte

Proposta aprovada
- Vai para o Senado para votação em dois turnos
- Se já havia sido aprovada pela Câmara e não foi modificada no Senado, é promulgada pelo Congresso em sessão conjunta
- Se já havia sido aprovada na Câmara e foi modificada no Senado, pode ser parcialmente promulgada. Artigo alterado volta à Casa de origem, onde a tramitação recomeça
- Não cabe veto do presidente

Tramitações

Proposta de emenda constitucional (PEC) - Tramita tanto na Câmara como no Senado

No Senado

Projeto apresentado por:

- um terço dos senadores ou
- presidente da República ou
- por iniciativa de pelo menos a metade mais uma das Assembleias Legislativas do país

A PEC é enviada à CCJ, que tem prazo de 30 dias para votar o parecer sobre constitucionalidade e mérito da proposta

Plenário

Condições de votação: presença mínima de três quintos dos membros e o mesmo número de votos favoráveis para aprovação

- Cinco dias depois de publicado o parecer da CCJ, a PEC pode ser incluída na ordem do dia para votação em dois turnos
- A PEC fica em discussão no plenário pelo prazo de cinco sessões antes da votação em primeiro turno. Se houver emendas, volta à CCJ
- A votação em segundo turno só pode ocorrer depois de um intervalo de cinco dias úteis
- Há três sessões de discussão em segundo turno

Proposta rejeitada

- Se rejeitada em qualquer dos turnos de votação, é arquivada e só pode ser reapresentada no ano legislativo seguinte

Proposta aprovada

- Se teve origem no Senado, vai para a Câmara para votação em dois turnos
- Se já havia sido aprovada pelo Senado e não foi alterada pela Câmara, é promulgada pelo Congresso em sessão conjunta
- Se já havia sido aprovada pelo Senado, mas foi alterada pela Câmara, pode ser parcialmente promulgada. Artigo alterado volta à Casa de origem, onde a tramitação recomeça
- Não cabe veto do presidente

Informações regimentais

Comissões

- **Permanentes**

16 na Câmara e sete no Senado. São também chamadas de comissões técnicas. Analisam as proposições em tramitação. Todo parlamentar tem direito de integrar uma comissão como titular e outra como suplente. A composição das comissões é modificada anualmente

- **Especiais**

Criadas por tempo determinado para analisar propostas de emendas constitucionais (só na Câmara) e projetos de códigos. Na Câmara, também podem ser criadas quando um projeto tem de ser analisado por mais de três comissões técnicas

- **Mistas**

Integradas por deputados e senadores. São criadas para analisar vetos e medidas provisórias e apresentar soluções legislativas para assuntos específicos. Há também as de Orçamento e Mercosul, que são permanentes

- **Parlamentares de Inquérito**

Podem ser integradas só por deputados, só por senadores ou por deputados e senadores. Têm tempo determinado de funcionamento e investigam um fato específico

- **Externas**

Criadas para acompanhar fatos fora do Congresso

- **Representativa**

Faz plantão nos recessos parlamentares; integrada por sete senadores e 16 deputados, age em nome do Congresso em casos de emergência

Comissão Parlamentar de Inquérito (CPI)

- A Constituição (art. 58, parágrafo 3º) prevê a criação de CPI, com poderes de autoridade judicial, para investigar, por prazo certo, fato determinado
- A própria Constituição estabelece que as CPIs poderão ser criadas pela Câmara e pelo Senado, em conjunto ou separadamente
- O requerimento de criação tem de ser assinado por um terço dos parlamentares (27 senadores e 171 deputados)
- A Constituição permite o encaminhamento das conclusões da CPI ao Ministério Público para que promova a responsabilidade civil ou criminal dos infratores

Na Câmara

- O regimento interno estabelece que somente cinco CPIs poderão funcionar ao mesmo tempo
- Por causa desse limite, os pedidos de CPI ficam na fila de espera
- É possível furar a fila por meio de projeto de resolução, apoiado por um terço dos deputados e aprovado pelo plenário
- As CPIs têm prazo de 120 dias para atuar, permitida a prorrogação, e podem funcionar no recesso
- O requerimento de criação da CPI propõe o número de integrantes
- As conclusões são encaminhadas à Mesa para encaminhamento das providências propostas

No Senado

- Senador só poderá participar de duas CPIs, numa como titular e noutra como suplente
- O regimento interno proíbe CPIs que tratem de assuntos referentes à Câmara, às atribuições do Poder Judiciário e aos Estados
- Uma CPI não poderá continuar trabalhando depois de encerrada a legislatura (período de quatro anos) em que foi criada
- As conclusões são encaminhadas à Mesa para encaminhamento das providências propostas

No Congresso

- A instalação de CPI é automática se pedida por um terço dos deputados e um terço dos senadores
- O número de integrantes deve constar do requerimento de criação, sendo igual a participação de deputados e senadores, obedecido o princípio da proporcionalidade partidária

Anexo jurídico

Conhecer em linhas gerais os princípios jurídicos que ordenam o país é condição prévia para o exercício da cidadania. O jornalista, como qualquer cidadão, deve conhecer esses princípios, especialmente os que dizem respeito a sua área de atuação. Este capítulo resume alguns princípios e garantias e traz algumas definições que podem ser úteis para o trabalho do jornalista.

O direito é veiculado em linguagem técnica e, assim, está sujeito a certas sutilezas. Elas dão causa a inúmeros erros nas páginas do jornal. Na dúvida, consulte sempre um especialista.

A

aborto – Em termos estritamente médicos, aborto é a interrupção voluntária ou não da gravidez até a 20ª semana de gestação, segundo critério da Organização Mundial da Saúde. Após esse período, a interrupção involuntária da gravidez deve ser chamada de parto prematuro.

As duas fases recebem nomes diferentes em razão da capacidade de o feto sobreviver fora do útero (até a 20ª semana, a possibilidade de sobrevivência é considerada muito pequena ou nula).

Do ponto de vista penal, porém, o aborto provocado é crime no Brasil desde a concepção ou implantação do óvulo até o início do nascimento. Assim, quando se trata de questão jurídica no Direito brasileiro, a interrupção provocada da gravidez deve ser chamada, em qualquer período que ocorra, de aborto.

As duas situações de aborto legal são: não haver outra hipótese para salvar a vida da gestante ou a gravidez decorrer de estupro.

ação – Em geral, é sinônimo de processo. Na ação civil, a pessoa física ou jurídica busca obter do Estado, por meio do juiz, pronunciamento judicial sobre pretensão que a outra parte resiste a cumprir. Na ação penal, há apuração de fatos criminosos, cuja autoria é atribuída a pessoa (ou pessoas) que o promotor denuncia.

ação direta de inconstitucionalidade/ação declaratória de constitucionalidade – Exames em tese do texto legal, à luz da Constituição, realizado pelo Supremo Tribunal Federal, que poderá declarar a sua constitucionalidade ou não. Podem movê-las pessoas ou instituições citadas no art. 103 da Constituição: o presidente da República, a Mesa do Senado ou da Câmara dos Deputados e o procurador-geral da República. O governador de Estado, a Mesa de Assembleia Legislativa, o Conselho Federal da OAB, partido com representação no Congresso e confederação sindical ou entidade de classe de âmbito nacional só podem mover ação de inconstitucionalidade. O procurador-geral da República é sempre ouvido previamente nas ações de inconstitucionalidade de que não seja o autor.

acusações criminais – Até que seja condenada em definitivo pela Justiça, a pessoa deve ser tratada como suspeita, acusada, ré ou condenada em determinada instância. Esse procedimento visa evitar prejulgamentos e preservar a imagem de personagens do noticiário. Exemplos:

1) Prisão: A pessoa é presa em flagrante delito ou por ordem judicial: **Fulano de Tal foi preso sob suspeita de latrocínio, Fulano de Tal foi preso sob acusação de roubo**. Em casos de flagrante delito e confissão, devem ser levadas em consideração as possibilidades de flagrante falso e de confissão forçada. Deixa-se claro, então, que se trata da versão da polícia: **Segundo a polícia, Fulano de Tal foi preso em flagrante roubando e confessou o crime**.

2)Indiciamento: É ato discricionário do delegado de polícia que consiste na qualificação de uma pessoa como suspeita de um crime durante inquérito policial. Quando o personagem é indiciado em inquérito policial, usam-se as formas **Fulano de Tal foi indiciado sob suspeita de homicídio** ou **Fulano de Tal foi indiciado sob acusação de homicídio**.

3) Denúncia: A denúncia é uma acusação formal apresentada pelo Ministério Público à Justiça. Nesse caso, em que *denunciar* e *acusar* são sinônimos, opta-se pelo tratamento didático (**Fulano de Tal foi denunciado sob acusação de furto**) ou evita-se o termo *denunciado* (**Fulano de Tal foi acusado judicialmente por furto**).

4) Processo: O processo judicial acontece se o juiz aceita denúncia do Ministério Público ou queixa-crime de uma vítima. Nesse caso, é usada a fórmula **Fulano de Tal está sendo processado sob acusação de estelionato/está sendo processado sob acusação de concorrência desleal**.

5) Julgamento: A Justiça garante ao réu a possibilidade de recorrer de decisões judiciais a instâncias superiores. Ao noticiar decisão judicial, registre sempre se cabe recurso e se ele tem efeito suspensivo (suspende a execução da decisão até que haja outra, de instância superior).

Quando receber informação de alguém que faz acusação criminal contra outra pessoa, procure sempre:

1) Gravar a declaração.
2) Discutir o caso com seu superior para avaliar a credibilidade de quem acusa.
3) Caso essa avaliação seja positiva, mas não haja gravação, tentar obtê-la.
4) Tomar o cuidado de reproduzir literalmente o cerne da acusação, sempre entre aspas.

Se a parte acusada não puder ser ouvida, mas houver declaração sua prestada à Justiça ou a autoridade policial, tente obtê-la para publicação. Procure também ouvir o advogado do acusado. Publique a versão da parte acusada com destaque proporcional ao da acusação.

advogado – Nem todo bacharel em direito é advogado ou doutor. O *advogado* é formado em direito e habilitado pela Ordem dos Advogados do Brasil. *Doutor* é quem defendeu e teve aprovada tese de doutoramento. *Jurista* é reservado a autores de obras jurídicas de importância reconhecida.

B

bacharel em direito – Pessoa com grau universitário, formada em ciências jurídicas. O bacharel em direito não se confunde com o advogado, título exclusivo dos inscritos na OAB. Não há hierarquia (isto é, relações de subordinação) entre juiz, promotor e advogado. São profissionais do direito com funções distintas.

C

calúnia/difamação/injúria – São crimes contra a honra, previstos no Código Penal e na Lei de Segurança Nacional. Estavam previstos também na Lei de Imprensa, revogada por decisão do Supremo Tribunal Federal. Há uma gradação decrescente entre eles. *Caluniar* é atribuir falsamente a alguém fato definido como crime. *Difamar* é imputar fato ofensivo à reputação. *Injuriar* é ofender a dignidade ou o decoro de alguém.

Exemplos: acusar falsamente um determinado funcionário público de ter recebido propina para praticar ato de ofício é crime de calúnia. Se esse funcionário for simplesmente chamado de "corrupto", o crime é de injúria (não há atribuição de um fato). Se ao funcionário for atribuído um fato ofensivo não definido na lei como sendo um crime, como o de ingerir bebida alcoólica durante o horário de serviço, o delito é de difamação.

carta precatória – Documento em que um juiz pede a outro diligências processuais fora da comarca em que tramita o processo (exemplos de diligência: ouvir testemunhas, obter provas periciais). O instrumento também pode ser usado por delegados de polícia. O adjetivo "precatória" tem origem no verbo latino "precare", que significa pedir. Não confundir com precatório.

crime e contravenção – Infrações penais definidas em lei e que acarretam uma punição ao seu autor.

O crime pode ser doloso ou culposo. É doloso se o autor quis o resultado ou assumiu o risco de produzi-lo. É culposo se o autor, sem querer o resultado, deu-lhe causa por imprudência, negligência ou imperícia. Exemplos de crime culposo: atropelamento involuntário; homicídio resultante de acidente de trabalho. Exemplo de crime doloso: ladrão que dispara contra um motorista para roubar-lhe o carro. A pessoa só pode ser punida por crime culposo se a possibilidade estiver expressamente estabelecida em lei. O Código Penal prevê três tipos de pena: privativa da liberdade (detenção ou reclusão), restritiva de direito (prestação de serviços à comunidade, interdição temporária de direitos e limitação de fins de semana) e multa.

A contravenção é menos grave que o crime. Ela é punida com prisão simples, que deve ser cumprida sem rigor penitenciário, em local separado de outros presos. Exemplos de contravenção: jogo do bicho, perturbação do sossego e deixar em liberdade animal perigoso.

D

denúncia – É peça técnica, elaborada pelo Ministério Público e dirigida ao Judiciário. É a acusação formal contra alguém pela prática de um crime. A maioria dos crimes é de ação pública, e a acusação é feita pelo Ministério Público (ex.: casos de homicídio, roubo, furto). Como o indiciamento, a denúncia não pressupõe culpa do acusado.

direito de resposta – Instrumento previsto pela Constituição (artigo 5º, inciso V) para assegurar à pessoa ofendida ou vítima de informação inverídica o direito de publicar, no mesmo espaço e com os mesmos caracteres tipográficos, uma resposta ou retificação. Era previsto também pela Lei de Imprensa (artigo 29), revogada pelo Supremo Tribunal Federal em 2009. Se o direito de resposta for negado pelo órgão de imprensa, o interessado pode recorrer ao Poder Judiciário. Na **Folha**, qualquer caso em que se invoque direito de resposta deve ser previamente submetido à Direção de Redação.

E

estupro – O artigo do Código Penal que definia estupro foi mudado em agosto de 2009. Deixa de existir a diferença entre atentado violento ao pudor (violência sexual contra homens e violência sexual contra mulheres sem "conjunção carnal") e estupro. Os dois crimes foram unificados como estupro, que passa a ser crime contra a liberdade sexual que consiste em obrigar homem ou mulher a praticar qualquer ato de cunho sexual/libidinoso. Para crimes cometidos a partir da vigência da nova lei, portanto, estupro pode ocorrer tanto contra homens como contra mulheres, inclusive quando não há "conjunção carnal".

exceção da verdade/prova da verdade – Inversão processual que permite à pessoa acusada por calúnia e difamação provar a veracidade da informação que divulgou. Julgada procedente a exceção da verdade, extingue-se o processo por crime contra a honra e, nos casos de calúnia, pode ser instaurada ação penal contra o ofendido para que seja apurada sua responsabilidade.

Na hipótese de calúnia, a prova da verdade não é permitida se a pessoa ofendida já tiver sido absolvida anteriormente. Em casos de difamação, só é admitida com o consentimento do ofendido ou se se tratar de funcionário público atingido em razão de suas funções.

No Brasil, há outra restrição: não se admite a prova da verdade contra o presidente da República e os chefes de Estado estrangeiros de acordo com o Código Penal. A Lei de Imprensa, revogada pelo Supremo Tribunal Federal (lei 5.250, art. 20, parágrafo 3º), excluía também a prova da verdade contra os presidentes do Senado Federal e da Câmara dos Deputados, os ministros do Supremo Tribunal Federal e os representantes diplomáticos de governos estrangeiros.

extradição – Ato de entrega, por um Estado a outro, de pessoa acusada ou condenada no território do Estado requerente, a fim de responder neste a processo ou cumprir pena imposta. O Brasil não extradita o cidadão brasileiro nem o processado por delito político. Só o STF (Supremo Tribunal Federal) tem poder para julgar casos de extradição (art. 102 da Constituição).

F

fiança – No direito penal, é depósito feito pelo acusado para que responda ao inquérito ou ao processo em liberdade. Há casos em que a lei considera o crime inafiançável (por exemplo, racismo e tortura). No direito civil, é garantia pessoal dada por alguém que se obriga a pagar a dívida de outra pessoa, caso esta não o faça.

flagrante delito – Situação que permite a prisão, independentemente de ordem judicial, do autor de um delito. A lei considera em flagrante delito quem está cometendo a infração penal, quem acaba de cometê-la, quem é perseguido logo após a sua prática e quem for encontrado, logo após, com arma ou objetos que façam presumir ser ele o autor, sem especificar um número de horas transcorridas entre o evento e a prisão. Qualquer pessoa pode prender alguém em flagrante delito e apresentá-lo às autoridades.

furto/roubo – Ambos são crimes contra o patrimônio. Segundo o Código Penal, *furto* é apoderar-se de coisa alheia e móvel, sem uso de violência contra a pessoa (pode existir violência contra a coisa, como num caso de arrombamento). *Roubo* não é sinônimo de furto: significa apoderar-se de coisa alheia e móvel mediante grave ameaça ou emprego de violência contra a pessoa.

H

habeas corpus – Garantia individual estabelecida na Constituição para quem sofrer ou estiver ameaçado de sofrer, por ilegalidade ou abuso de poder, restrição a sua liberdade de locomoção. Concede-se habeas corpus, por exemplo, em caso de prisão ilegal e ação penal instaurada sem justa causa. Qualquer um pode impetrar habeas corpus em favor de alguém, independentemente da presença de advogado.

habeas data – Garantia constitucional que assegura à pessoa o acesso a banco de dados e a retificação de informações registradas a seu respeito por entidades governamentais ou de caráter público.

hierarquia de leis – O Brasil tem diversos tipos de lei. A Constituição se sobrepõe a todas e, por isso, é chamada com frequência de Carta Magna. Nenhuma lei e nenhum tratado podem contrariar a Constituição.

Entre as demais leis também há hierarquia. No plano federal, a lei ordinária, assim chamada porque aprovada pela maioria simples das duas Casas do Congresso, não pode modificar ou revogar a lei complementar, que exige um quorum mais qualificado de votação (metade mais um de todos os senadores e de todos os deputados).

As medidas provisórias são adotadas pelo presidente da República, com força de lei, em casos de relevância e urgência e têm eficácia de 30 dias. Elas podem modificar leis ordinárias. Já um decreto do presidente da República não pode revo-gar ou modificar nenhuma lei, pois serve só para regulamentar leis existentes.

Uma forma de hierarquia se liga aos níveis de governo. Leis federais se aplicam em todo o país; as estaduais, só no respectivo Estado, e as municipais, nos limites do município. Quando há competência concorrente da União, dos Estados e dos municípios para legislar sobre o mesmo assunto, as normas federais dão as regras gerais, que não podem ser contrariadas nos níveis inferiores.

I

impetrar – O verbo significa *pedir*. Pode ser usado no caso de pedidos de habeas corpus, mandado de segurança ou mandado de injunção (**"o advogado impetrou habeas corpus em favor de seu cliente"**). **É incorreto dizer que uma ação judicial ou um recurso foram "impetrados".**

indiciado – Pessoa em relação à qual, no inquérito policial, o delegado estabelece sua convicção ou presunção de que pode ser autora do fato criminoso. O indiciamento não pressupõe a culpa do indiciado.

indulto – Perdão da pena, total ou parcial, concedido pelo presidente da República a um grupo de condenados. Em geral, concede-se indulto no fim do ano (por ocasião do Natal), sem que haja nenhuma disposição legal para isso. Embora o termo também possa ser usado para o perdão a uma só pessoa, prefira, nesses casos, *graça*.

inquérito policial – Investigação preliminar desenvolvida pela polícia para apurar a prática de qualquer crime. Depois de encerrado, é encaminhado à Justiça, onde pode servir de base para denúncia ou queixa-crime. Um inquérito só pode ser arquivado pela autoridade judiciária a pedido do Ministério Público.

intimação – Ciência dada a alguém sobre ato (ou decisão) judicial, policial ou administrativo. Geralmente, designa a convocação da parte ou de testemunha para que compareça perante a autoridade para depor ou prestar esclarecimento. Pode ser feita por oficial de Justiça, pelo correio ou pela imprensa. Na Justiça do Trabalho, o termo usado é *notificação*.

J

juiz – Agente público, formado em direito e selecionado mediante concurso, que exerce o poder de julgar pessoas nas questões criminais, nos litígios entre pessoas, nos processos cíveis, trabalhistas e eleitorais, praticando o que se chama exercício da jurisdição, em nome do Estado. Em segundo grau de jurisdição –ou seja, nos tribunais estaduais, regionais federais, trabalhistas e eleitorais–, os magistrados são chamados simplesmente juízes ou desembargadores. No STF (Supremo Tribunal Federal) e nos demais tribunais superiores, a denominação dada a seus juízes é a de ministro, por definição constitucional. Esses ministros são nomeados pelo presidente da República; sua escolha é aprovada pelo Senado, e não por concurso, salvo os do Tribunal Superior Eleitoral, escolhidos na forma do artigo 119 da Constituição ou nomeados pelo presidente da República.

Há, porém, tribunais cujo corpo de julgadores não é composto por integrantes da magistratura. São os casos do Tribunal de Impostos e Taxas (órgão do Executivo) e dos tribunais de Contas (ligados ao Legislativo).

Cuidado: **é errado dizer que o juiz "pede" alguma providência, "dá parecer" ou "abre processo" contra alguém**. **Juízes não pedem nada; julgam, decidem, mandam, determinam**.

juizados especiais cíveis e criminais – Criados pela lei nº 10.259, de 2001, para substituir os juizados de pequenas causas. Julgam processos de menor complexidade, com ênfase na conciliação, e têm por princípios oralidade, informalidade e rapidez. Na área civil, julgam causas de até 40 salários mínimos (ressarcimento por danos causados em acidentes de trânsito, por exemplo); na criminal, infrações penais de menor potencial ofensivo.

júri – Tribunal que, no Brasil, atua só nos crimes dolosos contra a vida e é composto por sete jurados leigos em direito. Cabe a eles dizer, mediante votação secreta, se consideram o réu culpado ou inocente, competindo ao juiz determinar e aplicar a pena. As decisões do júri são soberanas; não podem ser reformadas por recurso, mas podem ser anuladas, quando existir algum vício, para que outro julgamento se realize.

L

legítima defesa – Ocorre sempre que alguém repele agressão injusta e iminente a direito seu ou alheio. Se for praticado excesso, a pessoa pode ser punida.

Lei de Imprensa – A Constituição de 1988 diz que é "livre a expressão da atividade intelectual, artística, científica e de comunicação, independentemente de censura ou licença" (artigo 5º, inciso IX). Também diz que "nenhuma lei conterá dispositivo que possa constituir embaraço à plena liberdade de informação jornalística em qualquer veículo de comunicação social" (artigo 220, parágrafo 1º).

Apesar disso, até abril de 2009 ainda estava em vigor a Lei de Imprensa (lei nº 5.250, de 9 de fevereiro de 1967), criada durante o regime militar, com disposições autoritárias, como as que autorizavam a apreensão de publicações e puniam a violação de segredo de Estado e o atentado aos bons costumes. Essa lei, revogada pelo Supremo Tribunal Federal no julgamento da arguição de descumprimento de preceito fundamental nº 130-7, tratava da forma de registro dos órgãos de informação, dos crimes praticados por intermédio da imprensa, do direito de resposta e da responsabilidade civil e criminal pelos abusos cometidos.

liberdade condicional – Liberdade dada ao condenado que cumpriu parte da pena que lhe foi imposta, a ser mantida sob certas condições. É uma espécie de prêmio por bom comportamento.

liberdade de imprensa – A Constituição brasileira garante o acesso de todos à informação. Garante também a liberdade de imprensa, independente de censura, e a livre expressão do pensamento (artigo 5º). Os abusos são puníveis por lei.

A **Folha** não reconhece legitimidade em nenhuma restrição que se faça à liberdade de imprensa. Mas reconhece como legítima a possibilidade de reparação, determinada em juízo, nos casos de calúnia, difamação e injúria ou quando houver violação indevida da privacidade e da imagem das pessoas, exceto quando veiculada no exercício do dever de informar.

liminar – Despacho judicial que antecede a decisão final de um processo, emitido quando o juiz considerar relevante a alegação da parte interessada a respeito da urgência do pedido. É concedida, assim, quando o juiz considera que há risco de perecimento do direito alegado. Por exemplo, uma liminar pode impedir o cumprimento de mandado de prisão preventiva até o julgamento do habeas corpus.

M

mandado/mandato – Não confunda *mandado*, que pode ser de segurança, injunção, prisão, com *mandato*, que significa outorga de poderes: mandato do deputado, do presidente, do vereador.

mandado de segurança – Garantia individual estabelecida pela Constituição para proteger direito líquido e certo (não amparado por habeas corpus ou habeas data), ameaçado de violação ou violado por abuso de poder ou ilegalidade de autoridade pública. Ato ilegal de prefeito determinando o fechamento de um restaurante, por exemplo, é uma hipótese em que cabe mandado de segurança.

medida de segurança – Providência de caráter penal imposta pelo juiz à pessoa que pratica um delito e que apresenta quadro de periculosidade decorrente de doença mental. Sem prazo determinado, tem caráter preventivo. Pode ser detentiva (internação em hospital de tratamento psiquiátrico até a cessação da periculosidade) ou restritiva, quando o tratamento imposto é apenas ambulatorial.

menor – A legislação em vigor veta a identificação direta ou indireta de criança ou adolescente a que se atribuam infrações, mesmo depois de eles terem completado a maioridade. De acordo com o Estatuto da Criança e do Adolescente, é proibido publicar iniciais do nome e do sobrenome, fotografia, referência a nome, apelido, filiação, parentesco ou residência. A **Folha** também não publica foto que permita identificar criança ou adolescente em situação de constrangimento. A desobediência a essas determinações pode implicar a suspensão da circulação do jornal por duas edições.

Ministério Público – Instituição independente e desvinculada administrativamente dos Poderes Judiciário, Executivo e Legislativo. Entre outras atribuições, promove a ação penal pública (acusação), com o objetivo de condenar criminosos, e a ação civil pública, para proteção do patrimônio público e social, do ambiente e de outros interesses difusos e coletivos. Na esfera estadual, o MP é composto de promotores de Justiça (primeira instância) e procuradores de Justiça (segunda instância). Na esfera federal, por procuradores da República, do Trabalho, da Justiça Militar e do Distrito Federal. São nomeados por concurso público.

N

noticiário policial – Exige tratamento sóbrio e criterioso, sem sensacionalismo. Casos de grande repercussão ou que ocorram no universo sociocultural do leitor merecem maior destaque e acompanhamento. Em crime de conteúdo social, evite tanto a simplificação ideológica quanto o sociologismo. O jornalista deve ser crítico em relação às informações fornecidas pelas partes e por autoridades públicas. Veja o verbete "acusações criminais", neste capítulo, e texto sobre "ouvir o outro lado", no capítulo Procedimentos.

P

parecer – É apenas uma opinião. **Juízes e tribunais não dão parecer**, decidem. Um parecer sobre caso jurídico pode ser dado pelo Ministério Público ou por jurista, nunca por juízes e tribunais.

pena – Sanção imposta pelo poder público, por alguém investido de poder legal ou por particulares àquele que descumpre normas, impondo ou proibindo determinadas condutas. O termo não se restringe ao Estado: o clube de futebol que impõe sanções a um jogador, por exemplo, aplica uma pena. O tipo da pena varia conforme a natureza do serviço do punido (administrativa, disciplinar etc.) ou da sua conduta (civil ou criminal).

De acordo com o Código Penal em vigor no Brasil em novembro de 2000, para condutas criminosas, a pena máxima de restrição da liberdade é de 30 anos; nenhum condenado pode ficar recluso por período superior, mesmo que a condenação seja por maior tempo.

pequenas causas – A Constituição prevê a existência de juizados especiais de pequenas causas, para conciliação, julgamento e execução de causas cíveis de menor complexidade, com valor até 40 salários mínimos e infrações penais de menor potencial ofensivo (contravenções penais e crimes com pena máxima não superior a um ano). A lei federal nº 9.099/95 deu as normas gerais sobre os juizados especiais, mas cada Estado pode adotar sua própria regulamentação, segundo as condições locais.

precatório – Ordem judicial para que o devedor público (União, Estado ou município) inclua no Orçamento, até 1º de julho, o valor necessário ao pagamento do débito até o final do exercício seguinte. Os precatórios devem ser pagos exclusivamente na ordem cronológica de sua apresentação (art. 100 da Constituição).

primariedade – Qualidade do réu primário (sem condenação criminal anterior). A primariedade é circunstância atenuante: o condenado pode cumprir uma pena menor do que a máxima prevista na lei, entre outras circunstâncias que o juiz avalia ao aplicá-la. Não há relação, porém, entre a primariedade e o cumprimento da pena em liberdade; depende do caso e também das circunstâncias.

prisão – Um cidadão só pode ser preso se for maior de 18 anos e incorrer nas hipóteses previstas em lei: em flagrante delito ou por ordem escrita de autoridade judicial. Em diversos casos, é admitido o pagamento de fiança para recolocar o preso em liberdade. Prisão ilegal é punida pela lei nº 4.898/65, que cuida dos abusos de autoridade.

O termo para designar prisão de menor de 18 anos é *internação*, de acordo com o Estatuto da Criança e do Adolescente. Nenhum adolescente pode ser privado da liberdade, exceto quando pego em flagrante no ato da infração ou por ordem do juiz de menores. A internação abrange apenas maiores de 12 anos e só pode ser cumprida em lugar destinado exclusivamente a adolescentes, pelo prazo máximo de três anos.

prisão especial – No Brasil, antes de a condenação criminal se tornar definitiva, determinadas pessoas, como os detentores de diploma de curso superior, os religiosos e os professores do ensino fundamental e médio, devem ser mantidas em prisão especial (quartéis da Polícia Militar ou celas separadas), para que não entrem em contato com presos comuns.

prisão preventiva – Pode ser decretada pelo juiz em qualquer fase do inquérito ou da ação penal, para a garantia da ordem pública, da ordem econômica, por conveniência da instrução criminal ou para assegurar a aplicação da lei penal. É uma medida excepcional, reservada para casos graves. No Brasil, a regra é que o acusado responda ao processo em liberdade.

prisão provisória – Medida decretada pelo juiz, por um prazo de cinco dias, prorrogável por igual período, em caso de extrema necessidade, quando imprescindível para investigações de inquérito policial em casos de homicídio doloso, roubo e outros crimes previstos na lei 7.960/89. Para crimes hediondos, definidos na lei 8.072/90, o prazo da prisão provisória, também prorrogável, é de 30 dias.

processo – O processo civil começa quando a parte (pessoa jurídica, pessoa física ou o Ministério Público) submete ao juiz a pretensão de obter sentença favorável, de conteúdo econômico ou moral, que a outra parte resiste a aceitar. O processo penal começa, como regra, com a denúncia, formulada pelo promotor público. Em certos casos, como estupro ou sedução de menor, o processo penal depende de representação da parte ou de quem seja responsável por ela –isto é, a vítima ou o responsável devem pedir à autoridade pública a adoção de alguma providência.

Casos cíveis mais comuns: separação consensual ou litigiosa do casal, despejo do imóvel alugado, cobrança de uma dívida. Exemplos de casos criminais: processo contra alguém denunciado por furto ou roubo, processo contra o estelionatário ou o homicida.

Promotoria – Não use esse termo para designar o Ministério Público Federal, cujos integrantes são procuradores, e não promotores.

pronúncia/impronúncia – Decisão judicial que determina se alguém será ou não julgado pelo tribunal do júri.

No caso de crime doloso contra a vida, após colher as provas da acusação e da defesa, se o juiz se convence de que há indícios suficientes de autoria e prova da materialidade (de que o crime, de fato, ocorreu), profere uma sentença de pronúncia contra o réu, remetendo o julgamento ao júri popular. Caso contrário, o réu é impronunciado pelo juiz, encerrando-se o processo, que só pode ser reaberto se surgir prova nova. **A impronúncia não é uma absolvição**. Nessa fase do processo, o juiz só pode proferir uma sentença absolutória se é evidente, por exemplo, que o réu agiu em legítima defesa.

Q

queixa-crime – É peça técnica, elaborada por advogado e dirigida ao Poder Judiciário. Dá início à ação penal privada. Existe para crimes que não são de ação pública, como injúria e concorrência desleal. Não confundir com o registro de ocorrência criminal feito em delegacia de polícia: **tecnicamente, é errado afirmar que alguém fez uma queixa na delegacia**.

R

racismo – A lei 7.716/89 define os crimes resultantes de preconceito de raça e de cor. Para quem incitar a discriminação ou o preconceito de raça, cor, religião, etnia ou procedência nacional pelos meios de comunicação social, a pena prevista é reclusão de dois a cinco anos.

rapto/sequestro – **Não use o termo "rapto" para designar sequestro.** O primeiro, segundo o Código Penal, significa tirar de casa "mulher honesta, mediante violência, grave ameaça ou fraude, para fim libidinoso". O termo vem do latim "raptus", designando a ação de arrastar, rapina e também sequestro. Na língua portuguesa convivem essas várias acepções. Para não criar confusão, evite a palavra. Só use no sentido técnico, explicitando que se trata de termo jurídico.

Sequestro é um atentado à liberdade individual. O Código Penal define duas condutas diferentes: o sequestro puro e simples, cuja punição é a mesma aplicada para cárcere privado, e a extorsão mediante sequestro, quando o autor do crime tem como objetivo o recebimento de resgate. A lei nº 8.072/90 considera a extorsão mediante sequestro crime hediondo.

recurso – A Constituição e as leis garantem às partes, nos processos civil e penal, a possibilidade de recorrer de decisões a instâncias superiores. Registre sempre no texto se cabe recurso da decisão judicial e informe se ele tem efeito suspensivo, ou seja, se suspende a execução da decisão até haver outra de instância superior.

réu – Denominação dada à pessoa contra a qual se move processo civil ou criminal.

S

sentença/acórdão/despacho – São decisões judiciais. A *sentença* é proferida por um juiz singular (por exemplo: "A sentença do juiz da 4ª Vara Cível condenou o réu a pagar uma indenização por danos morais"). O *acórdão* é decisão coletiva, adotada no âmbito de tribunal ("O acórdão do Tribunal de Justiça negou provimento ao recurso do réu"). O *des-*

Os Poderes e suas atribuições

	Poder Executivo	Poder Judiciário	Outras Instituições
Esfera federal	■ Polícia Federal	■ Varas federais e Tribunais Regionais Federais ■ Superior Tribunal de Justiça ■ Conselho Nacional de Justiça ■ Supremo Tribunal Federal	■ Ministério Público Federal (procurador-geral e procuradores da República) ■ Advocacia Geral da União (ligada ao Executivo)
Esfera estadual	■ Polícia Civil do Estado ■ Polícia Militar do Estado	■ Tribunal de Justiça (desembargadores)	■ Ministério Público ■ Procuradoria Geral de Justiça (procurador-geral de Justica, promotores e procuradores de Justiça) ■ Procuradoria Geral do Estado (procuradores do Estado), ligada ao Executivo

pacho não decide o mérito da causa (por exemplo: "O despacho do juiz determinou a citação do réu"; "em seu despacho, o vice-presidente do tribunal negou a liminar"). É errado o uso da palavra "parecer" como sinônimo de decisão judicial.

sigilo profissional – O jornalista pode negar-se a revelar como, onde, quando e por meio de quem obteve determinada informação. O direito ao sigilo de fonte é garantido pela Constituição (artigo 5º, inciso XIV) e deve ser usado sempre que o profissional julgar necessário resguardar suas fontes. Em juízo, isso não o exime de provar a veracidade daquilo que escreveu. Ou seja, a responsabilidade judicial pela publicação de uma informação "off" é do jornal ou do jornalista, e não da fonte.

sursis – Palavra francesa que significa *prorrogação, espera*. No Brasil, designa a suspensão condicional da pena, estabelecida no Código Penal. O condenado a pena inferior a dois anos, não reincidente em crime doloso e que preencha outros requisitos legais, tem a pena suspensa pelo juiz mediante o cumprimento de determinadas condições, como a de prestar serviço à comunidade. Esse condenado está sob sursis.

T

tradução – Muito cuidado ao traduzir expressões e termos jurídicos. Em alguns casos, a mesma expressão tem significados diferentes conforme o sistema jurídico. Em textos sobre a Justiça dos EUA, por exemplo, é errado traduzir "perjury" por perjúrio; a expressão em português é falso testemunho, se o crime for cometido por uma testemunha (na Justiça brasileira, réu e vítima não podem ser acusados de falso testemunho). Cuidado também com traduções literais: "material evidence" não é "evidência material", e sim "prova relevante". Procure, sempre que for necessário, consultar advogados na hora de fazer a tradução.

tutela antecipada – Deferimento pelo juiz, em caráter provisório, de pelo menos uma parte daquilo que é pedido em uma ação. Difere da liminar, que também é uma medida provisória, mas de características preventivas. Para que a tutela antecipada seja concedida, é preciso que haja prova inequívoca das alegações e receio de dano irreparável.

Estrutura do Poder Judiciário

Definida pela Constituição de 1988

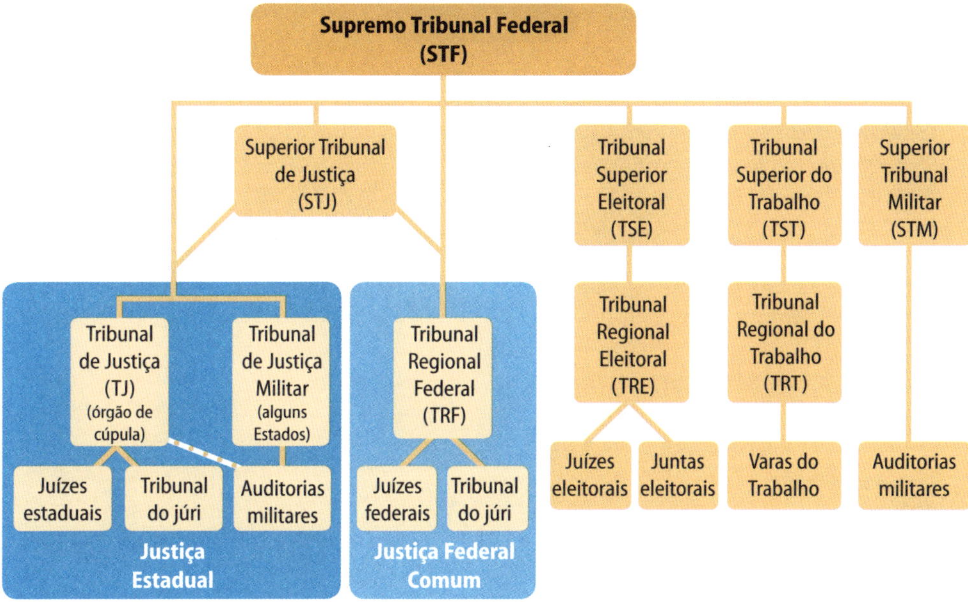

Notas

- O quadro não leva em consideração a vinculação administrativa entre os diversos órgãos, mas apenas os vínculos jurisdicionais.
- O STF é o órgão máximo do Poder Judiciário no Brasil e exerce o controle da constitucionalidade das leis. Seus membros são nomeados pelo presidente da República, depois de aprovada a escolha pela maioria absoluta do Senado. Julga os casos previstos na Constituição (recursos extraordinários, conflitos entre a União e os Estados, crimes comuns do presidente da República, crimes de responsabilidade de ministros de Estado etc.).
- O STJ, além de recursos especiais da Justiça Estadual e Federal Comum, julga originariamente crimes praticados, entre outros, por governadores de Estado, membros do TJ, do TRF, de TREs e TRTs.
- A Justiça Militar Federal, que tem no topo da hierarquia o STM, julga os crimes militares praticados pelos integrantes da Marinha, da Aeronáutica e do Exército. A Justiça Militar Estadual julga principalmente os crimes militares praticados pelos integrantes da PM (Polícia Militar).
- As decisões dos tribunais do júri são soberanas. O veredicto dos jurados (pessoas comuns) não pode ser reformado pelas instâncias superiores, que, em determinados casos, podem anular o julgamento para que outro se realize. Atualmente, o júri só existe no Brasil para o julgamento dos crimes dolosos contra a vida (homicídio, aborto, infanticídio e instigação ao suicídio).
- Os tribunais de Contas (União, Estados e municípios) não fazem parte da estrutura do Poder Judiciário. São órgãos auxiliares do Poder Legislativo.

Anexo militar

Forças Armadas do Brasil

Exército

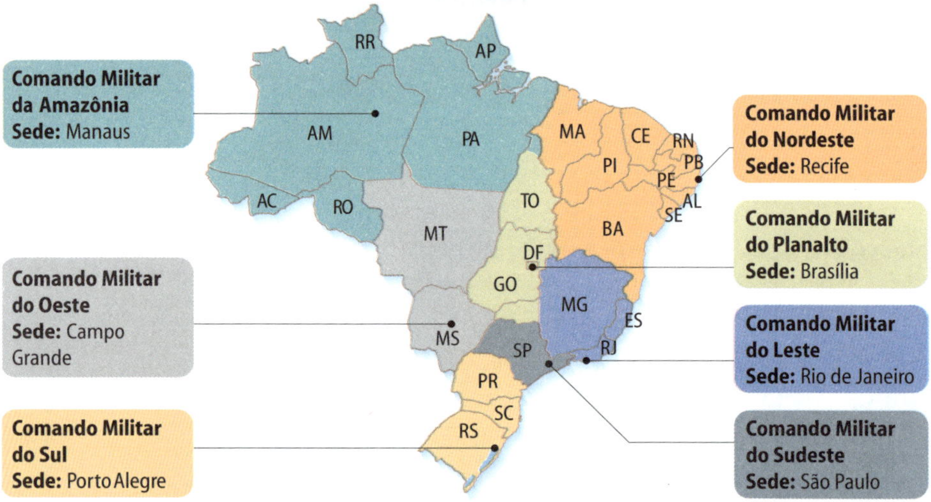

Exército (Regiões Militares-RM)

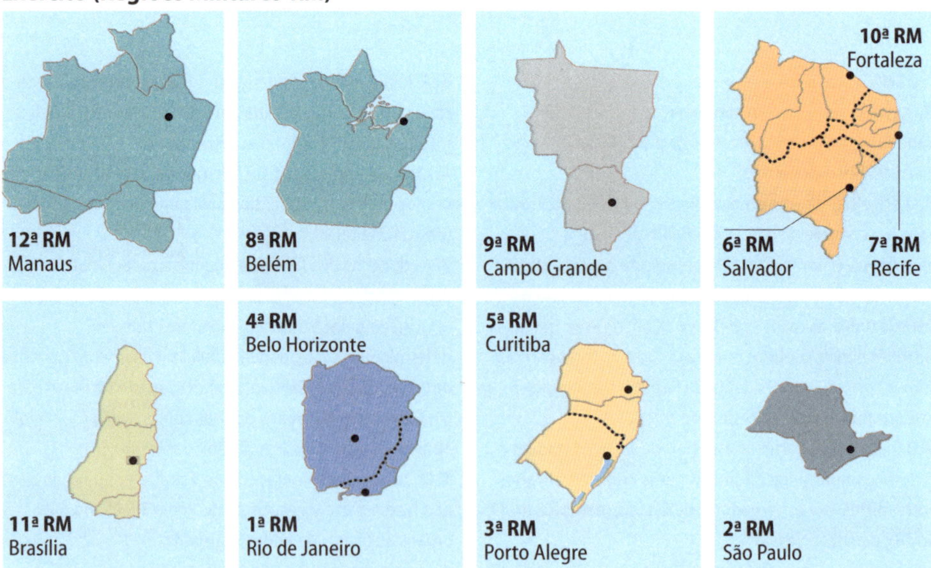

Forças Armadas do Brasil

Marinha

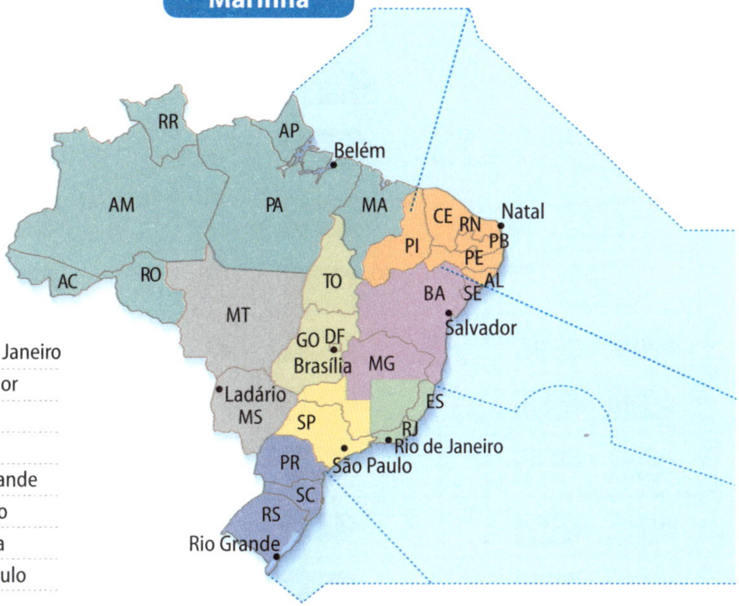

Distrito Naval	Sede
1º DN	Rio de Janeiro
2º DN	Salvador
3º DN	Natal
4º DN	Belém
5º DN	Rio Grande
6º DN	Ladário
7º DN	Brasília
8º DN	São Paulo

Aeronáutica

Fonte: "Almanaque Abril"

* A sigla Comar significa Comando Aéreo Regional.

ANEXO militar

Hierarquia militar brasileira

Equivalência de postos nas Forças Armadas

	MARINHA	EXÉRCITO	AERONÁUTICA
Oficiais generais	almirante *	marechal *	marechal do ar *
	almirante de esquadra	general de exército	tenente-brigadeiro
	vice-almirante	general de divisão	major-brigadeiro
	contra-almirante	general de brigada	brigadeiro
Oficiais superiores**	capitão de mar e guerra	coronel	coronel
	capitão de fragata	tenente-coronel	tenente-coronel
	capitão de corveta	major	major
Int.	capitão-tenente	capitão	capitão
Oficiais subalternos	primeiro-tenente	primeiro-tenente	primeiro-tenente
	segundo-tenente	segundo-tenente	segundo-tenente
	guarda-marinha	aspirante	aspirante
Graduados	suboficial	subtenente	suboficial
	primeiro-sargento; segundo-sargento; terceiro-sargento	primeiro-sargento; segundo-sargento; terceiro-sargento	primeiro-sargento; segundo-sargento; terceiro-sargento
	cabo	taifeiro-mor; cabo	taifeiro-mor; cabo
	marinheiro	taifeiro primeira-classe	taifeiro primeira-classe; soldado primeira-classe
		taifeiro segunda-classe	taifeiro segunda-classe; soldado segunda-classe

Fonte: Centro de Comunicação Social da Aeronáutica

* Esses cargos só existem em períodos especiais

** Na Marinha, também chamados de comandantes

* A hierarquia da Polícia Militar é a mesma em todos os Estados do Brasil, porém as insígnias e graduações podem variar de Estado para Estado. A arte se refere à Polícia Militar do Estado de São Paulo.

Fonte: Assessoria de imprensa da PM de São Paulo

Anexo de religiões

Este anexo tem como objetivo fornecer informações rápidas sobre assuntos de enorme complexidade, para serem usadas por jornalistas que lidam com notícias em que aspectos religiosos são importantes.

O critério para a seleção dos verbetes é exclusivamente jornalístico. As religiões que aparecem com maior número de verbetes são as que têm maior probabilidade de ser mencionadas no noticiário.

A apresentação dos verbetes obedece a uma lógica antropológica, geográfica e cultural, não teológica.

A **Folha** respeita todas as religiões, mas não se filia a nenhuma nem as defende.

Definições básicas:

religião – Termo originado provavelmente do latim "religare": religar, juntar. A religião liga o homem a Deus e une as pessoas em crenças e práticas comuns. As religiões, os mais antigos sistemas culturais voltados à proteção e à sobrevivência dos seres humanos, criam códigos de comportamento e estabelecem uma imagem compartilhada da realidade.

seita – Comunidade diferenciada em relação a uma religião, com uma cosmovisão original, algumas crenças e práticas próprias. Normalmente, segue uma via inconformista em relação às instituições religiosas estabelecidas e à sociedade. Exemplos: seita Ramo Davidiano (EUA), seita Ensinamento da Verdade (Japão), seita do Vale do Amanhecer (Brasil). O termo deve ser evitado, por ter se revestido de caráter pejorativo. Prefira "movimento religioso".

denominação – Seita que, com o passar do tempo, se institucionalizou e adquiriu respeitabilidade social, além de, normalmente, melhor situação econômica. Exemplos: igrejas diversas, como a Anglicana, a Calvinista e a Batista.

culto – Em sociologia da religião, na tipologia de organizações religiosas (igreja, denominação, seita, culto), normalmente é o termo usado para classificar os grupos religiosos que não se enquadram nos outros tipos, pois apresentam traços imprecisos. A palavra também é usada para designar cerimônia religiosa.

A. Judaísmo

Fundação

Oriente Médio, por Abraão, por volta do séc. 17 a.C.

Doutrina

A Torá, livro sagrado do judaísmo, contém a vontade de Deus expressa por meio de preceitos ("mitzvot") que os homens devem seguir. A Torá é formada por cinco livros, o Pentateuco (Gênesis, Êxodo, Levítico, Números, Deuteronômio). O "Talmud" (estudo, em hebraico), criação dos rabinos, expande as interpretações judaicas.

Os judeus têm a convicção de ser o povo eleito. Para eles, uma aliança (Berit) foi feita entre Deus e os judeus, com Abraão como mediador. A crença tradicional judaica afirma que Deus vai enviar à Terra um "Mashiach" (Messias, em hebraico). Há uma relação forte entre a doutrina e os hábitos alimentares: existem leis dietéticas que devem ser seguidas pelos judeus. Por exemplo, são proibidas determinadas carnes, como a de porco, e leite e carne não devem ser misturados. Há regras estritas para o preparo de alimentos conforme as prescrições religiosas. A comida assim preparada chama-se kosher, em iídiche, ou kasher, em hebraico (admitem-se as duas versões em português).

Hierarquia

Não há.

Liturgia

Rezam três vezes ao dia: de manhã, à tarde e ao anoitecer. A oração pode ser individual ou coletiva (mínimo de dez pessoas). Como sinal de respeito a Deus, cobrem a cabeça para orar, com um chapéu ou uma quipá (solidéu).

Nome do templo

Sinagoga.

Principais ramos

liberal – Aceita a modernização do culto. Homens e mulheres sentam-se juntos na sinagoga, e mulheres participam da leitura da Torá.

ortodoxo – Mais conservador. Homens e mulheres participam do culto separadamente.

Principais comemorações

Rosh Hashaná – Ano Novo judaico, comemorado nos dias 1º e 2 do mês judaico Tishrei (geralmente setembro ou outubro). A contagem do calendário judaico começa na simbólica criação do mundo. O ano litúrgico termina com quatro dias de jejum em memória da destruição dos templos judaicos, em 586 a.C. e em 70 d.C.

Iom Kipur – Dia do Perdão, quando os judeus pedem perdão a Deus pelos pecados; em setembro ou outubro.

Sukot (tabernáculo) – Comemora, normalmente em outubro, os 40 anos durante os quais o povo judeu viveu no deserto.

Hanukah (dedicação) – Comemora o triunfo dos macabeus sobre o governante grego Antióquio 4º e a reconsagração do templo de Jerusalém. É a festa das luzes, em dezembro ou janeiro.

Purim (porções) – Lembra a história da salvação dos judeus persas, em fevereiro ou março.

Pessach (passagem) – A Páscoa judaica, que comemora a saída dos judeus do Egito, onde eram escravos, normalmente em abril.

Shavuot (Pentecostes) – Celebra o momento em que Deus entregou a Torá, no monte Sinai, ao povo de Israel, em maio ou junho.

Lugares santos

Jerusalém, Hebron.

Países em que é mais importante

Israel, EUA.

B. Cristianismo (tabela → pág. 190)

Fundação

Oriente Médio, por Jesus Cristo, início da Era Cristã.

Doutrina

Segue a palavra e o exemplo de Jesus Cristo, filho de Deus, que sacrificou sua vida na cruz pela humanidade. A doutrina se baseia na ressurreição de Cristo, na mensagem de fraternidade e na promessa de salvação e vida eterna.

1. Catolicismo

Fundação

Oriente Médio, por Jesus Cristo, início da Era Cristã. A sede fica no Vaticano.

Doutrina

Baseia-se nos princípios básicos do cristianismo. A Igreja Católica tem sete sacramentos: batismo, confirmação (ou crisma), eucaristia (o corpo e o sangue de Cristo se fazem presentes no pão e no vinho, respectivamente), penitência (perdão dos pecados), ordem (sacerdócio), matrimônio e unção dos enfermos (antigamente conhecida como extrema-unção). Acredita na virgindade de Maria. Não aceita o divórcio, a anticoncepção artificial e o aborto. O clero é apenas masculino e celibatário. A confissão –em que o fiel declara suas faltas, arrepende-se, recebe penitência e é perdoado– deve ser feita individualmente. É obrigatória antes da comunhão, se o fiel se encontra em pecado.

Hierarquia

papa – Considerado o sucessor do apóstolo Pedro, que foi o primeiro papa da Igreja Católica Apostólica Romana. Para o catolicismo, a autoridade papal provém diretamente de Jesus Cristo, por intermédio de Pedro.

cardeal – Mais alto dignitário da Igreja Católica depois do papa. Quando o papa morre, os cardeais se reúnem em conclave (assembleia fechada) para eleger seu sucessor.

bispo – Considerado sucessor dos apóstolos; responsável, com o papa, pela administração de uma diocese (reunião de paróquias).

padre – Todo batizado que recebeu ordenação sacerdotal. Responsável por uma paróquia ou por serviços da igreja. Existem padres seculares (fixos em sua diocese) e missionários.

Liturgia

A celebração principal é a missa (na Igreja Católica, refere-se à celebração da eucaristia), a que devem comparecer os fiéis todos os domingos. A maior parte das igrejas tem missas diariamente. Há ainda outras celebrações sem a presença do padre, em torno da palavra de Deus.

Nome do templo

Igreja.

Principais ramos

Igreja Católica Apostólica Romana – Considera-se herdeira e continuadora da missão evangelizadora que Jesus Cristo outorgou aos apóstolos. Há outras Igrejas Católicas, como a Armênia, a Caldeia (Iraque, Síria, Líbano e Egito), a Greco-Melquita, a Maronita (Líbano), a Croata, a Ucraniana, a Grega e a Bielo-Russa. As diferenças dizem respeito sobretudo à língua litúrgica e ao rito (adotam outros ritos, como o bizantino, o siríaco e o caldeu. O mais comum é o latino, utilizado pela Igreja Católica Romana).

Renovação Carismática Católica – Movimento surgido na década de 60 nos EUA, na esteira do movimento protestante pentecostal. Como este, valoriza os carismas (dons concedidos pelo Espírito Santo); mas também o culto a Maria, a figura do papa e o catolicismo. Prega o reavivamento da vivência dos sacramentos e oração intensa. O dom de curar é valorizado. A Renovação Carismática Católica acredita que a cura é a resposta de Deus à oração e que a missa também funciona como um sacramento pelo qual Jesus cura as enfermidades. Em seus encontros, o dom de orar em diversas línguas é praticado. Acredita que algumas pessoas recebem mensagens e profecias, que são interpretadas.

Igreja Católica Armênia – Adota o rito oriental. Sua sede fica em Beirute.

Igreja Católica Caldeia – Adota a liturgia siríaca oriental, atuando no Iraque, na

Síria, no Líbano e no Egito. O patriarca fica em Mosul (Iraque).

Igreja Greco-Melquita – Adota a liturgia bizantina em árabe, tendo seguidores libaneses, sírios, egípcios, jordanianos e palestinos.

Igreja Maronita – Fundada por Marun, ermitão cristão do final do século 4º. Os maronitas formam a maior comunidade cristã do Líbano.

Principais comemorações

Advento – Período de quatro semanas preparatórias para o Natal.

Natal – Dia em que se comemora o nascimento de Jesus Cristo (25 de dezembro).

Quaresma – Os 40 dias que vão da Quarta-Feira de Cinzas até o Domingo de Páscoa, destinados à penitência (arrependimento por falta cometida).

Semana Santa – Período que comemora a instituição da eucaristia, a morte de Jesus e sua ressurreição.

Páscoa – Celebra a ressurreição de Cristo. A Páscoa, festa principal dos católicos, é comemorada no primeiro domingo após a primeira lua cheia da primavera do hemisfério Norte, geralmente em abril.

Pentecostes – Quinquagésimo, em grego. Manifestação do Espírito Santo aos apóstolos no quinquagésimo dia após a ressurreição de Jesus. Celebrada 50 dias após a Páscoa.

Lugares santos

Jerusalém, Belém, Nazaré, Roma.

Países em que é mais importante

Itália, Brasil, Polônia, México, Filipinas.

2. Igreja Ortodoxa

Fundação

O Cisma de 1054 marca a separação entre a Igreja Católica Romana e a Igreja Ortodoxa.

Doutrina

Baseia-se nos princípios básicos do cristianismo. Não aceita o papa como chefe universal da igreja. Não usa estátuas, e sim ícones, que são considerados janelas para Deus e têm grande importância para a Igreja Ortodoxa. Normalmente retratam Jesus Cristo, santos e acontecimentos cristãos. Há leis canônicas para a pintura dos ícones. Alguns padres ortodoxos são casados. O matrimônio é permitido apenas antes da ordenação. Os bispos são sempre celibatários.

Hierarquia

patriarca – Chefe de cada Igreja Ortodoxa (grega, russa etc.).

bispo – Responsável pelas ordenações.

padre – Celebra missa, batismo, casamento.

diácono – Ajuda o celebrante da missa na liturgia, por meio de leituras bíblicas, por exemplo. Cuida da área social e da parte administrativa.

Liturgia

A celebração principal é a missa, a que devem comparecer os fiéis todos os domingos. A liturgia é normalmente mais longa que a católica e recorre a mais cultos, seguindo o rito bizantino. Os fiéis normalmente participam da missa em pé.

Nome do templo

Igreja.

Principais ramos

Igreja Ortodoxa Russa, Igreja Ortodoxa Grega, Igreja Ortodoxa Sérvia.

Diferem sobretudo quanto à língua litúrgica, aos ritos e ao calendário.

Principais comemorações

A primeira data se refere à adotada normalmente pela Igreja Ortodoxa Grega, e a segunda, à adotada pela Igreja Ortodoxa Russa.

Páscoa – Celebra a ressurreição de Cristo, normalmente em abril ou maio.
Natal – Dia em que se comemora o nascimento de Jesus Cristo: 25 de dezembro (7 de janeiro).
Circuncisão de Cristo – 1º de janeiro (14 de janeiro).
Epifania – 6 de janeiro (19 de janeiro).
Transfiguração de Cristo – 6 de agosto (19 de agosto).
Exaltação da Santa Cruz – 14 de setembro (27 de setembro).
Apresentação de Jesus Cristo no templo – 2 de fevereiro (15 de fevereiro).
Domingo de Ramos – Entrada de Jesus Cristo em Jerusalém, normalmente em março ou abril.
Ascensão de Jesus – 40 dias após a Páscoa.
Pentecostes – 50 dias após a Páscoa.
Anunciação de Nossa Senhora – 25 de março (7 de abril).
Dormição (morte física) de Nossa Senhora – 15 de agosto (28 de agosto).
Natividade de Nossa Senhora – 8 de setembro (21 de setembro).
Apresentação de Nossa Senhora no templo – 21 de novembro (4 de dezembro).

Lugares santos
Jerusalém, Belém, Nazaré.

Países em que é mais importante
Rússia, Grécia, Romênia, Ucrânia, Síria.

3. Igreja Anglicana

Fundação
A Igreja Anglicana surgiu, na Inglaterra, no século 3º. O rompimento do rei inglês Henrique 8º com o papa Clemente 7º, em 1534, marca a separação entre a Igreja Católica e a Igreja Anglicana.

Doutrina
Baseia-se no tripé Escrituras-Tradição-Razão. Afirma seguir a palavra e o exemplo de Jesus Cristo. As igrejas anglicanas são autônomas nos diferentes países em que se encontram. Não há um órgão central. Bispos são eleitos pelo clero e pelos leigos. Aceita o divórcio. O clero é composto por homens e, mais recentemente, mulheres; casamentos são permitidos.

Hierarquia
Arcebispo (o mais importante, historicamente, é o de Cantuária), bispo, reverendo, diácono (não celebra missa).

Liturgia
A celebração principal é a missa, a que devem comparecer os fiéis todos os domingos. Apenas algumas igrejas têm missas diariamente. Há ainda outras celebrações sem a presença do reverendo, em torno da palavra de Deus.

Nome do templo
Igreja ou paróquia.

Principal ramo
Episcopal – Forma como é conhecida nos EUA.

Principais comemorações
Advento – Período de quatro semanas preparatórias para o Natal.
Natal – Dia em que se comemora o nascimento de Jesus Cristo.
Quaresma – Os 40 dias que vão da Quarta-Feira de Cinzas até o Domingo de Páscoa, destinados à penitência.
Semana Santa – Período que comemora a instituição da eucaristia, a morte de Jesus e sua ressurreição.
Páscoa – Celebra a ressurreição de Cristo.
Pentecostes – Manifestação do Espírito Santo aos apóstolos no quinqua-

gésimo dia após a ressurreição de Jesus. Celebrada 50 dias após a Páscoa.

Lugares de importância religiosa
Jerusalém, Belém, Nazaré, Cantuária (onde foi estabelecida a primeira sede, em 597).

Países em que é mais importante
Inglaterra, EUA, Austrália, África do Sul.

4. Igreja Batista

Fundação
Os batistas reivindicam como origem movimentos de renovação anteriores a Lutero. Há três teorias mais difundidas: 1) são originários dos anabatistas, que pregavam o rebatismo dos fiéis; 2) descendem dos que foram batizados por João Batista no rio Jordão, mantendo uma sucessão histórica ininterrupta (teoria conhecida pela sigla JJJ, de Jerusalém-Jordão-João); 3) surgiram de movimentos separatistas ingleses, no início do séc. 17.

Doutrina
Valoriza o batismo e defende sua realização a partir do momento em que uma pessoa consegue reconhecer seus pecados. O batismo deve ser feito por meio da imersão na água (normalmente, no batistério). A salvação eterna não está relacionada à realização de boas obras.

Hierarquia
Pastor (dirige a igreja), ministro de educação religiosa, ministro de música sacra, ministro de missões (apenas algumas igrejas têm), assessores do pastor.

Liturgia
Cultos normalmente às quartas e domingos. Não há separação entre homens e mulheres; normalmente, há um sermão sobre temas diversos, à luz da Bíblia. Em geral, os cultos têm música.

Nome do templo
Igreja.

Principais ramos (no Brasil)
Convenção Batista Brasileira – Mais tradicional, enfatiza a evangelização.
Convenção Batista Nacional – Destaca os dons do Espírito Santo, como glossolalia (falar línguas desconhecidas), cura, profecia e sabedoria. Os cultos são mais livres que os da Convenção Batista Brasileira. Incluem palmas, por exemplo.

Principais comemorações
Natal – Dia em que se comemora o nascimento de Jesus Cristo.
Páscoa – Celebra a ressurreição de Cristo.
Dia da Juventude Batista – Terceiro domingo de agosto.
Dia do Pastor – Segundo domingo de junho.
Dia de Educação Feminina – 23 de junho.
Dia da Educação Teológica – Segundo domingo de novembro.
Dia da Bíblia – Primeiro domingo de dezembro.

Países em que é mais importante
EUA, Brasil.

5. Protestantismo

Movimento cristão surgido com a Reforma protestante, realizada, no séc. 16, pelo teólogo alemão Martinho Lutero (1483-1546), que rompeu com a Igreja Católica. Os protestantes não reconhecem a autoridade do papa. Lutero aboliu a confissão obrigatória, o jejum e o celibato clerical. O protestantismo rejeita o culto a Maria e aos santos. A maioria dos protestantes admite o divórcio e métodos anticoncepcionais não naturais. Divide-se em protestantismo histórico e protestantismo pentecostal.

5.1. Protestantismo histórico

Corrente do protestantismo que compreende as igrejas formadas a partir da Reforma, como a Luterana, a Calvinista e a Metodista.

a) Igreja Luterana

Fundação

Alemanha, por Martinho Lutero, séc. 16. Primeira igreja saída da Reforma.

Doutrina

Baseia-se nos princípios gerais do protestantismo, estabelecidos pelo próprio Lutero. Só aceita os sacramentos do batismo e da Santa Ceia. A comunidade pode escolher seus pastores, e todos os batizados são considerados sacerdotes. Acentua-se a autoridade única da Bíblia, não sendo necessária a interpretação de um sacerdote. Em alguns ramos, mulheres podem ser pastoras.

Hierarquia

Pastor-presidente, pastores sinodais, que presidem os vários sínodos (assembleias), pastor.

Liturgia

Cultos aos domingos. A maioria das igrejas luteranas fica fechada nos outros dias. Música, canto e coral são comuns no culto. A prédica (sermão) se baseia em textos bíblicos para discutir temas diversos e dar orientações para a vida cotidiana. Uma ou duas vezes por mês, há um culto com a Santa Ceia (pão e vinho ou suco de uva, representando o corpo e o sangue de Cristo).

Nome do templo

Igreja.

Principais ramos

Federação Luterana Mundial – Acredita que o texto bíblico é inspirado pelo Espírito Santo em seu conteúdo, mas deve ser analisado conforme o contexto. No Brasil, IECLB (Igreja Evangélica de Confissão Luterana do Brasil).

Conselho Luterano Internacional – Mais conservador, formado sob a liderança do Sínodo de Missouri (EUA). Acredita que o texto bíblico é de inspiração verbal do Espírito Santo. No Brasil, Ielb (Igreja Evangélica Luterana do Brasil).

Principais comemorações

Advento – Período de quatro semanas preparatórias para o Natal.

Natal – Dia em que se comemora o nascimento de Jesus Cristo (25 de dezembro).

Quaresma – Os 40 dias que vão da Quarta-Feira de Cinzas até o Domingo de Páscoa, destinados à penitência.

Semana Santa – Período que comemora a instituição da eucaristia, a morte de Jesus e sua ressurreição.

Páscoa – Celebra a ressurreição de Cristo.

Pentecostes – Manifestação do Espírito Santo aos apóstolos no quinquagésimo dia após a ressurreição de Jesus. Celebrada 50 dias após a Páscoa.

Dia da Reforma – 31 de outubro.

Lugares de importância religiosa

Jerusalém, Belém, Nazaré.

Países em que é mais importante

Alemanha, Dinamarca, Suécia, Noruega, Finlândia, EUA, Canadá.

b) Igreja Calvinista

Fundação

França, séc. 16, pelo teólogo francês João Calvino (1509-1564).

Doutrina
Além dos princípios gerais do protestantismo, afirma o dogma da predestinação, segundo o qual o homem está destinado à salvação ou à condenação por escolha divina. Dá grande ênfase à disciplina.

Hierarquia
Conselho de sábios (eleito pelos membros da igreja), pastor.

Liturgia
Culto aos domingos.

Nome do templo
Igreja.

Principais ramos (no Brasil)
No Brasil, os grupos de tradição calvinista mais importantes são os presbiterianos. Principais igrejas: IPB (Igreja Presbiteriana do Brasil), Ipib (Igreja Presbiteriana Independente do Brasil), IPRB (Igreja Presbiteriana Renovada do Brasil), Ipub (Igreja Presbiteriana Unida do Brasil), Igreja Pentecostal Presbiteriana e União de Igrejas Evangélicas Congregacionais.

Principais comemorações
Advento – Período de quatro semanas preparatórias para o Natal.
Natal – Dia em que se comemora o nascimento de Jesus Cristo.
Semana Santa – Período que comemora a instituição da eucaristia, a morte de Jesus e sua ressurreição.
Páscoa – Celebra a ressurreição de Cristo.
Pentecostes – Manifestação do Espírito Santo aos apóstolos no quinquagésimo dia após a ressurreição de Jesus. Celebrada 50 dias após a Páscoa.

Países em que é mais importante
França, Canadá, Holanda, EUA.

c) Igreja Metodista

Fundação
Inglaterra, 1738. John Wesley fez reuniões metódicas para exercícios espirituais (daí o nome metodista) e fundou sociedades metodistas dentro da Igreja Anglicana. Não tinha a intenção de fundar uma nova igreja e morreu como anglicano.

Doutrina
Baseia-se nos princípios gerais do protestantismo. Aceita o batismo simbólico das crianças, defende ser a palavra de Deus suficiente para a salvação e rejeita a doutrina da predestinação. Acredita na cura divina e na manifestação do Espírito Santo.

Hierarquia
Concílio geral – Representantes de várias igrejas de um país discutem as diretrizes gerais da igreja e elegem os bispos.
Colégio de bispos (oito no Brasil, responsáveis por oito regiões no país) – Formado por um bispo-presidente e mais sete bispos de região. Dirige a parte doutrinária e espiritual da igreja.
Coordenadoria de Ação Missionária – Formada por três bispos, três pastores e seis leigos. Responsável pela parte administrativa.
Regiões eclesiásticas – Englobam um ou mais Estados do Brasil. Cada uma tem um bispo responsável. A região é dividida em distritos (que reúnem algumas igrejas). Cada um tem um superintendente distrital.
Igrejas – Comandadas pelos pastores.

Liturgia
Cultos aos domingos, dos quais homens e mulheres participam juntos. Há música com instrumentos. A comunidade participa por meio de cantos, leitura da

Bíblia e oração. O sermão aborda temas diversos, como problemas familiares e da sociedade, à luz da Bíblia. Em geral, a Santa Ceia (pão e suco de uva, representando o corpo e o sangue de Cristo) é realizada, durante o culto, no primeiro domingo do mês.

Nome do templo

Igreja.

Principais ramos

Igreja Metodista Unida – Mais difundida nos EUA.

Igreja Metodista do Brasil – Tem projetos comuns na área social, por exemplo, com a Igreja Metodista Unida. Batismo feito, comumente, por aspersão (água na cabeça).

Igreja Metodista Livre – Batismo por imersão na água.

Igreja Metodista Wesleyana – De cunho pentecostal.

Principais comemorações

Advento – Período de quatro semanas preparatórias para o Natal.

Natal – Dia em que se comemora o nascimento de Jesus Cristo (25 de dezembro).

Semana Santa – Período que comemora a instituição da eucaristia, a morte de Jesus e sua ressurreição.

Páscoa – Celebra a ressurreição de Cristo.

Pentecostes – Manifestação do Espírito Santo aos apóstolos no quinquagésimo dia após a ressurreição de Jesus. Celebrada 50 dias após a Páscoa.

Lugares de importância religiosa

Jerusalém, Belém, Nazaré.

Países em que é mais importante

EUA, Inglaterra.

5.2. Protestantismo pentecostal

Corrente do protestantismo que surgiu em Topeka (EUA), em 1901, e Los Angeles (EUA), em 1906. Difundiu-se rapidamente nos EUA e nos países do Terceiro Mundo. Os pentecostais acreditam nos dons do Espírito Santo, como glossolalia (falar línguas desconhecidas), cura, profecia e sabedoria. Seus cultos são caracterizados por expressões de êxtase e forte emoção. A maioria dessas igrejas cobra dízimo. Há ênfase na pregação do Evangelho e nas orações coletivas feitas em voz alta. Divide-se em pentecostalismo tradicional e neopentecostalismo.

5.2.1. Pentecostalismo tradicional

No Brasil, as principais igrejas são: Assembleia de Deus, Congregação Cristã do Brasil, Evangelho Quadrangular e O Brasil para Cristo.

a) Assembleia de Deus

Fundação

Surgiu no Brasil, em 1911, de uma cisão dos batistas de Belém (PA), sob a influência de dois missionários pentecostais suecos vindos dos EUA. Organizou-se nos moldes do pentecostalismo americano. É a maior igreja pentecostal do Brasil.

Doutrina

Acredita nos dons do Espírito Santo. Não há culto aos santos nem a Maria. Há ênfase na pregação do Evangelho e no ensino (escolas dominicais). Cobra dízimo.

Hierarquia

Pastor (dirige culto, participa de convenções ministeriais), evangelista (divulga a religião, dirige culto, participa de convenções ministeriais), presbítero (dirige culto, realiza casamentos), diácono, cooperador. A instância maior de autoridade é a Convenção dos Pastores.

Liturgia

Nos cultos, os fiéis cantam e oram em voz alta, com os braços estendidos. Há cultos de portas abertas e outros restritos (vigílias de oração). Os simples crentes também podem pregar.

Nome do templo

Templo.

Principais ramos

Convenção Geral das Assembleias de Deus no Brasil e Convenção Nacional de Madureira das Assembleias de Deus.

Principais comemorações

Santa Ceia – Uma vez por mês.

Países em que é mais importante

EUA, Brasil.

b) Congregação Cristã do Brasil

Fundação

Nasceu de uma cisão dos presbiterianos. Formada no Brasil em 1910, por Luigi Francescon.

Doutrina

Acredita nos dons do Espírito Santo. Não há cultos aos santos ou a Maria. Não cobra dízimo, e os membros não são registrados. Batismo de imersão é realizado com água corrente.

Hierarquia

Ancião, cooperador, diácono, porteiro.

Liturgia

Durante os cultos, realizados sobretudo aos sábados e domingos, homens e mulheres (com a cabeça coberta) se sentam separadamente. Qualquer crente (homem) pode pregar.

Nome do templo

Casa de oração.

Principais comemorações

Santa Ceia – Uma vez por ano.

Países em que é mais importante

Brasil, Argentina, Portugal, Itália.

c) Evangelho Quadrangular – Criada nos EUA, em 1918, chegou ao Brasil na década de 40. Enfatiza o dom da cura e da capacidade de falar em línguas desconhecidas (glossolalia).

d) O Brasil para Cristo – Fundada, em 1955, pelo brasileiro Manuel de Melo, que foi pastor da Assembleia de Deus e da Evangelho Quadrangular. Os cultos são marcados pelas orações espontâneas e pelo testemunho dos fiéis, que também podem pregar.

5.2.2. Neopentecostalismo

Movimento surgido na década de 70 do século 20 que dá maior ênfase aos rituais de exorcismo e cura. Segue a teologia da prosperidade, que assegura que a felicidade, o sucesso e a prosperidade devem ser encontrados nesta vida. Os neopentecostais têm hábitos morais menos rígidos que os pentecostais tradicionais.

a) Igreja Universal do Reino de Deus

Fundação

Em 1977, por Edir Macedo. Principal igreja neopentecostal brasileira.

Doutrina

Baseia-se nos princípios gerais do cristianismo. Acredita que o mundo está tomado por demônios e a tarefa dos pastores é exorcizá-los.

Hierarquia

Bispo primaz, bispos, pastores, obreiros.

Liturgia

Cultos diários.

Nome do templo

Igreja.

Principais comemorações
Santa Ceia – Duas vezes por mês.
Lugares de importância religiosa
Jerusalém, Belém, Nazaré, monte Sinai.
Países em que é mais importante
Brasil, EUA. A partir do Brasil, espalhou-se por países da América do Norte, América do Sul, Europa e África.

b) Igreja Internacional da Graça de Deus – Fundada em 1980, no Rio de Janeiro.

c) Comunidade Evangélica Sara Nossa Terra – Fundada em 1976, em Goiás.

d) Renascer em Cristo – Fundada em 1986, em São Paulo.

e) Deus É Amor – Criada por Davi Miranda, em 1962, em São Paulo.

6. Igrejas paralelas à Reforma

a) Igreja Adventista
Fundação
EUA, por William Miller (1782-1849), que anunciava a volta de Cristo à Terra em 1844. Apesar de não realizada a profecia, a igreja, com novos líderes, continuou a incorporar fiéis. Existe no Brasil desde 1894.
Doutrina
Acredita que a volta de Cristo está próxima e que os mortos dormem, inconscientes, até a ressurreição.
Hierarquia
Pastor (realiza cultos, batismo, casamento), ancião (auxiliar do pastor na administração), diácono (realiza cultos).
Liturgia
Cultos realizados no sábado (dia sagrado), reuniões aos domingos (evangelistas) e às quartas (de oração).
Nome do templo
Igreja.
Principais ramos
Igreja Adventista do Sétimo Dia – Igreja Adventista do Sétimo Dia, Igreja Adventista do Sétimo Dia/ Movimento de Reforma e Igreja Adventista da Promessa.
Principais comemorações
Advento – Período de quatro semanas preparatórias para o Natal.
Natal – Dia em que se comemora o nascimento de Jesus Cristo (25 de dezembro).
Semana Santa – Período que comemora a instituição da eucaristia, a morte de Jesus e sua ressurreição.
Páscoa – Celebra a ressurreição de Cristo (mesma data da católica).
Países em que é mais importante
Brasil, EUA, África do Sul, Angola, Zimbábue.

b) Igreja de Jesus Cristo dos Santos dos Últimos Dias (mórmons)
Fundação
Fundada em 1830, pelo norte-americano Joseph Smith (1805-1844). A sede da igreja fica em Salt Lake City (Utah, EUA). Os primeiros missionários chegaram ao Brasil em 1928.
Doutrina
Popularmente conhecida como Igreja Mórmon (nome do livro que o fundador teria recebido das mãos de um profeta, Moroni). Possui quatro livros canônicos: "Livro de Mórmon", Bíblia, "Doutrina e Convênios" e "Pérola de Grande Valor". Acredita que o casamento não termina com a morte. Faz ordenanças especiais de ligação da família para a eternidade.

Hierarquia
As principais funções são: presidentes de estacas (diocese), bispo (responsável pela paróquia e por seus membros), élderes (missionários). Cúpula administrativa: presidente, primeiro conselheiro e segundo conselheiro.
Liturgia
A reunião sacramental (forma como o culto é conhecido, devido à aceitação do sacramento: água e pão, que simbolizam o sangue e o corpo de Cristo) acontece aos domingos. Realizam-se discursos sobre temas diversos, como saúde e espiritualidade, além da oração. Há ainda estudo das Escrituras e escola dominical.
Nome do templo
Capela (onde há a reunião sacramental) ou templo (para cerimônias especiais, como casamento).
Países em que é mais importante
EUA, México, Brasil.

c) Testemunhas de Jeová
Fundação
EUA, final do século 19. Até 1931, eram conhecidos como Estudantes da Bíblia. No Brasil desde 1923.
Doutrina
Rejeita as noções de inferno e de imortalidade da alma e acredita que o Diabo influencia os governos humanos. Fiéis defendem a prática de uma vida moderada e a submissão das mulheres aos homens; condenam a política, a ciência e as religiões. Recusam-se a prestar serviço militar e não aceitam a transfusão de sangue.
Hierarquia
corpo governante – Órgão central da igreja.
corpos de anciões – Cuidam do aspecto espiritual dos membros da congregação (reunião de pessoas no salão do reino) e do ensino (palestras sobre a Bíblia e com base na revista "Sentinela", principal periódico da igreja). Está sob a orientação do corpo governante.
Liturgia
As reuniões normalmente ocorrem três vezes por semana. Há leitura da Bíblia, explicação e debates em torno de temas bíblicos. Reuniões são iniciadas e finalizadas com oração breve feita por uma pessoa, em benefício de todos os membros.
Nome do templo
Salão do reino.
Principais comemorações
Refeição Noturna do Senhor – Celebração anual em memória da morte de Cristo. A data varia, pois é baseada no calendário lunar, normalmente em março ou abril.
Países em que é mais importante
EUA, México, Brasil, Itália.

d) Ciência Cristã
Fundação
EUA, séc. 19, pela norte-americana Mary Baker Eddy (1821-1910).
Doutrina
Não considera que Jesus Cristo seja Deus. Jesus era um homem que manifestou o Cristo (uma ideia divina). Pratica um sistema alternativo de cura que nunca é aplicado simultaneamente ao tratamento médico tradicional. Acredita que a cura ocorre apenas por meios espirituais, pela aplicação de leis divinas. Deus, infinito e única inteligência do Universo, é Pai-Mãe (Vida, Verdade, Amor, Princípio, Espírito, Alma, Mente: termos usados como sinônimos de Deus).

Principais religiões cristãs

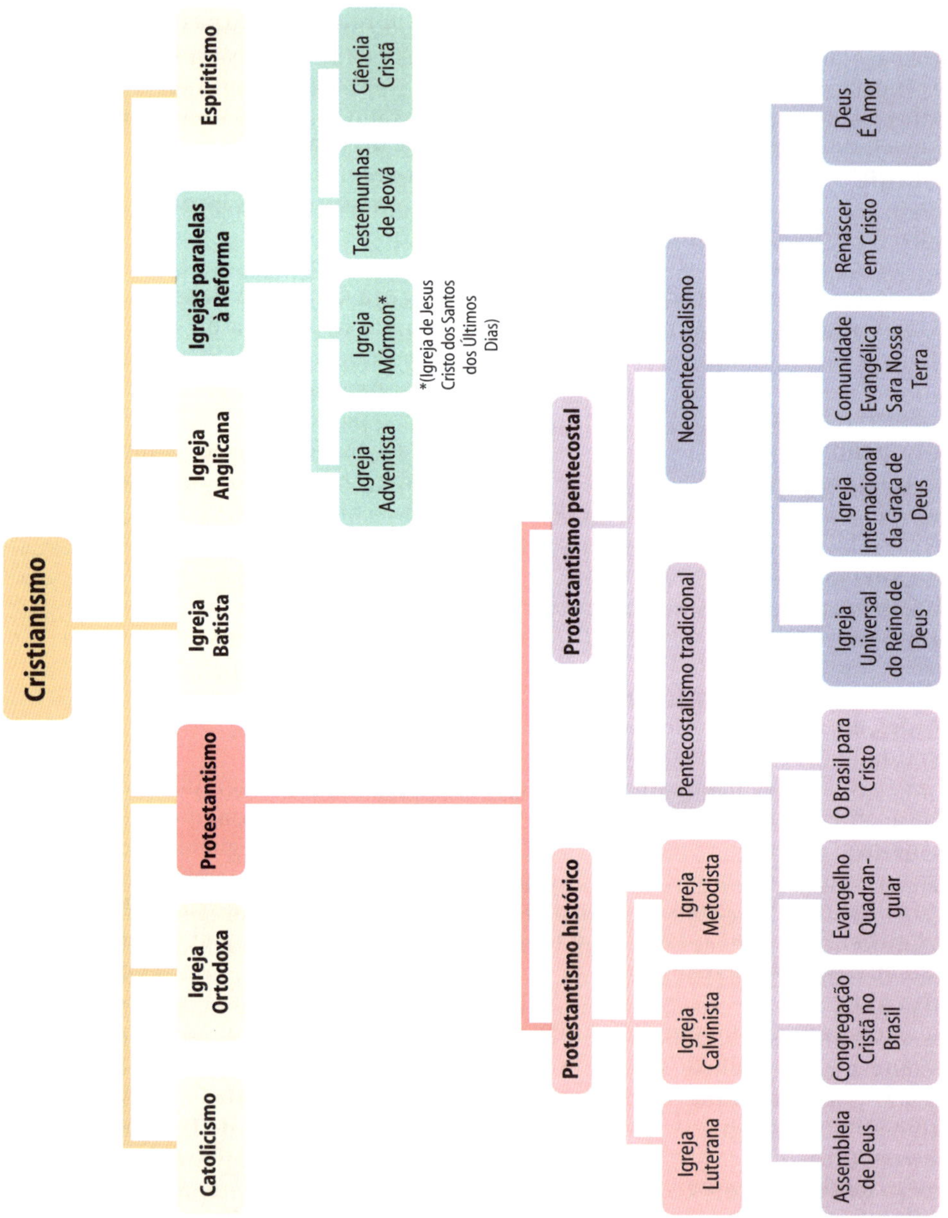

Liturgia
Culto às quartas e domingos.
Nome do templo
Igreja.
Principais comemorações
Natal – Dia em que se comemora o nascimento de Jesus Cristo.
Páscoa – Celebra a ressurreição de Cristo.
Ação de Graças (em novembro) – Agradecimento a Deus.
Países em que é mais importante
EUA, Canadá, Alemanha, Inglaterra, África do Sul, Austrália.

7. Espiritismo

Fundação
Formulado em 1857, no "Livro dos Espíritos", pelo professor francês Allan Kardec (1804-1869), pseudônimo de Hippolyte Léon Denizard Rivail.
Doutrina
Considera Cristo um espírito elevado, enviado de Deus. Acredita no retorno do espírito à Terra em sucessivas encarnações, até atingir a perfeição, e na possibilidade de comunicação entre vivos e mortos, que recorrem a um médium. Isso acontece por meio da psicografia (o médium escreve como se o próprio espírito escrevesse) ou da psicofonia (o espírito utiliza o corpo do médium para falar aos vivos). Há também espíritos inferiores, que dão más orientações.
Liturgia
Palestras (especialmente sobre o Evangelho, segundo o espiritismo) e reuniões com passes, por meio dos quais uma camada vibratória negativa pode ser retirada, com o consentimento do assistido, e substituída por fluidos bons para repor os fluidos retirados. O passe atinge três fatores mais importantes: pensamento, alimentação e sexo. O número de palestras e de reuniões com passes depende do número de voluntários aptos a desempenhar essas funções nos centros. Na federação espírita, há passes diariamente.
Nome do templo
Centro espírita.
País em que é mais importante
Brasil.

8. Igreja Católica Brasileira

Formada na década de 40 a partir da Igreja Católica Apostólica Romana, não é reconhecida pelo Vaticano e não considera o papa o líder da Igreja Católica. Adota liturgia e vestes simplificadas e realiza casamento de desquitados.
tabela das principais religiões cristãs pág. 190 ←

C. Islamismo

Fundação
Península Arábica, pelo profeta Maomé (570-632).
Doutrina
Baseia-se no livro sagrado Alcorão e nos atos, ditos e ensinamentos de Maomé. Os muçulmanos seguem cinco pilares fundamentais: 1) testemunhar que "não há deus senão Deus, e Maomé é o mensageiro de Deus"; 2) orar cinco vezes ao dia em direção a Meca –berço do islamismo e lugar sagrado; 3) pagar o tributo, Zakat, que corresponde a 2,5% da renda anual do muçulmano, para caridade; 4) jejuar no mês de Ramadã, época em que comer, beber e manter relações sexuais são atividades proibidas entre a alvorada e o anoitecer; 5) fazer uma peregrinação a Meca pelo menos uma vez na

vida, para aqueles que têm condições. Os muçulmanos não consomem carne de porco nem bebidas alcoólicas.

Hierarquia

Não há. Existe uma articulação, variável conforme o país, entre autoridades políticas e ulemas ("doutores da lei").

Liturgia

Rezam cinco vezes ao dia em direção a Meca. Quando possível, a oração deve ser feita na mesquita.

Nome do templo

Mesquita.

Principais ramos

sunitas – Os que aceitaram a sucessão estabelecida após a morte de Maomé e seguem a "sunnat annabi" (tradição do profeta). Correspondem a mais de 85% dos muçulmanos de todo o mundo. Arábia Saudita, Síria, Egito e Indonésia são países com maioria sunita.

xiitas - De "shiaat Ali", partido de Ali. Os que não concordaram com a sucessão estabelecida após a morte de Maomé e acreditam que Ali devia ter sido o primeiro califa muçulmano ("khalifa", em árabe, quer dizer sucessor). Para eles, a linhagem sucessória devia ter sido formada por descendentes do profeta –Ali era primo e genro (casado com Fátima) de Maomé. O xiismo é o ramo do islamismo majoritário no Irã.

Principais comemorações

Ramadã – Mês sagrado em que Maomé recebeu a primeira revelação divina. É o nono mês do calendário muçulmano (lunar), que começa em 622 d.C., com a ida do profeta Maomé de Meca para Medina. Do amanhecer ao pôr do sol, os muçulmanos não podem comer nem beber e adotam a abstinência sexual. O Eid al Fitr celebra o fim do jejum realizado durante o Ramadã.

Eid al Adha – A festa do sacrifício. Comemora o sacrifício que Deus exigiu de Abraão, para testar sua fé. Os muçulmanos acreditam que seu filho Ismael ia ser morto, mas foi poupado por Deus. Para os judeus, quem ia ser morto era Isaac.

Lugares santos

Meca, Medina (Arábia Saudita), Jerusalém.

Países em que é mais importante

Países árabes, Irã, Indonésia, Paquistão, Turquia.

D. Religiões afro-americanas

1. Candomblé

Fundação

A religião chegou ao Brasil por meio dos escravos, que a trouxeram da África.

Doutrina

Cultua os orixás, deuses das nações africanas dotados de sentimentos humanos. Cada orixá domina um elemento da natureza e gosta de determinados alimentos. A suprema divindade é Olorum. Para conhecer a vontade dos orixás, é preciso recorrer ao jogo de búzios, que somente a mãe ou o pai de santo podem jogar.

Hierarquia

babalorixá – Pai de santo, chefe do terreiro.

ialorixá – Mãe de santo, chefe do terreiro.

ogã e equede – Não incorporam orixás, mas têm funções importantes. Há diversos tipos de ogã. Alguns tocam atabaque, outros cuidam da oferenda de animais. A equede, que não recebe o santo, cuida do orixá quando incorporado, faz comida e realiza outras funções.

ebômi – Filho de santo (ou filha de santo) graduado, depois da obrigação de sete anos (recolhimento feito após um período de sete anos no qual a pessoa aprende a participar dos rituais, faz comida etc.).
iaô – Filho de santo (ou filha de santo) iniciado há menos de sete anos.
abiã – Aspirante à iniciação.

Liturgia

Os terreiros fazem oferendas aos orixás, a maioria diariamente. Há oferendas de diversos alimentos, para pedir benefícios ou agradecer por eles, incluindo milho, feijão, animais e ervas. Há também festas, com danças, durante as quais os orixás "descem" nos seus filhos.

Nome do templo

Terreiro.

Principais ramos

Há ramos diferentes, com costumes diversos, segundo a origem (Nigéria, Benin, Angola etc.). Os principais são keto, angola e gege. Diferem em relação à língua, às danças e ao toque do atabaque dedicado ao orixá. Além dessas distinções, os cultos recebem nomes diferentes conforme a região do Brasil: candomblé na Bahia, xangô em Pernambuco, Sergipe e Alagoas, tambor de mina no Maranhão, batuque no Rio Grande do Sul.

Principais comemorações

Festas anuais em homenagem aos orixás. O calendário de festas varia de um templo a outro.

Lugares santos

Ife, Osogbo, Oyo (Nigéria). Há ainda outros lugares santos em Angola, Costa do Marfim, Moçambique e outros países.

Países em que é mais importante

Brasil, Nigéria, Angola, Benin.

2. Umbanda

Fundação

Rio de Janeiro, anos 30.

Doutrina

Formada a partir de crenças e rituais africanos, indígenas e europeus. Acredita que o Universo é povoado de entidades espirituais, os guias, como o Caboclo, o Preto Velho e a Pombagira. Eles entram em contato com os homens por meio de um iniciado (o médium), que os incorpora.

Hierarquia

pais ou mães de santo – Principais autoridades, incorporam as entidades e presidem as sessões.
filhos ou filhas de santo – Médiuns que incorporam guias.
ogã – Toca o atabaque.
cambone – Auxiliar, anota o que o Preto Velho diz, prepara o fumo.
abiã – Iniciante.

Liturgia

Adeptos fazem oferendas nas sessões de umbanda. Há também sessões de consulta, em que as pessoas conversam com as entidades, a fim de obter ajuda. O chefe do culto é a babá (sacerdote feminino) ou o babalaô (sacerdote masculino).

Nome do templo

Terreiro.

Principais ramos

Os terreiros são autônomos, mas há várias federações estaduais.

Principais comemorações

20 de janeiro – Oxóssi
2 de fevereiro – Iemanjá
23 de abril – Ogum
13 de maio – pretos velhos
15 de agosto – Oxum
16 de agosto – Abaluaê
30 de setembro – Xangô

15 de novembro – fundação da umbanda
25 de dezembro – Oxalá
As datas podem variar em diferentes regiões do país.

País em que é mais importante
Brasil.

3. Vodu
Crença e culto religioso originário da África, onde continua vigente (em países como Congo, Nigéria e Benin). É comum atualmente no Haiti. Inclui sacrifício de animais e possessões. Por meio do transe, o praticante interage com a divindade. Assemelha-se ao candomblé.

4. Santeria
Religião de origem africana, semelhante ao candomblé, comum em Cuba.

E. Religiões orientais

1. Hinduísmo
Fundação
As tradições do hinduísmo remontam ao segundo milênio antes de Cristo, na Índia. A doutrina foi consolidada ao longo dos séculos seguintes.

Doutrina
A divindade é vista como uma tríade principal: 1) Brahma, o criador; 2) Vishnu (Krishna), o preservador; 3) Shiva, o destruidor. Há milhares de deuses e deusas, considerados aspectos diversos da divindade. Os seres humanos estão inseridos num ciclo de vida e morte (samsara). Esse ciclo acaba quando a alma, depois de sua total purificação, alcança a libertação definitiva. Quem fez o bem renasce num ser mais nobre; quem fez o mal renasce numa pessoa pertencente a uma casta inferior ou no corpo de um animal. O texto mais importante é o "Bhagavad Gita" ("Canto do Sublime" ou "Canto do Divino Mestre"). Não há conversão. Só pode ser hindu quem nasce hindu.

Hierarquia
Estrutura de castas, que determina lugares diferentes na sociedade e os tipos de relacionamento (incluindo casamentos, que normalmente não ocorrem entre membros de castas diferentes).

Há quatro castas mais importantes: sacerdotes ou brâmanes, dirigentes, agricultores e comerciantes, artesãos. Os párias estão fora das castas; são formados por excluídos de uma casta e crianças nascidas de relacionamento incestuoso ou de adultério. O sistema de castas foi abolido pela Constituição da Índia em 1949, mas ainda vigora em parte do país, principalmente fora dos grandes centros urbanos.

Liturgia
A oração deve ser feita pelo menos duas vezes ao dia, ao nascer e ao pôr do sol. Rezam-se ou cantam-se trechos dos Vedas (livros sagrados, formados por quatro coleções: "Rigveda", "Samaveda", "Yajurveda" e o "Atharvaveda"). Flores e fogo são oferecidos à divindade que se quer honrar.

Nome do templo
Templo.

Principais ramos
vaishvanismo – Considera Vishnu (Krishna) a principal divindade.
shivaísmo – Considera Shiva, o destruidor, a principal divindade.

Principais comemorações
As grandes festas variam de acordo com as regiões e as divindades celebradas. Em geral, reúnem multidões. Estão entre as mais importantes: a que celebra a primei-

ANEXO de religiões

ra colheita de arroz e honra os animais domésticos, no sul da Índia; a festa em homenagem a Shiva, durante a qual os fiéis passam a noite no templo; e a festa em honra de Krishna, que anuncia a chegada da primavera.

Lugares de importância religiosa

O rio Ganges e a cidade de Benares (Varanasi) são as principais metas das peregrinações. O fiel deve mergulhar, ao menos uma vez na vida, nas águas do rio sagrado. A grande esperança é poder morrer na beira do Ganges, para que a alma, purificada de todos os pecados, possa alcançar a libertação definitiva.

Países em que é mais importante

Índia, Sri Lanka, Malásia.

2. Hare Krishna

Movimento religioso fundado nos EUA, em 1966, pelo indiano A.C. Bhaktivedanta Swami Prabhupada. No Brasil desde 1972. Prega a adoração a Krishna, suprema personalidade de Deus. Os seres humanos são considerados servos eternos de Krishna.

O culto pode ser individual, congregacional e com instrumentos musicais. Estão entre as principais comemorações: Janmastami (aparecimento de Krishna), em agosto ou setembro, e Goura Purniman (comemora o aparecimento de Sri Caitanya Mahaprabhu, avatar de Krishna nesta era), em março. Mayapur, onde Mahaprabhu apareceu em 1486, e Vrndavana, na Índia, são considerados lugares sagrados.

3. Budismo

Fundação

Índia, séc. 6º a.C., por Siddharta Gautama, o Buda (o desperto, o iluminado). No Brasil, missionários budistas chegaram com os imigrantes japoneses desde 1908.

Doutrina

Professa a crença na transmigração das almas (metempsicose). Os seres podem assumir diferentes formas (animal, humana e outras) e estão sujeitos a um processo de nascimentos e mortes sucessivos. Cada pessoa pode se aperfeiçoar e se libertar do ciclo eterno de morte e renascimento. Nesse caso, a pessoa alcança o nirvana – estado de paz e plenitude. Para chegar ao nirvana, é preciso seguir os ensinamentos de Buda, que não é considerado um deus.

A doutrina é baseada nas quatro verdades. As três primeiras são: a existência implica dor, a origem da dor é o desejo e o fim da dor só é possível com o fim do desejo. A quarta verdade prega que a superação da dor só pode ser alcançada por oito caminhos: compreensão, pensamento, palavra, ação, modo de vida, esforço, atenção e meditação corretos.

Hierarquia

Mestre, monge, auxiliar, aspirante.

Liturgia

Há várias escolas, entre elas a tibetana (cujo chefe espiritual é o dalai-lama, considerado a encarnação de Buda), a Terra Pura e o zen-budismo. Cada escola tem procedimentos e algumas crenças diferentes. O zen-budismo enfatiza a meditação, e a Terra Pura, a recitação do nome de Buda. Para parte do budismo, a vida monástica é o caminho ideal para chegar à perfeição.

Nome do templo

Templo.

Principais ramos

Mahayana (Grande Veículo) – Mais liberal. Ensinamentos são mais abertos, destinados a todos. Acredita que todos podem se tornar budas. Monges podem casar. No Brasil, a maioria das escolas segue esse ramo.

Hinayana (Pequeno Veículo) – Mais conservador. O estudo é voltado para o monge. Considera apenas um Buda, da Índia (Shakiamuni). Monges não podem ter relação sexual.

Principais comemorações

A festa mais importante é o nascimento de Buda, celebrado em maio, na noite de lua cheia. A morte de Buda é lembrada em 15 de fevereiro. Os budistas leem o último sermão de Buda e fazem um altar com sua imagem, flores, velas, incenso. No Brasil, atividades ligadas à lembrança dos mortos, nas famílias ou coletivamente (18 de junho e Dia de Finados).

Países em que é mais importante

China, Nepal, Índia, Japão, Sri Lanka, Tailândia, Camboja, Laos, Vietnã.

4. Taoismo

Surgiu dos ensinamentos do sábio chinês Erh Li, o Lao Tsé (velho mestre), que viveu no século 6º a.C. Os taoistas consideram que tudo no mundo é formado por elementos opostos, yin e yang, que estão em eterno movimento e se transformam uns nos outros. Vida e morte são aspectos da mesma realidade. Os taoistas fazem o culto aos ancestrais.

5. Xintoísmo

Religião cujo principal livro sagrado é o Kojiki (narração das coisas antigas), que narra a história do Japão desde a criação do mundo até 628. Seus membros acreditam que o Sol, a Lua, a floresta e os rios possuem um espírito que pode fazer mal ou bem. Além de adorar a natureza, adoravam também o imperador. Após a Segunda Guerra, a devoção ao imperador se enfraqueceu. Fazem oferendas aos antepassados e aos deuses.

6. Bahá'í

Fundada, no Irã, por Hussein Ali (1817-92), que se declarou Bahá'u'lláh (glória de Deus), uma manifestação de Deus. O "Livro Mais Sagrado" e o "Livro da Certeza" estabelecem leis e explicam a natureza de Deus e da religião. Contêm ainda meditações, orações e sermões. Os bahá'ís acreditam na unidade de todas as religiões e na igualdade dos sexos. Os templos são abertos para membros de qualquer religião. Os bahá'ís oram diariamente e jejuam 19 dias por ano. A religião está presente em países como Índia, EUA, Canadá, Uganda, Bolívia e Austrália.

F. Animismo

Acredita que as coisas a nosso redor ultrapassam a mera existência e possuem alma. Tudo na natureza é considerado dotado de vida, incluindo montanhas, rochas e vales; há neles entidades espirituais que não podemos ver. Animais, plantas e rochas são considerados tão importantes quanto os seres humanos.

Glossário geral

agnóstico – Aquele que declara não poder afirmar nem negar a existência do transcendente (Deus, o sobrenatural, o outro mundo).

aiatolá – Muçulmano xiita que possui grande prestígio e é considerado modelo a ser seguido.

Allah – Deus, em árabe. Pode-se usar também a forma aportuguesada, Alá.

amidah – Oração da liturgia judaica. A palavra significa "estar de pé", e os judeus rezam em direção a Jerusalém.

apóstolo (enviado, em grego) – Termo que se refere a cada um dos 12 discípulos de Jesus Cristo. Aplica-se, num sentido mais amplo, àquele que evangeliza ou difunde uma doutrina.

arcebispo – Bispo que rege uma arquidiocese, reunião de dioceses, que são regiões administrativas sob responsabilidade de um bispo.

ashkenazi – Judeu de origem europeia central ou oriental.

bar-mitzvá – Cerimônia que marca a maioridade religiosa do homem judeu, celebrada aos 13 anos.

bat-mitzvá – Cerimônia que marca a maioridade religiosa da mulher judia, celebrada aos 12 anos.

blasfêmia – Palavras ou atos que ultrajam a divindade, símbolos religiosos ou a religião.

califa – Sucessor do profeta Muhammad; mais tarde, chefe político.

circuncisão – Ritual de iniciação que consiste em cortar o prepúcio. Feita por judeus e muçulmanos.

circuncisão feminina – A mutilação genital feminina, ou circuncisão feminina, consiste na extirpação do clitóris (clitoridectomia). Em alguns casos, os pequenos e/ou os grandes lábios da vagina também são retirados. A circuncisão é vista como um ritual tribal de passagem da infância para a maturidade e garante à mulher um bom lugar na tribo. É incorretamente associada ao islamismo. Ocorre em comunidades cristãs, muçulmanas e judias. O costume teria sido originado na África Central, na Idade da Pedra.

cisma – Cisão, separação de uma parte dos membros de uma comunidade. É usado sobretudo para referir-se àqueles na igreja que se separaram da autoridade do papa. A palavra é masculina (o cisma).

dízimo – A décima parte. No Antigo Testamento, era estabelecido o imposto de 10% dos frutos da terra como contribuição para o templo ou para os pobres. Algumas igrejas o adotam atualmente. A Igreja Católica sugere um centésimo da renda familiar.

dogma – Ponto fundamental incontestável numa doutrina religiosa. Na Igreja Católica Romana, ponto de doutrina já por ela definido como expressão legítima e necessária de sua fé. Controvérsias sobre pontos doutrinais importantes podem levar ao estabelecimento de dogmas.

ecumenismo – Movimento surgido nas igrejas protestantes que busca a unidade cristã numa só igreja. Para a Igreja Católica, refere-se a trabalho, palavra, ação ou oração que ajude a unir os cristãos. O diálogo entre religiões diferentes é inter-religioso, não ecumênico. Embora seu uso seja disseminado, evite a expressão "culto ecumênico" em referências a cerimônias que incluam religiões não cristãs.

excomunhão – Pena corretiva pela qual se separa um membro da igreja da comunhão eclesial por delito ou falta muito grave. Em alguns casos, como na prática de aborto, a pessoa é automaticamente excomungada. Em outros, a excomunhão pode ser feita por bispo ou pelo papa, dependendo da gravidade da falta. A pena é reversível.

exorcismo – Rito pelo qual se expulsa um demônio do corpo por ele possuído ou habitado. Na Igreja Católica, só alguns padres especializados, com autorização do bispo, podem praticá-lo, após laudo médico que comprove não haver doença física ou psíquica.

fatwa – Decreto religioso muçulmano.

frade – Do latim "fratre", irmão. Religioso pertencente a uma comunidade em que se emitem votos solenes (promessa solene de servir a Deus). Tem de abdicar de seus bens materiais. No catolicismo, não pode ministrar os sacramentos.

freira – Religiosa de determinada ordem, à qual faz votos solenes. Tem de abdicar de seus bens materiais.

fundamentalismo – Posição teológica em defesa do tradicional. O fundamentalista normalmente toma o texto do livro sagrado de sua religião ao pé da letra. Ser fundamentalista não implica tomar atitudes extremas. Quem o faz é denominado extremista, não fundamentalista.

gói – Termo que, para os judeus, designa o não judeu.

Hagadá – Texto litúrgico da Páscoa judaica.

Hajj – Peregrinação a Meca (Arábia Saudita), que todo muçulmano apto financeira e fisicamente deve realizar pelo menos uma vez na vida.

halal – Alimento em concordância com preceitos religiosos islâmicos.

imã – Autoridade religiosa muçulmana que comanda a oração; também se refere àquele que lidera a comunidade.

Jeová (ou Javé) – Designação de Deus no Antigo Testamento.

jihad – "Esforço" pela causa de Deus que o muçulmano deve fazer para difundir e proteger o islamismo. Ficou caracterizado como "guerra santa" na imprensa. Evite o uso do termo com essa conotação.

judeu – Aquele que segue a religião judaica. Nem todo judeu é israelense.

kasher/kosher – Aquilo que está correto, permitido. Na alimentação, refere-se à comida que está em concordância com preceitos religiosos judaicos.

macumba – Termo usado para designar, na primeira metade do século 20, modalidade de religião afro-brasileira do Rio de Janeiro, com elementos indígenas e do cristianismo. Também é usado como sinônimo de ritual da umbanda ou do candomblé. Por ter ganho conotação pejorativa, deve ser evitado.

magia negra – Não use essa expressão para designar rituais de magia maligna. O termo é pejorativo e associa o culto ao mal à magia de origem africana.

matzá – Espécie de pão sem fermento comido durante a Páscoa judaica.

menorá – Candelabro de sete braços, símbolo de Israel. Representa a continuidade e a eternidade do povo judeu.

mezuzá – Pequeno rolo de pergaminho colocado pelos judeus à direita da porta de entrada da casa, para protegê-la.

ministro de eucaristia – Leigo que, após ser preparado, pode ministrar a eucaristia. Ele oferece a comunhão, mas não consagra o pão e o vinho. Muitas vezes, o ministro de eucaristia leva a comunhão a doentes e locais remotos. Em certos lugares, é ministro do culto sem padre.

monoteísmo – Crença em um só deus. As principais religiões monoteístas são judaísmo, cristianismo e islamismo.

monsenhor – Título honorífico concedido pelo papa a bispos e outros eclesiásticos pela relevância de sua função.

muçulmano – O que segue a religião islâmica. Em árabe, significa "aquele que se submete a Deus". Nem todo muçulmano é árabe, e vice-versa. Irã, Indonésia e Paquistão são exemplos de países não árabes e majoritariamente muçulmanos.

pecado – Falha consciente e responsável do ser humano que traz consigo uma ruptura ou uma piora na relação com Deus, com o próximo e consigo mesmo.

pecado capital – Cada uma das faltas graves catalogadas pela Igreja Católica na Idade Média: avareza, gula, inveja, ira, luxúria, orgulho e preguiça.

pecado mortal – Falta grave, em que o pecador fica separado de Deus.

pecado original – Pecado cometido por Adão e Eva.

politeísmo – Crença em mais de um deus. Embora religiões como hinduísmo, umbanda e candomblé sejam comumente consideradas politeístas, há facções, dentro dos próprios grupos religiosos, que as consideram monoteístas.

quimbanda – Ramo da umbanda em que são cultuadas entidades chamadas "de força": Exu e Pombagira. Refere-se também a processo ritual de macumba.

rabino – Especialista no ensinamento da Torá. É comum que os rabinos conduzam o culto judaico. Não existe hierarquia entre eles, mas algumas comunidades designam um grão-rabino.

seder – Ceia da Páscoa judaica (Pessach).

sefardita – Judeu de origem ibérica. A maioria deles emigrou para países árabes.

shabat – Dia de descanso dos judeus, que se inicia ao pôr do sol da sexta-feira e termina ao anoitecer do sábado.

sharia – Lei baseada no Alcorão e na "Sunna", registro das ações e dos dizeres do profeta Muhammad.

sincretismo – Amálgama de doutrinas ou concepções heterogêneas; fusão de elementos culturais diferentes, ou até antagônicos, continuando perceptíveis alguns sinais originários; mistura de diversos sistemas filosóficos e de diferentes crenças e religiões.

totemismo – Crença no totem: animal, vegetal ou qualquer outro objeto considerado ancestral ou símbolo de uma coletividade, sendo por isso protetor dela e objeto de tabu e deveres particulares.

xeque – Líder religioso muçulmano. A palavra vem do árabe "shaikh" (ancião, senhor). Pode designar ainda o chefe de uma tribo ou uma pessoa respeitável.

Anexo médico

Este anexo inclui alguns termos que provocam erros com frequência. Recomenda-se todo o cuidado ao redigir a respeito de questões médicas, inclusive consulta a especialistas da área.

A

abreugrafia – Chapa, raio-X dos pulmões.

abscesso – Acúmulo de pus.

ácido úrico – Produto do metabolismo de algumas proteínas; pode formar cristais que se depositam em tecidos do corpo, causando cálculos renais ("pedras" nos rins) ou gota.

acidose – Diminuição do pH do sangue.

afebril – Sem febre.

agudo/crônico – O termo *agudo* designa a manifestação repentina de sintomas de uma enfermidade; *crônico* refere-se a doença ou sintoma de evolução longa.

Aids – Sigla em inglês para a síndrome da imunodeficiência adquirida, doença viral causada pelo HIV.

alergia – Reações exacerbadas do organismo a determinadas substâncias, os alérgenos.

alopecia – Perda de pelos ou cabelos em alguma área do corpo ou em todo o corpo. A calvície de padrão masculino é um tipo de alopecia.

Alzheimer, mal de – Processo de deterioração do funcionamento cerebral. Perda progressiva de funções cognitivas, com prejuízo de atenção, memória e inteligência, gerando alterações de comportamento e dificuldade de adaptação psicossocial.

anemia – Diminuição, no sangue, do número de glóbulos vermelhos e/ou da taxa de hemoglobina (que transporta oxigênio dentro desses glóbulos).

aneurisma – Dilatação anormal de um vaso sanguíneo.

angina – A mais comum é a chamada angina do peito (ou *Angina pectoris*), dor opressiva no peito, em geral por falta de oxigênio para o músculo cardíaco, devido à obstrução de artérias coronárias. O eletrocardiograma não detecta a doença em 20% dos casos.

angioplastia – Correção de estreitamento vascular por meio de cateter com balão na ponta.

anorexia – Falta de apetite.

anorexia nervosa – Distúrbio alimentar, mais comum em mulheres jovens, caracterizado por recusa alimentar e perda acentuada de peso.

antialérgicos – Medicamentos para combater ou prevenir alergias.

antibióticos – Remédios que combatem infecções, causadas em geral por bactérias.

anticorpos – Substância produzida pelo corpo para combater um antígeno.

antidepressivos – Medicamentos para tratar depressão.

antígeno – Qualquer substância estranha ao organismo; qualquer substância capaz de provocar resposta imunológica ao ser introduzida em um organismo animal.

anti-inflamatórios – Medicamentos que inibem ou tratam uma inflamação.

antivirais – Remédios que dificultam ou impedem a replicação viral.

apendicite – Inflamação do apêndice, saliência do intestino grosso.

apneia – Interrupção da respiração.

arritmia – Alteração do ritmo normal dos batimentos cardíacos.

artéria – Vaso que leva sangue do coração para irrigar outros órgãos.

arteriosclerose/aterosclerose – Arteriosclerose é o endurecimento das artérias, causado pela perda de elasticidade de suas paredes. Quando há depósitos de gordura (ateromas) nas grandes artérias, o processo é chamado de aterosclerose. As duas situações provocam a diminuição da parte interna das artérias.

articulação – Junção de dois ou mais ossos, que permite movimento (joelho, por exemplo).

artrite – Inflamação de uma articulação.

ascite – Acúmulo de líquido na cavidade abdominal.

asma – Doença de origem alérgica, que provoca contração muscular e inflamação das paredes de brônquios e bronquíolos, dificultando a passagem de ar.

astigmatismo – Dificuldade para enxergar imagens com nitidez, provocada por uma irregularidade dos eixos da córnea (lente mais externa do olho).

autópsia/necropsia – Exame de um corpo humano morto para determinar a causa da morte. É errado escrever "necrópsia".

AVC – Acidente vascular cerebral. Pode ser isquêmico (por interrupção da irrigação de parte do cérebro) ou hemorrágico (por rompimento de vaso que irriga o cérebro). Termo técnico para designar um derrame.

B

bactéria – Micro-organismo que pode provocar infecções no ser humano.

biopsia/biópsia – Retirada de fragmento de tecido para exames microscópicos.

botulismo – Intoxicação alimentar causada pela toxina da bactéria *Clostridium botulinum.*

brônquios – Principais ramos da árvore respiratória (sistema de condução do ar do meio externo para os pulmões).

bronquite – Inflamação dos brônquios.

bulimia – Distúrbio psíquico em que a pessoa come compulsivamente e, em seguida, tenta eliminar os alimentos provocando vômitos, usando laxantes etc.

C

cãibra/câimbra – Espasmo muscular doloroso, provocado, em geral, por um esforço físico prolongado.

cálculo – Acúmulo de sais minerais em vias urinárias ou biliares, conhecido popularmente como "pedra".

câncer – Multiplicação anormal de células.

catapora – Doença infectocontagiosa, causada pelo vírus varicela-zoster, que provoca lesões em forma de vesícula e prurido (coceira) em todo o corpo. Acomete, principalmente, crianças com menos de oito anos. Também conhecida como varicela.

catarata – Opacificação do cristalino (a lente natural que adapta o olho para ver de perto ou de longe), dificultando ou impedindo a visão.

cateter – Tubo introduzido no corpo para desobstruir artérias, medir pressão, infundir substâncias ou eliminá-las.

cateterismo – Introdução de cateter no corpo, através de vaso sanguíneo, em geral para resolver problemas cardíacos ou diagnosticar obstrução nas coronárias.

caxumba – Doença infectocontagiosa, causada por vírus, que provoca tumefação (aumento) da glândula parótida (localizada no ângulo das mandíbulas), mais comum na infância.

cefaleia – Termo técnico para designar dor de cabeça, tanto as agudas (por exemplo, provocadas por uma sinusite) como as crônicas (cefaleia tensional e enxaqueca).

célula – De estrutura microscópica, é a base ativa da vida animal ou vegetal.

choque – Estado de má perfusão (irrigação) dos tecidos.

cisto – Estrutura fechada que acumula secreções.

coagulação – Processo em que o sangue adquire maior consistência e forma um coágulo, que impede o sangramento.

colesterol – Tipo de gordura, presente em alguns alimentos (principalmente de origem animal), que pode se depositar nos vasos sanguíneos do corpo, levando à sua obstrução progressiva.

Existem dois tipos principais de colesterol: HDL (colesterol de alta densidade, ou "bom"), que limpa as paredes dos vasos, e LDL (colesterol de baixa densidade, ou "ruim"). O LDL acima do normal causa os depósitos de gordura nas artérias.

cólica – Dor produzida pela contração abrupta da camada muscular de uma víscera oca (útero, intestino, ureter). A cólica renal, dor forte e aguda, é produzida pela passagem de cálculo ("pedra") renal pelas vias urinárias (rim, ureter).

cólon – Porção do intestino grosso.

colonoscopia – Exame que permite a visualização do cólon.

coma – Distúrbio profundo do nível de consciência, em que os reflexos nervosos estão bem diminuídos (coma superficial) ou foram abolidos (coma profundo). Em casos mais graves, há perda da capacidade de respirar espontaneamente, com risco de morte. A duração do coma é variável; depende de múltiplos fatores (no caso de um trauma cerebral, por exemplo, está ligada ao tempo que o edema no cérebro leva para diminuir).

conjuntivite – Inflamação da conjuntiva, camada externa do olho.

contração – Encurtamento temporário das fibras musculares.

contratura – Lesão muscular provocada por movimento abrupto ou exagerado.

contusão – Lesão, sem ruptura ou fratura, geralmente provocada por trauma.

convulsão – Crise em que há descarga elétrica anormal no cérebro, provocando fenômenos como perda da consciência, contrações musculares involuntárias, perda do controle sobre esfíncteres (a pessoa pode urinar e defecar involuntariamente).

coqueluche – Doença infectocontagiosa, causada por bactérias, que provoca crises de tosse, com risco de complicações respiratórias. Mais comum em crianças com menos de dez anos, nos meses frios.

coronárias – Artérias que irrigam o músculo cardíaco (miocárdio).

D

demência – Deterioração das capacidades cognitivas (memória, abstração, processamento) do sistema nervoso central.

dengue – Doença transmitida pelo mosquito *Aedes aegypti* e provocada pelo vírus da dengue. Apresenta vários graus de severidade: febre e sintomas físicos; sangramento espontâneo de pele, gengivas, estômago e intestinos; agitação psicomotora e problemas circulatórios; choque. O mosquito é denominado vetor da doença por ser o transmissor da dengue.

depressão – Distúrbio que se caracteriza por apatia, tristeza, alteração do sono e do apetite, isolamento social, queda no rendimento das atividades cotidianas. Nos casos mais graves, há perda de contato com a realidade. Existem alterações químicas nos sistemas de serotonina e noradrenalina, que podem ser corrigidas com o uso de medicamentos.

depressão pós-parto – Quadro de depressão, em geral na segunda semana após o parto, caracterizado por conteúdos depressivos relacionados ao sentimento de incapacidade de ser mãe, aos problemas de saúde com o bebê etc. Menos de 0,2% dos casos são psicóticos (chamados de psicose puerperal).

derrame – Ver AVC.

desidratação – Perda de água e sais minerais que altera o funcionamento do organismo.

diabetes insípido – Lesão de glândula (hipotálamo) relacionada à falta de hormônio antidiurético. Provoca sede intensa; a pessoa chega a urinar até 20 litros por dia.

diabetes melito ou açucarado – Doença provocada pela falta absoluta ou relativa do hormônio insulina, o que faz com que ocorra uma elevação das taxas de açúcar no sangue. Se a situação não for corrigida, há risco de lesão em diversos órgãos do corpo.

diálise – Processo artificial de depuração do sangue, por meio de aparelho ou de soluções químicas especiais que agem como o rim, eliminando do corpo substâncias normalmente excretadas na urina.

difteria – Doença infectocontagiosa de localização nas amídalas, faringe ou nariz, provocada por um bacilo que produz toxinas. A absorção da toxina pelo organismo provoca paralisia dos nervos e miocardite (inflamação no músculo cardíaco). A prevenção é feita com vacina.

disritmia cerebral – Atividade elétrica anômala do cérebro.

distensão – Ruptura de fibras musculares, em geral por tração excessiva.

diverticulite – Inflamação do divertículo (pequena estrutura em forma de bolsa que se localiza na parede do intestino).

DNA/RNA – Ácidos nucleicos, moléculas que contêm o material genético, que vão transmitir as informações (como o código para a produção de uma proteína) de uma célula para outra.

doença coronariana – Depósito de placas de gordura nas paredes das coronárias, que dificulta a passagem de sangue e pode levar à angina e ao infarto.

doença de Chagas/tripanossomíase – Foi descoberta em 1909 pelo cientista brasileiro Carlos Chagas (1878-1934). Um inseto parecido com uma pequena barata (triatoma) e conhecido por barbeiro transmite o agente infeccioso (*Trypanosoma cruzi*). A doença pode provocar disfagia (dificuldade de deglutir), problemas cardíacos ou megacólon (grande e grave dilatação dos intestinos). Nem todos os casos infectados apresentam esses problemas. O primeiro caso diagnosticado por Chagas foi em uma menina de dois anos de idade, na cidade de Lassance, Minas; aos 52 anos, ela esteve presente às comemorações do cinquentenário da descoberta da doença.

doença/mal da vaca louca – Doença transmitida por um príon (proteína que é capaz de entrar nas células e usar o mecanismo celular para se reproduzir e causar a doença), também chamada de encefalopatia bovina espongiforme. Transmitida pelo consumo de carne de animais doentes, provoca manifestações neurológicas em seres humanos.

O mal da vaca louca adquiriu importância devido à epidemia surgida no Reino Unido em 1986 e à sua ligação com o surgimento de uma variante da doença de Creutzfeldt-Jakob, que também é provocada por príons e se caracteriza por demência, impossibilidade de coordenação motora e outras manifestações neurológicas em humanos, evoluindo rapidamente para a morte.

drenagem – Retirada de líquidos ou secreções.

DST – Doença sexualmente transmissível. Evite o uso dessa sigla em textos jornalísticos.

E

eclâmpsia – Doença grave que acomete mulheres no final da gestação, com hipertensão arterial, edema e convulsões.

ecocardiograma – Exame feito com aparelho que registra e monitora o padrão de eco produzido por ondas de ultrassom refletidas pelo coração. O exame indica lesões nas válvulas cardíacas, áreas de pouca mobilidade (acinesia) no miocárdio após o infarto e aumento da dificuldade na contração do músculo cardíaco.

edema – Inchaço.

eletrocardiograma – Exame que analisa a atividade elétrica do coração; pode indicar, por exemplo, uma área de infarto, insuficiência das coronárias ou arritmia cardíaca.

eletroencefalograma – Exame da atividade elétrica do cérebro. Pode indicar, por exemplo, um foco de epilepsia.

embolia – Obstrução de artéria ou veia, em geral por coágulo ou gordura.

encefalopatia – Doença do cérebro.

endemia – Doença que existe de forma permanente em determinado local.

endometriose – Distúrbio que se caracteriza pelo crescimento de focos de endométrio (tecido que reveste internamente o útero) em outros locais da cavidade abdominal (trompas, ovários, alças intestinais), podendo provocar dor durante o período menstrual.

endoscopia – Exame visual da parte interna de uma cavidade do corpo, feito com o endoscópio (aparelho de luz fria, acoplado a fibra óptica).

enfisema – Destruição irreversível das áreas de troca gasosa do pulmão, em geral causada pelo tabaco.

enxaqueca – Dor de cabeça periódica, que ocorre em um lado da cabeça, geralmente acompanhada de vertigem, náuseas, vômitos e fotofobia. Também conhecida como hemicrania.

enxerto – Transferência de órgão ou tecido de um local para outro.

epidemia – Aumento súbito do número de casos de uma doença em determinado local.

erisipela – Infecção da pele e do tecido subcutâneo provocada por bactérias.

espasmo – Contração muscular súbita e involuntária.

esquistossomose – Doença provocada por um verme (*Schistosoma*) que invade o organismo. Está presente em águas contaminadas por fezes de portadores e onde existem caramujos (hospedeiros intermediários). A doença provoca varizes do esôfago e graves danos no fígado, levando à icterícia (olhos e pele amarelados), ascite (acúmulo de líquido no abdome) e cirrose hepática.

esquizofrenia – Doença psiquiátrica que provoca perda de contato com a realidade. Delírios bizarros, alucinações auditivas, desorganização severa do pensamento e deficit importante da afetividade e do funcionamento social são as principais características.

estado de choque – Estado de má irrigação dos tecidos do corpo, que traz risco de morte. Pode ser provocado por hemorragia intensa, infarto agudo do miocárdio, infecções ou traumatismos graves. A pressão arterial é muito baixa (hipotensão), com taquicardia e hipotermia. Evite usar esse termo médico para designar abalo emocional ("Fulana ficou em estado de choque").

estado vegetativo – Estado de coma em que o paciente não reage a estímulos e a maior parte das funções vitais é mantida com o auxílio de aparelhos.

estresse – Desgaste físico e emocional provocado pelo acúmulo de situações que exigem capacidade de atenção e adaptação permanentes. A perda de um parente, o medo de ser assaltado ou a sobrecarga de trabalho são fatores que causam impacto importante na vida de algumas pessoas, causando o estresse. Não use stress.

estrógeno/estrogênio – Um dos principais hormônios da mulher. Responsável pela manutenção da vitalidade dos diversos tecidos do corpo feminino. É produzido pelos ovários.

eutanásia/ortotanásia – Prática pela qual se busca abreviar, sem dor ou sofrimento, a vida de um doente reconhecidamente incurável. No Brasil e em outros países, é crime. O desligamento de aparelhos sem os quais uma pessoa não seria mantida viva também é chamado de ortotanásia.

excreção/secreção – Excreção é a eliminação de resíduos do corpo humano. Secreção é a liberação de substâncias produzidas pelas células do corpo, como hormônios, saliva etc.

F

febre/estado febril – São sinônimos. Febre (ou estado febril) é a reação do organismo a infecção, inflamação ou câncer, que faz com que ocorra elevação da temperatura corporal. A temperatura normal do corpo fica pouco abaixo dos 37 graus Celsius. Considera-se que uma pessoa tem febre quando a temperatura corporal supera os 37°C.

febre amarela – Infecção produzida pelo vírus da febre amarela. É transmitida pelo mosquito *Aedes aegypti* em zonas urbanas e em algumas áreas rurais; na forma de febre amarela silvestre, é transmitida por espécies silvestres de mosquitos *Aedes* e *Haemagogus*. Provoca icterícia, vômitos hemorrágicos, queda de pressão e bradicardia (batimentos cardíacos lentos, abaixo de 60 por minuto). Existe vacina preventiva.

fibrilação atrial – Contrações rápidas e irregulares dos átrios (cavidades superiores do coração). O coração possui quatro cavidades: duas superiores (átrios direito e esquerdo) e duas inferiores (ventrículos direito e esquerdo).

fobia – Distúrbio de ansiedade que faz com que uma pessoa tenha um medo irracional e queira evitar determinada situação. Claustrofobia é medo de permanecer em locais fechados; agorafobia é o medo de ficar em espaços públicos, repletos de gente. Uma pessoa pode ser fóbica a um único estímulo (por exemplo, ratos).

fratura – Ruptura de um osso.

fungos – Micro-organismos que podem provocar desde doenças de pele (micoses) até infecções (candidíase, histoplasmose etc.).

G

gastrite – Irritação da parede interna do estômago (por remédios ou algum tipo de alimento, por exemplo).

gastroenterite – Inflamação do estômago e do intestino, em geral provocada por infecção viral ou bacteriana.

gene – Sequência de moléculas de DNA que define a hereditariedade.

glândulas – Célula ou conjunto de células capazes de liberar uma substância no sangue, em uma cavidade ou em uma superfície (hipófise, tireoide, pâncreas, suprarrenais, glândulas salivares, glândulas sudoríparas etc.).

glaucoma – Doença causada pela elevação da pressão dentro dos olhos.

gonorreia/blenorragia – Doença infecciosa, sexualmente transmissível, provocada pela bactéria gonococo.

gota – Acúmulo de ácido úrico (resíduo de proteínas) em articulações; provoca inflamação e dor.

gripe/resfriado – Gripe é infecção das vias respiratórias causada pelo vírus da influenza. Resfriado é infecção das vias respiratórias provocada por vários tipos de vírus. Os sintomas da gripe são, em geral, mais intensos e mais sistêmicos (acometem o corpo todo, como dores musculares, mal-estar, fadiga) do que os do resfriado.

H

hanseníase – Doença infecciosa provocada pelo bacilo de Hansen, de transmissibilidade moderada. Caracteriza-se por lesões na pele e comprometimento dos nervos periféricos, tendo como consequência anestesia e alteração da sensibilidade na pele, nos músculos e nos ossos. Não use os termos "lepra" e "leproso" para caracterizar a doença e seus portadores.

hantavírus – Vírus transmitido por fezes e urina de ratos. Provoca em seres humanos encefalite e síndrome pulmonar-renal (insuficiência renal com infecção pulmonar). A transmissão para seres humanos ocorre no contato da água contaminada com a pele lesada. O vírus não provoca a doença nos ratos e não é transmitido de uma pessoa doente a uma pessoa sadia (transmissão de pessoa a pessoa). Inicialmente, a doença simula um estado gripal, com febre alta, dores musculares, tosse seca e dor de cabeça.

hemácias – Glóbulos vermelhos do sangue. Essas células transportam o oxigênio, por meio da hemoglobina (uma proteína, também conhecida como pigmento do sangue), dos pulmões aos tecidos.

hematoma – Acúmulo de sangue em tecido ou órgão do corpo.

hemiplegia – Paralisia de um lado do corpo. Pode ser causada por derrame (casos mais frequentes), traumatismo ou má-formação de artérias cerebrais.

hemodiálise – Depuração de resíduos do sangue por meio de aparelho especial de filtração (rim artificial).

hemofilia – Doença hereditária que afeta apenas os homens e que impossibilita a coagulação normal do sangue, o que impede o estancamento da hemorragia.

hemograma – Exame de sangue que dá informações quantitativas sobre as células e elementos do sangue.

hemorragia – Sangramento de qualquer intensidade em qualquer região do corpo, exposta ou não.

hemorroidas – Inflamação e dilatação nas veias que se localizam na região do ânus; podem ser dolorosas e provocar sangramentos.

hepatite – Inflamação do fígado por vírus, álcool, remédios etc.

hérnia – Tecido ou órgão que sai de seu local habitual, pressiona tecidos vizinhos e forma caroço ou tumoração.

herpes – Doença infectocontagiosa provocada pelo vírus do herpes, caracterizada por lesões em forma de pequenas bolhas. Pode aparecer na região labial, genital (vagina, pênis e ânus), no tórax ou nos olhos.

hiperglicemia – Níveis elevados de açúcar no sangue. A longo prazo, pode provocar lesões em vários órgãos do corpo (cegueira, por exemplo). O diabetes (distúrbio do metabolismo da glicose) pode levar à hiperglicemia.

hipermetropia – Dificuldade visual para enxergar com nitidez objetos que estão próximos.

hipertensão arterial – Elevação da pressão arterial.

hipertermia – Temperatura do corpo acima do normal (isto é, superior a 37 graus Celsius). Pode ser causada por exposição a ambientes quentes, exercícios, febre ou anestesia.

hipoglicemia – Níveis de açúcar no sangue abaixo do normal. Suas principais causas são a falta de alimentação em pessoas normais, o excesso de insulina tomada por diabéticos ou a insulina produzida excessivamente pelo próprio organismo (hiperinsulinismo). Quando o nível de açúcar no sangue é muito baixo, pode levar à morte.

hipotensão – Redução anormal da pressão arterial.

hipotermia – Redução da temperatura do corpo para abaixo do normal. Em geral, acontece por exposição prolongada ao frio. Altera funções metabólicas, cardíaca e respiratória, com risco de morte.

HIV – Vírus da imunodeficiência humana, causador da Aids.

hormônios – Mensageiros químicos do organismo, substâncias que regulam a função de órgãos e sistemas.

HPV – Papilomavírus humano, causador das verrugas genitais (condiloma), uma das doenças sexualmente transmissíveis mais comuns hoje no mundo. Alguns subtipos estão ligados ao aparecimento do câncer do colo do útero.

I

icterícia – Coloração amarelada da pele, por acúmulo de bilirrubina (produto da degradação da hemoglobina, pigmento do sangue). Uma das causas mais comuns é o funcionamento inadequado do fígado.

IMC – Índice de Massa Corporal, que avalia se a pessoa está com o peso normal. No Brasil, o IMC é calculado pelo peso (em quilos) dividido pela altura (em metros) ao quadrado. Suas categorias são: abaixo do peso (IMC menor que 20), peso normal (de 20 a 24,9), sobrepeso (de 25 a 29,9), obeso (30 a 39,9) e obeso patológico ou mórbido (acima de 40).

impotência – Disfunção erétil; dificuldade do homem de manter uma ereção satisfatória para concretização de uma relação sexual.

incontinência – Dificuldade de uma estrutura do corpo (bexiga, por exemplo) de conter ou armazenar uma substância líquida ou sólida.

infarto – Área de necrose em algum órgão do corpo, provocada por obstrução da artéria que leva sangue a esse órgão. Quando se tratar de infarto do coração, deve-se escrever infarto do miocárdio; embora os dicionários registrem o termo enfarte, a nomenclatura biomédica veta seu uso.

infecção – Condição provocada pela proliferação, no corpo, de micro-organismos prejudiciais à saúde, como vírus, bactérias, fungos e protozoários.

inflamação – Reação a um estímulo anormal (físico, químico ou biológico) em vasos sanguíneos e tecidos próximos. Uma área do corpo com inflamação apresenta dor, calor, rubor e aumento de tamanho. Nos casos de tendinite, há perda da função muscular pela inibição da ação do respectivo tendão.

influenza – Sinônimo de gripe, causada pelo vírus da influenza.

insidiosa/doença insidiosa – Que progride, inicialmente, com poucos sintomas indicativos de sua gravidade e se transforma em doença crônica. É o caso de alguns tipos de câncer, que evoluem sem dar sinal de sua presença e, quando são detectados, já estão disseminados pelo corpo.

insuficiência – Condição em que um órgão (coração, rim ou fígado, por exemplo) é incapaz de cumprir sua função habitual.

insulina – Hormônio produzido pelo pâncreas, que regula o metabolismo de açúcar no sangue.

intoxicação por salmonela/salmonelose – Envenenamento por produtos tóxicos da bactéria salmonela, patogênica para seres humanos e animais, transmitida por água e alimentos contaminados. Provoca graves surtos diarreicos *(S. cholerae)* e a febre tifoide *(S. typhi)*.

isquemia – Irrigação sanguínea insuficiente para a atividade normal de um tecido ou órgão.

J

jet lag – Fadiga, mal-estar e desconforto físico provocados pela mudança abrupta de fuso horário depois de voos longos de avião.

juntas – Articulações ósseas.

L

laparoscopia – Exame visual do interior da cavidade abdominal, feito com o laparoscópio (aparelho médico com uma fonte luminosa de luz fria, transmitida por fibras ópticas).

laparotomia – Abertura cirúrgica da cavidade abdominal.

laringite – Inflamação da laringe.

laxantes – Substâncias que aceleram o trânsito intestinal.

leishmaniose – Doença provocada por protozoários (forma animal unicelular) e transmitida por animais hospedeiros (cães e roedores) ou mosquitos *(Phlebotomus)*. Afeta o baço e o fígado e leva à anemia progressiva (leishmaniose visceral ou calazar).

Quando o tipo de agente infeccioso produz úlceras purulentas na pele e/ou erosão do nariz, com destruição do septo nasal, a doença é denominada leishmaniose cutânea ou úlcera de Bauru (na fundação da cidade de Bauru, em São Paulo, quando começou a derrubada de árvores na região, os mosquitos *Phlebotomus* que estavam em suas copas passaram a atingir a população. Surgiram então os primeiros casos de leishmaniose na região; daí o nome de úlcera de Bauru).

leptospirose - Doença provocada por bactéria do gênero *Leptospira* e disseminada na água contaminada pela urina de ratos. A transmissão para seres humanos ocorre no contato da água contaminada com a pele lesada. Após dez dias (período de incubação), surgem dor de cabeça intensa, fortes dores musculares, calafrios, febre, náuseas e vômitos. Os casos mais graves, conhecidos como síndrome de Weil ou icterícia hemorrágica, apresentam pele e mucosas amareladas (icterícia), insuficiência renal e hemorragias. No rato, a bactéria não provoca a doença (portador são).

LER – Lesão por esforço repetitivo, comum em quem trabalha com movimentos frequentemente repetidos. Para quem usa computadores, por exemplo, os locais de maior incidência da LER são dedos, mãos, pulsos, braços e ombros.

leucemia – Tipo de câncer em que há produção desordenada de células brancas do sangue.

ligamento – Tecido fibroso que une articulações ou órgãos, dando sustentação e garantindo mobilidade.

linfoma – Tumor dos tecidos linfáticos, em geral maligno.

lipídios – Compostos orgânicos que têm diversas funções no organismo. As gorduras são um dos tipos de lipídios. Os hormônios esteroides e os fosfolípides (que estão nas membranas celulares) são os outros.

líquor/líquido cefalorraquidiano – Líquido que fica entre as membranas que revestem o cérebro e a medula. É colhido para exame, por exemplo, quando há suspeita de meningite.

luxação – Deslocamento que leva a uma perda do contato entre duas superfícies de uma articulação. Causa dor, alterações no formato das articulações, dificuldade de movimento e inchaço.

M

malária – Doença infecciosa provocada por protozoários do gênero *Plasmodium* e transmitida pelo mosquito *Anopheles*. Provoca febre, calafrios, suor, anemia e aumento do tamanho do baço e do fígado. Há tratamento para a doença, para a qual ainda não existe vacina.

mamografia – Exame de raios X que verifica se existem alterações nas mamas.

mastectomia – Remoção cirúrgica parcial ou total da mama.

mastite – Inflamação das mamas.

melanoma – Tumor maligno que tem origem em melanócitos (células que dão pigmentação à pele).

meninges – Membranas que revestem o encéfalo e a medula espinhal.

meningite – Inflamação das meninges, que pode ser de origem viral, bacteriana ou por fungos. Seus principais sintomas são febre alta, dor de cabeça, vômitos e rigidez na nuca.

Nas meningites bacterianas, o tratamento é feito com antibióticos. Na viral, não há tratamento específico; na meningite por fungos, emprega-se medicação antifúngica. Nos casos mais graves, os sobreviventes podem apresentar sequelas como surdez e paralisia cerebral.

menopausa – Interrupção dos ciclos menstruais nas mulheres; falência ovariana, com queda significativa no nível dos hormônios femininos.

menstruação – Perda de sangue na mulher (em geral, a cada 28 dias), que acontece pela descamação do endométrio, revestimento interno do útero.

metástase – Disseminação de focos de uma doença (em geral, câncer) para outros órgãos.

micose – Doença de pele ou unhas provocada por um fungo.

microcirurgia – Operação com uso de microscópio cirúrgico, que aumenta a visão de pequenas áreas (exemplo: sutura de artérias muito pequenas ou nervos). É usada no transplante de córnea e na cirurgia de catarata, entre outras aplicações.

miocárdio – Músculo cardíaco.

miopia – Dificuldade para enxergar com nitidez objetos distantes.

morte – Em termos médicos, a morte se caracteriza por ausência de batimentos cardíacos espontâneos, ausência de respiração espontânea e morte cerebral.

morte cerebral – Corresponde à parada completa e definitiva de todas as funções do cérebro e do tronco cerebral. Não há mais atividade elétrica no cérebro.

N

neoplasia – Tecido que tem crescimento rápido e desordenado, podendo levar à perda da função adequada de um órgão.

neurônio – Célula nervosa que produz e conduz os estímulos nervosos.

neurose/psicose – A neurose é um distúrbio psíquico em que, diferentemente da psicose, a pessoa mantém juízo da realidade. Os quadros clínicos clássicos são as neuroses de ansiedade, obsessivo-compulsiva e histérica. Já quadros delirantes e de esquizofrenia são típicos da psicose.

O

obesidade – Aumento anormal de gordura no tecido subcutâneo. Uma pessoa é considerada obesa quando seu Índice de Massa Corporal supera 30.

obesidade patológica – Situação em que o peso de uma pessoa é o dobro do seu peso normal.

osteoporose – Rarefação óssea ou atrofia do tecido esquelético. Ocorre nas mulheres após a menopausa e nos homens idosos. A doença torna os ossos mais frágeis e aumenta o risco de fraturas espontâneas, especialmente no fêmur e na coluna. A prevenção se faz com alimentação rica em cálcio e em vitamina D e pela prática de exercícios físicos.

otite – Inflamação dos ouvidos.

ovário – Glândula reprodutora feminina, que produz os óvulos.

P

papanicolaou – Exame de rotina para coletar células do colo do útero, que permite o controle de infecções e a prevenção do câncer uterino. É nome próprio do médico que desenvolveu o exame.

parada cardíaca – Evite usar o termo como causa da morte de alguém. A parada cardíaca é consequência de alguma afecção anteriormente existente. Explique, em vez disso, qual a doença que provocou a morte.

paralisia – Perda de movimentação ou sensibilidade causada por lesão nervosa.

paraplegia – Paralisia do segmento inferior do corpo (membros inferiores e parte do tronco). Embora a atividade motora seja afetada, a pessoa tem sensações de dor e de prazer nas regiões paralisadas.

paresia – Paralisia moderada ou fraqueza dos membros.

Parkinson, mal de – Doença neurológica que leva a tremores e rigidez muscular.

perdigotos – Gotículas de muco ou saliva. Podem conter vírus e bactérias capazes de infectar outras pessoas, transmitindo gripes, resfriados, caxumba, rubéola, sarampo etc.

pleura – Membrana que envolve os pulmões.

PMD – Psicose maníaco-depressiva, ou doença afetiva bipolar. Distúrbio psiquiátrico caracterizado por fases de euforia exagerada (mania), em que a pessoa acredita ter poderes e forças fora do comum, alternadas com fases de tristeza e desânimo profundos (depressão).

pneumonia – Infecção dos pulmões.

presbiopia – Problema de acomodação visual, com dificuldade para ler ou ver objetos que estão próximos, que aparece depois dos 40 anos.

pressão sanguínea – Pressão com que o sangue circula pelas artérias.

progesterona – Um dos hormônios femininos.

próstata – Glândula masculina, próxima à bexiga, que produz líquidos que integram o esperma.

prótese – Substituto artificial de qualquer parte do corpo.

protozoários – Micro-organismos, alguns dos quais podem provocar infecções no corpo humano.

Q

queimadura – Destruição de tecidos do corpo provocada por calor, frio, produto químico ou radiação.

queloide – Formação resultante de cicatrização exagerada e irregular. É determinada por componente genético.

R

radiografia – Exame de imagem que se utiliza de uma fonte de raios X e de um filme. Muito usada em casos de suspeita de fraturas ósseas e de problemas pulmonares (pneumonia, tuberculose).

raiva – Infecção causada por vírus e transmitida pela saliva nas mordidas de animais portadores (cães e morcegos).

ressonância magnética – Exame que utiliza campo magnético para produzir imagens com ótima definição.

ressuscitação cardiopulmonar – Conjunto de manobras, feitas em situações de emergência, para garantir que uma pessoa volte a respirar e que seu coração volte a bater. Incluem-se aí desobstrução das vias aéreas superiores, respiração boca a boca e massagem cardíaca.

reumatismo – Conjunto de doenças de origem imunológica que podem atacar qualquer parte do corpo (principalmente articulações, tendões, músculos e ligamentos); algum fator desencadeante (infecção, distúrbios metabólicos ou fatores de origem genética) faz com que o sistema de defesa passe a atacar tecidos do próprio organismo.

rinite – Inflamação das mucosas nasais, normalmente de origem alérgica.

rotavírus – Grupo de vírus que provocam graves diarreias, principalmente em crianças (gastroenterite infantil por vírus).

rubéola – Doença infecciosa provocada por vírus. Mulheres afetadas pela doença no primeiro trimestre da gravidez têm de 20% a 25% de chances de ter bebês com a síndrome da rubéola congênita (catarata, surdez, atraso mental ou problemas cardíacos, entre vários outros). A prevenção é feita na puberdade, se a mulher não estiver imunizada, por vacina com vírus vivos atenuados.

S

sarampo – Doença infecciosa provocada por vírus. Seus principais sintomas são febre alta, mal-estar e o aparecimento de exantemas (pintas na pele).

sepse/septicemia – Infecção generalizada, provocada pela multiplicação, na corrente sanguínea, de micro-organismos como bactérias, fungos ou vírus.

sífilis – Doença sexualmente transmissível causada por bactéria.

síndrome – Diversos sinais e sintomas associados de uma doença.

síndrome de Down – Doença genética provocada por um cromossomo a mais. Normalmente, os seres humanos têm um par do chamado cromossomo 21; na síndrome de Down, o paciente apresenta um cromossomo 21 a mais nas suas células. A doença se caracteriza por retardo mental e anormalidades físicas (pouco crescimento em altura, traços orientais, nariz pequeno). **Nunca use o termo "mongoloide" para referir-se aos portadores da doença.**

síndrome do pânico – Quadro de ansiedade caracterizado por ataques de pânico: taquicardia, suor frio, sensação de morte iminente.

sinusite – Inflamação da membrana interna (parede interna) dos chamados seios frontais e paranasais (pequenas cavidades ósseas ocas na testa e no rosto, que se comunicam com a cavidade nasal).

sonda – Haste fina e flexível, que pode ser introduzida em canal ou cavidade do organismo.

T

tendão – Faixa de tecido fibroso que une um músculo a um osso.

tendinite – Inflamação de tendão.

testículos – Glândulas sexuais masculinas, que produzem os espermatozoides.

testosterona – Hormônio masculino.

tétano – Doença infecciosa provocada pela toxina de uma bactéria.

tetraplegia – Paralisia do pescoço para baixo, impossibilitando a movimentação dos quatro membros (superiores –braços, antebraços e mãos– e inferiores –coxas, pernas e pés). A tetraplegia afeta a atividade motora (isto é, de locomoção), mas não a sensibilidade tátil; as pessoas afetadas têm sensações de dor e de prazer nas regiões paralisadas.

tifo – Doença infecciosa que não se transmite diretamente de pessoa a pessoa, mas: 1) por pulgas de ratos. O rato é o reservatório do agente infeccioso, a *Rickettsia typhi*; 2) por piolhos do corpo humano, que funciona como reservatório da *Rickettsia prowazeckii*. Sem tratamento, a letalidade varia de 10% a 40%. Entre seus sintomas estão febre alta e alterações cutâneas.

tique – Contração involuntária e repetitiva de um grupo associado de músculos (olhos/pálpebras, ombro/braço etc.).

tireoide – Glândula localizada na região do pescoço; produz hormônios que participam de diversas reações químicas em todo o organismo, com grande influência no metabolismo. Quando esses hormônios são produzidos em pouca quantidade (sua produção depende da presença de iodo na alimentação), provoca-se o hipotireoidismo, que nas crianças pode levar a um retardo mental e ao aumento no tamanho da glândula (bócio endêmico), com aumento do peso corporal. O excesso na produção de hormônios provoca o hipertireoidismo, com diarreia, vômitos, perda de peso, taquicardia, hiperatividade e irritabilidade acentuada.

tomografia computadorizada – Exame de imagem em que o aparelho produz radiografias de "fatias" do corpo.

toxina – Substância tóxica produzida por ser vivo.

toxoplasmose – Doença causada pelo protozoário *Toxoplasma gondii*. No homem, pode ser: a) congênita; b) adquirida pela exposição a fezes contaminadas de gatos; c) adquirida pela ingestão de carnes contaminadas mal cozidas ou leite contaminado. O portador pode apresentar problemas oculares (coriorretinite e uveíte), e as gestantes podem transmitir a doença aos filhos, levando a severos danos cerebrais e oculares e até a morte do feto (toxoplasmose congênita).

TPM – Tensão pré-menstrual, quadro observado em algumas mulheres nos dias que antecedem a menstruação. Caracteriza-se por edema, dores, alterações de humor e de comportamento, irritação, dificuldade de concentração.

transfusão – Infusão de sangue ou derivados necessária para manter condições satisfatórias de vida em situações como anemias severas ou hemorragia.

transplante – Transferência de um tecido ou órgão de uma parte do corpo para outra, de uma pessoa para outra ou de cadáver para ser humano.

transtorno obsessivo-compulsivo (TOC) – Distúrbio de ansiedade caracterizado pela presença de obsessões (ideias desagradáveis e persistentes) e compulsões (comportamentos repetitivos, rituais), que servem para aliviar ou atenuar o impacto das obsessões.

triglicérides/triglicerídeos – Tipo de gordura composto por uma molécula de glicerol ligada a três moléculas de ácidos graxos. Em níveis elevados, pode favorecer o acúmulo de gordura nas paredes dos vasos sanguíneos.

tríplice – Vacina que protege contra difteria, coqueluche e tétano.

tríplice viral ou MMR – Vacina que protege contra sarampo, caxumba e rubéola.

trombose – Coágulo no interior de um vaso sanguíneo, que impede ou dificulta o fluxo de sangue no local de sua formação ou distante dele, levado pela circulação.

tuberculose – Infecção provocada por bactéria, que atinge principalmente os pulmões (pode atingir também rins, ossos, sistema nervoso etc.).

tumor – Aumento do volume de um tecido. Quando esse crescimento é desordenado, com comprometimento da função do órgão e possibilidade de produzir metástases (focos tumorais que se implantam em outros locais do corpo), trata-se de tumor maligno (câncer). Quando o crescimento é ordenado, sem prejuízo significativo da função do órgão ou metástase, o tumor é benigno.

U

úlcera – Lesão na pele ou no revestimento interno de órgãos (como o estômago), na forma de erosões (perda da integridade de uma camada da superfície). Pode causar dor e sangramentos. Principais causas: no estômago, a ação da bactéria *Helicobacter pylori* ou o excesso na produção de ácido clorídrico; na pele, traumatismos, queimaduras ou pequenas feridas em diabéticos com má circulação nas pernas e nos pés. Problemas emocionais também podem predispor ao aparecimento de úlceras.

ultrassonografia – Exame de imagem que utiliza ondas de alta frequência para localizar e delinear estruturas dentro do organismo.

ureia – Subproduto da degradação de proteínas nos processos metabólicos em todo o corpo. Em níveis elevados, é tóxica.

urticária – Reação alérgica que produz lesões irregulares em forma de placas, brancas ou rosadas, com coceira intensa. Pode ser desencadeada por alimentos, banho de piscina, picadas de insetos etc.

útero – Órgão muscular feminino em cujo interior o óvulo fecundado pelo espermatozoide se desenvolve. A parte principal, o corpo, prolonga-se por uma pequena porção (colo do útero) cuja extremidade, aberta, é contígua à vagina.

V

vasectomia – Pequena cirurgia que interrompe os ductos deferentes, via de saída dos espermatozoides dos testículos. É considerada um método contraceptivo definitivo; só em alguns casos o procedimento pode ser revertido.

veias – Vasos que levam sangue de volta ao coração.

verrugas – Lesões na forma de pequenas projeções endurecidas sobre a pele, provocadas por vírus. Podem ser transmitidas por contato direto. As genitais (condilomas) podem predispor o colo do útero e o pênis ao aparecimento de câncer.

via enteral – Via de administração de medicamentos e nutrientes que alcançam o interior do intestino.

via parenteral – Via de administração de medicamentos e nutrientes utilizando vasos sanguíneos.

virose – Doença infecciosa provocada por vírus.

vírus – Micro-organismo constituído basicamente por material genético e protegido por uma capa (envelope). Depende de estruturas de outras células para poder se reproduzir.

Fontes:

"Livro Branco, Manual Básico do Repórter" (Hospital Albert Einstein)

"Medicina – Mitos e Verdades", Carla Leonel

"Understanding the Human Body", Tate, Seeley e Stephens

"Guide to Self-Care", Mayo HealthQuest

Anexo matemático e estatístico

Tabelas de conversões, grandezas etc.

a parte e o todo – A contextualização dos números é fundamental no texto jornalístico. Uma cifra apresentada isoladamente pode não exprimir a sua dimensão. Por exemplo, dizer que o país X vai gastar US$ 1 bilhão com saúde, em princípio, pode não significar nada para o leitor. Mas relatar que esse valor representa um crescimento de 100% em relação ao ano anterior, ou 10% do Orçamento do país, que é equivalente a Y% dos gastos de saúde do Brasil etc., dá dimensão ao que se noticia.

Em geral, números absolutos devem ser acompanhados de porcentagens que mostrem sua importância relativa: A dívida pública do país X é de US$ 30 bilhões, o equivalente a 10% do Produto Interno Bruto; O bloco oposicionista é composto de 220 deputados, o equivalente a 40% das 550 cadeiras do Parlamento. Portanto a oposição pode derrubar as propostas do governo, pois necessita de um terço dos votos (33%).

Não são apenas porcentagens que ajudam o leitor a visualizar a relevância de uma cifra. Ao relatar dados referentes à reforma agrária, pode-se optar pela seguinte construção: Neste ano, o atual governo assentou 5.000 famílias, número equivalente ao total de assentamentos feitos no governo anterior.

amostra – Pesquisas de opinião são feitas com base em amostragem. Da mesma forma que não é necessário provar todo um caldeirão de sopa para conhecer seu sabor, não é necessário entrevistar todos os eleitores para saber qual o candidato favorito em uma eleição. No caso de pesquisa eleitoral, a amostra é obtida dividindo-se a população em grupos (conhecidos como estratos) por idade, sexo, renda e escolaridade, entre outras características, e sorteando-se os eleitores em cada grupo.

O processo de generalização das conclusões obtidas de uma amostra para a população é chamado de inferência estatística. Nesse processo, podem ser cometidos dois tipos de erro: os chamados erros amostrais, oriundos das variações existentes de amostra para amostra, e aqueles conhecidos como erros não amostrais, criados por inúmeros fatores, como definição inadequada da população de interesse, inexatidão das respostas fornecidas pelas unidades selecionadas etc.

Nesse contexto, pode-se dizer que amostras representativas são aquelas em que a proporção de ocorrência desses dois tipos de erro é pequena. Note que uma amostra não precisa ser uma miniatura da população para ser representativa. Por exemplo, numa pesquisa em que se deseja estimar o dispêndio familiar médio com lazer, é melhor incluir mais indivíduos da classe A (para os quais a variabilidade dos gastos nessa categoria é grande) do que indivíduos da classe E (para os quais o dispêndio é bastante homogêneo), apesar de esta última classe ser bem mais populosa que a classe A.

amplitude – Termo estatístico que corresponde à diferença entre os valores máximo e mínimo de um conjunto de dados.

arredondamento – A **Folha** adota a convenção internacional de arredondamento de valores ilustrada no quadro abaixo. Se desejarmos reduzir para duas casas decimais números originalmente expressos com três casas decimais, 0,263 deve ser transformado em 0,26, e 0,267 em 0,27. Se desejarmos uma redução para apenas uma casa decimal, tanto 0,263 quanto 0,267 devem ser transformados em 0,3.

É preciso tomar cuidado com essas transformações quando elas são aplicadas a porcentagens. O processo de arredondamento pode introduzir erros cumulativos, e a soma dos dados pode se tornar diferente de 100%.

Com o último dígito igual a
0 1 2 3 4
arredonde para baixo
Com o último dígito igual a
5 6 7 8 9
arredonde para cima

casas decimais – O número de casas decimais está associado à precisão dos dados com os quais se está trabalhando. O volume de um certo recipiente expresso como 0,740 litro significa que o instrumento de medida pode detectar diferenças da ordem de 0,001 litro (1 ml, ou seja, 1 mililitro); se esse volume for expresso na forma 0,74 litro, a precisão correspondente será de 0,01 litro (1 cl, ou seja, 1 centilitro).

Muitas vezes, em razão dos objetivos, a expressão de uma grandeza pode não corresponder à precisão dos instrumentos de medida. Embora com uma balança suficientemente precisa seja possível dizer que o peso de uma pessoa é de 89,230 kg, para avaliar o efeito de uma dieta, o que interessa saber é a ordem de grandeza da perda de peso após três meses de regime, por exemplo. Nesse caso, saber se a perda de peso foi de 10,230 kg ou de 10,245 kg é irrelevante. Basta dizer que a perda foi da ordem de 10 kg.

Da mesma maneira, do ponto de vista contábil, convém expressar o aumento das exportações brasileiras num determinado período como R$ 1.688.235.458,29; no entanto, para comparação com outros períodos, é mais conveniente dizer que o aumento das exportações foi da ordem de R$ 1,69 bilhão.

coeficiente de correlação – Utilizado com frequência em pesquisas científicas, o coeficiente de correlação indica o quanto o comportamento de uma variável está associado ao de outra. Por exemplo: observa-se que, com a elevação de renda nas classes C e D (variável 1), há um crescimento do consumo de cerveja (variável 2). Esse fenômeno sugere uma associação (correlação) entre essas duas variáveis, que pode ser expressa pelo coeficiente de correlação linear.

O coeficiente de correlação é um número que varia de -1 a 1 (ou de -100% a + 100%). Quanto mais próximo o número estiver das extremidades desse intervalo, mais forte a correlação. No exemplo acima, se todo consumo de cerveja pudesse ser explicado pelo aumento da renda, a correlação seria de 100%. O coeficiente de correlação efetivamente apurado foi de 0,80 (ou 80%, na forma de porcentagem). Mesmo não se tratando de uma correlação perfeita, é significativa, pois indica alta associação entre as variáveis.

No cálculo da correlação entre o público torcedor nos estádios de futebol e o preço do ingresso, constata-se uma correlação de -0,7 (ou -70%). Trata-se de uma correlação forte, por razões semelhantes às do exemplo anterior. O coeficiente negativo indica que o público tende a diminuir à medida que o preço do ingresso aumenta.

Correlações próximas a zero indicam que há pouca ou nenhuma associação entre as variáveis, ou seja, que a variação de uma delas não está relacionada com a variação da outra.

comparações – São fonte constante de dúvidas e incorreções. Veja abaixo alguns exemplos de problemas que costumam causar confusão:

1) Comparação de valores: a loja A vende o produto X por R$ 20, e a loja B vende o mesmo produto por R$ 100. Pode-se dizer então:

que A: vende o produto por 1/5 do preço de B; vende o produto por 20% do preço de B, mas nunca vende o produto por cinco vezes menos que a loja B. Note que essa última forma, embora coloquial, é absurda, pois o preço de B menos uma vez o seu valor já é zero.

que B: vende o produto por cinco vezes o preço de A; vende o produto pelo quíntuplo do preço de A; vende o produto por quatro vezes mais o preço de A, mas nunca vende o produto por cinco vezes mais. A palavra "mais" traz uma complicação, pois 20 (uma vez) + 5 x 20 (mais cinco vezes) = 120 (que não correspondem ao preço de B). Note que essa última maneira de relatar a relação entre os preços envolve uma sutileza que pode não ser percebida pelo leitor.

2) Comparação de câmbio: no dia 1º, com 1,20 da moeda M$ comprava-se US$ 1,00. No dia 2, para comprar um dólar são necessários M$ 2,40. Imagine a situação do ponto de vista de quem vai comprar dólar:

dia 1º: M$ 120 compram US$ 100
dia 2: M$ 120 compram US$ 50
utilizando-se a fórmula:

$$\left(\frac{\text{valor final} - \text{valor inicial}}{\text{valor inicial}}\right) \times 100\% = \text{variação percentual}$$

pode-se afirmar que M$ se desvalorizou 50%
[(50 - 100)/100] x 100% = - 50%

Nesse caso, é importante ressaltar que *nenhum valor pode se desvalorizar mais que 100%*. Se M$ não valesse mais nada, a desvalorização seria de 100%:

[(0 - 100)/100] x 100% = -100%

Situação do ponto de vista de quem vai vender dólar:

dia 1º: US$ 100 compram M$ 120
dia 2: US$ 100 compram M$ 240
pode-se afirmar que US$ se valorizou 100%:
[(240 - 120)/120] x 100% = 100%

Diferentemente do que ocorre na desvalorização, a valorização pode ser ilimitada.

desvio padrão – Termo estatístico que exprime o grau de espalhamento dos dados de um conjunto em torno de sua média (indica quanto os elementos do conjunto se afastam da média). Quanto maior o desvio padrão, mais heterogêneo é o conjunto. Segue-se um exemplo da aplicação desse conceito: se a altura média de um grupo de pessoas for 1,6 m e o desvio padrão for 0,1 m, constata-se que em pelo menos 90% dos casos as alturas dos indivíduos do grupo estarão entre 1,3 m (1,6 - 3 x 0,1, ou seja, a média menos três vezes o desvio padrão) e 1,9 m (1,6 + 3 x 0,1, a média mais três vezes o desvio padrão).

gráfico – Infográfico cuja finalidade é transformar informação numérica em informação visual, permitindo leitura mais fácil. Os tipos mais usados são:

1) Gráfico de linhas – É indicado para representar a evolução de uma variável quantitativa de interesse (como o consumo de energia elétrica) ao longo de uma escala de tempo (meses, anos etc.). A variável de interesse é geralmente expressa no eixo vertical, e o tempo, no eixo horizontal. O gráfico abaixo ilustra a preferência dos eleitores por dois candidatos ao longo de pesquisas eleitorais realizadas em três meses consecutivos. **gráfico ↓**

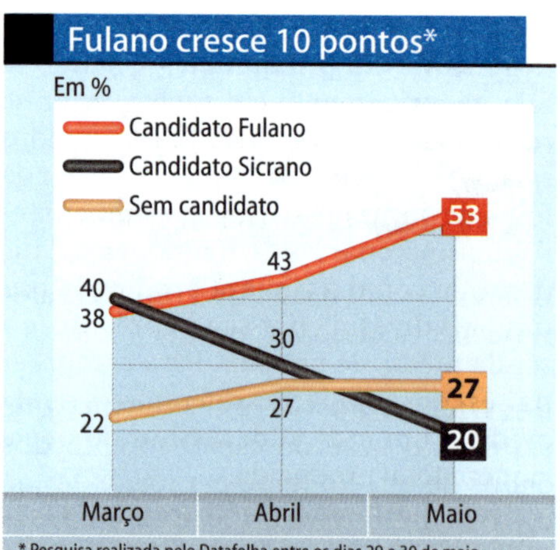

2) Gráfico de barras – É indicado para situações em que a variável representada no eixo horizontal não é quantitativa (como região, estado civil, setores etc.). O gráfico de barras também pode substituir o gráfico de linhas, como no caso abaixo, em que o interesse é salientar a variação do PIB (Produto Interno Bruto) ano a ano. **gráfico ↓**

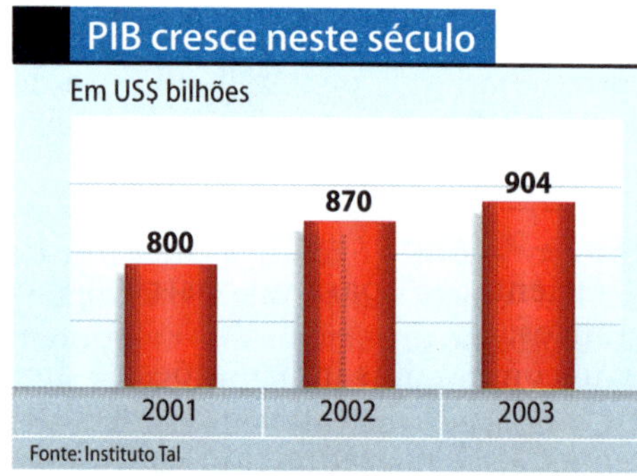

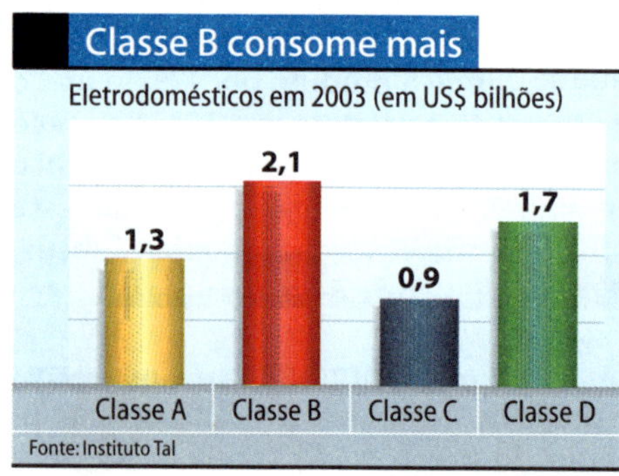

3) "Pizza" – É uma maneira de mostrar as proporções em que dada quantidade total se distribui em diferentes categorias: quais as porcentagens de vendas de região para região, como se distribui o Orçamento do governo entre as diferentes áreas (saúde, educação, infraestrutura etc.). A cota de cada uma das categorias é apresentada na forma de porcentagem, em associação com uma "fatia" de área proporcional a ela. **gráfico ↓**

Orçamento privilegia educação

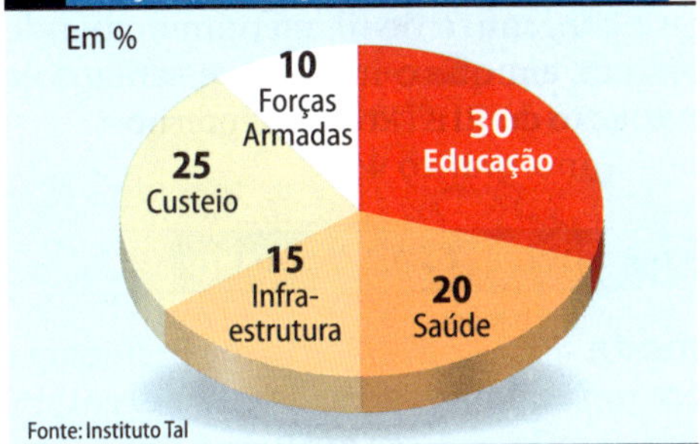

Orientações para a construção de gráficos:

- Ao comparar as informações de dois ou mais gráficos, não use escalas diferentes. Esse procedimento causa erro de informação. Escolha criteriosamente as escalas dos eixos para não distorcer o que se quer transmitir.
- Inclua indicações de "quebra" para mostrar que um trecho do eixo foi suprimido. **gráfico ↓**

Inflação explode em setembro

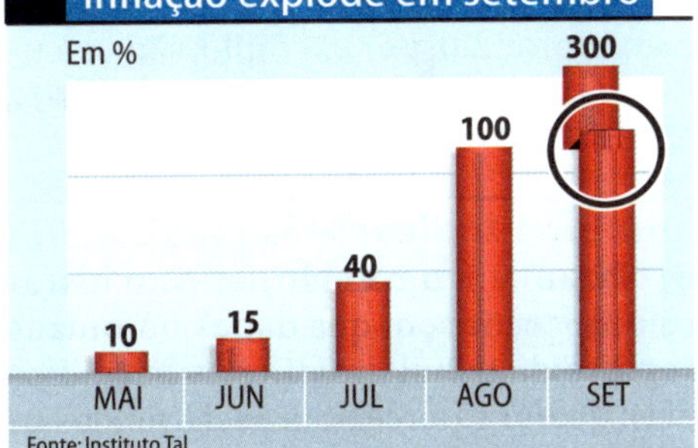

- Rotule os eixos adequadamente, incluindo unidades de medida.
- Altere as dimensões do gráfico até encontrar o formato adequado.
- Inclua legendas.
- Informe quais são as fontes.
- Não exagere nas ilustrações que acompanham o gráfico para não poluí-lo visualmente, mascarando seus aspectos mais relevantes.

margem de erro – Sempre que uma amostra é utilizada para estimar determinada característica de uma população (porcentagem de pessoas que preferem o produto X, por exemplo), pode haver algum erro envolvido. A magnitude desse erro é chamada de margem de erro.

Se uma pesquisa de mercado tem uma margem de erro de dois pontos percentuais e indica que 40% dos entrevistados preferem o produto X, isso significa que o intervalo entre 38% (dois pontos percentuais a menos) e 42% (dois pontos percentuais a mais) deve conter o verdadeiro valor da preferência populacional. A variação estabelecida pela margem de erro (no exemplo, entre 38% e 42%) é chamada de *intervalo de confiança*.

média/média aritmética – Quando se fala genericamente em média, quer-se referir à média aritmética. Por exemplo: o salário médio de uma empresa é o valor da folha de pagamento dividido pelo número de funcionários. A renda per capita, definida como a riqueza produzida por um país dividida por sua população, é a renda média de um país. Para comparar países com populações diferentes, a renda média é um indicador melhor do que a riqueza total produzida.

Note que a renda média, embora seja um indicador útil, é sempre uma simplificação da realidade. Há países que têm rendas per capita semelhantes, mas distribuições de renda bastante distintas, ou seja, diferentes níveis de concentração de riqueza.

Leve em consideração também a anedota segundo a qual se pode morrer afogado em lago com profundidade média de meio metro, pois este pode ter 0,3 m de profundidade em determinada parte e 2,5 m em outra.

média ponderada – É empregada quando se calcula a média de dados com pesos relativos diferentes. Suponha um determinado exame com três provas. A prova de conhecimentos gerais tem peso 3; a de língua portuguesa, peso 2; a de língua estrangeira, peso 1. Se determinado candidato obtivesse as seguintes notas:

Conhecimentos gerais – 5
Língua portuguesa – 7
Língua estrangeira – 10

a nota média ponderada seria:

$$\frac{\text{soma dos valores multiplicados pelos pesos}}{\text{soma dos pesos}} = \frac{(5 \times 3) + (7 \times 2) + (10 \times 1)}{3 + 2 + 1} = 6{,}5$$

mediana – Não confundir com média. É um conceito que identifica o valor intermediário em um conjunto de dados ordenados. Suponha um grupo de pessoas com as seguintes idades:

1, 2, 3, 12, 13, 14, 27, 32, 49

A idade média é 17 anos, mas a idade mediana é 13. No exemplo acima, que tem número ímpar de dados, a mediana ocupa a posição central: quatro dados a antecedem e quatro dados a sucedem. Se o conjunto tivesse um número par de valores, a mediana seria a soma dos dois números centrais dividida por dois.

6, 7, 8, 9, 10, 12, 14, 39, 56, 79
mediana = (10 + 12)/2 = 11

moda – É o valor de maior incidência em um conjunto de dados. Por exemplo, se a nota 7 apareceu em 100 provas de um total de 180, 7 é a moda do conjunto de notas. Note que é possível que haja mais do que uma moda.

notação decimal – A Folha adota a representação decimal brasileira, ou seja, faz a separação das casas decimais por vírgula. A representação decimal utilizada nos EUA e nos países da Comunidade Britânica é feita com ponto em vez de vírgula. Cuidados devem ser tomados ao fazer traduções. Mas note que, em alguns casos, esse tipo de representação já foi adotado no dia a dia (veículos com motor 2.0, por exemplo, são veículos cujo volume dos cilindros, em litros, é 2,0).

números-índices – São indicadores que resumem o comportamento histórico de preços, quantidades ou outras variáveis em relação a uma base. Por exemplo, os índices de inflação mostram a posição atual de preços; índices de produção industrial informam o quanto se produziu relativamente a uma base definida no tempo.

Os números-índices possuem metodologia específica e, por isso, podem medir aspectos diferentes do mesmo fenômeno. Assim, ao analisar o comportamento de determinado indicador, por questão de coerência, não podemos misturar índices. Para fazer avaliação sobre o nível de emprego, há que considerar distintamente os índices de emprego do IBGE e do Seade, pois eles se servem de metodologias diferentes.

O número-índice deve ser interpretado levando em consideração o comportamento do indicador ao longo do tempo, pois podem existir efeitos sazonais ou flutuações aleatórias que só aparentemente contrariam uma tendência. Dessa maneira, é de esperar a queda do desemprego no final do ano, pois tradicionalmente ocorre aumento de contratações nesse período (efeito sazonal). Para que o indicador seja adequadamente interpretado, deve-se comparar o índice em questão com os de mesmo período em anos anteriores.

pesquisas de opinião – Devem ser relatadas e analisadas com precisão e propriedade. Seguem-se abaixo alguns pontos que costumam suscitar dúvidas.

■ Ao publicar pesquisa de opinião, é fundamental que seja relatada a metodologia empregada. Caso a sondagem não tenha empregado método estatístico, isso deve ser destacado. É incorreto generalizar resultados de pesquisas de âmbito limitado.

■ Um resultado não pode ser apresentado como nacional se a pesquisa foi feita só em capitais. Da mesma forma, uma pesquisa realizada com homens na faixa de 40 a 45 anos, por exemplo, não pode ser utilizada para tirar conclusões sobre toda a população (que inclui mulheres, homens em diferentes faixas etárias etc.).

■ Um resultado só permite comparação com outro anterior se forem obtidos de forma equivalente, ou seja, se forem referentes ao mesmo universo, tiverem perguntas com formulação e ordem idênticas etc.

■ A análise do resultado sempre deve levar em conta o período em que a pesquisa foi realizada. Acontecimentos ocorridos entre a pesquisa e sua publicação podem influir na opinião dos pesquisados.

■ Em pesquisas eleitorais, se a diferença entre dois candidatos for menor que duas vezes a margem de erro, o correto é escrever que há empate técnico entre eles. Em uma pesquisa com margem de erro de dois pontos percentuais, candidatos com 30% e 33% das preferências eleitorais, respectivamente, estão tecnicamente empatados, pois o intervalo de confiança para o primeiro é de 28% a 32% e, para o segundo, de 31% a 35%.

ponto percentual/porcentagem – São dois conceitos distintos, mas que podem causar confusão. Se a porcentagem de eleitores favoráveis a um determinado candidato aumentou de 14% para 21% depois da propaganda na televisão, pode-se dizer que a preferência eleitoral por esse candidato aumentou 50%, segundo a fórmula abaixo:

$$\left(\frac{\text{valor final} - \text{valor inicial}}{\text{valor inicial}}\right) \times 100\% = \text{variação percentual}$$

$$[(21-14)/14)] \times 100\% = 50\%$$

Pode-se também dizer que aumentou sete pontos percentuais (variação de 14 para 21). Mas nunca que variou 7%.

probabilidade – Conceito matemático que expressa a frequência com que um evento passível de repetição poderá ocorrer numa sequência de repetições. Qual a probabilidade de obter seis no arremesso de um dado? Como não há razão de privilegiar nenhuma das seis faces possíveis, a probabilidade é:

$$\text{probabilidade} = 1/6 = 0{,}17 \times 100\% = 17\%$$

Ao dizer que a probabilidade de tirar seis no arremesso de um dado é de 17%, não estamos fazendo afirmações sobre um arremesso específico, mas sim sobre uma série de muitos lançamentos.

Há, no entanto, eventos que não podem ser repetidos (o jogador A amanhecer resfriado no dia da decisão do Campeonato Brasileiro, por exemplo). A probabilidade associada a esses eventos tem caráter subjetivo. Nesse caso, expressa expectativa ou crença na ocorrência do evento.

proporção/porcentagens – Proporção é um artifício matemático utilizado para comparar grandezas. Se 50 indivíduos, num total de 150, são fumantes, dizemos que a proporção de fumantes entre esses 150 indivíduos é de 0,33 ou 1/3 (50/150). Pode-se dizer também que 0,33 é equivalente a 33 em 100. Ao multiplicarmos a proporção por 100%, ela é denominada porcentagem. No exemplo acima, a porcentagem é de 33% (0,33 x 100%). Veja a seguir alguns exemplos de situações envolvendo porcentagens.

Para calcular uma porcentagem, usa-se a fórmula:

$$\frac{\text{parte}}{\text{total}} \times 100\% = \text{porcentagem}$$

$$\frac{50}{150} \times 100\% = 33\%$$

Para calcular a parte a partir do percentual e do total, faz-se a seguinte conta:

$$\text{total} \times \text{porcentagem} = \text{parte}$$

$$150 \times 33\% = 150 \times \frac{33}{100} = 150 \times 0{,}33 = 50$$

Para calcular o total a partir da parte e do percentual, faz-se esta conta:

$$\text{total} = \frac{\text{parte}}{\text{porcentagem}}$$

$$\text{total} = \frac{50}{33\%} = \frac{50}{0{,}33} = 150$$

Para calcular a variação percentual, aplica-se a seguinte fórmula:

$$\left(\frac{\text{valor final} - \text{valor inicial}}{\text{valor inicial}}\right) \times 100\% = \text{variação percentual}$$

Suponha que o número de fumantes tenha crescido de 150 para 200. A variação percentual é então:

$$\frac{(200 - 150)}{150} \times 100\% = 33\%$$

Suponha agora um decréscimo no número de fumantes, de 150 para 100:

$$\frac{(100 - 150)}{150} \times 100\% = -33\%$$

ANEXO matemático e estatístico

Note que a fórmula traz o percentual negativo.

Alguns pontos importantes:

■ Nada pode diminuir mais do que 100%. Se o preço de um determinado produto decresce de R$ 3,60 para R$ 1,20, a diminuição de preço é de 67% [(3,60 - 1,20)/3,60) x 100%], e não de 200%. Note que é importante definir a base: a ideia é comparar a variação de preço (R$ 2,40) com o preço inicial do produto (R$ 3,60), e não com o preço final (R$ 1,20). Em uma situação-limite, em que o produto é oferecido gratuitamente, a variação de preço é de R$ 3,60; consequentemente, a diminuição de preço é de 100%. Note que, se estivéssemos diante de um aumento no preço de R$ 1,20 para R$ 3,60, diríamos que o aumento foi de 200%, ou seja, [(3,60 - 1,20)/1,20] x 100%.

■ Se o valor do IPTU de um determinado imóvel foi de R$ 500 em 1999 e de R$ 700 em 2000, podemos dizer que o valor do IPTU em 2000 é 140% (700/500 x 100%) do valor em 1999, mas o aumento foi de 40%, ou seja, [(700-500)/500] x 100%.

■ Se o preço de uma determinada ação varia, em um ano, de R$ 22 para R$ 550, podemos dizer que o aumento de seu preço foi de 2.400%, ou seja, [(550-22)/22] x 100%. Perceba que é difícil interpretar porcentagens "grandes" como essa. Nesse caso, é melhor dizer que o preço dessa ação é 25 vezes (550/22) seu preço há um ano.

■ Suponha que, numa determinada faculdade, 90% dos alunos que usam transporte coletivo sejam favoráveis à cobrança de estacionamento no campus e que apenas 20% dos alunos que usam transporte individual o sejam. A porcentagem de alunos dessa faculdade favoráveis à cobrança do estacionamento só será igual à média aritmética dessas duas porcentagens, ou seja, 55%, se a composição da população de alunos for tal que metade use transporte coletivo e metade, não. Se essa composição for de 70% e 30%, respectivamente, a porcentagem de alunos favoráveis à cobrança de estacionamento será de 69% (90% x 70% + 20% x 30% = 0,9 x 0,7 + 0,2 x 0,3), isto é, 90% dos 70% que usam transporte coletivo mais 20% dos 30% que utilizam transporte individual.

> 90% x 70% + 20% x 30%,
>
> **ou seja,**
>
> 0,9 x 0,7 + 0,2 x 0,3 = 0,69 = 69%

tabela – Infográfico que tem por objetivo a apresentação de uma série de dados de forma ordenada, para facilitar a consulta. Seguem abaixo orientações para a elaboração de tabelas adequadas:

■ Não utilize mais casas decimais do que o necessário. Esse procedimento torna a tabela poluída e, portanto, difícil de ler.

■ Informe as unidades de medida.

■ Procure incluir totais, no fim de linhas e colunas, pois ajudam a interpretar a tabela.

■ Ordene colunas e/ou linhas quando possível. Se não houver impedimentos, ordene-as segundo os valores, crescente ou decrescentemente.

■ Não analise a tabela descrevendo-a, mas sim comentando as principais tendências sugeridas pelos dados.

As grandezas, país por país

Tradução de termos como bilhão e trilhão em diversas línguas

Todo cuidado é pouco na hora de traduzir grandezas como bilhão, trilhão etc. O sentido dessas palavras varia de país para país. Há dois esquemas básicos: o dito latino (adotado no Brasil e nos EUA) e o britânico (usado na Europa). Pelo esquema latino, multiplica-se milhão por mil e obtém-se o bilhão; bilhão vezes mil dá trilhão, e assim por diante. No esquema britânico, o bilhão é o quadrado do milhão; o trilhão, o cubo do milhão, e assim por diante.

O sentido dessas grandezas também varia no tempo. Assim, os franceses adotavam o esquema latino até 1961, quando passaram a empregar o esquema britânico. Contudo, na própria França e em outros países, como a Itália, muitas vezes os esquemas coexistem; só o contexto permite decidir sobre a tradução correta.

Na tabela que se segue, estão as grandezas e o valor que geralmente possuem em vários países.

Como se diz

Formas correntes das grandezas em alguns países

	10^6 (1.000.000)	10^9 (1.000.000.000)	10^{12} (1.000.000.000.000)	10^{18} (1.000.000.000.000.000.000)
Brasil	milhão	bilhão	trilhão	quintilhão *
EUA	million	billion	trillion	quintillion *
Reino Unido	million	milliard **	billion	trillion
França	million	milliard/billion	milliard de milliards/ trillion	million de quatrillons/ quintillion
Espanha	millón	mil millones	billón	trillón
Itália	milione	miliardo/bilione	mille miliardi/ trilione	quinquilione
Alemanha	Million	Milliarde	Billion	Trilliarde

* Em português e inglês dos EUA, quatrilhão e "quatrillion" designam 10^{15}. ** Também se usa "thousand millions"
Fontes: "Webster's", "Petit Robert", "Dicionário Espanhol-Português" (Porto-Editora), "Morais", "Vincenzo Spinelli", "Zinzarelli", "Dicionário Alemão-Português Michaelis", Instituto Goethe

Conversão de medidas

	Multiplique o número de	Por	Para obter o equivalente em
COMPRIMENTO			
	decímetros (dm)	0,1	metros
	centímetros (cm)	0,01	metros
	milímetros (mm)	0,001	metros
	mícrons (µ)	0,000001	metros
	ângstrons (Å)	0,0000000001	metros
	milhas terrestres (mite)	1.609,344	metros
	milhas náuticas (mima)	1.852,0	metros
	polegadas (pol)	0,0254	metros
	pés (ft)	0,3048	metros
	palmos (pm)	0,22	metros
	jardas (jd ou yd)	0,9144	metros
	anos-luz (ly)	$9{,}4607 \times 10^{12}$	quilômetros
	unidades astronômicas (UA)	$1{,}496 \times 10^{8}$	quilômetros
	parsecs (pc)	206.265	unidades astronômicas
MASSA			
	quilates (c)	0,2	gramas
	onças [avoirdupois] (oz av)	28,35	gramas
	onças troy (oz t)	31,104	gramas
	miligramas (mg)/por litro	0,001	gramas
	libras [avoirdupois] (lb av)	0,454	quilos
	toneladas curtas (tc ou st)	907,19	quilos
	toneladas longas (tl ou lt)	1.016	quilos
	toneladas métricas (t)	1.000	quilos
	arrobas (@ ou arr)	14,689	quilos
VOLUME			
	hectolitros (hl)	100	litros
	metros cúbicos (m^3)	1.000	litros
	decímetros cúbicos (dm^3)	1	litros
	centímetros cúbicos (cm^3)	0,001	litros
	mililitros (ml)	0,001	litros
	barris de petróleo (bar)	158,983	litros
	barris de petróleo (bar)	42	galões (EUA)
	galões – EUA (US gal)	3,7854	litros
	galões – Inglaterra (Imp gal)	4,5461	litros

Conversão de medidas

	Multiplique o número de	Por	Para obter o equivalente em
VELOCIDADE			
	metros por segundo (m/s)	3,6	quilômetros por hora
	nós (kt)	1,8532	quilômetros por hora
ENERGIA			
	calorias (cal)	4,184	joules
	quilowatts-hora (kWh)	3.600.000	joules
ÁREA			
	acres (ac)	4.047	metros quadrados
	acres (ac)	0,4047	hectares
	hectares (ha)	10.000	metros quadrados
	quilômetros quadrados (km^2)	1.000.000	metros quadrados
	alqueires paulistas (alq)	24.200	metros quadrados
	alqueires paulistas (alq)	2,42	hectares
	alqueires mineiros (alq)	48.400	metros quadrados
	alqueires mineiros (alq)	4,84	hectares
	alqueires do norte (alq)	27.225	metros quadrados
	alqueires do norte (alq)	2,72	hectares
	are (a)	100	metros quadrados

Ordem de grandeza

Prefixo	Abreviatura	Numeral		
tera	T	10^{12}	= 1.000.000.000.000	(um trilhão) *
giga	G	10^{9}	= 1.000.000.000	(um bilhão) *
mega	M	10^{6}	= 1.000.000	(um milhão)
quilo	k	10^{3}	= 1.000	(mil)
mili	m	10^{-3}	= 0,001	(um milésimo)
micro	μ	10^{-6}	= 0,000001	(um milionésimo)
nano	n	10^{-9}	= 0,000000001	(um bilionésimo) *
pico	p	10^{-12}	= 0,000000000001	(um trilionésimo) *

* Nomes válidos no Brasil

Fatores de conversão

Ângulo plano

	°	'	"	rad	rot
1 grau	1	60	3.600	$1{,}745 \times 10^{-2}$	$2{,}7 \times 10^{-3}$
1 minuto	$1{,}667 \times 10^{-2}$	1	60	$2{,}908 \times 10^{-4}$	$4{,}630 \times 10^{-5}$
1 segundo	$2{,}778 \times 10^{-4}$	$1{,}667 \times 10^{-2}$	1	$4{,}848 \times 10^{-6}$	$7{,}716 \times 10^{-7}$
1 radiano	57,3	3438	$2{,}063 \times 10^{3}$	1	0,1592
1 rotação	360	$2{,}16 \times 10^{4}$	$1{,}296 \times 10^{6}$	6,283	1

Ângulo sólido

1 esfera 12,57 esferorradianos

Comprimento

	cm	metro	km	in
1 centímetro	1	0,1	10^{-5}	0,3937
1 metro	100	1	10^{-3}	39,4
1 quilômetro	10^{5}	1.000	1	$3{,}937 \times 10^{4}$
1 polegada (inch*)	2,54	$2{,}540 \times 10^{-2}$	$2{,}540 \times 10^{-5}$	1
1 pé (foot*)	30,48	0,3048	$3{,}048 \times 10^{-4}$	12
1 milha terrestre (mile*)	160.934,40	1.609,344	1,609	63.360
1 jarda (yard)	91,44	0,914	$9{,}144 \times 10^{-4}$	36

	ft	mi	yd
1 centímetro	$3{,}281 \times 0{,}1$	$6{,}214 \times 10^{-6}$	$1{,}093 \times 10^{-2}$
1 metro	3,281	$6{,}214 \times 10^{-4}$	1,093
1 quilômetro	3.281	0,6214	1.093,61
1 polegada (inch*)	0,083	$1{,}578 \times 10^{-5}$	0,027
1 pé (foot*)	1	$1{,}893 \times 10^{-4}$	0,3
1 milha terrestre (mile*)	5.280	1	1.760
1 jarda (yard)	3	$5{,}681 \times 10^{-4}$	1

Outras medidas de comprimento			
1 ângstron (Å)	10^{-10} m	1 ano-luz (light-year/ly)	$9{,}461 \times 10^{12}$ km
1 parsec (pc)	$3{,}085 \times 10^{13}$ km	1 braça (br) (fathom/fath.*)	1,8288 m
1 milha marítima	1.852 m	1 vara (rd, v) (1 pole*)	5,0292 m
1 milha marítima	1,151 milha terrestre	1 furlong (fur.*)	201,164 m
1 milha marítima	6.080 ft	1 link (li.)**	0,201 m
		1 corrente (chain/ch.)**	20,117 m

* Medidas inglesas

** Medidas norte-americanas

Tempo

	ano	d	h	min	s
1 ano	1	365	8.760	525.600	31.536×10^{3}
1 dia	$2{,}738 \times 10^{-3}$	1	24	1.440	$8{,}640 \times 10^{4}$
1 hora	$1{,}141 \times 10^{-4}$	$4{,}167 \times 10^{-2}$	1	60	3.600
1 minuto	$1{,}901 \times 10^{-6}$	$6{,}944 \times 10^{-4}$	$1{,}667 \times 10^{-2}$	1	60
1 segundo	$3{,}169 \times 10^{-8}$	$1{,}157 \times 10^{-5}$	$2{,}27 \times 10^{-4}$	$1{,}667 \times 10^{-2}$	1

Fatores de conversão

Área

	m^2	cm^2	ft^2	in^2
1 metro quadrado	1	10^{4}	10,76	1.549,9
1 centímetro quadrado	10^{-4}	1	1,076 x 10^{-3}	0,155
1 pé quadrado (square foot/sq.ft.*)	9,290 x 10^{-2}	929	1	144
1 polegada quadrada (square inch/sq.in.*)	6,452 x 10^{-4}	6,452	6,944 x 10^{-7}	1
1 hectare (ha.)	10^{4}	10^{8}	107.639,40	15.500.031
1 acre	4.046,87	40.468.730	43.560	6.272.640
1 milha quadrada (square mile/sq.mi.*)	2.589.988,11	25.899.881.103	27.878.400	4.014.489.600
1 quilômetro quadrado	10^{6}	10^{10}	1.076 x 10^{4}	1,55 x 10^{9}
1 jarda quadrada (square yard)	0,836	8.361,27	9	1.296

	ac.	mi^2	km^2	ha
1 metro quadrado	2,471 x 10^{-4}	3,861 x 10^{-7}	10^{-6}	10^{-4}
1 centímetro quadrado	2,471 x 10^{-8}	3,861 x 10^{-11}	10^{-10}	10^{-8}
1 pé quadrado (square foot/sq.ft.*)	2,296 x 10^{-5}	3,587 x 10^{-8}	9,290 x 10^{-8}	9,290 x 10^{-6}
1 polegada quadrada (square inch/sq.in.*)	9,99	2,491 x 10^{-10}	6,452 x 10^{-10}	6,452 x 10^{-8}
1 hectare (ha.)	2,471	3,861 x 10^{-3}	10^{-2}	1
1 acre	1	1,563 x 10^{-3}	0,405 x 10^{-2}	0,405
1 milha quadrada (square mile/sq.mi.*)	640	1	2,59	258,999
1 quilômetro quadrado	247,105	0,386	1	10^{2}
1 jarda quadrada (square yard)	2.066 x 10^{-4}	3,228 x 10^{-7}	0,836 x 10^{-6}	8,361 x 10^{-5}

Outras medidas de área		
1 alqueire paulista	24.200 m^2	2,42 ha.
1 alqueire mineiro	48.400 m^2	4,84 ha.
1 alqueire do norte	27.225 m^2	2,72 ha.
1 vara^2 (v^2) (square rod)*	25,293 m^2	
1 link quadrado (square link/sq.li.)**	4,047 x 10^{-2} m^2	

* Medidas inglesas
** Medidas norte-americanas

Velocidade

	ft/s	km/h	m/s	mi/h	cm/s	kt
1 pé por segundo	1	1,098	0,3048	0,6818	30,48	0,8925
1 quilômetro por hora	0,9113	1	0,2778	0,6214	27,78	0,54
1 metro por segundo	3,281	3,6	1	2,237	100	1,944
1 milha por hora	1,467	1,609	0,447	1	44,7	0,8689
1 centímetro por segundo	3,278 x 10^{-2}	0,036	10^{-2}	2,237 x 10^{-2}	1	1,943 x 10^{-2}
1 nó	1,689	1,853	0,5148	1,151	51,48	1

Outras medidas de velocidade		
1 nó	1 milha marítima/hora	
1 mi/min	88 pés/s	60 mi/h

Fatores de conversão

Força

	dyn	N	lb av	pdl	gf	kgf
1 dina	1	10^{-5}	$2{,}248 \times 10^{-6}$	$7{,}233 \times 10^{-5}$	$1{,}020 \times 10^{-3}$	$1{,}020 \times 10^{-6}$
1 newton	10^{5}	1	0,2248	7,233	102	0,102
1 libra avoirdupois	$4{,}448 \times 10^{5}$	4,448	1	32,17	453,6	0,4536
1 poundal	$1{,}383 \times 10^{4}$	0,1383	0,031	1	14,1	0,014
1 grama-força	980,7	$9{,}807 \times 10^{-3}$	$2{,}205 \times 10^{-3}$	$7{,}093 \times 10^{-2}$	1	0,001
1 quilograma-força	980.665	9,807	2,205	70,93	1.000	1

Volume

	m^3	cm^3	l
1 metro cúbico	1	10^{6}	1.000
1 centímetro cúbico	10^{-6}	1	10^{-3}
1 litro (liter)	10^{-3}	1.000	1
1 pé cúbico (cubic foot/cu.ft.)	$2{,}832 \times 10^{-2}$	28.316,85	28,317
1 polegada cúbica (cubic inch/cu.in.*)	$1{,}639 \times 10^{-5}$	16,387	$1{,}639 \times 10^{-2}$
1 jarda cúbica (cubic yard)	0,765	764.554,86	764,555

	ft^3 (cu.ft.)	in^3	yd^3
1 metro cúbico	35,315	61.023,74	1,308
1 centímetro cúbico	$3{,}531 \times 10^{-5}$	$6{,}102 \times 10^{-2}$	$1{,}308 \times 10^{-6}$
1 litro (liter)	$3{,}531 \times 10^{-2}$	61,023	$1{,}308 \times 10^{-3}$
1 pé cúbico (cubic foot/cu.ft.)	1	1.728	$3{,}704 \times 10^{-2}$
1 polegada cúbica (cubic inch/cu.in.*)	$5{,}787 \times 10^{-4}$	1	$2{,}143 \times 10^{-5}$
1 jarda cúbica (cubic yard)	27	46.656	1

Outras medidas de volume

1 galão americano de água (US water gallon)	3,785 l ou 231 in ^{3}
1 galão britânico de água (Imperial gallon of water)	277,418 in ^{3} ou 0,16 ft ^{3} de água a 39º
1 British gill (Br gi.)	0,142 l
1 pinta (pint/pi. ou pt.)*	0,568 l
1 quarta (quart/qt.)*	1,136 l

Medidas norte-americanas de volumes para líquidos

1 minim (min. ou M.)	0,062 ml
1 dracma (fluid dram/fl.fr.)	3,697 ml
1 onça (fluid ounce/fl.oz.)	29,574 ml
1 gill (gi.)	0,118 l
1 pinta (fluid pint/liq.pt.)	0,473 l
1 quarta (liquid quart/liq.q.)	0,946 l
1 galão (US liq gal.)	3,785 l

Medidas inglesas de volumes para líquidos

1 mínimo (minim/min.)	0,059 ml
1 escrópulo (fluid scruple)	1,184 ml
1 dracma (fluid drachm/fl.dr.)	3,552 ml
1 onça (fluid ounce/fl.oz.)	28,4123 ml
1 pinta (pint/pt ou pi.)	0,568 l
1 galão (Imp gallon)	4,546 l

Medidas norte-americanas para volumes secos

1 dry pine (pt.)	550,599 ml
1 quarta (dry quart/qt.)	1,101 l
1 peck (pk.)	8,810 l
bushel (bu.)	35,238 l
1 polegada cúbica (cubic inch/cu.in.)	16,387 ml

Fatores de conversão

Pressão

	atm	dyn/cm²	pol d´água	cm Hg
1 atmosfera	1	1.013.250	406,8	76
1 dina por cm²	$9,869 \times 10^{-7}$	1	$4,015 \times 10^{-4}$	$7,501 \times 10^{-3}$
1 pol d´água a 4°C	$2,458 \times 10^{-3}$	2.490	1	0,1868
1 centímetro de mercúrio a 0°C	$1,316 \times 10^{-2}$	$1,333 \times 10^{4}$	5,354	1
1 newton por m³	$9,869 \times 10^{-6}$	10	$4,015 \times 10^{-3}$	$7,501 \times 10^{-4}$
1 libra por pol²	$6,805 \times 10^{-2}$	$6,895 \times 10^{4}$	27,68	5,171
1 libra por pé³ (pound per cubic foot)	$4,725 \times 10^{-4}$	478,8	0,1922	$3,591 \times 10^{-2}$

	N/m²	lb/in²	lb/ft²
1 atmosfera	101.325	14,7	2.116
1 dina por cm²	10^{-5}	$1,450 \times 10^{-5}$	$2,089 \times 10^{-3}$
1 pol d´água a 4°C	249,1	$3,613 \times 10^{-2}$	5,202
1 centímetro de mercúrio a 0°C	1.333	0,1934	27,85
1 newton por m³	1	$1,450 \times 10^{-4}$	$2,089 \times 10^{-2}$
1 libra por pol²	6.894,75	1	144
1 libra por pé³ (pound per cubic foot)	47,88	$6,944 \times 10^{-3}$	1

Outras medidas de pressão

Aceleração da gravidade	9,80665 m/s²	1 bar	106 dyn/cm²

Massa

	kg	g	gr	sh ton
1 quilograma	1	10^{3}	15.432,36	$1,102 \times 10^{-3}$
1 grama	10^{-3}	1	15,432	$1,102 \times 10^{-6}$
1 grão	$6,479 \times 10^{-5}$	$6,479 \times 10^{-2}$	1	$7,143 \times 10^{-8}$
1 tonelada americana (short ton)	907,184	907.184,74	14×10^{6}	1
1 tonelada inglesa	1.016,04	1.016.046,91	1.568×10^{4}	1,12
1 libra avoirdupois	0,454	453,592	7.000	5×10^{-4}
1 onça avoirdupois	0,028	28,349	437,5	$3,125 \times 10^{-5}$

	long ton	lb av	oz av
1 quilograma	$9,842 \times 10^{-4}$	2,204	35,273
1 grama	$0,984 \times 10^{-6}$	$2,204 \times 10^{-3}$	$3,527 \times 10^{-2}$
1 grão	$6,378 \times 10^{-8}$	$1,428 \times 10^{-4}$	$2,286 \times 10^{-3}$
1 tonelada americana (short ton)	0,893	2.000	32.000
1 tonelada inglesa	1	2.240	35.840
1 libra avoirdupois	$4,464 \times 10^{-4}$	1	16
1 onça avoirdupois	$2,790 \times 10^{-5}$	0,063	1

Fatores de conversão

Energia

	cal	atm l	hph	J
1 caloria	1	$4{,}129 \times 10^{-2}$	$1{,}559 \times 10^{-6}$	4,184
1 atmosfera-litro	24,217	1	$3{,}774 \times 10^{-5}$	101,325
1 cavalo-vapor hora inglês	641.615,60	26.494,15	1	2.684.519
1 joule	0,239	$9{,}869 \times 10^{-3}$	$3{,}725 \times 10^{-7}$	1
1 libra-pé	0,324	$1{,}338 \times 10^{-2}$	$5{,}05 \times 10^{-7}$	1,355
1 quilowatt-hora	860.420,70	35.529,24	1,341	3.600.000
1 Watt-hora	860,42	35,529	$1{,}341 \times 10^{-3}$	3.600

	ft.lb (wt)	kWh	Wh
1 caloria	3,086	$1{,}162 \times 10^{-6}$	$1{,}162 \times 10^{-3}$
1 atmosfera-litro	74,733	$2{,}815 \times 10^{-5}$	$2{,}815 \times 10^{-2}$
1 cavalo-vapor hora inglês	1.980.000	0,746	745,699
1 joule	0,738	$2{,}7 \times 10^{-7}$	$2{,}7 \times 10^{-4}$
1 libra-pé	1	$3{,}766 \times 10^{-7}$	$3{,}766 \times 10^{-4}$
1 quilowatt-hora	2.655.224	1	10^{3}
1 Watt-hora	2.655,22	10^{-3}	1

Fontes: Hesnik, H., "Fundamentos da Física", LTCE ed.; Antas, Luiz Mendes, "Conversão de Unidades de Medida", Traço Editora; Bendik, Jeanne, "Pesos e Medidas"

Conversão de temperatura

Escalas Celsius - Kelvin - Fahrenheit

$$F = 1,8 \times C + 32$$
$$C = (F - 32)/1,8$$

$$K = C + 273,15$$
$$C = K - 273,15$$

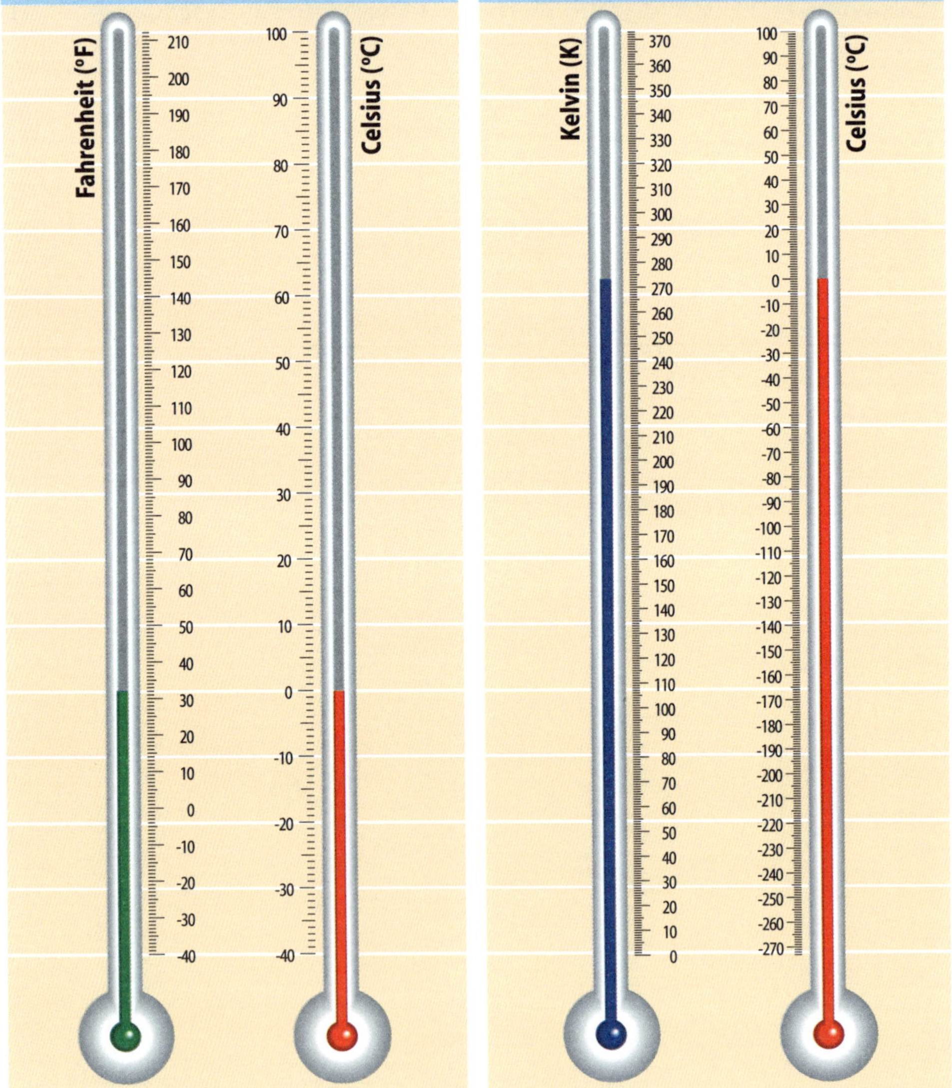

Anexo geográfico

Países, territórios, regiões em disputa

Nome, nacionalidade, capital, divisão, cidades, línguas, religião, moeda, natureza do Estado

Afeganistão

Nome oficial: Estado Islâmico do Afeganistão
Localização: Ásia central
Nacionalidade: afegã
Capital: Cabul
Divisão: 31 províncias
Línguas: pashtu, dari (oficiais) e outras 30 línguas e dialetos
Religião: islâmica (oficial)
Moeda: afegane
Natureza do Estado: Estado islâmico

África do Sul

Nome oficial: República da África do Sul
Localização: África austral
Nacionalidade: sul-africana
Capitais: Pretória (administrativa), Cidade do Cabo (legislativa), Bloemfontein (judiciária)
Divisão: nove províncias
Principais cidades: Cidade do Cabo, Johannesburgo, Durban, Pretória, Port Elizabeth
Línguas: inglês, africâner, xhosa, zulu, sotho, entre outras línguas oficiais
Religião: cristã, com minorias hindu e islâmica
Moeda: rand
Natureza do Estado: república presidencialista
Obs.: integrante da Comunidade Britânica

Albânia

Nome oficial: República da Albânia
Localização: Europa balcânica
Nacionalidade: albanesa
Capital: Tirana
Divisão: 36 distritos
Principais cidades: Tirana, Durrës, Elbasan, Shkodër, Vlore
Línguas: albanês (oficial), grego, dialetos regionais
Religião: islâmica, com minorias cristãs ortodoxas e católicas
Moeda: novo lek
Natureza do Estado: república parlamentarista

Alemanha

Nome oficial: República Federal da Alemanha
Localização: Europa central
Nacionalidade: alemã
Capital: Berlim
Divisão: 16 Estados; 10 da antiga RFA, 5 da extinta RDA (República Democrática da Alemanha) e Berlim
Estados: Schleswig-Holstein, Bremen, Baixa Saxônia, Renânia do Norte-Vestfália, Hessen, Renânia-Palatinado, Sarre, Baden-Wurttemberg, Mecklemburgo-Pomerânia Ocidental, Hamburgo, Brandemburgo, Berlim, Saxônia-Anhalt, Saxônia, Turíngia, Baviera
Principais cidades: Berlim, Hamburgo, Munique, Colônia, Frankfurt, Essen, Dortmund, Stuttgart, Düsseldorf, Bremen, Duisburgo, Leipzig, Hannover, Dresden, Nuremberg, Bochum, Wuppertal, Bielefeld, Mannheim, Halle, Chemnitz, Magdeburgo.
Línguas: alemão (oficial), dialetos regionais

Religião: protestante (luteranos) e católica, com minorias islâmicas
Moeda: marco/euro
Natureza do Estado: república parlamentarista
Obs.: país integrante da União Europeia

Andorra
Nome oficial: Principado de Andorra
Localização: Europa ocidental (Pireneus)
Nacionalidade: andorrana
Capital: Andorra la Vella
Divisão: sete paróquias
Línguas: catalão (oficial), francês e espanhol
Religião: católica
Moeda: franco e peseta/euro
Natureza do Estado: coprincipado parlamentarista
Obs.: os chefes de Estado são os copríncipes: presidente da França e bispo de Urgel (Espanha)

Angola
Nome oficial: República de Angola
Localização: África austral
Nacionalidade: angolana
Capital: Luanda
Divisão: 18 províncias
Principais cidades: Luanda, Huambo, Benguela, Lobito, Lubango
Línguas: português (oficial), umbundo, quimbundo, quicongo, ovimbundo, bacongo
Religião: católica, protestante e animistas
Moeda: novo kwanza
Natureza do Estado: república presidencialista

Anguilla
Dependência britânica
Localização: América Central (Antilhas)
Capital: The Valley

Antígua e Barbuda
Nome oficial: Antígua e Barbuda
Localização: América Central (Antilhas)
Nacionalidade: antiguana
Capital: St. John's (em Antígua)
Divisão: seis paróquias e dois territórios
Línguas: inglês (oficial), inglês crioulo
Religião: protestante (anglicanos) e católica
Moeda: dólar do Caribe do Leste
Natureza do Estado: monarquia parlamentarista da Comunidade Britânica (o chefe de Estado é, formalmente, o monarca do Reino Unido)

Antilhas Holandesas
Dependência holandesa
Localização: América Central (Antilhas)
Capital: Willemstad
Divisão: cinco territórios (Curaçao, Bonaire, São Eustáquio, Saba e Saint Martin)

Arábia Saudita
Nome oficial: Reino da Arábia Saudita
Localização: Oriente Médio
Nacionalidade: saudita
Capital: Riad é a capital real; Jidda, a capital administrativa
Divisão: 13 regiões
Principais cidades: Riad, Jidda, Meca, At Ta'if, Medina
Língua: árabe
Religião: islâmica (sunitas)
Moeda: rial saudita
Natureza do Estado: monarquia islâmica

Argélia
Nome oficial: República Democrática e Popular da Argélia
Localização: África do Norte
Nacionalidade: argelina
Capital: Argel

Divisão: 48 departamentos
Principais cidades: Argel, Orã, Constantina, Annaba, Blida, Sétif, Sidi, Bel-Abés, Bejaia e Batna
Línguas: árabe (oficial), francês e berbere
Religião: islâmica (sunitas)
Moeda: dinar
Natureza do Estado: república presidencialista

Argentina
Nome oficial: República Argentina
Localização: América do Sul (Cone Sul)
Nacionalidade: argentina
Capital: Buenos Aires
Divisão: 22 províncias, o Território Nacional da Terra do Fogo e o Distrito Federal
Províncias: Buenos Aires, Entre-Ríos, Corrientes, Santa Fé, Misiones, Chaco, Formosa, Jujuy, Salta, Santiago del Estero, Catamarca, Tucumán, Córdoba, La Rioja, San Juan, San Luis, Mendoza, La Pampa, Neuquén, Río Negro, Chubut, Santa Cruz
Principais cidades: Buenos Aires, Córdoba, Rosario, La Plata, Mendoza, San Miguel de Tucumán, Santa Fé
Língua: espanhol
Religião: católica
Moeda: peso
Natureza do Estado: república presidencialista

Armênia
Nome oficial: República da Armênia
Localização: Ásia caucasiana
Nacionalidade: armênia
Capital: Ierevan
Divisão: 11 regiões
Línguas: armênio (oficial), curdo e russo
Religião: cristã (apostólicos armênios)
Moeda: dram
Natureza do Estado: república parlamentarista
Obs.: país integrante da Comunidade dos Estados Independentes

Aruba
Dependência holandesa com governo autônomo
Localização: América Central (Antilhas)
Capital: Oranjestad

Austrália
Nome oficial: Comunidade da Austrália
Localização: Oceania
Nacionalidade: australiana
Capital: Canberra
Divisão: seis Estados, um território e territórios externos
Principais cidades: Sydney, Melbourne, Brisbane, Perth, Adelaide, Newcastle, Canberra
Língua: inglês
Religião: protestante (anglicanos) e católica
Moeda: dólar australiano
Natureza do Estado: monarquia parlamentarista da Comunidade Britânica (o chefe de Estado é, formalmente, o monarca do Reino Unido)

Áustria
Nome oficial: República da Áustria
Localização: Europa central
Nacionalidade: austríaca
Capital: Viena
Divisão: nove províncias
Principais cidades: Viena, Salzburgo, Graz, Innsbruck
Línguas: alemão (oficial), esloveno, dialetos regionais
Religião: católica e protestante (luteranos), minoria islâmica
Moeda: xelim/euro
Natureza do Estado: república parlamentarista
Obs.: integrante da União Europeia

Azerbaijão

Nome oficial: República do Azerbaijão
Localização: Ásia caucasiana
Nacionalidade: azerbaijana ou azeri
Capital: Baku
Divisão: duas repúblicas (Azerbaijão e Nakhitchevan) e uma região autônoma (Nagorno-Karabakh)
Obs.: a região autônoma de Nagorno-Karabakh é controlada por combatentes armênios, que sustentam um governo secessionista
Línguas: azerbaijano (oficial), russo e armênio
Religião: islâmica (xiitas), minorias ortodoxas
Moeda: manat
Natureza do Estado: república presidencialista
Obs.: integrante da Comunidade dos Estados Independentes

Bahamas

Nome oficial: Comunidade das Bahamas
Localização: América Central (Antilhas)
Nacionalidade: bahamense
Capital: Nassau
Divisão: não há
Língua: inglês
Religião: batista, protestante (anglicana) e católica
Moeda: dólar das Bahamas
Natureza do Estado: monarquia parlamentarista da Comunidade Britânica (o chefe de Estado é, formalmente, o monarca do Reino Unido)

Bahrein

Nome oficial: Estado do Bahrein
Localização: Oriente Médio (golfo Pérsico)
Nacionalidade: bareinita
Capital: Manama
Divisão: 12 distritos
Línguas: árabe (oficial), inglês
Religião: islâmica (xiitas e sunitas), minorias cristãs
Moeda: dinar de Bahrein
Natureza do Estado: emirado islâmico

Bangladesh

Nome oficial: República Popular de Bangladesh
Localização: Ásia meridional (Indostão)
Nacionalidade: bengalesa
Capital: Dacca
Divisão: seis regiões
Principais cidades: Dacca, Chittagong, Kulna
Línguas: bengali (oficial), dialetos regionais e inglês
Religião: islâmica, minoria hindu
Moeda: teca
Natureza do Estado: república parlamentarista
Obs.: integrante da Comunidade Britânica

Barbados

Nome oficial: Barbados
Localização: América Central (Antilhas)
Nacionalidade: barbadiana
Capital: Bridgetown
Divisão: 11 paróquias
Língua: inglês
Religião: protestante (anglicanos e outros) e minoria católica
Moeda: dólar de Barbados
Natureza do Estado: monarquia parlamentarista da Comunidade Britânica (o chefe de Estado é, formalmente, o monarca do Reino Unido)

Belarus
Nome oficial: República de Belarus (antiga Bielorrússia)
Localização: Europa oriental
Nacionalidade: bielorrussa
Capital: Minsk
Divisão: seis regiões e a capital
Línguas: bielorrusso e russo (oficiais)
Religião: ortodoxa
Moeda: rublo bielorrusso
Natureza do Estado: república presidencialista
Obs.: integrante da Comunidade dos Estados Independentes

Bélgica
Nome oficial: Reino da Bélgica
Localização: Europa ocidental
Nacionalidade: belga
Capital: Bruxelas
Divisão: três regiões
Principais cidades: Antuérpia, Gent, Charleroi, Liège, Bruxelas
Línguas: francês, holandês (flamengo) e alemão (todas oficiais)
Religião: católica
Moeda: franco belga/euro
Natureza do Estado: monarquia parlamentarista
Obs.: integrante da União Europeia

Belize
Nome oficial: Belize
Localização: América Central (istmo)
Nacionalidade: belizenha
Capital: Belmopan
Divisão: seis distritos
Línguas: inglês (oficial), inglês crioulo, espanhol, dialetos alemães e maia
Religião: católica e protestante
Moeda: dólar de Belize
Natureza do Estado: monarquia parlamentarista da Comunidade Britânica (o chefe de Estado é, formalmente, o monarca do Reino Unido)

Benin
Nome oficial: República do Benin
Localização: África ocidental
Nacionalidade: beninense
Capital: Porto Novo
Divisão: 12 departamentos
Línguas: francês (oficial), fon, bariba, fulani, ioruba
Religião: animista, minorias católicas, islâmicas e protestantes
Moeda: franco CFA (Communauté Française Africaine), com taxa de câmbio ligada à do franco francês e à do euro
Natureza do Estado: república presidencialista

Bermudas
Dependência autônoma britânica
Localização: América Central (Antilhas)
Capital: Hamilton

Bolívia
Nome oficial: República da Bolívia
Localização: América do Sul
Nacionalidade: boliviana
Capital: La Paz é capital administrativa e sede do governo; Sucre, capital constitucional e sede do Judiciário
Divisão: nove departamentos
Principais cidades: La Paz, Santa Cruz de la Sierra, Cochabamba, Alto, Oruro
Línguas: espanhol, quéchua e aimará (oficiais)
Religião: católica, minorias protestantes
Moeda: boliviano
Natureza do Estado: república presidencialista

Bósnia-Herzegóvina

Nome oficial: República da Bósnia-Herzegóvina
Localização: Europa balcânica
Nacionalidade: bósnia
Capital: Sarajevo
Divisão: duas entidades autônomas (Federação Croata-Muçulmana e República Sérvia da Bósnia)
Línguas: sérvio e croata
Religião: islâmica, ortodoxa sérvia e católica
Moeda: dinar bósnio
Natureza do Estado: república presidencialista tripartite

Botsuana

Nome oficial: República de Botsuana
Localização: África austral
Nacionalidade: bechuana
Capital: Gaborone
Divisão: 11 distritos
Línguas: inglês (oficial) e setsuana
Religião: protestante, animista e minoria católica
Moeda: pula
Natureza do Estado: república presidencialista
Obs.: integrante da Comunidade Britânica

Brasil

Nome oficial: República Federativa do Brasil
Localização: América do Sul
Nacionalidade: brasileira
Capital: Brasília
Divisão: 26 Estados e o Distrito Federal
Estados e regiões:
Região Norte: Amapá, Amazonas, Pará, Acre, Roraima, Rondônia, Tocantins
Região Nordeste: Maranhão, Piauí, Ceará, Rio Grande do Norte, Paraíba, Pernambuco, Alagoas, Sergipe, Bahia
Região Centro-Oeste: Goiás, Mato Grosso, Mato Grosso do Sul, Distrito Federal
Região Sudeste: Minas Gerais, Espírito Santo, Rio de Janeiro, São Paulo
Região Sul: Paraná, Santa Catarina, Rio Grande do Sul
Principais cidades: São Paulo, Rio de Janeiro, Salvador, Belo Horizonte, Porto Alegre
Língua: português
Religião: católica, minorias protestantes e afro-brasileiras
Moeda: real
Natureza do Estado: república presidencialista

Brunei

Nome oficial: Sultanato de Brunei
Localização: Ásia meridional (Insulíndia)
Nacionalidade: bruneana
Capital: Bandar Seri Begawan
Divisão: quatro distritos
Línguas: malaio (oficial), chinês e inglês
Religião: islâmica, minorias budistas e cristãs
Moeda: dólar de Brunei
Natureza do Estado: sultanato islâmico
Obs.: integrante da Comunidade Britânica

Bulgária

Nome oficial: República da Bulgária
Localização: Europa balcânica
Nacionalidade: búlgara
Capital: Sófia
Divisão: nove regiões
Principais cidades: Sófia, Plovdiv, Varna, Burgas, Ruse, Stara, Zagora, Pleven
Línguas: búlgaro (oficial) e turco
Religião: ortodoxa, minoria islâmica

Moeda: lev
Natureza do Estado: república parlamentarista

Burkina Fasso

Nome oficial: República de Burkina Fasso
Localização: África saheliana (o Sahel é uma região semiárida ao sul do Saara)
Nacionalidade: burquinense
Capital: Uagadugu
Divisão: 45 províncias
Línguas: francês (oficial), mossi e dialetos regionais
Religião: animista, islâmica e minorias católicas e protestantes
Moeda: franco CFA
Natureza do Estado: república com sistema misto (as funções de chefe de governo estão divididas entre o presidente e o primeiro-ministro)

Burundi

Nome oficial: República do Burundi
Localização: África oriental
Nacionalidade: burundinesa
Capital: Bujumbura
Divisão: 15 províncias
Línguas: francês, kirundi (oficiais) e suaíli
Religião: católica, protestante e minoria islâmica
Moeda: franco do Burundi
Natureza do Estado: república presidencialista

Butão

Nome oficial: Reino do Butão
Localização: Ásia meridional (Indostão)
Nacionalidade: butanesa
Capital: Timfu
Divisão: 18 distritos
Línguas: zoncá (oficial), nepalês, inglês
Religião: budista, hindu, minoria islâmica
Moeda: ngultrum
Natureza do Estado: monarquia tradicional

Cabo Verde

Nome oficial: República de Cabo Verde
Localização: África ocidental
Nacionalidade: cabo-verdiana
Capital: Praia
Divisão: 14 condados
Línguas: português (oficial), português crioulo
Religião: católica, minoria protestante
Moeda: escudo do Cabo Verde
Natureza do Estado: república parlamentarista

Camarões

Nome oficial: República de Camarões
Localização: África equatorial
Nacionalidade: camaronesa
Capital: Iaundé
Divisão: dez províncias
Línguas: francês, inglês (oficiais), fang, duala e dialetos regionais
Religião: animista, católica, protestante, islâmica
Moeda: franco CFA
Natureza do Estado: república presidencialista
Obs.: integrante da Comunidade Britânica

Camboja

Nome oficial: Reino do Camboja
Localização: Ásia meridional
Nacionalidade: cambojana
Capital: Phnom Penh
Divisão: 22 províncias
Principais cidades: Phnom Penh, Battambang, Kompong Cham, Pursat
Línguas: khmer (oficial), vietnamita e francês

Religião: budista, minoria islâmica
Moeda: riel
Natureza do Estado: monarquia parlamentarista

Canadá

Nome oficial: Canadá
Localização: América do Norte
Nacionalidade: canadense
Capital: Ottawa
Divisão: dez províncias e dois territórios
Províncias e territórios: Alberta, Colúmbia Britânica, Manitoba, New Brunswick, Terra Nova, Nova Escócia, Ontário, Ilha Príncipe Edward, Québec, Saskatchewan, Territórios do Noroeste, Território de Yukon
Principais cidades: Toronto, Montréal, Vancouver, Ottawa, Edmonton, Calgary, Québec
Línguas: inglês e francês (oficiais)
Religião: católica, protestante, minorias ortodoxas e judaicas
Moeda: dólar canadense
Natureza do Estado: monarquia parlamentarista da Comunidade Britânica (o chefe de Estado é, formalmente, o monarca do Reino Unido)

Cazaquistão

Nome oficial: República do Cazaquistão
Localização: Ásia central
Nacionalidade: cazaque
Capital: Astana
Divisão: 14 regiões e a capital
Línguas: cazaque (oficial) e russo
Religião: islâmica (sunitas), minoria ortodoxa
Moeda: tenge
Natureza do Estado: república presidencialista
Obs.: integrante da Comunidade dos Estados Independentes

Chade

Nome oficial: República do Chade
Localização: África saheliana
Nacionalidade: chadiana
Capital: Ndjamena
Divisão: 14 prefeituras
Línguas: árabe e francês (oficiais), sara, baguirmi e dialetos regionais
Religião: islâmica, católica, protestante e animista
Moeda: franco CFA
Natureza do Estado: república presidencialista

Chile

Nome oficial: República do Chile
Localização: América do Sul (Cone Sul)
Nacionalidade: chilena
Capital: Santiago
Divisão: 13 regiões
Principais cidades: Santiago, Concepción, Viña del Mar, Valparaíso
Língua: espanhol
Religião: católica e minoria protestante
Moeda: peso
Natureza do Estado: república presidencialista

China

Nome oficial: República Popular da China
Localização: Ásia oriental
Nacionalidade: chinesa
Capital: Pequim (Beijing)
Divisão: 24 províncias, cinco regiões autônomas, três municipalidades e duas regiões administrativas especiais
Províncias e regiões: Heilongjiang, Jilin, Liaoning, Hebei, Shandong, Jiangsu, Anhui, Hubei, Zhejiang, Jiangxi, Fujian, Guangdong, Yunnan, Guizhou, Hunan, Henan, Shaanxi, Shanxi, Sichuan, Gansu, Qinghai, Hainan, Taiwan

Regiões autônomas: Guangxi, Mongólia Interior, Ningxia, Xizang (Tibete), Xinjiang (Turquestão chinês)
Regiões administrativas especiais: Hong Kong, Macau
Municipalidades autônomas: Pequim (Beijing), Xangai (Shangai), Chongqing
Línguas: chinês mandarim (oficial), cantonês, min, vu e outros dialetos regionais
Religião: taoista, budista, minorias islâmicas
Moeda: yuan
Natureza do Estado: república de partido único
Obs.: Taiwan é, oficialmente, província chinesa, embora de fato funcione como entidade política autônoma, governada por regime que não reconhece a República Popular da China

Chipre

Nome oficial: República de Chipre
Localização: Oriente Médio (Mediterrâneo oriental)
Nacionalidade: cipriota
Capital: Nicósia
Divisão: seis distritos
Obs.: o terço norte da ilha de Chipre e a parte norte da capital encontram-se sob ocupação militar turca. A administração militar proclamou uma república turco-cipriota, reconhecida apenas pela Turquia
Línguas: grego e turco (oficiais)
Religião: ortodoxa grega, minoria islâmica
Moedas: libra cipriota (setor grego) e lira turca (setor turco)
Natureza do Estado: república presidencialista
Obs.: integrante da Comunidade Britânica

Cingapura

Nome oficial: República de Cingapura
Localização: Ásia meridional (Insulíndia)
Nacionalidade: cingapuriana
Capital: Cingapura
Divisão: não há
Línguas: malaio, chinês mandarim, tâmil e inglês (oficiais)
Religião: taoista, budista, islâmica, cristã, minoria hindu
Moeda: dólar de Cingapura
Natureza do Estado: república parlamentarista
Obs.: integrante da Comunidade Britânica

Colômbia

Nome oficial: República da Colômbia
Localização: América do Sul
Nacionalidade: colombiana
Capital: Bogotá
Divisão: 32 departamentos e a capital
Principais cidades: Bogotá, Cali, Medellín, Barranquilla, Cartagena
Língua: espanhol
Religião: católica
Moeda: peso colombiano
Natureza do Estado: república presidencialista

Comores

Veja Ilhas Comores

Congo (Brazzaville)

Nome oficial: República do Congo
Localização: África equatorial
Nacionalidade: congolesa
Capital: Brazzaville
Divisão: dez regiões e seis comunas
Línguas: francês (oficial), quicongo, lingala e dialetos regionais
Religião: católica, animista, protestante, minoria islâmica

Moeda: franco CFA
Natureza do Estado: república presidencialista

Congo (antigo Zaire)

Nome oficial: República Democrática do Congo
Localização: África equatorial
Nacionalidade: congolesa
Capital: Kinshasa
Divisão: dez províncias e a capital
Línguas: francês (oficial), suaíli, lingala, quicongo e dialetos regionais
Religião: católica, protestante, cristã africana, animista, minoria islâmica
Moeda: zaire novo
Natureza do Estado: Estado transicional

Coreia do Norte

Nome oficial: República Democrática Popular da Coreia
Localização: Ásia oriental
Nacionalidade: norte-coreana
Capital: Pyongyang
Divisão: nove províncias e duas cidades especiais
Língua: coreano
Religião: confucionista, minoria budista
Moeda: won norte-coreano
Natureza do Estado: república de partido único

Coreia do Sul

Nome oficial: República da Coreia
Localização: Ásia oriental
Nacionalidade: sul-coreana
Capital: Seul
Divisão: nove províncias e seis cidades especiais
Língua: coreano
Religião: budista, protestante, minoria católica
Moeda: won sul-coreano
Natureza do Estado: república presidencialista

Costa do Marfim

Nome oficial: República da Costa do Marfim
Localização: África ocidental
Nacionalidade: marfinense
Capital: Yamoussoukro
Divisão: 16 regiões
Línguas: francês (oficial), diula, baulê, beté, senufo
Religião: islâmica, católica, animista, minoria protestante
Moeda: franco CFA
Natureza do Estado: república presidencialista

Costa Rica

Nome oficial: República da Costa Rica
Localização: América Central (istmo)
Nacionalidade: costa-riquenha
Capital: San José
Divisão: sete províncias
Principais cidades: San José, Puerto Limón, Alajuela
Língua: espanhol (oficial), espanhol crioulo, inglês crioulo
Religião: católica, minoria protestante
Moeda: colón costa-riquenho
Natureza do Estado: república presidencialista

Croácia

Nome oficial: República da Croácia
Localização: Europa balcânica
Nacionalidade: croata
Capital: Zagreb
Divisão: 21 condados
Línguas: croata, sérvio, húngaro, italiano
Religião: católica, ortodoxa, minoria islâmica

Moeda: kuna
Natureza do Estado: república presidencialista

Cuba
Nome oficial: República de Cuba
Localização: América Central (Antilhas)
Nacionalidade: cubana
Capital: Havana
Divisão: 14 províncias e uma municipalidade especial
Língua: espanhol
Religião: católica, minorias protestantes e afro-cubanas
Moeda: peso cubano
Natureza do Estado: república de partido único

Curdistão
Área de 530 mil km^2, abrangendo partes de Turquia, Irã, Iraque, Síria, Azerbaijão e Armênia, em que a maioria da população é curda (grupo étnico não árabe)
Obs.: os curdos se consideram o maior grupo étnico sem Estado do mundo. Desde 1984, o PKK (Partido dos Trabalhadores do Curdistão) reivindica um território autônomo, em confronto com países como a Turquia e o Iraque

Dinamarca
Nome oficial: Reino da Dinamarca
Localização: Europa nórdica
Nacionalidade: dinamarquesa
Capital: Copenhague
Divisão: 14 condados e a capital
Territórios autônomos: Groenlândia e Ilhas Faroë
Principais cidades: Copenhague, Aarhus, Odense, Aalborg, Frederiksberg
Língua: dinamarquês
Religião: protestante (luteranos), minoria islâmica
Moeda: coroa dinamarquesa
Natureza do Estado: monarquia parlamentarista
Obs.: integrante da União Europeia

Djibuti
Nome oficial: República do Djibuti
Localização: África (Chifre da África)
Nacionalidade: djibutiense
Capital: Djibuti
Divisão: cinco distritos
Línguas: árabe, francês (oficiais), afar, issa
Religião: islâmica (sunitas), minoria católica
Moeda: franco do Djibuti
Natureza do Estado: república presidencialista

Dominica
Nome oficial: Comunidade da Dominica
Localização: América Central (Antilhas)
Nacionalidade: dominicana
Capital: Roseau
Divisão: dez paróquias
Línguas: inglês (oficial), inglês crioulo
Religião: católica, minoria protestante
Moeda: dólar do Caribe do Leste
Natureza do Estado: república parlamentarista
Obs.: integrante da Comunidade Britânica

Egito
Nome oficial: República Árabe do Egito
Localização: África do Norte
Nacionalidade: egípcia
Capital: Cairo
Divisão: 27 governadorias
Principais cidades: Cairo, Alexandria, El Gîza, Port Said, Luxor, Tebas, Mênfis, El Minya, Suez
Língua: árabe

Religião: islâmica (sunitas), minoria cristã
Moeda: libra egípcia
Natureza do Estado: república presidencialista

Eire
Veja Irlanda

El Salvador
Nome oficial: República de El Salvador
Localização: América Central (istmo)
Nacionalidade: salvadorenha
Capital: San Salvador
Divisão: 14 departamentos
Principais cidades: Santa Ana, Mejicanos, San Salvador, Soyapango, San Miguel
Línguas: espanhol (oficial), náuatle
Religião: católica, minoria protestante
Moeda: colón salvadorenho
Natureza do Estado: república presidencialista

Emirados Árabes Unidos
Nome oficial: Emirados Árabes Unidos
Localização: Oriente Médio (golfo Pérsico)
Nacionalidade: árabe
Capital: Abu Dhabi
Divisão: sete emirados (Abu Dhabi, Dubai, Charjah, Ras al Khaimah, Ajman, Fujairah, Umm al Qaiuain)
Língua: árabe
Religião: islâmica (sunitas), minorias cristã e hindu
Moeda: dirham
Natureza do Estado: federação de emirados islâmicos

Equador
Nome oficial: República do Equador
Localização: América do Sul
Nacionalidade: equatoriana
Capital: Quito
Divisão: 21 províncias
Línguas: espanhol (oficial), quéchua
Religião: católica
Moeda: sucre
Natureza do Estado: república presidencialista

Eritreia
Nome oficial: República da Eritreia
Localização: África (Chifre da África)
Nacionalidade: eritreia (masculino: eritreu)
Capital: Asmara
Divisão: seis regiões
Principais cidades: Asmara, Assab, Keren, Massawa
Línguas: tigrinia, árabe (oficiais), afar, tigré, bilein
Religião: islâmica, cristã
Moeda: nakfa
Natureza do Estado: república presidencialista

Escócia
Veja Reino Unido

Eslováquia
Nome oficial: República Eslovaca
Localização: Europa central
Nacionalidade: eslovaca
Capital: Bratislava
Divisão: três províncias
Principais cidades: Bratislava, Kosice, Presov, Nitra, Zilina
Línguas: eslovaco (oficial), húngaro, tcheco, ucraniano, ruteno, rom
Religião: católica, minorias protestante e ortodoxa
Moeda: coroa eslovaca
Natureza do Estado: república parlamentarista

Eslovênia

Nome oficial: República da Eslovênia
Localização: Europa balcânica
Nacionalidade: eslovena
Capital: Liubliana
Divisão: 60 distritos
Línguas: esloveno (oficial), húngaro, italiano
Religião: católica
Moeda: tolar
Natureza do Estado: república parlamentarista

Espanha

Nome oficial: Reino da Espanha
Localização: Europa ocidental
Nacionalidade: espanhola
Capital: Madri
Divisão: 17 comunidades autônomas e cinco territórios
Comunidades autônomas: Andaluzia, Aragão, Astúrias, Baleares, Ilhas Canárias, Cantábria, Castela-La Mancha, Castela-León, Catalunha, Estremadura, Galícia (ou Galiza), La Rioja, Madri, Murcia, Navarra, País Basco, Valencia
Territórios: Melilla, Ceuta, Alhucemas, ilhas Chafarinas, Vélez de Gomara
Línguas: espanhol (oficial), catalão, galego, valenciano e basco ou euskera
Religião: católica, minoria islâmica
Moeda: peseta/euro
Natureza do Estado: monarquia parlamentarista
Obs.: integrante da União Europeia

Estados Unidos

Nome oficial: Estados Unidos da América
Localização: América do Norte
Nacionalidade: americana, norte-americana
Capital: Washington
Divisão: 50 Estados e o Distrito de Colúmbia
Estados: Alabama, Alasca, Arizona, Arkansas, Califórnia, Carolina do Norte, Carolina do Sul, Colorado, Connecticut, Dakota do Norte, Dakota do Sul, Delaware, Distrito de Colúmbia, Flórida, Geórgia, Havaí, Idaho, Illinois, Indiana, Iowa, Kansas, Kentucky, Louisiana, Maine, Maryland, Massachusetts, Michigan, Minnesota, Mississippi, Missouri, Montana, Nebraska, Nevada, New Hampshire, Nova Jersey, Nova York, Novo México, Ohio, Oklahoma, Oregon, Pensilvânia, Rhode Island, Tennessee, Texas, Utah, Vermont, Virgínia, Virgínia Ocidental, Washington, Wisconsin, Wyoming
Principais cidades: Nova York, Los Angeles, Chicago, Houston, Filadélfia, Detroit, Dallas, San Diego, Phoenix, San Antonio, Honolulu, Baltimore, San Francisco, Indianápolis, San José, Memphis, Milwaukee, Jacksonville, Boston, Nova Orleans, Cleveland, Denver, Seattle, El Paso, Nashville, Oklahoma City, Kansas City, St. Louis, Atlanta, Fort Worth, Pittsburgh, Austin, Long Beach, Tulsa, Miami, Cincinnati, Baton Rouge, Portland, Tucson, Minneapolis, Oakland, Albuquerque, Toledo, Buffalo, Omaha, Charlotte, Newark, Sacramento
Territórios Autônomos da Comunidade dos Estados Unidos: Porto Rico (Estado associado aos EUA) e Ilhas Marianas do Norte
Dependências: Guam, Samoa Americana, Ilhas Virgens Americanas, Ilha Johnston, Ilhas Midway, Ilhas Wake
Línguas: inglês (oficial), espanhol
Religião: protestante, católica, minorias judaica e islâmica

Moeda: dólar
Natureza do Estado: república presidencialista

Estônia
Nome oficial: República da Estônia
Localização: Europa báltica
Nacionalidade: estoniana
Capital: Tallinn
Divisão: 15 condados
Línguas: estoniano (oficial), russo
Religião: protestante (luteranos), minoria ortodoxa
Moeda: coroa estoniana
Natureza do Estado: república parlamentarista

Etiópia
Nome oficial: República Democrática da Etiópia
Localização: África (Chifre da África)
Nacionalidade: etíope
Capital: Adis Abeba
Divisão: nove Estados e a capital
Línguas: amárico (oficial), tigrínia, oromo, afar, somali e outros dialetos regionais
Religião: ortodoxa, islâmica, animista
Moeda: berr
Natureza do Estado: república parlamentarista

Fiji
Nome oficial: República de Fiji
Localização: Oceania
Nacionalidade: fijiana
Capital: Suva
Divisão: cinco regiões
Línguas: fijiano, inglês (oficiais)
Religião: cristã, hindu, minoria islâmica
Moeda: dólar de Fiji
Natureza do Estado: república parlamentarista

Filipinas
Nome oficial: República das Filipinas
Localização: Ásia meridional (Insulíndia)
Nacionalidade: filipina
Capital: Manila
Divisão: 13 províncias, a capital e a região autônoma de Mindanao
Línguas: filipino (oficial), inglês, espanhol, dialetos regionais
Religião: católica, protestante, minoria islâmica
Moeda: peso filipino
Natureza do Estado: república presidencialista

Finlândia
Nome oficial: República da Finlândia
Localização: Europa nórdica
Nacionalidade: finlandesa
Capital: Helsinque
Divisão: 12 províncias
Principais cidades: Helsinque, Espoo, Tampere, Vantaa, Turku
Línguas: finlandês, sueco (oficiais), lapão
Religião: cristã (luteranos), minoria ortodoxa
Moeda: marco finlandês/euro
Natureza do Estado: república parlamentarista
Obs.: integrante da União Europeia

Formosa
Veja Taiwan

França
Nome oficial: República Francesa
Localização: Europa ocidental
Nacionalidade: francesa
Capital: Paris
Divisão: 22 regiões administrativas, quatro Departamentos de Ultramar, quatro Territórios de Ultramar e duas Coletividades Territoriais

Regiões: Alsácia, Aquitânia, Auvergne, Borgonha, Bretanha, Centro, Champanhe-Ardennes, Córsega, Franche-Comté, Île-de-France, Languedoc-Roussillon, Limousin, Lorena, Midi-Pireneus, Norte-Pas-de-Calais, Baixa Normandia, Alta Normandia, Loire, Picardia, Poitou-Charentes, Provence-Alpes-Côte d'Azur, Ródano-Alpes
Departamentos de Ultramar: Guiana Francesa, Guadalupe, Martinica e Reunião
Territórios de Ultramar: Polinésia Francesa, Nova Caledônia, Ilhas Wallis e Futuna, Terras Austrais e Antárticas
Coletividades Territoriais: Saint-Pierre e Miquelon, Mayotte
Principais cidades: Paris, Marselha, Lyon, Toulouse, Nice, Estrasburgo, Nantes, Bordeaux, Saint-Étienne, Montpellier, Le Havre, Rennes, Reims, Toulon, Lille, Brest
Línguas: francês (oficial), bretão, basco, catalão, córsico, occitânico, alsaciano, flamengo e outros dialetos regionais
Religião: católica, minorias islâmica e protestante
Moeda: franco/euro
Natureza do Estado: república com sistema misto (as funções de chefe de governo estão divididas entre o presidente e o primeiro-ministro)
Obs.: integrante da União Europeia

Gabão
Nome oficial: República do Gabão
Localização: África equatorial
Nacionalidade: gabonense
Capital: Libreville
Divisão: nove regiões
Línguas: francês (oficial), fang e dialetos bantos
Religião: católica, protestante, animismo
Moeda: franco CFA
Natureza do Estado: república presidencialista

Gâmbia
Nome oficial: República de Gâmbia
Localização: África ocidental
Nacionalidade: gambiana
Capital: Banjul
Divisão: seis províncias
Línguas: inglês (oficial), mandingo, fulani, ulof
Religião: islâmica, minorias cristã e animista
Moeda: dalasi
Natureza do Estado: república presidencialista
Obs.: integrante da Comunidade Britânica

Gana
Nome oficial: República de Gana
Localização: África ocidental
Nacionalidade: ganense
Capital: Acra
Divisão: dez regiões
Línguas: inglês (oficial), dialetos regionais
Religião: animista, islâmica, protestante, cristã africana, católica
Moeda: cedi
Natureza do Estado: república presidencialista
Obs.: integrante da Comunidade Britânica

Geórgia
Nome oficial: República da Geórgia
Localização: Ásia caucasiana
Nacionalidade: georgiana
Capital: Tbilisi
Divisão: quatro regiões
Línguas: georgiano (oficial), armênio, russo, ossetiano, abkhaz, turco

Religião: ortodoxa (georgianos, armênios e russos), islâmica
Moeda: lari
Natureza do Estado: república presidencialista
Obs.: integrante da Comunidade dos Estados Independentes

Gibraltar
Dependência britânica
Localização: península Ibérica

Granada
Nome oficial: Granada
Localização: América Central (Antilhas)
Nacionalidade: granadina
Capital: St. George's
Divisão: oito conselhos e uma cidade
Línguas: inglês (oficial), francês crioulo
Religião: católica, protestante
Moeda: dólar do Caribe do Leste
Natureza do Estado: monarquia parlamentarista da Comunidade Britânica (o chefe de Estado é, formalmente, o monarca do Reino Unido)

Grécia
Nome oficial: República Helênica
Localização: Europa balcânica
Nacionalidade: grega
Capital: Atenas
Divisão: dez regiões
Principais cidades: Atenas, Salônica, Pireus, Patras, Héraclion, Larissa
Línguas: grego moderno (oficial), turco, albanês, valaco, búlgaro
Religião: ortodoxa grega, minoria islâmica
Moeda: dracma
Natureza do Estado: república parlamentarista
Obs.: integrante da União Europeia

Groenlândia
Território autônomo da Dinamarca
Localização: Atlântico Norte
Capital: Nuuk

Guadalupe
Departamento de Ultramar da França
Localização: América Central (Antilhas)
Capital: Basse-Terre

Guam
Dependência dos EUA
Localização: Oceania
Capital: Aganã

Guatemala
Nome oficial: República da Guatemala
Localização: América Central (istmo)
Nacionalidade: guatemalteca
Capital: Cidade da Guatemala
Divisão: 22 departamentos
Principais cidades: Cidade da Guatemala, Mixco, Villa Nueva, Chinautla, Amatitlán
Línguas: espanhol (oficial), garifuna, dialetos ameríndios
Religião: católica, protestante, minorias sincretistas
Moeda: quetzal
Natureza do Estado: república presidencialista

Guiana
Nome oficial: República da Guiana
Localização: América do Sul
Nacionalidade: guianense
Capital: Georgetown
Divisão: dez regiões
Línguas: inglês (oficial), hindi, urdu, dialetos regionais
Religião: protestante, católica, hindu, islâmica
Moeda: dólar guianense

Natureza do Estado: república presidencialista
Obs.: integrante da Comunidade Britânica

Guiana Francesa

Departamento de Ultramar da França
Localização: América do Sul
Capital: Caiena

Guiné

Nome oficial: República da Guiné
Localização: África ocidental
Nacionalidade: guineana
Capital: Conacri
Divisão: oito províncias
Línguas: francês (oficial), sussu, manicá, dialetos regionais
Religião: islâmica, animista, minorias cristãs
Moeda: franco guineano
Natureza do Estado: república presidencialista

Guiné-Bissau

Nome oficial: República da Guiné-Bissau
Localização: África ocidental
Nacionalidade: guineense
Capital: Bissau
Divisão: nove regiões
Línguas: português (oficial), português crioulo, dialetos regionais
Religião: animista, islâmica, minorias cristãs
Moeda: franco CFA
Natureza do Estado: república parlamentarista

Guiné Equatorial

Nome oficial: República da Guiné Equatorial
Localização: África equatorial
Nacionalidade: guinéu-equatoriana
Capital: Malabo
Divisão: sete regiões
Línguas: espanhol (oficial), fang, bubi, combe, ibo e outros dialetos regionais
Religião: católica, animista
Moeda: franco CFA
Natureza do Estado: república presidencialista

Haiti

Nome oficial: República do Haiti
Localização: América Central (Antilhas)
Nacionalidade: haitiana
Capital: Porto Príncipe
Divisão: nove departamentos
Línguas: francês e francês crioulo (oficiais)
Religião: católica, afro-americanas, protestante.
Moeda: gourde
Natureza do Estado: república presidencialista

Holanda

Nome oficial: Reino dos Países Baixos
Localização: Europa ocidental
Nacionalidade: holandesa
Capital: Amsterdã (oficial), Haia (sede do governo)
Divisão: 12 províncias
Principais cidades: Amsterdã, Roterdã, Haia, Utrecht, Eindhoven, Groningen, Tilburg, Haarlem
Língua: holandês
Dependências: Aruba (Oranjestad) e Antilhas Holandesas (Willemstad)
Religião: protestante (holandeses, calvinistas), católica, minoria islâmica
Moeda: florim/euro
Natureza do Estado: monarquia parlamentarista
Obs.: integrante da União Europeia

Honduras
Nome oficial: República de Honduras
Localização: América Central (istmo)
Nacionalidade: hondurenha
Capital: Tegucigalpa
Divisão: 18 departamentos
Línguas: espanhol, garifuna, dialetos ameríndios
Religião: católica, minorias protestantes
Moeda: lempira
Natureza do Estado: república presidencialista

Hungria
Nome oficial: República da Hungria
Localização: Europa central
Nacionalidade: húngara
Capital: Budapeste
Divisão: 19 condados e a capital
Principais cidades: Budapeste, Debrecen, Miskolc, Szeged, Pécs, Gyor
Línguas: húngaro (oficial), alemão, eslovaco, ucraniano
Religião: católica, protestante
Moeda: forinte
Natureza do Estado: república parlamentarista

Iêmen
Nome oficial: República do Iêmen
Localização: Oriente Médio
Nacionalidade: iemenita
Capital: Sanaa
Divisão: 17 províncias
Língua: árabe
Religião: islâmica (sunitas e xiitas)
Moeda: rial iemenita
Natureza do Estado: república presidencialista

ilha de Man
Território britânico
Localização: mar da Irlanda
Capital: Douglas

ilha de Pitcairn
Território britânico
Localização: Oceania
Sede: Adams Town

ilha Johnston
Dependência dos EUA
Localização: oceano Pacífico

ilha Norfolk
Território externo da Austrália
Localização: Oceania

ilhas Cayman
Dependência britânica
Localização: América Central (Antilhas)
Capital: George Town

ilhas Cocos
Território externo da Austrália
Localização: oceano Índico

ilhas Comores
Nome oficial: República Federal Islâmica de Comores
Localização: África oriental (oceano Índico)
Nacionalidade: comorense
Capital: Moroni
Divisão: três ilhas
Línguas: comoriano, árabe, francês (oficiais)
Religião: islâmica (sunitas), minoria católica
Moeda: franco comorense
Natureza do Estado: república presidencialista

ilhas Cook
Território associado à Nova Zelândia
Localização: Oceania
Centro administrativo: Avarua

ilhas do Canal
Território britânico
Localização: canal da Mancha

ilhas Faroë
Território autônomo da Dinamarca
Localização: Atlântico Norte
Capital: Thorshavn

ilhas Malvinas (Falklands)
Dependência britânica
Localização: Atlântico Sul
Capital: Port Stanley

ilhas Marianas do Norte
Território autônomo dos EUA
Localização: Oceania
Capital: Garapan

ilhas Midway
Dependência dos EUA
Localização: oceano Pacífico

Ilhas Salomão
Nome oficial: Ilhas Salomão
Localização: Oceania
Nacionalidade: salomônica
Capital: Honiara
Línguas: inglês (oficial), inglês crioulo, dialetos regionais
Religião: protestante, católica
Moeda: dólar das Ilhas Salomão
Natureza do Estado: monarquia parlamentarista da Comunidade Britânica (o chefe de Estado é, formalmente, o monarca do Reino Unido)

ilhas Turks e Caicos
Dependência britânica
Localização: América Central (Antilhas)
Capital: Cockburn Town

Ilhas Virgens Britânicas
Dependência britânica
Localização: América Central (Antilhas)
Capital: Road Town

Ilhas Virgens Norte-Americanas
Dependência dos EUA
Localização: América Central (Antilhas)
Capital: Charlotte

ilhas Wake
Dependência dos EUA
Localização: oceano Pacífico

ilhas Wallis e Futuna
Território de Ultramar da França
Localização: Oceania
Capital: Mata Utu

Índia
Nome oficial: República da Índia
Localização: Ásia meridional (Indostão)
Nacionalidade: indiana
Capital: Nova Déli
Divisão: 26 Estados e sete territórios
Obs.: parte da Caxemira, região dividida entre Índia, Paquistão e China, é considerada pela Índia como seu território
Principais cidades: Mumbai (antiga Bombaim), Calcutá, Nova Déli, Chennai (antiga Madras), Bangalore, Haiderabad
Línguas: hindi, inglês, assames, bengali, gujarati, kannada, cachemiri, malayalam, marathi, oriya, punjábi, sânscrito, sindi, tâmil, urdu, telugu (oficiais), milhares de dialetos regionais
Religião: hindu, islâmica, minorias católica, protestante, sikh, budista e jainista

Moeda: rupia indiana
Natureza do Estado: república parlamentarista
Obs.2: integrante da Comunidade Britânica

Indonésia

Nome oficial: República da Indonésia
Localização: Ásia meridional (Insulíndia)
Nacionalidade: indonésia
Capital: Jacarta
Divisão: 27 províncias
Principais cidades: Jacarta, Surabaia, Bandung, Medan, Semarang
Línguas: bahasa indonésio (oficial), cerca de 200 línguas e dialetos regionais
Religião: islâmica, minorias cristã, hindu e budista
Moeda: rupia indonésia
Natureza do Estado: república com sistema misto (as funções de chefe de governo estão divididas entre o presidente e o primeiro-ministro)
Obs.: A Indonésia ocupa um arquipélago formado por milhares de ilhas. As maiores são Java, Sumatra, Bornéu, Bali, Célebes, Nova Guiné e Molucas. A ilha de Java, onde se encontra Jacarta, é uma das áreas de maior densidade demográfica do planeta

Inglaterra

Veja Reino Unido

Irã

Nome oficial: República Islâmica do Irã
Localização: Oriente Médio
Nacionalidade: iraniana
Capital: Teerã
Divisão: 28 províncias
Principais cidades: Teerã, Mashad, Esfahan, Tabriz, Chiraz
Línguas: persa (oficial), curdo, azeri, balúchi, árabe, armênio
Religião: islâmica (xiitas)
Moeda: rial iraniano
Natureza do Estado: república islâmica

Iraque

Nome oficial: República do Iraque
Localização: Oriente Médio
Nacionalidade: iraquiana
Capital: Bagdá
Divisão: 15 governadorias e três regiões autônomas
Principais cidades: Bagdá, Mossul, Irbil, Kirkuk, Basra, Najaf
Línguas: árabe (oficial), curdo
Religião: islâmica (xiitas), minorias cristãs
Moeda: dinar iraquiano
Natureza do Estado: república presidencialista

Irlanda

Nome oficial: República da Irlanda
Localização: Europa ocidental
Nacionalidade: irlandesa
Capital: Dublin
Divisão: quatro províncias
Principais cidades: Dublin, Cork, Galway, Limerick, Waterford
Línguas: irlandês, inglês (oficiais), gaélico
Religião: católica, minoria protestante
Moeda: libra irlandesa/euro
Natureza do Estado: república parlamentarista
Obs.: integrante da União Europeia

Irlanda do Norte

Veja Reino Unido

Islândia

Nome oficial: República da Islândia
Localização: Atlântico Norte

Nacionalidade: islandesa
Capital: Reykjavík
Divisão: sete distritos
Língua: islandês
Religião: protestante (luteranos)
Moeda: coroa islandesa
Natureza do Estado: república parlamentarista

Israel

Nome oficial: Estado de Israel
Localização: Oriente Médio
Nacionalidade: israelense
Capital: Jerusalém (capital nacional e sede do governo), Tel Aviv (reconhecida internacionalmente)
Divisão: seis distritos
Principais cidades: Jerusalém, Tel Aviv, Haifa, Holon
Línguas: hebraico (oficial), árabe, inglês, francês, sefardita, alemão, russo
Religião: judaica, minorias islâmica, cristã e drusa
Moeda: shekel novo
Natureza do Estado: república parlamentarista
Obs.: Israel mantém sob administração militar parte dos territórios ocupados da Cisjordânia, faixa de Gaza, Golã e Jerusalém Leste. Na Cisjordânia e na faixa de Gaza, há áreas em regime de autonomia administrativa palestina

Itália

Nome oficial: República Italiana
Localização: Europa ocidental
Nacionalidade: italiana
Capital: Roma
Divisão: 20 regiões
Regiões: Abruzzo, Basilicata, Calábria, Campanha, Emilia Romagna, Friuli-Venezia Giulia, Lazio, Ligúria, Lombardia, Marcas, Molise, Úmbria, Piemonte, Puglia, Sardenha, Sicília, Toscana, Trentino-Alto Adige, Vale d'Aosta, Vêneto
Principais cidades: Roma, Milão, Nápoles, Turim, Palermo, Gênova, Bolonha, Florença, Catânia, Bari, Veneza, Messina, Verona, Trieste, Tarento, Pádua
Línguas: italiano (oficial), siciliano, vêneto, sardo, friulano, romagnolo, alemão, ladino, esloveno, occitânico, francês, grego, albanês
Religião: católica
Moeda: lira/euro
Natureza do Estado: república parlamentarista
Obs.: integrante da União Europeia

Jamaica

Nome oficial: Jamaica
Localização: América Central (Antilhas)
Nacionalidade: jamaicana
Capital: Kingston
Divisão: 14 paróquias
Línguas: inglês (oficial), inglês crioulo
Religião: protestante, católica, rasta
Moeda: dólar jamaicano
Natureza do Estado: monarquia parlamentarista da Comunidade Britânica (o chefe de Estado é, formalmente, o monarca do Reino Unido)

Jan Mayen

Território norueguês
Localização: oceano Glacial Ártico

Japão

Nome oficial: Japão
Localização: Ásia oriental
Nacionalidade: japonesa
Capital: Tóquio
Divisão: 47 prefeituras

Principais cidades: Tóquio, Osaka, Yokohama, Nagoya, Sapporo, Kobe, Kyoto, Fukuoka
Língua: japonês
Religião: xintoísta, budista, minoria cristã
Moeda: iene
Natureza do Estado: monarquia parlamentarista

Jordânia
Nome oficial: Reino Hachemita da Jordânia
Localização: Oriente Médio
Nacionalidade: jordaniana
Capital: Amã
Divisão: oito províncias
Obs.: três dessas províncias correspondem à Cisjordânia, região em regime de autonomia administrativa palestina, sob controle militar de Israel
Língua: árabe
Religião: islâmica (sunitas), minoria cristã
Moeda: dinar jordaniano
Natureza do Estado: monarquia parlamentarista

Kiribati
Nome oficial: República de Kiribati
Localização: Oceania
Nacionalidade: kiribatiana
Capital: Bairiki
Divisão: três grupos de ilhas
Língua: inglês
Religião: católica, protestante, minoria bahaísta
Moeda: dólar australiano
Natureza do Estado: república parlamentarista
Obs.: integrante da Comunidade Britânica

Kuait
Nome oficial: Estado do Kuait
Localização: Oriente Médio (golfo Pérsico)
Nacionalidade: kuaitiana
Capital: Al Kuait
Divisão: cinco governadorias
Língua: árabe
Religião: islâmica, minoria católica
Moeda: dinar kuaitiano
Natureza do Estado: emirado islâmico

Laos
Nome oficial: República Democrática Popular do Laos
Localização: Ásia meridional (Indochina)
Nacionalidade: laociana
Capital: Vientiane
Divisão: 17 províncias
Línguas: lao, francês, tai, futheung, hmong
Religião: budista, crenças tradicionais, minorias cristã e islâmica
Moeda: kip
Natureza do Estado: república de partido único

Lesoto
Nome oficial: Reino do Lesoto
Localização: África austral
Nacionalidade: lesota
Capital: Maseru
Divisão: dez distritos
Línguas: sesotho, inglês (oficiais)
Religião: católica, protestante, animista
Moeda: loti e rand sul-africano
Natureza do Estado: monarquia parlamentarista
Obs.: integrante da Comunidade Britânica

Letônia
Nome oficial: República da Letônia
Localização: Europa báltica
Nacionalidade: letã

Capital: Riga
Divisão: 26 distritos
Línguas: letão (oficial), russo
Religião: protestante, católica, minoria ortodoxa
Moeda: lats
Natureza do Estado: república parlamentarista

Líbano

Nome oficial: República do Líbano
Nacionalidade: libanesa
Capital: Beirute
Divisão: seis províncias
Principais cidades: Beirute, Trípoli, Zahlah, Sidon e Tiro
Línguas: árabe (oficial), francês, curdo, armênio
Religião: islâmica, católica, ortodoxa, drusa
Moeda: libra libanesa
Natureza do Estado: república parlamentarista

Libéria

Nome oficial: República da Libéria
Localização: África ocidental
Nacionalidade: liberiana
Capital: Monróvia
Divisão: 13 condados
Línguas: inglês (oficial), bassa, kpellé, kru e outros dialetos regionais
Religião: animista, protestante, islâmica, minoria católica
Moeda: dólar liberiano
Natureza do Estado: república presidencialista

Líbia

Nome oficial: República Árabe Líbia Popular e Socialista
Localização: África do Norte
Nacionalidade: líbia
Capital: Trípoli
Divisão: três províncias
Língua: árabe
Religião: islâmica (sunitas)
Moeda: dinar líbio
Natureza do Estado: república de partido único

Liechtenstein

Nome oficial: Principado de Liechtenstein
Localização: Europa central
Nacionalidade: liechtensteinense
Capital: Vaduz
Divisão: dois distritos
Língua: alemão
Religião: católica, minoria protestante
Moeda: franco suíço
Natureza do Estado: principado parlamentarista

Lituânia

Nome oficial: República da Lituânia
Localização: Europa báltica
Nacionalidade: lituana
Capital: Vilna
Divisão: dez distritos
Línguas: lituano (oficial), russo, polonês
Religião: católica, minoria protestante
Moeda: litas
Natureza do Estado: república parlamentarista

Luxemburgo

Nome oficial: Grão-Ducado de Luxemburgo
Nacionalidade: luxemburguesa
Capital: Luxemburgo
Divisão: 12 cantões
Línguas: luxemburguês, alemão, francês
Religião: católica, minorias protestante e islâmica

Moeda: franco luxemburguês e franco belga/euro
Natureza do Estado: grão-ducado parlamentarista
Obs.: integrante da União Europeia

Macedônia
Nome oficial: República da Macedônia
Localização: Europa balcânica
Nacionalidade: macedônia
Capital: Skopje
Divisão: 34 distritos
Línguas: macedônio (oficial), albanês, sérvio, croata, turco, valaco, rom
Religião: ortodoxa, islâmica
Moeda: dinar macedônio
Natureza do Estado: república parlamentarista

Madagáscar
Nome oficial: República Democrática de Madagáscar (a variante "Madagascar", oxítona, também é aceita)
Localização: África oriental (oceano Índico)
Nacionalidade: malgaxe
Capital: Antananarivo
Divisão: 28 regiões
Línguas: malgaxe, francês (oficiais), hova, dialetos regionais
Religião: animista, católica, protestante, minoria islâmica
Moeda: franco malgaxe
Natureza do Estado: república presidencialista

Malásia
Nome oficial: Federação da Malásia
Localização: Ásia meridional (Insulíndia)
Nacionalidade: malasiana
Capital: Kuala Lumpur
Divisão: 13 regiões e dois territórios federais
Línguas: malaio (oficial), chinês, inglês, tâmil
Religião: islâmica, budista, crenças tradicionais, minorias hindu e cristã
Moeda: ringgit
Natureza do Estado: monarquia parlamentarista
Obs.: integrante da Comunidade Britânica

Maláui
Nome oficial: República do Maláui
Localização: África oriental
Nacionalidade: malauiana
Capital: Lilongwe
Divisão: três regiões
Línguas: inglês (oficial), chicheua
Religião: protestante, católica, cristã africana, islâmica, animista
Moeda: kwacha
Natureza do Estado: república presidencialista
Obs.: integrante da Comunidade Britânica

Maldivas
Nome oficial: República das Maldivas
Localização: oceano Índico
Nacionalidade: maldiva, maldivana
Capital: Male
Divisão: 21 distritos
Línguas: divehi, inglês
Religião: islâmica (sunitas)
Moeda: rupia maldivana
Natureza do Estado: república presidencialista
Obs.: integrante da Comunidade Britânica

Mali
Nome oficial: República do Mali
Localização: África saheliana
Nacionalidade: malinesa
Capital: Bamaco
Divisão: oito regiões e a capital

Línguas: francês (oficial), bambara, fulani, sonrai, tuaregue, soninke, dogon, árabe
Religião: islâmica, animista, minoria cristã
Moeda: franco CFA
Natureza do Estado: república presidencialista

Malta
Nome oficial: República de Malta
Localização: Europa ocidental (Mediterrâneo)
Nacionalidade: maltesa
Capital: Valletta
Divisão: seis regiões
Línguas: maltês, inglês (oficiais), italiano
Religião: católica
Moeda: libra maltesa
Natureza do Estado: república parlamentarista
Obs.: integrante da Comunidade Britânica

Malvinas
Veja Ilhas Malvinas

Marrocos
Nome oficial: Reino de Marrocos
Localização: África do Norte
Nacionalidade: marroquina
Capital: Rabat
Divisão: sete regiões e duas prefeituras
Principais cidades: Casablanca, Rabat, Fez, Marrakech, Meknes
Línguas: árabe (oficial), dialetos berberes, francês
Religião: islâmica (sunitas), minoria cristã
Moeda: dirham marroquino
Natureza do Estado: monarquia parlamentarista

Martinica
Departamento de Ultramar da França
Localização: América Central (Antilhas)
Capital: Fort-de-France

Maurício
Nome oficial: Maurício
Localização: África oriental (oceano Índico)
Nacionalidade: mauriciana
Capital: Port Louis
Divisão: nove distritos
Línguas: inglês (oficial), francês crioulo, hindi
Religião: hindu, católica, islâmica, minoria protestante
Moeda: rupia mauriciana
Natureza do Estado: república parlamentarista
Obs.: integrante da Comunidade Britânica

Mauritânia
Nome oficial: República Islâmica da Mauritânia
Localização: África saheliana
Nacionalidade: mauritana
Capital: Nuakchott
Divisão: 13 províncias
Línguas: árabe, francês (oficiais), hassaniya, pular, soninké, nolof
Religião: islâmica (sunitas)
Moeda: uguia
Natureza do Estado: república presidencialista

Mayotte
Coletividade Territorial da França
Localização: África oriental (oceano Índico)
Capital: Dzaydzi

México

Nome oficial: Estados Unidos Mexicanos
Localização: América do Norte
Nacionalidade: mexicana
Capital: Cidade do México
Divisão: 31 Estados e o Distrito Federal
Estados: Aguascalientes, Baixa Califórnia, Baixa Califórnia do Sul, Campeche, Chiapas, Chihuahua, Coahuila, Colima, Durango, Guanajuato, Guerrero, Hidalgo, Jalisco, México, Michoacán, Morelos, Nayarit, Nuevo León, Oaxaca, Puebla, Querétaro, Quintana Roo, San Luis Potosí, Sinaloa, Sonora, Tabasco, Tamaulipas, Tláxcala, Veracruz, Yucatán, Zacatecas
Principais cidades: Cidade do México, Guadalajara, Netzahualcóyotl, Monterrey, Puebla, Juárez, León
Línguas: espanhol (oficial), náuatle, otomi, maia, zapoteca, mixteca e outros dialetos ameríndios
Religião: católica, minoria protestante
Moeda: peso novo mexicano
Natureza do Estado: república presidencialista

Mianmar

Nome oficial: União de Mianmar
Localização: Ásia meridional
Nacionalidade: mianmarense ou birmanesa
Capital: Naypyitaw
Divisão: sete Estados
Línguas: birmanês (oficial), inglês, dialetos regionais
Religião: budista, minorias cristã e islâmica
Moeda: kyat
Natureza do Estado: Estado militar

Micronésia

Nome oficial: Federação dos Estados da Micronésia
Localização: Oceania
Nacionalidade: micronésia
Capital: Palikir
Divisão: quatro Estados
Línguas: inglês (oficial), dialetos regionais
Religião: protestante, católica
Moeda: dólar norte-americano
Natureza do Estado: república presidencialista

Moçambique

Nome oficial: República de Moçambique
Localização: África austral
Nacionalidade: moçambicana
Capital: Maputo
Divisão: dez províncias
Línguas: português (oficial), macondé, chona, tonga, chicheua e outros dialetos regionais
Religião: animista, católica, minorias islâmica e cristã
Moeda: metical
Natureza do Estado: república presidencialista
Obs.: integrante da Comunidade Britânica

Moldova

Nome oficial: República da Moldova
Localização: Europa oriental
Nacionalidade: moldávia
Capital: Kichinev
Divisão: 40 distritos
Línguas: romeno, russo, búlgaro (oficiais), ucraniano, turco
Religião: ortodoxa russa
Moeda: leu

Natureza do Estado: república presidencialista
Obs.: integrante da Comunidade dos Estados Independentes

Mônaco
Nome oficial: Principado de Mônaco
Localização: Europa ocidental
Nacionalidade: monegasca
Capital: Monaco-Ville
Divisão: quatro distritos
Línguas: francês, monegasco (oficiais), italiano e inglês
Religião: católica
Moeda: franco francês/euro
Natureza do Estado: principado parlamentarista

Mongólia
Nome oficial: República da Mongólia
Localização: Ásia oriental
Nacionalidade: mongol
Capital: Ulan Bator
Divisão: 21 províncias e a capital
Línguas: mongol, russo, cazaque
Religião: budista (lamaístas), minoria islâmica
Moeda: tugrik
Natureza do Estado: república parlamentarista

Montenegro
Nome oficial: República de Montenegro
Localização: Europa balcânica
Nacionalidade: montenegrina
Capital: Podgorica
Divisão: 21 municipalidades
Principais cidades: Podgorica, Cetinje, Niksic, Bijelo Polje
Línguas: montenegrino, sérvio, bósnio, croata, albanês
Religião: ortodoxa, minorias islâmica e católica
Moeda: euro (obs.: o país não é membro oficial da zona do euro)
Natureza do Estado: república presidencialista

Montserrat
Dependência britânica
Localização: América Central (Antilhas)
Capital: Plymouth

Namíbia
Nome oficial: República da Namíbia
Localização: África austral
Nacionalidade: namibiana
Capital: Windhoek
Divisão: 13 distritos
Línguas: inglês (oficial), africâner, khoi, ovambo
Religião: protestante (luteranos), católica, animista
Moeda: dólar namibiano
Natureza do Estado: república presidencialista
Obs.: integrante da Comunidade Britânica

Nauru
Nome oficial: República de Nauru
Localização: Oceania
Nacionalidade: nauruana
Capital: Yaren
Divisão: 14 distritos
Línguas: nauruano (oficial), inglês
Religião: protestante, crenças tradicionais
Moeda: dólar australiano
Natureza do Estado: república parlamentarista
Obs.: integrante da Comunidade Britânica

Nepal

Nome oficial: Reino do Nepal
Localização: Ásia meridional (Indostão)
Nacionalidade: nepalesa
Capital: Katmandu
Divisão: 14 zonas
Línguas: nepali (oficial), newari, tamang e dialetos do hindi
Religião: hindu, minorias budista e islâmica
Moeda: rupia nepalesa
Natureza do Estado: monarquia parlamentarista

Nicarágua

Nome oficial: República da Nicarágua
Localização: América Central (istmo)
Nacionalidade: nicaraguense
Capital: Manágua
Divisão: 15 departamentos e duas regiões autônomas
Língua: espanhol (oficial), inglês, garifuna, misquito, sumu, rama
Religião: católica, minoria protestante
Moeda: córdoba
Natureza do Estado: república presidencialista

Níger

Nome oficial: República do Níger
Localização: África saheliana
Nacionalidade: nigerina
Capital: Niamey
Divisão: sete regiões e a capital
Línguas: francês (oficial), haussa, tuaregue, peul, zarma, kanuri
Religião: islâmica (sunitas), animista
Moeda: franco CFA
Natureza do Estado: república presidencialista

Nigéria

Nome oficial: República Federal da Nigéria
Localização: África ocidental
Nacionalidade: nigeriana
Capital: Abuja
Divisão: 36 Estados
Línguas: inglês (oficial), haussa, ibo, ioruba, dialetos regionais
Religião: islâmica, protestante, minorias católica e animista
Moeda: naira
Natureza do Estado: república presidencialista
Obs.: integrante da Comunidade Britânica

Niue

Território associado à Nova Zelândia
Localização: Oceania
Capital: Alofi

Noruega

Nome oficial: Reino da Noruega
Localização: Europa nórdica
Nacionalidade: norueguesa
Capital: Oslo
Divisão: 19 condados
Principais cidades: Oslo, Bergen, Trondheim, Stavanger, Kristiansand
Territórios administrados: Svalbard, Jan Mayen
Línguas: norueguês (oficial), lapão
Religião: protestante (luteranos)
Moeda: coroa norueguesa
Natureza do Estado: monarquia parlamentarista

Nova Caledônia

Território de Ultramar da França
Localização: Oceania
Capital: Nouméa

Nova Zelândia
Nome oficial: Nova Zelândia
Localização: Oceania
Nacionalidade: neozelandesa
Capital: Wellington
Divisão: 13 distritos, dois territórios associados e uma dependência
Principais cidades: Wellington, Auckland, Christchurch, Manukau
Línguas: inglês (oficial), maori
Territórios associados: Ilhas Cook, Niue
Dependência: Tokelau (não tem capital)
Religião: protestante, minoria católica
Moeda: dólar da Nova Zelândia
Natureza do Estado: monarquia parlamentarista da Comunidade Britânica (o chefe de Estado é, formalmente, o monarca do Reino Unido)

Omã
Nome oficial: Sultanato de Omã
Localização: Oriente Médio
Nacionalidade: omani
Capital: Mascate
Divisão: oito governadorias
Línguas: árabe (oficial), hindi, balúchi
Religião: islâmica, minoria hindu
Moeda: rial omani
Natureza do Estado: sultanato islâmico

País Basco
Comunidade autônoma da Espanha (a região também abrange três províncias em território francês)
Localização: Europa ocidental
Obs.: o grupo separatista ETA (sigla em basco para "Pátria Basca e Liberdade"), fundado em 1959, promove ações terroristas na região desde 1966

País de Gales
Veja Reino Unido

Países Baixos
Veja Holanda

Palau
Nome oficial: República de Palau
Localização: Oceania
Nacionalidade: palauense
Capital: Koror
Divisão: 16 Estados
Línguas: inglês, palauense (oficiais)
Religião: católica, protestante, crenças tradicionais
Moeda: dólar norte-americano
Natureza do Estado: república presidencialista

Palestina
Territórios palestinos na Cisjordânia e na faixa de Gaza
Localização: Israel (Oriente Médio)
Capital: Cidade de Gaza
Língua: árabe
Religião: islâmica
Obs.: parte dos territórios encontra-se sob administração autônoma da Autoridade Palestina, mas no interior das fronteiras de Israel. O estatuto definitivo da Palestina e suas fronteiras dependem da conclusão dos acordos de paz entre Israel e a OLP (Organização para a Libertação da Palestina)

Panamá
Nome oficial: República do Panamá
Localização: América Central (istmo)
Nacionalidade: panamenha
Capital: Cidade do Panamá
Divisão: nove províncias e três reservas indígenas autônomas
Línguas: espanhol (oficial), guaymi, kuna
Religião: católica, minorias protestante e islâmica

Moeda: balboa (oficial), dólar norte-americano
Natureza do Estado: república presidencialista

Papua-Nova Guiné
Nome oficial: Papua-Nova Guiné
Localização: Oceania
Nacionalidade: papua
Capital: Port Moresby
Divisão: 20 províncias
Línguas: dialeto melanésio, inglês, inglês crioulo (oficiais), cerca de 700 dialetos regionais
Religião: protestante e católica, com minorias que professam crenças tradicionais das tribos do país
Moeda: kina
Natureza do Estado: república parlamentarista
Obs.: integrante da Comunidade Britânica

Paquistão
Nome oficial: República Islâmica do Paquistão
Localização: Ásia meridional (Indostão)
Nacionalidade: paquistanesa
Capital: Islamabad
Divisão: quatro províncias e dois territórios
Principais cidades: Karachi, Faisalabad, Lahore, Rawalpindi, Islamabad, Hyderabad
Línguas: urdu (oficial), punjábi, sindi, pashtu, balúchi, pathan, inglês
Religião: islâmica, minorias cristã e hindu
Moeda: rupia paquistanesa
Natureza do Estado: república parlamentarista
Obs.: integrante da Comunidade Britânica

Paraguai
Nome oficial: República do Paraguai
Localização: América do Sul (Cone Sul)
Nacionalidade: paraguaia
Capital: Assunção
Divisão: 19 departamentos
Principais cidades: Assunção, Ciudad del Este, San Lorenzo
Línguas: espanhol (oficial), guarani
Religião: católica
Moeda: guarani
Natureza do Estado: república presidencialista

Peru
Nome oficial: República do Peru
Localização: América do Sul
Nacionalidade: peruana
Capital: Lima
Divisão: 24 departamentos
Principais cidades: Lima, Arequipa, Callao, Chiclayo, Trujillo
Línguas: espanhol, quéchua, aimará (oficiais)
Religião: católica, minoria protestante
Moeda: sol novo
Natureza do Estado: república presidencialista

Polinésia Francesa
Território de Ultramar da França
Localização: Oceania
Capital: Papeete (no Taiti, maior ilha do arquipélago)

Polônia
Nome oficial: República da Polônia
Localização: Europa central
Nacionalidade: polonesa
Capital: Varsóvia
Divisão: 49 províncias
Língua: polonês

Religião: católica, minoria ortodoxa
Moeda: zloty
Natureza do Estado: república parlamentarista

Porto Rico

Estado associado aos EUA
Localização: América Central (Antilhas)
Nacionalidade: porto-riquenha
Capital: San Juan
Língua: espanhol
Religião: católica

Portugal

Nome oficial: República de Portugal
Localização: Europa ocidental
Nacionalidade: portuguesa
Capital: Lisboa
Divisão: 18 distritos e duas regiões autônomas (Açores e Madeira)
Principais cidades: Lisboa, Porto, Coimbra, Funchal, Setúbal
Língua: português
Religião: católica
Moeda: escudo/euro
Natureza do Estado: república parlamentarista
Obs.: integrante da União Europeia

Qatar

Nome oficial: Estado de Qatar
Localização: Oriente Médio (golfo Pérsico)
Nacionalidade: qatariana
Capital: Doha
Divisão: nove municipalidades
Língua: árabe
Religião: islâmica (sunitas)
Moeda: rial de Qatar
Natureza do Estado: emirado islâmico

Quênia

Nome oficial: República do Quênia
Localização: África oriental
Nacionalidade: queniana
Capital: Nairóbi
Divisão: oito províncias
Línguas: suaíli, inglês (oficiais), kikuyu, luo
Religião: protestante, católica, animista, minoria islâmica
Moeda: xelim queniano
Natureza do Estado: república presidencialista
Obs.: integrante da Comunidade Britânica

Quirguistão

Nome oficial: República do Quirguistão
Localização: Ásia central
Nacionalidade: quirguiz
Capital: Bishkek
Divisão: seis regiões e a capital
Línguas: quirguiz (oficial), russo, uzbeque
Religião: islâmica, minoria ortodoxa russa
Moeda: som
Natureza do Estado: república presidencialista
Obs.: integrante da Comunidade de Estados Independentes

Reino Unido

Nome oficial: Reino Unido da Grã-Bretanha e Irlanda do Norte
Localização: Europa ocidental
Nacionalidade: britânica ou irlandesa; se for o caso, inglesa, escocesa, galesa
Capital: Londres
Divisão: quatro países
Países: Inglaterra, Escócia, País de Gales, Irlanda do Norte
Principais cidades: Londres, Birmin-

gham, Leeds, Glasgow, Sheffield, Cardiff, Belfast
Línguas: inglês (oficial), galês (também oficial no País de Gales), gaélico
Religião: protestante, minorias católica, islâmica, sikh e hindu
Moeda: libra esterlina
Natureza do Estado: monarquia parlamentarista
Obs.: integrante da União Europeia e sede da Comunidade Britânica
Obs.2: do ponto de vista da geografia física, o termo Grã-Bretanha designa a ilha onde se encontram Inglaterra, Escócia e País de Gales. O nome do país é Reino Unido

República Centro-Africana
Nome oficial: República Centro Africana
Localização: África equatorial
Nacionalidade: centro-africana
Capital: Bangui
Divisão: 17 prefeituras
Línguas: francês (oficial), sangô
Religião: protestante, católica, animista, minoria islâmica
Moeda: franco CFA
Natureza do Estado: república presidencialista

República Dominicana
Nome oficial: República Dominicana
Localização: América Central (Antilhas)
Nacionalidade: dominicana
Capital: Santo Domingo
Divisão: 30 províncias e o Distrito Nacional
Língua: espanhol (oficial)
Religião: católica
Moeda: peso dominicano
Natureza do Estado: república presidencialista

República Tcheca
Nome oficial: República Tcheca
Localização: Europa central
Nacionalidade: tcheca
Capital: Praga
Divisão: oito províncias
Principais cidades: Praga, Brno, Ostrava, Plzen, Olomouc
Línguas: tcheco (oficial), eslovaco, alemão, rom
Religião: católica, minoria protestante
Moeda: coroa tcheca
Natureza do Estado: república parlamentarista

Reunião
Departamento de Ultramar da França
Localização: oceano Índico
Capital: Saint Denis

Romênia
Nome oficial: Romênia
Localização: Europa central
Nacionalidade: romena
Capital: Bucareste
Divisão: 41 condados e a capital
Principais cidades: Bucareste, Constança, Iasi, Timisoara, Galati, Brasov, Cluj-Napoca
Línguas: romeno (oficial), húngaro, alemão, rom
Religião: ortodoxa, minoria católica
Moeda: leu
Natureza do Estado: república de sistema misto (as funções de chefe de governo estão divididas entre o presidente e o primeiro-ministro)

Ruanda
Nome oficial: República Ruandesa
Localização: África oriental
Nacionalidade: ruandesa

Capital: Kigali
Divisão: 11 prefeituras
Línguas: kinayarwanda, francês, inglês (oficiais), suaíli
Religião: católica, animista, minoria islâmica
Moeda: franco ruandês
Natureza do Estado: república presidencialista

Rússia

Nome oficial: Federação Russa
Localização: Eurásia
Nacionalidade: russa
Capital: Moscou
Divisão: 89 unidades administrativas, entre as quais 25 repúblicas
Repúblicas: Adigueia, Altai, Bachkíria, Buriátia, Carélia, Chukotka, Daguestão, Iakútia, Iamalo-Nenets, Inguchétia, Kabardino-Balkária, Kalmíkia, Khakássia, Kharatchaiev-Tcherkássia, Komis, Koriaks, Maris, Mordóvia, Ossétia do Norte, Rússia, Udmúrtia, Tatarstão, Tchetchênia, Tchuváchia, Tuva
Línguas: russo, tártaro, ucraniano, tchuvache e outras cem
Principais cidades: Moscou, São Petersburgo, Nijni Novgorod, Novosibirsk, Iekaterinburgo
Religião: ortodoxa, minoria islâmica
Moeda: rublo
Natureza do Estado: república presidencialista
Obs.: integrante da Comunidade dos Estados Independentes

Saara Ocidental

Território anexado e ocupado por Marrocos; ex-colônia espanhola
Localização: África do Norte

Saint-Pierre e Miquelon

Coletividade Territorial da França
Localização: América do Norte (Atlântico Norte)
Capital: Saint-Pierre

Samoa

Nome oficial: Samoa
Localização: Oceania
Nacionalidade: samoana
Capital: Ápia
Divisão: 17 distritos
Línguas: samoano, inglês
Religião: protestante, católica
Moeda: tala
Natureza do Estado: monarquia parlamentarista
Obs.: integrante da Comunidade Britânica

San Marino

Nome oficial: República de San Marino
Localização: Europa ocidental
Nacionalidade: samarinesa
Capital: San Marino
Divisão: nove paróquias
Língua: italiano
Religião: católica
Moeda: lira/euro
Natureza do Estado: república parlamentarista

Santa Helena

Dependência britânica
Localização: Atlântico Sul
Capital: Jamestown

Santa Lúcia

Nome oficial: Santa Lúcia
Localização: América Central (Antilhas)
Nacionalidade: santa-lucense
Capital: Castries
Divisão: dez regiões

Línguas: inglês (oficial), francês crioulo
Religião: católica, minoria protestante
Moeda: dólar do Caribe do Leste
Natureza do Estado: monarquia parlamentarista da Comunidade Britânica (o chefe de Estado é, formalmente, o monarca do Reino Unido)

São Cristóvão e Névis

Nome oficial: Federação de São Cristóvão e Névis
Localização: América Central (Antilhas)
Nacionalidade: são-cristovense
Capital: Basse-Terre
Divisão: dois Estados (São Cristóvão e Névis)
Língua: inglês
Religião: protestante, minoria católica
Moeda: dólar do Caribe do Leste
Natureza do Estado: monarquia parlamentarista da Comunidade Britânica (o chefe de Estado é, formalmente, o monarca do Reino Unido)

São Tomé e Príncipe

Nome oficial: República Democrática de São Tomé e Príncipe
Localização: África ocidental
Nacionalidade: são-tomense
Capital: São Tomé
Divisão: sete distritos
Línguas: português (oficial), português crioulo, ngola
Religião: católica, minoria protestante
Moeda: dobra
Natureza do Estado: república parlamentarista

São Vicente e Granadinas

Nome oficial: São Vicente e Granadinas
Localização: América Central (Antilhas)
Nacionalidade: são-vicentina
Capital: Kingstown
Divisão: 13 distritos
Língua: inglês
Religião: protestante, minoria católica
Moeda: dólar do Caribe do Leste
Natureza do Estado: monarquia parlamentarista da Comunidade Britânica (o chefe de Estado é, formalmente, o monarca do Reino Unido)

Senegal

Nome oficial: República do Senegal
Localização: África ocidental
Nacionalidade: senegalesa
Capital: Dacar
Divisão: dez regiões
Línguas: francês (oficial), uolof, serere, diula, bambara, sarakole, toucouleur, peul
Religião: islâmica, minorias católica e animista
Moeda: franco CFA
Natureza do Estado: república presidencialista

Serra Leoa

Nome oficial: República de Serra Leoa
Localização: África ocidental
Nacionalidade: leonesa
Capital: Freetown
Divisão: quatro províncias
Línguas: inglês (oficial), inglês crioulo, mende, limba, temne
Religião: islâmica, animista, minoria protestante
Moeda: leone
Natureza do Estado: república presidencialista
Obs.: integrante da Comunidade Britânica

Sérvia

Nome oficial: República da Sérvia
Localização: Europa balcânica

Nacionalidade: sérvia
Capital: Belgrado
Divisão: 24 distritos mais a cidade de Belgrado
Províncias da Sérvia: Kosovo e Voivodina
Principais cidades: Belgrado, Novi Sad, Nis, Pristina, Subotica
Línguas: sérvio, croata, albanês, húngaro
Religião: ortodoxa (sérvios), minorias islâmica e católica
Moeda: dinar sérvio
Natureza do Estado: república presidencialista

Seychelles
Nome oficial: República de Seychelles
Localização: África oriental (oceano Índico)
Nacionalidade: seichelense
Capital: Victoria
Divisão: não há
Línguas: inglês, inglês crioulo (oficiais), francês
Religião: católica, minoria protestante
Moeda: rupia de Seychelles
Natureza do Estado: república presidencialista
Obs.: integrante da Comunidade Britânica

Síria
Nome oficial: República Árabe da Síria
Localização: Oriente Médio
Nacionalidade: síria
Capital: Damasco
Divisão: 14 províncias
Principais cidades: Aleppo, Damasco, Homs, Latakia, Hama, Deir Ezzor
Línguas: árabe (oficial), curdo
Religião: islâmica (sunitas), minorias cristã e drusa
Moeda: libra síria
Natureza do Estado: república árabe de partido único

Somália
Nome oficial: República Democrática Somali
Localização: África (Chifre da África)
Nacionalidade: somali
Capital: Mogadício
Divisão: 16 regiões
Línguas: somali, árabe (oficiais), inglês, italiano
Religião: islâmica (sunitas)
Moeda: xelim somali
Natureza do Estado: Estado transitório

Sri Lanka
Nome oficial: República Democrática Socialista do Sri Lanka
Localização: Ásia meridional (Indostão)
Nacionalidade: cingalesa
Capital: Colombo
Divisão: nove províncias
Línguas: cingalês, tâmil, inglês
Religião: budista, minorias hindu, islâmica e protestante
Moeda: rupia cingalesa
Natureza do Estado: república presidencialista
Obs.: integrante da Comunidade Britânica

Suazilândia
Nome oficial: Reino da Suazilândia
Localização: África austral
Nacionalidade: suázi
Capital: Mbabane
Divisão: quatro regiões
Línguas: inglês, suázi (oficiais)
Religião: protestante, cristã africana, animista, católica
Moeda: lilangeni

Natureza do Estado: monarquia parlamentarista
Obs.: integrante da Comunidade Britânica

Sudão
Nome oficial: República do Sudão
Localização: África saheliana
Nacionalidade: sudanesa
Capital: Cartum
Divisão: 25 Estados
Línguas: árabe (oficial), inglês, dinka, nuer, dialetos regionais
Religião: islâmica (sunitas), minorias animista, católica e protestante
Moeda: libra sudanesa
Natureza do Estado: república militar islâmica

Sudão do Sul
Nome oficial: República do Sudão do Sul
Localização: África saheliana
Nacionalidade: sul-sudanesa
Capital: Juba
Divisão: 10 Estados
Línguas: árabe e inglês (oficiais), dinka, nuer e dialetos regionais
Religião: cristã e animista
Moeda: libra sul-sudanesa
Natureza do Estado: república

Suécia
Nome oficial: Reino da Suécia
Localização: Europa nórdica
Nacionalidade: sueca
Capital: Estocolmo
Divisão: 25 condados
Línguas: sueco, finlandês e lapão
Religião: protestante
Moeda: coroa sueca
Natureza do Estado: monarquia parlamentarista
Obs.: integrante da União Europeia

Suíça
Nome oficial: Confederação Helvética
Localização: Europa central
Nacionalidade: suíça
Capital: Berna
Divisão: 26 cantões
Principais cidades: Zurique, Basileia, Genebra, Berna, Lausanne
Línguas: alemão, francês, italiano, romanche (oficiais)
Religião: católica, protestante, minorias islâmica e ortodoxa
Moeda: franco suíço
Natureza do Estado: república confederativa parlamentar

Suriname
Nome oficial: República do Suriname
Localização: América do Sul
Nacionalidade: surinamesa
Capital: Paramaribo
Divisão: dez distritos
Línguas: holandês (oficial), inglês crioulo, tongo, hindustani, sranan, chinês
Religião: hindu, católica, islâmica, protestante
Moeda: florim do Suriname
Natureza do Estado: república presidencialista

Svalbard
Território norueguês
Localização: oceano Glacial Ártico

Tadjiquistão
Nome oficial: República do Tadjiquistão
Localização: Ásia central
Nacionalidade: tadjique
Capital: Duchambe
Divisão: três províncias e a região autônoma de Gorno-Badakchan
Línguas: tadjique (oficial), russo

Religião: islâmica (sunitas), minoria ortodoxa
Moeda: rublo do Tadjiquistão
Natureza do Estado: república presidencialista
Obs.: integrante da Comunidade dos Estados Independentes

Tailândia

Nome oficial: Reino da Tailândia
Localização: Ásia meridional
Nacionalidade: tailandesa
Capital: Bancoc
Divisão: sete regiões
Línguas: tai (oficial), chinês
Religião: budista, minoria islâmica
Moeda: baht
Natureza do Estado: monarquia parlamentarista

Taiwan

Nome oficial: República da China
Localização: Ásia oriental
Nacionalidade: chinesa ou taiwanesa
Capital: Taipé
Divisão: 17 condados e sete municipalidades
Línguas: chinês mandarim (oficial), taiwanês
Religião: crenças tradicionais, budista, minoria cristã
Moeda: dólar de Taiwan
Natureza do Estado: república com sistema misto (as funções de chefe de governo estão divididas entre o presidente e o primeiro-ministro)
Obs.: Taiwan é considerada por Pequim uma "província rebelde", embora funcione como um país autônomo. A entidade política não é reconhecida como Estado soberano pela ONU e não faz parte das principais organizações internacionais

Tanzânia

Nome oficial: República Unida da Tanzânia
Localização: África oriental
Nacionalidade: tanzaniana
Capital: Dodoma
Divisão: 25 regiões
Línguas: suaíli, inglês (oficiais), dialetos regionais
Religião: islâmica, animista, cristã
Moeda: xelim tanzaniano
Natureza do Estado: república presidencialista
Obs.: integrante da Comunidade Britânica

Tchetchênia

República da Federação Russa
Localização: Eurásia
Obs.: Grupos separatistas entraram em guerra contra a Rússia em 1994. Em 1996, foi selado um acordo de paz. O território é controlado pelo governo separatista, mas pertence oficialmente à Rússia

Território Britânico do Oceano Índico

Dependência britânica
Localização: oceano Índico
Centro administrativo: Victoria

Tibete

Região autônoma da República Popular da China
Localização: Ásia oriental
Obs.: O movimento nacionalista tibetano contesta a autoridade da China (que ocupou militarmente o território a partir de 1950) e se divide entre os que querem independência e os que aceitam um governo com mais autonomia, mas sob controle de Pequim

Timor Leste
Localização: Ásia meridional (Insulíndia)
Capital: Díli
Obs.: A antiga colônia portuguesa de Timor Leste, anexada como província da Indonésia em 1975, tornou-se independente após plebiscito patrocinado pela ONU em agosto de 1999

Togo
Nome oficial: República do Togo
Localização: África ocidental
Nacionalidade: togolesa
Capital: Lomé
Divisão: cinco regiões
Línguas: francês (oficial), ewe, mina, kabiê
Religião: animista, católica, islâmica, cristã africana
Moeda: franco CFA
Natureza do Estado: república presidencialista

Tokelau
Território da Nova Zelândia
Localização: Oceania
Centro administrativo: Ápia

Tonga
Nome oficial: Reino de Tonga
Localização: Oceania
Nacionalidade: tonganesa
Capital: Nukualofa
Divisão: cinco grupos de ilhas
Línguas: tonganês, inglês
Religião: protestante, minoria católica
Moeda: pa'anga
Natureza do Estado: monarquia tradicional
Obs.: integrante da Comunidade Britânica

Trinidad e Tobago
Nome oficial: República de Trinidad e Tobago
Localização: América Central (Antilhas)
Nacionalidade: trinitária ou tobaguiana
Capital: Port of Spain
Divisão: sete condados
Línguas: inglês (oficial), inglês crioulo, espanhol, hindi
Religião: protestante, católica, hindu, minoria islâmica
Moeda: dólar de Trinidad e Tobago
Natureza do Estado: república parlamentarista
Obs.: integrante da Comunidade Britânica

Tunísia
Nome oficial: República da Tunísia
Localização: África do Norte
Nacionalidade: tunisiana
Capital: Túnis
Divisão: 18 governadorias
Línguas: árabe (oficial), dialetos berberes, francês
Religião: islâmica (sunitas)
Moeda: dinar tunisiano
Natureza do Estado: república presidencialista

Turcomenistão
Nome oficial: República do Turcomenistão
Localização: Ásia central
Nacionalidade: turcomana
Capital: Achkhabad
Divisão: cinco regiões
Línguas: turcomano (oficial), russo
Religião: islâmica (sunitas), minoria ortodoxa
Moeda: manat
Natureza do Estado: república presidencialista
Obs.: integrante da Comunidade dos Estados Independentes

Turquia
Nome oficial: República da Turquia
Localização: Oriente Médio e Europa balcânica
Nacionalidade: turca
Capital: Ancara
Divisão: 67 províncias
Principais cidades: Istambul, Ancara, Esmirna, Adana, Bursa
Línguas: turco (oficial), curdo
Religião: islâmica (sunitas)
Moeda: lira
Natureza do Estado: república parlamentarista

Tuvalu
Nome oficial: Tuvalu
Localização: Oceania
Nacionalidade: tuvaluana
Capital: Funafuti
Divisão: nove ilhas
Línguas: tuvaluano, inglês
Religião: protestante
Moeda: dólar australiano
Natureza do Estado: monarquia parlamentarista da Comunidade Britânica (o chefe de Estado é, formalmente, o monarca do Reino Unido)

Ucrânia
Nome oficial: República da Ucrânia
Localização: Europa oriental
Nacionalidade: ucraniana
Capital: Kiev
Divisão: 24 províncias e uma república autônoma (Crimeia)
Línguas: ucraniano (oficial), russo, bielorrusso, tártaro, polonês, romeno, húngaro, búlgaro, alemão, eslovaco
Religião: ortodoxa, com minorias católica e judaica
Moeda: hrivna
Natureza do Estado: república presidencialista
Obs.: integrante da Comunidade dos Estados Independentes

Uganda
Nome oficial: República de Uganda
Localização: África oriental
Nacionalidade: ugandense
Capital: Campala
Divisão: 38 distritos
Línguas: kiganda, inglês (oficiais), suaíli
Religião: católica, protestante, animista, minoria islâmica
Moeda: xelim ugandês
Natureza do Estado: república presidencialista
Obs.: integrante da Comunidade Britânica

Uruguai
Nome oficial: República Oriental do Uruguai
Localização: América do Sul (Cone Sul)
Nacionalidade: uruguaia
Capital: Montevidéu
Divisão: 19 departamentos
Principais cidades: Montevidéu, Salto, Paysandú, Las Piedras, Rivera, Melo
Língua: espanhol
Religião: católica, minoria protestante
Moeda: peso uruguaio
Natureza do Estado: república presidencialista

Uzbequistão
Nome oficial: República do Uzbequistão
Localização: Ásia central
Nacionalidade: uzbeque
Capital: Tachkent
Divisão: 12 regiões e uma república autônoma (Karakallpakstan)
Línguas: uzbeque (oficial), russo, caza-

que, tadjique, kara-kalpákio
Religião: islâmica, minoria ortodoxa
Moeda: som
Natureza do Estado: república presidencialista
Obs.: integrante da Comunidade dos Estados Independentes
Obs. 2: os dicionários admitem as grafias "Usbequistão" e "usbeque"

Vanuatu

Nome oficial: República de Vanuatu
Localização: Oceania
Nacionalidade: vanuatense
Capital: Porto Vila
Divisão: seis províncias
Línguas: bislamar, inglês, francês (oficiais), dialetos melanésios
Religião: protestante, católica, crenças tradicionais
Moeda: vatu
Natureza do Estado: república parlamentarista
Obs.: integrante da Comunidade Britânica

Vaticano

Nome oficial: Estado da Cidade do Vaticano
Localização: Europa ocidental (Itália)
Nacionalidade: vaticana
Línguas: italiano, latim (oficiais)
Religião: católica
Moeda: lira/euro
Natureza do Estado: papado vitalício

Venezuela

Nome oficial: República da Venezuela
Localização: América do Sul
Nacionalidade: venezuelana
Capital: Caracas
Divisão: 22 Estados, o Distrito Federal (Caracas) e dependências federais (73 ilhas)
Principais cidades: Caracas, Valencia, Barquisimeto, Maracaibo
Língua: espanhol
Religião: católica, minoria protestante
Moeda: bolívar
Natureza do Estado: república presidencialista

Vietnã

Nome oficial: República Socialista do Vietnã
Localização: Ásia meridional (Indochina)
Nacionalidade: vietnamita
Capital: Hanói
Divisão: sete regiões
Principais cidades: Ho Chi Minh, Hanói, Haiphong, Da Nang, Nha Trang
Língua: vietnamita (oficial), khmer, sham, tai, sedang, miao-yao, chinês, francês, inglês, russo
Religião: budista, minoria católica
Moeda: dong
Natureza do Estado: república de partido único

Zâmbia

Nome oficial: República de Zâmbia
Localização: África austral
Nacionalidade: zambiana
Capital: Lusaka
Divisão: nove províncias
Línguas: inglês (oficial), nianja, bemba, tonga
Religião: protestante, católica, cristã africana, animista
Moeda: kwacha
Natureza do Estado: república presidencialista
Obs.: integrante da Comunidade Britânica

Zimbábue

Nome oficial: República do Zimbábue
Localização: África austral
Nacionalidade: zimbabuana

Capital: Harare
Divisão: dez províncias
Línguas: inglês (oficial), shona, ndebele
Religião: protestante, animista, cristã africana, minoria católica
Moeda: dólar do Zimbábue
Natureza do Estado: república presidencialista
Obs.: integrante da Comunidade Britânica

Organismos internacionais

Principais organizações confederais, blocos econômicos e outras entidades

Organizações confederais

Comunidade dos Estados Independentes (CEI)

Área de abrangência: Eurásia
Repúblicas-membros da CEI: Armênia, Azerbaijão, Belarus, Cazaquistão, Geórgia, Moldova, Quirguistão, Rússia, Tadjiquistão, Turcomenistão, Ucrânia e Uzbequistão
Secretariado: Minsk (Belarus)
Fundada em 1991 com o fim da União das Repúblicas Socialistas Soviéticas (URSS), é uma organização com ambições confederativas, que agrupa as antigas repúblicas soviéticas, com exceção dos Estados bálticos (Letônia, Estônia e Lituânia). A única instituição de poder da CEI é um comando militar unificado, que, contudo, não exerce controle real sobre as Forças Armadas nacionais dos Estados integrantes. A organização não tem poder sobre as instituições políticas, a política monetária ou alfandegária dos integrantes. Seu aparato técnico está circunscrito à centralização das estatísticas. Seu funcionamento restringe-se a reuniões de chefes de Estado, que só podem deliberar por consenso.

Comunidade Britânica (Commonwealth)

Área de abrangência: Europa, América, Ásia, Oceania
Integrantes: 53 Estados, a maioria dos quais antigas colônias britânicas
Países cujo chefe de Estado é, formalmente, o monarca do Reino Unido: Antígua, Austrália, Bahamas, Barbados, Belize, Canadá, Granada, Ilhas Salomão, Jamaica, Nova Zelândia, Reino Unido, Santa Lúcia, São Cristóvão e Névis, São Vicente e Granadinas, Tuvalu
Países com chefes de Estado próprios: África do Sul, Bangladesh, Botsuana, Brunei, Camarões, Chipre, Cingapura, Dominica, Gâmbia, Gana, Guiana, Índia, Kiribati, Lesoto, Malásia, Maláui, Maldivas, Malta, Maurício, Moçambique, Namíbia, Nova Guiné, Paquistão, Quênia, Samoa, Serra, Leoa, Seychelles, Sri Lanka, Suazilândia, Tanzânia, Tonga, Trinidad e Tobago, Uganda, Vanuatu, Zâmbia, Zimbábue
Secretariado: Londres (Reino Unido)
O princípio da Comunidade Britânica foi definido em 1926 e formalizado em 1931 pelo Estatuto de Westminster. Tratava-se de uma associação de "comunidades autônomas ligadas à Coroa britânica pela vontade geral". A adesão da Índia republicana, em 1947, conduziu à redefinição da organização, que passou a agrupar dois tipos de países: aqueles que reconhecem o monarco britânico como chefe de Estado e aqueles que o reconhecem apenas como chefe da associação. O secretariado da comunidade coordena uma vasta gama de organizações incumbidas de assistência ao desenvolvimento, cooperação técnica e educação. A cada dois anos, os chefes de Estado e governo se reúnem para uma troca de pontos de vista sobre temas globais. A comunidade é, atualmente, uma mistura de herança colonial

com políticas de cooperação pós-coloniais.

União Europeia (UE)
Área de abrangência: Europa
Integrantes: 27 Estados-membros (Alemanha, Áustria, Bélgica, Bulgária, Chipre, República Tcheca, Dinamarca, Espanha, Estônia, Eslováquia, Eslovênia, França, Finlândia, Grécia, Hungria, Itália, Irlanda, Luxemburgo, Lituânia, Letônia, Malta, Holanda, Portugal, Polônia, Reino Unido, Romênia, Suécia).
Parlamento: Estrasburgo (França) e Bruxelas (Bélgica)
Conselho da União Europeia: Bruxelas (Bélgica)
Comissão Europeia (órgão executivo da UE): Bruxelas (Bélgica)
Tribunal de Justiça: Luxemburgo (Luxemburgo)
Tribunal de Contas: Luxemburgo (Luxemburgo)
Banco Central Europeu: Frankfurt (Alemanha)
As origens da União Europeia encontram-se no Plano Schuman, de 1950, que conduziu ao Ceca (Tratado da Comunidade Europeia do Carvão e do Aço), em 1951. Formalmente, a organização surgiu com o Tratado de Roma, de 1957.
A Comunidade Europeia consolidou-se, objetivamente, como espaço estratégico ocidental no contexto bipolar da Guerra Fria. Ideologicamente, ela refletiu as aspirações federativas de seus fundadores, que opunham a ideia dos Estados Unidos da Europa aos nacionalismos beligerantes tradicionais. A edificação de instituições comunitárias correspondeu à expansão progressiva do campo de soberania compartilhada entre os Estados integrantes.
Com o Tratado de Maastricht, de 1992, a Comunidade Europeia passou a denominar-se União Europeia. Esse tratado lançou as bases da UEM (União Econômica e Monetária) e estabeleceu a meta de definição de políticas externa e de segurança comuns. Na implementação da UEM, em 1999, a União Europeia adotou a moeda única, o euro, utilizada hoje por 15 dos 27 Estados-membros da UE: Alemanha, Áustria, Bélgica, Chipre, Eslovênia, Espanha, Finlândia, França, Grécia, Irlanda, Itália, Luxemburgo, Malta, Países Baixos e Portugal.
Em vigor desde 1º de fevereiro de 2003, o Tratado de Nice abriu o caminho para a reforma institucional necessária à ampliação da União Europeia para os países candidatos do leste e do sul da Europa –o primeiro deles ampliou de 15 para 25 o número de Estados-membros em 2004 e o último aumentou de 25 para 27 o total de países integrantes.

Blocos econômicos

Apec (Asia-Pacific Economic Cooperation, Cooperação Econômica Ásia--Pacífico)
Criação: 1989, na Conferência de Canberra (Austrália)
Países-membros: Austrália, Brunei, Canadá, Chile, China, Cingapura, Coreia do Sul, Estados Unidos, Filipinas, Indonésia, Japão, Malásia, México, Nova Zelândia, Papua-Nova Guiné, Tailândia, Taiwan
Objetivo: cooperação nos campos de comércio e investimentos

Asean (Association of South East Asian Nations, Associação das Nações do Sudeste Asiático)
Criação: 1967.
Países-membros: Brunei, Cingapura, Filipinas, Indonésia, Laos, Malásia, Mianmar, Tailândia e Vietnã
Objetivo: cooperação econômica e troca

ANEXO geográfico

de informações políticas

Comunidade Andina
Criação: estabelecida em 1969, pelo Acordo de Cartagena (Colômbia), com o nome de Pacto Andino; a denominação mudou em 1996
Países-membros: Bolívia, Colômbia, Equador e Peru
Objetivo: união aduaneira
Mercosul (Mercado Comum do Sul)
Criação: 1991, pelo Tratado de Assunção (Paraguai)
Sede: secretariado em Montevidéu (Uruguai)
Países-membros: Argentina, Brasil, Paraguai e Uruguai
Países associados: Bolívia e Chile
Objetivo: união aduaneira

Nafta (North America Free Trade Agreement, Acordo de Livre Comércio da América do Norte)
Criação: 1994
Países-membros: Estados Unidos, Canadá e México
Objetivo: área de livre comércio

Organizações de cooperação política

Organização da Conferência Islâmica
Criação: 1969
Sede: Jidda (Arábia Saudita)
Estados-membros: 54 (Afeganistão, Albânia, Arábia Saudita, Argélia, Autoridade Nacional Palestina, Azerbaijão, Bahrein, Bangladesh, Benin, Brunei, Burkina Fasso, Camarões, Cazaquistão, Chade, Djibuti, Egito, Emirados Árabes Unidos, Gabão, Gâmbia, Guiné, Guiné-Bissau, Iêmen, Ilhas Comores, Indonésia, Irã, Iraque, Jordânia, Kuait, Líbano, Líbia, Malásia, Maldivas, Mali, Marrocos, Mauritânia, Moçambique, Níger, Omã, Paquistão, Qatar, Quirguistão, Senegal, Serra Leoa, Síria, Somália, Sudão, Suriname, Tadjiquistão, Togo, Tunísia, Turcomenistão, Turquia, Uganda, Uzbequistão)
Objetivo: troca de informações e solidariedade política entre países com maioria populacional muçulmana

Liga Árabe
Criação: 1945
Sede: Cairo (Egito)
Estados-membros: 22 (Arábia Saudita, Argélia, Autoridade Nacional Palestina, Bahrein, Djibuti, Egito, Emirados Árabes, Iêmen, Ilhas Comores, Iraque, Jordânia, Kuait, Líbano, Líbia, Marrocos, Mauritânia, Omã, Qatar, Síria, Somália, Sudão, Tunísia)
Objetivo: troca de informações e solidariedade política entre os países árabes

Outras entidades

OEA (Organização dos Estados Americanos). Fundada em 1948, na Conferência de Bogotá, com base nos princípios do pan-americanismo. Reúne todos os países das Américas, à exceção de Cuba, suspensa desde 1962
Objetivo: cooperação política e segurança continental

OMC (Organização Mundial do Comércio). Herdeira do Acordo Geral de Tarifas e Comércio (Gatt); criada em 1995 pelo Acordo de Marrakech, que concluiu a Rodada Uruguai
Sede: Genebra (Suíça)
Países-membros: 134 (China e Rússia não faziam parte da organização até o final de 2000)
Objetivo: liberalização multilateral dos intercâmbios de bens e serviços e solução de controvérsias comerciais

Otan (Organização do Tratado do Atlântico Norte). Fundada em Washington, em 1949
Sede: Bruxelas
Países-membros: Alemanha, Bélgica, Canadá, Dinamarca, Espanha, Estados Unidos, França, Grécia, Holanda, Hungria, Islândia, Itália, Luxemburgo, Noruega, Polônia, Portugal, Reino Unido, República Tcheca, Turquia
Objetivo: aliança militar de defesa

OUA (Organização da Unidade Africana). Fundada em 1963, durante o processo de descolonização
Sede: Adis Abeba (Etiópia). Reúne 53 países africanos (Marrocos não faz parte da entidade; desligou-se em 1985, três anos após a admissão do Saara Ocidental, território sob controle marroquino)
Objetivo: cooperação política e segurança continental

ONU (Organização das Nações Unidas). Fundada pela Conferência de São Francisco, em 1945
Sede: Nova York (EUA)
Países-membros: 188 dos 192 Estados do mundo (até o final de 2000, não faziam parte da ONU Suíça, Taiwan, Tuvalu e Vaticano)
Órgãos principais: Assembleia Geral, Conselho de Segurança, Conselho Econômico e Social, Conselho de Tutela, Tribunal Internacional de Justiça de Haia e Secretaria. Além desses, a ONU abriga vários órgãos, agências e instituições especializadas. Os principais são:

Banco Mundial (Bird, sigla para Banco Internacional para a Reconstrução e o Desenvolvimento)
Sede: Washington (EUA)
Objetivo: ajuda e assistência técnica a países em desenvolvimento

FAO (Organização das Nações Unidas para a Agricultura e a Alimentação)
Sede: Roma (Itália)
Objetivos: aumento dos níveis de nutrição, melhora da produtividade agrícola e das condições de vida das populações rurais

FMI (Fundo Monetário Internacional)
Sede: Washington (EUA)
Objetivo: auxiliar a cooperação monetária internacional e a estabilidade financeira

OIT (Organização Internacional do Trabalho)
Sede: Genebra (Suíça)
Objetivo: proteção aos direitos dos trabalhadores

OMS (Organização Mundial da Saúde)
Sede: Genebra (Suíça)
Objetivos: educação para a saúde, programas de imunização contra doenças, fornecimento de remédios

Unctad (Conferência das Nações Unidas para o Comércio e o Desenvolvimento)
Sede: Genebra (Suíça)
Objetivo: estimular a análise das questões econômicas Norte-Sul

Unesco (Organização das Nações Unidas para a Educação, a Ciência e a Cultura)
Sede: Paris (França)
Objetivos: educação, combate ao analfabetismo

Unicef (Fundo das Nações Unidas para a Infância)
Sede: Nova York (EUA)
Objetivo: atendimento das necessidades básicas de crianças e adolescentes

Extremos geográficos nos continentes

Continente	Característica	País	Grandeza
África	O mais extenso	Sudão	2.505.813 km²
	O menos extenso	Seychelles	455 km²
	Com a maior densidade populacional	Maurício	550 hab./km²
	Com a menor densidade populacional	Chade	0,5 hab./km²
	Com a maior esperança de vida	Reunião	79 anos
	Com a menor esperança de vida	Serra Leoa	33 anos
América (Central)	O mais extenso	Nicarágua	130.000 km²
	O menos extenso	Granada	344 km²
	Com a maior densidade populacional	Barbados	697,6 hab./km²
	Com a menor densidade populacional	Belize	8,6 hab./km²
	Com a maior esperança de vida	Dominica	80 anos
	Com a menor esperança de vida	Haiti	48 anos
América (do Norte)	O mais extenso	Canadá	9.970.610 km²
	O menos extenso	México	1.958.201 km²
	Com a maior densidade populacional	México	50,1 hab./km²
	Com a menor densidade populacional	Canadá	3,2 hab./km²
	Com a maior esperança de vida	Canadá	81 anos
	Com a menor esperança de vida	México	70 anos
América (do Sul)	O mais extenso	Brasil	8.547.403,5 km²
	O menos extenso	Suriname	163.265 km²
	Com a maior densidade populacional	Colômbia	35,9 hab./km²
	Com a menor densidade populacional	Suriname	2,5 hab./km²
	Com a maior esperança de vida	Chile e Uruguai	76 anos
	Com a menor esperança de vida	Bolívia	59 anos
Ásia	O mais extenso	Rússia	12.704.097 km²
	O menos extenso	Cingapura	641 km²
	Com a maior densidade populacional	Cingapura	3.500 hab./km²
	Com a menor densidade populacional	Mongólia	1,5 hab./km²
	Com a maior esperança de vida	Japão	83 anos
	Com a menor esperança de vida	Afeganistão	43 anos
Europa	O mais extenso	Rússia	4.371.303 km²
	O menos extenso	Vaticano	0,44 km²
	Com a maior densidade populacional	Mônaco	15.461 hab./km²
	Com a menor densidade populacional	Islândia	3 hab./km²
	Com a maior esperança de vida	França e Suíça	82 anos
	Com a menor esperança de vida	Rússia	58 anos
Oceania	O mais extenso	Austrália	7.682.300 km²
	O menos extenso	Nauru	21,3 km²
	Com a maior densidade populacional	Ilhas Marshall	555,6 hab./km²
	Com a menor densidade populacional	Austrália	2,4 hab./km²
	Com a maior esperança de vida	Austrália	81 anos
	Com a menor esperança de vida	Nauru	50 anos

Fontes: "Almanaque Abril 2000", "World Almanac 99", "Britannica", "Atlante De Agostini", "Atlas Folha-The New York Times".

Maiores acidentes geográficos

Os oceanos *	Área (km^2)	Profundidade máx. (m)
Pacífico	179,7 milhões	11.524
Atlântico	106,1 milhões	9.220
Índico	74,9 milhões	9.000

Os três mares mais extensos	Área (km^2)	Profundidade máx. (m)
Mar da Arábia	3,68 milhões	5.800
Mar da China Meridional	3,45 milhões	5.560
Mar do Caribe	2,75 milhões	7.680

Os três maiores rios	Localização **	Extensão (km)
Amazonas	Brasil	6.868
Nilo	Egito	6.671
Xi-Jiang	China	5.800

Os três maiores desertos	Localização	Extensão em km^2
Saara	Norte da África	8,6 milhões
Gobi	Mongólia e noroeste da China	1,3 milhão
Kalahari	Sudoeste da África	930 mil

As maiores altitudes	Localização	Altura (m)
Everest	Nepal/China	8.848
K-2	Paquistão/China	8.611
Kanchenjunga	Nepal/Índia	8.598

As três maiores quedas d'água	Localização	Altura (m)
Salto Angel	Venezuela	979
Tugela	África do Sul	914
Utigard	Noruega	800

Os três lagos mais extensos	Localização	Área (km^2)	Profundidade máx. (m)
Mar Cáspio	Oeste da Ásia	371 mil	1.025
Superior	EUA/Canadá	84 mil	406
Victoria	Uganda/Tanzânia/Quênia	68 mil	73

As três maiores ilhas	Área (km^2)
Groenlândia	2,18 milhões
Nova Guiné	785 mil
Bornéu	736 mil

* Alguns geógrafos consideram o oceano Glacial Ártico (com 14,09 milhões de km^2) não como um oceano, mas como um mar formado pelo oceano Atlântico. A área do Atlântico mencionada nesta tabela inclui o Ártico.

** Principal país que o rio atravessa.

FOLHA DE S.PAULO

Observação: quadro sujeito a imprecisões. Não existe nenhum organismo internacional que centralize informações sobre fusos horários.

Os fusos horários no mundo

Número de horas em relação a Greenwich

Açores*	-1
Afeganistão	+4h30
África do Sul	+2
Albânia*	+1
Alemanha *	+1
Andorra *	+1
Angola	+1
Antígua e Barbuda	-4
Arábia Saudita	+3
Argélia	+1
Argentina*	-3
Armênia*	+3
Austrália* (Horário de verão não vigora em Queensland e no oeste do Território do Norte)	
Perth	+8
Broken Hill, Território do Norte, Austrália do Sul	+9h30
Sydney, Canberra, Melbourne e Tasmânia	+10
Áustria*	+1
Azerbaijão*	+4
Bahamas*	-5
Bahrein	+3
Bangladesh	+6
Barbados	-4
Belarus*	+3
Bélgica*	+1
Belize	-6
Benin	+1
Bermudas*	-4
Bolívia	-4
Botsuana	+2
Brunei	+8
Brasil* (Não costumam adotar horário de verão os Estados do Norte e Nordeste)	
Fernando de Noronha	-2
Regiões Sul, Sudeste, Nordeste, Goiás, Tocantins, Amapá, Pará e Distrito Federal	-3
Mato Grosso, Mato Grosso do Sul, Amazonas, Rondônia, Roraima e Acre	-4
Bulgária*	+2
Burkina Fasso	0
Burundi	+2
Butão	+6
Cabo Verde	-1
Camarões	+1
Camboja	+7
Canadá*	
Terra Nova	-3h30
Labrador, New Brunswick, Nova Escócia, Ilha Príncipe Edward e Québec (a leste de 63°W)	-4
Territórios do Noroeste (leste), Ontário, Ottawa e Québec (a oeste de 63°W)	-5
Territórios do Noroeste (centro) e Manitoba	-6
Territórios do Noroeste (Montanhas), Saskatchewan e Alberta	-7
Territórios do Noroeste (oeste), Colúmbia Britânica e Yukon	-8
Cazaquistão*	+6
Chade	+1
Chile*	-4
China*	+8
Chipre*	+2
Cingapura	+8
Colômbia	-5
Congo (Brazzaville)	+1
Congo (ex-Zaire)	+1
Coreia do Norte	+9
Coreia do Sul	+9
Costa do Marfim	0
Costa Rica	-6
Croácia*	+1
Cuba*	-5
Dinamarca*	+1
Djibuti	+3
Dominica	-4
Egito	+2
El Salvador	-6
Emirados Árabes Unidos	+4
Equador	-5
Eslováquia	+1
Eslovênia*	+1
Espanha*	+1
Estados Unidos*	
Costa Leste (Nova York, Washington, DC)	-5
Nova Orleans, Houston, Chicago	-6
Denver	-7
Costa Oeste (San Francisco, Los Angeles)	-8
Alasca	-10
Havaí	-10

Os fusos horários no mundo

Número de horas em relação a Greenwich

Estônia*	+3
Etiópia	+3
Fiji	+12
Filipinas	+8
Finlândia*	+2
França*	+1
Gabão	+1
Gâmbia	0
Gana	0
Geórgia*	+4
Gibraltar *	+1
Granada	-4
Grécia*	+2
Groenlândia	-4
Guadalupe	-4
Guatemala*	-6
Guiana	-3
Guiana Francesa	-3
Guiné	0
Guiné-Bissau	0
Guiné Equatorial	+1
Haiti*	-5
Holanda*	+1
Honduras	-6
Hong Kong	+8
Hungria *	+1
Iêmen	+3
Ilhas Cayman	-5
Ilhas Comores	+3
Ilhas Faroë*	0
Ilhas Marianas do Norte	+10
Ilhas Marshall	+12
Ilhas Midway	- 11
Ilhas Natal	-10
Ilhas Wallis e Futuna	+12
Índia	+5h30
Indonésia	
Bali, Java, Sumatra	+7
Bornéo, Sulawesi, Sumba	+8
Irã	+3h30
Iraque*	+3
Irlanda*	0
Islândia	0
Israel*	+2
Itália*	+1
Iugoslávia*	+1
Jamaica	-5
Japão	
(exceto Ogasawara)	+9
Ogasawara	+10
Jordânia*	+2
Kuait	+3
Laos	+7
Lesoto	+2
Letônia*	+3
Líbano*	+2
Libéria	0
Líbia*	+1
Liechtenstein	+1
Lituânia*	+3
Luxemburgo*	+1
Madagáscar	+3
Madeira*	0
Malásia	+8
Maláui	+2
Mali	0
Malta*	+1
Marrocos*	0
Martinica	-4
Maurício	+4
Mauritânia	0
México	
Costa Leste	-6
Costa Oeste (exceto Baixa Califórnia do Norte)	-7
Baixa Califórnia do Norte	-8
Mianmar	+6h30
Moçambique	+2
Moldova*	+3
Mônaco*	+1
Mongólia*	+8
Namíbia	+2
Nepal	+5h45
Nicarágua	-6
Níger	+1
Nigéria	+1
Noruega*	+1
Nova Caledônia	+ 11
Nova Zelândia*	+12
Omã	+4
Panamá	-5
Papua-Nova Guiné	+10
Paquistão	+5
Paraguai *	-4
Peru*	-5
Polônia*	+1
Porto Rico	-4
Portugal*	0
Qatar	+3
Quênia	+3
Quirguistão*	+6
Reino Unido*	0
República Centro-Africana	+1
República Dominicana	-4
República Tcheca	+1
Reunião	+4
Romênia*	+2
Ruanda	+2
Rússia*	
Moscou, São Petersburgo	+3
Volgogrado	+4
Sverdlovsk	+5
Omsk	+6
Novosibirsk	+7

Os fusos horários no mundo

Número de horas em relação a Greenwich

Irkutsk	+8	Síria*	+2	Tunísia	+1
Iakutsk, Tiksi	+9	Somália	+3	Turcomenistão*	+5
Okhotsk, Vladivostok	+10	Sri Lanka	+5h30	Turquia*	+2
Sakalinas	+11	Suazilândia	+2	Tuvalu	+12
Petropavlovsk	+12	Sudão	+2	Ucrânia*	+3
Saint-Pierre e Miquelon*	-3	Suécia*	+1	Uganda	+3
Samoa Ocidental	-11	Suíça	+1	Uruguai *	-3
San Marino	+1	Suriname	-3	Uzbequistão*	+6
Santa Helena	0	Tadjiquistão*	+6	Vanuatu*	+11
Santa Lúcia	-4	Tailândia	+7	Vaticano*	+1
São Cristóvão	-4	Taiwan	+8	Venezuela	-4h30
São Tomé e Príncipe	0	Tanzânia	+3	Vietnã	+7
São Vicente e Granadinas	-4	Togo	0	Zâmbia	+2
Senegal	0	Tonga	+13	Zimbábue	+2
Serra Leoa	0	Trinidad e Tobago*	-2		
Seychelles	+4	Tristão da Cunha	0		

* Países que costumam adotar o horário de verão.

Designações de horários

Número de horas em relação a Greenwich

Designações comuns na Ásia	
Hora de Áden	+3
Hora da Índia	+5h30

Designações comuns na Europa	
Hora do Meridiano de Greenwich (GMT)	0
Hora da Europa central	+1
Hora da Europa oriental	+2

Designações comuns na América do Norte	
Northern Standard Time (NST)	-3h30
Intercolonial Standard Time (IST)	-4
Eastern Standard Time (EST)	-5
Central Standard Time (CST)	-6
Mountain Standard Time (MST)	-7
Pacific Standard Time (PST)	-8
Alaska Standard Time (AST)	-9

Gentílicos de Estados brasileiros

Quando houver mais de uma forma, prefira a primeira

Estado		Capital	Adjetivo pátrio
SUL			
Rio Grande do Sul	(RS)	Porto Alegre	gaúcho, rio-grandense-do-sul
Santa Catarina	(SC)	Florianópolis	catarinense, barriga-verde (não é pejorativo)
Paraná	(PR)	Curitiba	paranaense, paranista (usado no Sul) e tingui
SUDESTE			
São Paulo	(SP)	São Paulo	paulista, bandeirante
Rio de Janeiro	(RJ)	Rio de Janeiro	fluminense
Minas Gerais	(MG)	Belo Horizonte	mineiro, montanhês, geralista
Espírito Santo	(ES)	Vitória	capixaba, espírito-santense
CENTRO-OESTE			
Mato Grosso do Sul	(MS)	Campo Grande	mato-grossense-do-sul, sul-mato-grossense
Mato Grosso	(MT)	Cuiabá	mato-grossense
Goiás	(GO)	Goiânia	goiano
NORDESTE			
Bahia	(BA)	Salvador	baiano, baiense, maleiro (jocoso)
Sergipe	(SE)	Aracaju	sergipano, sergipense
Alagoas	(AL)	Maceió	alagoano, alagoense
Pernambuco	(PE)	Recife	pernambucano
Paraíba	(PB)	João Pessoa	paraibano
Rio Grande do Norte	(RN)	Natal	potiguar, rio-grandense-do-norte, norte-rio-grandense, petiguar, pitaguar, pitiguar, pitiguara, potiguara
Ceará	(CE)	Fortaleza	cearense
Piauí	(PI)	Teresina	piauiense, piauizeiro (pejorativo)
Maranhão	(MA)	São Luís	maranhense, maranhão
NORTE			
Rondônia	(RO)	Porto Velho	rondoniense, rondoniano
Acre	(AC)	Rio Branco	acriano
Amazonas	(AM)	Manaus	amazonense, baré
Roraima	(RR)	Boa Vista	roraimense
Pará	(PA)	Belém	paraense, paroara (usado na Amazônia)
Amapá	(AP)	Macapá	amapaense
Tocantins	(TO)	Palmas	tocantinense

Fonte: "Aurélio".

Gentílicos brasileiros

Quando houver mais de uma forma, prefira a primeira

Cidade*		Gentílico	Cidade*		Gentílico
Anápolis	(GO)	anapolino	Montes Claros	(MG)	montes-clarense, montes-clarino
Aracaju	(SE)	aracajuense, aracajuano	Natal	(RN)	natalense, papa-jerimum (jocoso)
Bauru	(SP)	bauruense	Niterói	(RJ)	niteroiense
Belém	(PA)	belenense	Nova Iguaçu	(RJ)	iguaçuano
Belo Horizonte	(MG)	belo-horizontino	Olinda	(PE)	olindense
Boa Vista	(RR)	boa-vistense	Osasco	(SP)	osasquense
Brasília	(DF)	brasiliense	Palmas	(TO)	palmense
Campina Grande	(PB)	campinense	Pelotas	(RS)	pelotense
Campinas	(SP)	campineiro	Petrópolis	(RJ)	petropolitano
Campo Grande	(MS)	campo-grandense	Piracicaba	(SP)	piracicabano
Campos	(RJ)	campista	Ponta Grossa	(PR)	ponta-grossense
Canoas	(RS)	canoense	Porto Alegre	(RS)	porto-alegrense
Carapicuíba	(SP)	carapicuibano	Porto Velho	(RO)	porto-velhense
Cariacica	(ES)	cariaciquense	Recife	(PE)	recifense
Cascavel	(PR)	cascavelense	Ribeirão Preto	(SP)	ribeirão-pretano
Caxias do Sul	(RS)	caxiense	Rio Branco	(AC)	rio-branquense
Contagem	(MG)	contagense	Rio de Janeiro	(RJ)	carioca
Cuiabá	(MT)	cuiabano	Salvador	(BA)	soteropolitano, salvadorense
Curitiba	(PR)	curitibano	Santarém	(PA)	santareno, mocorongo (significa também caipira)
Diadema	(SP)	diademense	Santo André	(SP)	andreense
Duque de Caxias	(RJ)	caxiense	Santos	(SP)	santista
Feira de Santana	(BA)	feirense	São Bernardo do Campo	(SP)	são-bernardense
Florianópolis	(SC)	florianopolitano	São Gonçalo	(RJ)	gonçalense
Fortaleza	(CE)	fortalezense, fortalexiense	São João de Meriti	(RJ)	meritiense
Goiânia	(GO)	goianiense	São José do Rio Preto	(SP)	rio-pretense, rio-pretano
Governador Valadares	(MG)	valadarense	São José dos Campos	(SP)	joseense
Guarulhos	(SP)	guarulhense	São Luís	(MA)	ludovicense, são-luisense
Imperatriz	(MA)	imperatrizense	São Paulo	(SP)	paulistano
Ipatinga	(MG)	ipatinguense	São Vicente	(SP)	vicentino
Jaboatão	(PE)	jaboatãoense	Sorocaba	(SP)	sorocabano
João Pessoa	(PB)	pessoense	Taubaté	(SP)	taubateano
Joinville	(SC)	joinvilense	Teresina	(PI)	teresinense
Juiz de Fora	(MG)	juiz-forano, juiz-forense, juiz-de-forano	Uberaba	(MG)	uberabense
Jundiaí	(SP)	jundiaiense	Uberlândia	(MG)	uberlandense
Londrina	(PR)	londrinense	Vila Velha	(ES)	vila-velhense
Macapá	(AP)	macapaense	Vitória	(ES)	vitoriense, capixaba
Maceió	(AL)	maceioense	Volta Redonda	(RJ)	volta-redondense
Manaus	(AM)	manauense, manauara			
Mauá	(SP)	mauaense			
Mogi das Cruzes	(SP)	mojiano			

Tabela nacional de distâncias

Por terra, em quilômetros*	Aracaju (SE)	Belém (PA)	Belo Horizonte (MG)	Brasília (DF)	Campinas (SP)	Campo Grande (MS)	Caxias do Sul (RS)	Cuiabá (MT)	Curitiba (PR)	Feira de Santana (BA)	Florianópolis (SC)
Americana - SP	2216	2808	595	887	42	979	1084	1489	510	1855	807
Anápolis - GO	1800	1985	870	160	882	982	1767	981	1233	1478	1540
Aracaju - SE	-	2079	1578	1652	2182	2764	3169	2773	2595	322	2892
Araçatuba - SP	2327	2662	854	854	456	490	1187	1343	653	2120	960
Araraquara - SP	2188	2657	606	788	191	875	1118	1338	584	1867	891
Bagé - RS	3681	4182	2097	2355	1608	1755	479	2443	1096	3359	861
Barretos - SP	2085	2501	630	693	344	814	1302	1182	768	1763	1075
Barbacena - MG	1755	2985	176	883	547	1457	1524	1752	950	1434	1247
Barreiras - BA	1089	2078	1352	648	1557	1770	2536	1769	2002	767	2309
Bauru - SP	2313	2727	731	919	269	682	1069	1408	535	1988	842
Belém - PA	2079	-	2824	2141	2842	2942	3727	2941	3193	1984	3500
Belo Horizonte - MG	1578	2824	-	741	601	1453	1585	1594	1004	1256	1301
Blumenau - SC	2843	3451	1252	1624	724	1249	475	1937	251	2517	139
Brasília - DF	1652	2141	741	-	921	1134	1900	1133	1366	1330	1673
Cachoeiro de Itapemirim - ES	1544	3244	550	1343	844	1777	1759	2224	1185	1260	1482
Campina Grande - PB	541	2031	2101	2175	2705	3287	3692	3296	3118	845	3415
Campinas - SP	2182	2842	601	921	-	1012	1057	1523	476	1866	773
Campo Grande - MS	2764	2942	1453	1134	1012	-	1525	694	991	2452	1298
Campos - RJ	1647	3347	532	1249	770	1703	1685	2152	1111	1363	1408
Caruaru - PE	407	1948	1967	2041	2571	3153	3558	3162	2984	711	3281
Cascavel - PR	2950	3242	1369	1434	906	637	879	1325	498	2630	805
Caxias do Sul - RS	3169	3727	1585	1900	1057	1525	-	2213	584	2847	478
Chuí - RS	3811	4369	2227	2542	1699	2033	646	2721	1226	3489	991
Corumbá - MS	3161	3339	1850	1531	1409	403	1922	1091	1388	2849	1695
Criciúma - SC	3078	3672	1487	1859	959	1484	431	2172	486	2752	202
Cuiabá - MT	2773	2941	1594	1133	1523	694	2213	-	1679	2451	1986
Curitiba - PR	2595	3193	1004	1366	476	991	584	1679	-	2269	300
Dourados - MS	3032	3235	1449	1352	1008	224	1288	912	907	2710	1214
Feira de Santana - BA	322	1984	1256	1330	1866	2452	2847	2451	2269	-	2566
Florianópolis - SC	2892	3500	1301	1673	773	1298	478	1986	300	2566	-
Fortaleza - CE	1183	1610	2528	2200	3133	3407	4115	3406	3541	1273	3838
Foz do Iguaçu - PR	3089	3381	1508	1573	1045	776	980	1464	637	2769	944
Franca - SP	2041	2609	460	676	310	1022	1287	1290	753	1720	1080
Garanhuns - PE	300	1914	1860	1934	2464	3046	3451	3055	2877	604	3174
Goiânia - GO	1849	2017	906	209	835	935	1720	934	1186	1527	1493

* Para chegar a Manaus (AM) por outros veículos que não o avião, deve-se percorrer o caminho até Belém e viajar 96 h de navio ou balsa, ou até Porto Velho (RO) e seguir 120 h de viagem por rios. O acesso à capital do Amapá (Macapá) é feito por meio de balsa ou navio que saem de Belém, com 36 h de viagem. O caminho até Boa Vista (RR) é feito por 785 km de estrada em pavimentação, que começa em Manaus.

Tabela nacional de distâncias

Por terra, em quilômetros*	Aracaju (SE)	Belém (PA)	Belo Horizonte (MG)	Brasília (DF)	Campinas (SP)	Campo Grande (MS)	Caxias do Sul (RS)	Cuiabá (MT)	Curitiba (PR)	Feira de Santana (BA)	Florianópolis (SC)
Governador Valadares - MG	1260	2921	324	1041	931	1781	1915	1922	1337	938	1634
Guaratinguetá - SP	2004	3088	556	1167	254	1188	1169	1769	595	1683	892
Imperatriz - MA	1909	608	2231	1521	2243	2343	3128	2342	2594	1814	2901
Ipatinga - MG	1361	3019	217	935	828	1675	1807	1816	1231	1040	1528
Itabira - MG	1463	2918	99	816	704	1556	1688	1697	1112	1142	1409
Itabuna - BA	660	2360	1104	1283	1710	2566	2625	2436	2051	376	2348
Itajaí - SC	2804	3412	1213	1585	685	1210	526	1898	212	2478	102
Itumbiara - GO	2039	2217	702	409	643	848	1516	898	982	1727	1289
João Pessoa - PB	611	2161	2171	2245	2775	3357	3762	3366	3188	915	3485
Joinville - SC	2722	3330	1131	1503	603	1128	606	1816	130	2396	180
Juazeiro do Norte - CE	702	1530	2047	2010	2657	3132	3638	3131	3060	792	3357
Juiz de Fora - MG	1718	3100	272	992	541	1512	1498	1836	914	1396	1221
Lages - SC	2959	3517	1368	1690	847	1315	226	2003	374	2633	213
Limeira - SP	2151	2783	570	862	65	954	1107	1464	533	1830	830
Londrina - PR	2584	2891	1002	1083	526	615	913	1303	379	2262	686
Maceió - AL	294	2173	1854	1928	2458	3040	3445	3049	2871	598	3168
Marília - SP	2388	2695	805	887	367	654	1038	1342	504	2066	811
Maringá - PR	2678	2970	1097	1162	634	641	945	1329	428	2358	735
Montes Claros - MG	1328	2796	418	694	1017	1523	1996	1677	1415	1006	1700
Mossoró - RN	878	1831	2438	2239	3042	3391	4029	3390	3455	1182	3752
Natal - RN	788	2108	2348	2422	2952	3534	3939	3543	3365	1092	3662
Novo Hamburgo - RS	3259	3817	1675	1990	1147	1521	94	2209	674	2937	487
Ourinhos - SP	2435	2788	853	980	369	647	943	1335	409	2114	716
Palmas - TO	1660	1282	1690	973	1727	1785	2761	1784	2036	1338	2336
Paranaguá - PR	2629	3295	1031	1420	510	1093	662	1781	90	2303	385
Parnaíba - PI	1469	1107	2658	2060	3054	3267	4033	3266	3499	1403	3806
Passo Fundo - RS	3153	3627	1562	1800	1053	1296	226	1984	561	2827	537
Patos de Minas - MG	1651	2589	417	549	711	1116	1698	1270	1164	1329	1471
Paulo Afonso - BA	307	1835	1646	1720	2256	2842	3237	2841	2659	391	2956
Pelotas - RS	3559	4117	1975	2290	1440	1781	394	2469	974	3237	739
Petrolina - PE	490	1589	1650	1550	2260	2672	3241	2671	2663	395	2966
Petrópolis - RJ	1797	3192	376	1090	545	1478	1460	1959	886	1475	1183
Picos - PI	820	1267	1980	1662	2590	2784	3567	2783	2993	725	3290
Poços de Caldas - MG	2042	2839	451	922	150	1050	1192	1530	618	1721	915
Ponta Grossa - PR	2696	3087	1105	1260	513	885	648	1573	114	2366	421

As distâncias são periodicamente atualizadas pelo Dnit e podem ser confirmadas no site do departamento: http://www.dnit.gov.br/

Tabela nacional de distâncias

Por terra, em quilômetros*	Aracaju (SE)	Belém (PA)	Belo Horizonte (MG)	Brasília (DF)	Campinas (SP)	Campo Grande (MS)	Caxias do Sul (RS)	Cuiabá (MT)	Curitiba (PR)	Feira de Santana (BA)	Florianópolis (SC)
Ponta Porã - MS	3038	3346	1560	1463	1119	335	1339	1023	958	2821	1265
Porto Alegre - RS	3296	3854	1712	2027	1177	1518	150	2206	711	2974	476
Porto Seguro - BA	936	2636	952	1482	1558	2409	2473	2550	1899	652	2196
Porto Velho - RO	4229	4397	3050	2589	2979	2150	3669	1456	3135	3907	3442
Presidente Prudente - SP	2478	2787	1001	979	556	458	1073	1146	539	2157	846
Recife - PE	501	2074	2061	2135	2665	3247	3652	3256	3078	805	3375
Ribeirão Preto - SP	2106	2622	523	706	238	930	1215	1303	681	1784	988
Rio Branco - AC	4763	4931	3584	3123	3513	2684	4203	1990	3669	4441	3976
Rio de Janeiro - RJ	1855	3250	444	1148	511	1444	1426	2017	852	1533	1144
Rio Verde - GO	2080	2248	901	440	842	747	1715	699	1181	1758	1488
Rondonópolis - MT	2562	2730	1383	922	1325	483	2002	219	1468	2240	1775
Salvador - BA	356	2100	1372	1446	1982	2568	2963	2567	2385	116	2682
Santa Maria - RS	3446	3920	1855	2093	1346	1493	292	2181	854	3120	810
Santana do Livramento - RS	3789	4261	2199	2434	1687	1834	581	2522	1195	3461	963
Santos - SP	2249	3005	658	1087	171	1086	1054	1686	480	1918	777
São Carlos - SP	2198	2695	619	801	153	913	1167	1376	622	1880	929
São José do Rio Preto - SP	2294	2518	712	710	366	733	1221	1199	687	1973	994
São José dos Campos - SP	2086	3008	611	1087	174	1107	1089	1689	515	1764	807
São Luís - MA	1578	806	2738	2157	2879	2979	3764	2978	3230	1483	3537
São Paulo - SP	2188	2933	586	1015	99	1014	982	1614	408	1846	705
Sinop - MT	3274	3442	2095	1634	2024	1195	2714	482	2180	2952	2487
Sobral - CE	1220	1333	2488	2175	3084	3297	4063	3296	3529	1310	3836
Sorocaba - SP	2260	2919	674	998	85	937	972	1625	391	1929	688
Taubaté - SP	2049	3045	601	1124	211	1144	1126	1726	552	1727	849
Teresina - PI	1142	947	2302	1789	2698	2911	3677	2910	3143	1055	3450
Tubarão - SC	3020	3614	1429	1801	901	1426	452	2114	428	2694	144
Tucuruí - PA	2251	350	2713	2003	2725	2825	3610	2824	3076	2156	3383
Uberaba - MG	2075	2470	494	537	394	992	1373	1151	839	1754	1146
Uberlândia - MG	1840	2367	556	435	497	894	1476	1048	942	1545	1249
Uruguaiana - RS	3718	4192	2127	2365	1618	1765	720	2453	1126	3392	1102
Vilhena - RO	3525	3693	2346	1885	2275	1446	2965	752	2431	3203	2738
Vitória - ES	1408	3108	526	1238	959	1892	1874	2119	1300	1124	1597
Vitória da Conquista - BA	733	2394	849	1048	1459	2306	2440	2362	1862	411	2159
Volta Redonda - RJ	1868	3229	438	1161	395	1328	1310	1901	736	1537	1033

Tabela nacional de distâncias

Por terra, em quilômetros*	Fortaleza (CE)	Goiânia (GO)	João Pessoa (PB)	Joinville (SC)	Juiz de Fora (MG)	Londrina (PR)	Maceió (AL)	Natal (RN)	Palmas (TO)	Pelotas (RS)	Porto Alegre (RS)	Porto Velho (RO)
Americana - SP	3075	801	2809	637	562	514	2453	2947	1690	1474	1211	2945
Anápolis - GO	2433	57	2393	1370	1140	931	2076	2570	790	2157	1894	2437
Aracaju - SE	1183	1849	611	2722	1718	2584	294	788	1660	3559	3296	4229
Araçatuba - SP	3127	655	2924	790	932	351	2607	3091	1513	1577	1314	2799
Araraquara - SP	3071	649	2781	721	667	410	2464	2958	1484	1508	1245	2794
Bagé - RS	4627	2175	4274	1024	2010	1344	3957	4451	3100	388	393	3899
Barretos - SP	2966	494	2678	905	803	466	2361	2855	1325	1692	1429	2638
Barbacena - MG	2706	1049	2348	1077	117	992	2031	2525	1909	1914	1651	3208
Barreiras - BA	1737	845	1682	2139	1628	1719	1365	1859	571	2926	2663	3225
Bauru - SP	3186	720	2906	672	745	287	2589	3083	1582	1459	1196	2864
Belém - PA	1610	2017	2161	3330	3100	2891	2173	2108	1282	4117	3854	4397
Belo Horizonte - MG	2528	906	2171	1131	272	1002	1854	2348	1690	1975	1712	3050
Blumenau - SC	3789	1444	3436	147	1167	637	3119	3613	2286	862	599	3393
Brasília - DF	2200	209	2245	1503	992	1083	1928	2422	973	2290	2027	2589
Cachoeiro de Itapemirim - ES	2533	1533	2137	1307	404	1291	1820	2314	2240	2149	1886	3680
Campina Grande - PB	709	2372	130	3245	2241	3107	374	307	2098	4082	3819	4752
Campinas - SP	3133	835	2775	603	541	526	2458	2952	1727	1440	1177	2979
Campo Grande - MS	3407	935	3357	1128	1512	615	3040	3534	1785	1781	1518	2150
Campos - RJ	2636	2238	2240	1233	330	1217	1923	2417	2392	2075	1812	3608
Caruaru - PE	855	2323	244	3111	2107	2973	240	421	1964	3948	3685	4618
Cascavel - PR	3707	1235	3543	635	1404	391	3226	3720	2155	1148	885	2781
Caxias do Sul - RS	4115	1720	3762	606	1498	913	3445	3939	2761	394	150	3669
Chuí - RS	4757	2362	4404	1155	2140	1555	4087	4581	3392	266	515	4177
Corumbá - MS	3804	1332	3754	1525	1909	1012	3437	3931	2200	2178	1915	2547
Criciúma - SC	4024	1679	3671	366	1407	872	3354	3848	2522	567	291	3628
Cuiabá - MT	3406	934	3366	1816	1836	1303	3049	3543	1784	2469	2206	1456
Curitiba - PR	3541	1186	3188	130	914	379	2871	3365	2036	974	711	3135
Dourados - MS	3625	1153	3625	1044	1485	611	3308	3802	2009	1557	1294	2368
Feira de Santana - BA	1273	1527	915	2396	1396	2262	598	1092	1338	3237	2974	3907
Florianópolis - SC	3838	1493	3485	180	1221	686	3168	3662	2336	739	476	3442
Fortaleza - CE	-	2482	688	3668	2668	3356	1075	537	2035	4505	4242	4862
Foz do Iguaçu - PR	3846	1374	3682	774	1543	530	3365	3859	2298	1249	986	2920
Franca - SP	2949	602	2634	890	656	570	2317	2811	1462	1687	1424	2746
Garanhuns - PE	838	2131	319	3004	2000	2866	258	496	1857	3841	3578	4511
Goiânia - GO	2482	-	2442	1323	1174	884	2125	2619	875	2110	1847	2390

Tabela nacional de distâncias

Por terra, em quilômetros*	Fortaleza (CE)	Goiânia (GO)	João Pessoa (PB)	Joinville (SC)	Juiz de Fora (MG)	Londrina (PR)	Maceió (AL)	Natal (RN)	Palmas (TO)	Pelotas (RS)	Porto Alegre (RS)	Porto Velho (RO)
Governador Valadares - MG	2210	1231	1853	1464	464	1330	1536	2030	2014	2303	2040	3378
Guaratinguetá - SP	2954	1085	2597	717	333	701	2280	2774	1959	1559	1296	3225
Imperatriz - MA	1401	1418	1991	2731	2501	2292	2003	1938	624	3518	3255	3798
Ipatinga - MG	2312	1125	1955	1358	433	1224	1638	2132	1908	2197	1934	3272
Itabira - MG	2414	1006	2056	1239	368	1105	1739	2233	1789	2078	1815	3156
Itabuna - BA	1646	1492	1253	2178	1249	2110	936	1430	1567	3015	2752	3892
Itajaí - SC	3750	1405	3397	92	1128	598	3080	3574	2248	823	560	3354
Itumbiara - GO	2682	210	2632	1119	945	680	2315	2809	1060	1906	1643	2354
João Pessoa - PB	688	2442	-	3315	2311	3177	395	185	2253	4152	3889	4822
Joinville - SC	3668	1323	3315	-	1046	516	2998	3492	2189	903	640	3272
Juazeiro do Norte - CE	528	2207	631	3187	2187	3085	757	648	1933	4028	3765	4587
Juiz de Fora - MG	2668	1174	2311	1046	-	1024	1994	2488	1968	1888	1625	3292
Lages - SC	3905	1510	3552	396	1288	703	3235	3729	2358	616	353	3459
Limeira - SP	3135	776	2744	660	537	489	2427	2922	1668	1497	1234	2920
Londrina - PR	3356	884	3177	516	1024	-	2860	3354	1746	1303	1040	2759
Maceió - AL	1075	2125	395	2998	1994	2860	-	572	1851	3835	3572	4505
Marília - SP	3160	688	2981	641	841	202	2664	3158	1550	1428	1165	2798
Maringá - PR	3435	693	3271	565	1132	114	2954	3448	1876	1345	1082	2785
Montes Claros - MG	2278	891	1921	1558	694	1345	1604	2098	1416	2386	2123	3133
Mossoró - RN	262	2476	428	3582	2578	3441	815	277	2162	4419	4156	4846
Natal - RN	537	2619	185	3492	2488	3354	572	-	2345	4329	4066	4999
Novo Hamburgo - RS	4205	1810	3852	659	1588	1003	3535	4029	2699	300	60	3665
Ourinhos - SP	3253	781	3028	546	867	161	2711	3205	1643	1333	1070	2791
Palmas - TO	2035	875	2235	2189	1968	1746	1851	2345	-	3126	2747	3240
Paranaguá - PR	3575	1288	3222	217	948	489	2905	3399	2126	1066	803	3237
Parnaíba - PI	487	2342	1175	3626	2794	3216	1562	1024	1767	4423	4160	4722
Passo Fundo - RS	4099	1621	3746	665	1472	789	3429	3923	2535	591	304	3440
Patos de Minas - MG	2822	558	2243	1301	659	938	1926	2420	1408	2088	1825	2726
Paulo Afonso - BA	900	1917	553	2786	1786	2652	347	730	1730	3627	3364	4297
Pelotas - RS	4505	2110	4152	903	1888	1303	3835	4329	3126	-	271	3925
Petrolina - PE	873	1747	875	2790	1786	2706	723	923	1473	3631	3368	4127
Petrópolis - RJ	2747	1280	2390	1008	126	992	2073	2567	2066	1850	1587	3415
Picos - PI	546	1859	902	3120	2116	2818	914	919	1585	3961	3698	4239
Poços de Caldas - MG	2993	842	2635	745	439	585	2318	2812	1728	1582	1319	2986
Ponta Grossa - PR	3533	1113	3289	251	1055	273	2972	3466	1939	1038	775	3029

Tabela nacional de distâncias

Por terra, em quilômetros*	Fortaleza (CE)	Goiânia (GO)	João Pessoa (PB)	Joinville (SC)	Juiz de Fora (MG)	Londrina (PR)	Maceió (AL)	Natal (RN)	Palmas (TO)	Pelotas (RS)	Porto Alegre (RS)	Porto Velho (RO)
Ponta Porã - MS	3736	1264	3630	1095	1596	722	3313	3807	2120	1608	1345	2479
Porto Alegre - RS	4242	1847	3889	640	1625	1040	3572	4066	2747	271	-	3662
Porto Seguro - BA	1925	1859	1529	2026	1118	1958	1212	1706	1849	2863	2600	4006
Porto Velho - RO	4862	2390	4822	3272	3292	2759	4505	4999	3240	3925	3662	-
Presidente Prudente - SP	3252	780	3071	676	1037	202	2754	3248	1642	1463	1200	2602
Recife - PE	799	2332	120	3205	2201	3067	285	297	2058	4042	3779	4712
Ribeirão Preto - SP	2978	615	2699	818	676	478	2382	2876	1491	1605	1342	2759
Rio Branco - AC	5396	2924	5356	3806	3826	3293	5039	5533	3784	4459	4196	544
Rio de Janeiro - RJ	2805	1338	2448	974	184	953	2131	2625	2124	1816	1553	3473
Rio Verde - GO	2713	241	2673	1318	1143	879	2356	2850	1091	2105	1842	2155
Rondonópolis - MT	3195	723	3155	1605	1625	1092	2838	3332	1569	2258	1995	1671
Salvador - BA	1389	1643	949	2512	1512	2378	632	1126	1454	3353	3090	4023
Santa Maria - RS	4392	1913	4039	957	1765	1082	3722	4216	2838	331	301	3637
Santana do Livramento - RS	4729	2254	4382	1127	2112	1423	4065	4559	3124	357	495	3978
Santos - SP	3199	998	2842	607	578	600	2525	3019	1848	1444	1181	3142
São Carlos - SP	3084	688	2791	759	629	448	2474	2968	1528	1546	1283	2832
São José do Rio Preto - SP	2983	511	2887	824	842	385	2570	3064	1361	1611	1348	2655
São José dos Campos - SP	3036	1005	2679	637	415	621	2362	2859	1879	1479	1216	3145
São Luís - MA	1070	2054	1660	3367	2874	2928	1672	1607	1386	4154	3891	4434
São Paulo - SP	3127	926	2770	535	506	528	2453	2947	1776	1372	1109	3070
Sinop - MT	3907	1435	3867	2317	2337	1804	3550	4044	2285	2970	2707	1927
Sobral - CE	238	2372	926	3666	2705	3246	1313	775	1797	4453	4190	4752
Sorocaba - SP	3202	912	2853	518	618	451	2536	3030	1772	1355	1092	3081
Taubaté - SP	2999	1042	2642	674	378	658	2325	2819	1936	1516	1253	3182
Teresina - PI	634	1986	1224	3280	2438	2860	1236	1171	1401	4067	3804	4366
Tubarão - SC	3966	1621	3613	308	1349	814	3296	3790	2464	601	338	3570
Tucuruí - PA	1743	1900	2333	3213	2983	2774	2345	2280	988	4000	3737	4280
Uberaba - MG	2810	463	2668	976	736	656	2351	2845	1097	1763	1500	2607
Uberlândia - MG	2707	360	2459	1079	798	716	2143	2636	1210	1866	1603	2504
Uruguaiana - RS	4664	2185	4311	1230	2037	1354	3994	4488	3110	604	634	3909
Vilhena - RO	4158	1686	4118	2568	2588	2055	3801	4295	2536	3221	2958	704
Vitória - ES	2397	1428	2001	1427	519	1406	1684	2178	2214	2264	2001	3575
Vitória da Conquista - BA	1683	1756	1326	1989	989	1855	1009	1503	1319	2828	2565	3632
Volta Redonda - RJ	2809	1226	2461	858	188	842	2144	2638	2120	1700	1437	3357

Tabela nacional de distâncias

Por terra, em quilômetros*	Recife (PE)	Ribeirão Preto (SP)	Rio Branco (AC)	Rio de Janeiro (RJ)	Salvador (BA)	Santos (SP)	S. José dos Campos (SP)	São Luís (MA)	São Paulo (SP)	Teresina (PI)	Uberlândia (MG)	Vitória (ES)
Americana - SP	2660	204	3479	545	1971	205	208	2845	133	2664	465	993
Anápolis - GO	2283	662	2971	1296	1594	1045	1052	2005	973	1937	407	1386
Aracaju - SE	501	2106	4763	1855	356	2249	2086	1578	2188	1142	1840	1408
Araçatuba - SP	2814	331	3333	942	2126	604	595	2699	532	2631	487	1382
Araraquara - SP	2671	89	3328	694	1983	354	357	2694	282	2565	364	1134
Bagé - RS	4164	1670	4433	1938	3475	1566	1601	4219	1494	4132	1931	2386
Barretos - SP	2568	127	3172	852	1879	510	513	2538	438	2470	287	1158
Barbacena - MG	2238	612	3742	273	1550	604	504	2916	532	2482	699	597
Barreiras - BA	1572	1342	3759	1784	829	1723	1723	1577	1651	1141	1071	1874
Bauru - SP	2796	228	3398	755	2108	417	413	2764	345	2696	489	1208
Belém - PA	2074	2622	4931	3250	2100	3005	3008	806	2933	947	2367	3108
Belo Horizonte - MG	2061	523	3584	444	1372	658	611	2738	586	2302	556	526
Blumenau - SC	3326	939	3927	1096	2633	728	758	3488	656	3401	1200	1548
Brasília - DF	2135	706	3123	1148	1446	1087	1087	2157	1015	1789	435	1238
Cachoeiro de Itapemirim - ES	2027	1153	4214	406	1338	839	676	2743	767	2307	1186	139
Campina Grande - PB	191	2629	5286	2378	879	2772	2609	1530	2700	1094	2388	1931
Campinas - SP	2665	238	3513	511	1982	171	174	2879	99	2698	497	959
Campo Grande - MS	3247	930	2684	1444	2568	1086	1107	2979	1014	2911	894	1892
Campos - RJ	2130	996	4142	279	1441	765	602	2846	693	2410	1089	242
Caruaru - PE	134	2495	5152	2244	745	2638	2475	1561	2566	1011	2255	1797
Cascavel - PR	3433	846	3315	1333	2746	980	999	3279	908	3211	1067	1786
Caxias do Sul - RS	3652	1215	4203	1426	2963	1054	1089	3764	982	3677	1476	1874
Chuí - RS	4294	1857	4711	2068	3605	1696	1731	4406	1624	4319	2118	2516
Corumbá - MS	3654	1327	3081	1841	2965	1483	1504	3376	1411	3308	1291	2289
Criciúma - SC	3561	1174	4162	1330	2868	963	993	3723	891	3636	1435	1783
Cuiabá - MT	3256	1303	1990	2017	2567	1686	1689	2978	1614	2910	1048	2119
Curitiba - PR	3078	681	3669	852	2385	480	515	3230	408	3143	942	1300
Dourados - MS	3515	906	2902	1503	2826	1078	1103	3272	1006	3129	1060	1884
Feira de Santana - BA	805	1784	4441	1533	116	1918	1764	1483	1846	1055	1545	1124
Florianópolis - SC	3375	988	3976	1144	2682	777	807	3537	705	3450	1249	1597
Fortaleza - CE	799	2978	5396	2805	1389	3199	3036	1070	3127	634	2707	2397
Foz do Iguaçu - PR	3572	985	3454	1472	2885	1119	1138	3418	1047	3350	1206	1925
Franca - SP	2524	92	3280	797	1836	473	480	2646	401	2453	252	988
Garanhuns - PE	209	2388	5045	2137	638	2531	2368	1527	2459	977	2148	1690
Goiânia - GO	2332	615	2924	1338	1643	998	1005	2054	926	1986	360	1428

Tabela nacional de distâncias

Por terra, em quilômetros*	Recife (PE)	Ribeirão Preto (SP)	Rio Branco (AC)	Rio de Janeiro (RJ)	Salvador (BA)	Santos (SP)	S. José dos Campos (SP)	São Luís (MA)	São Paulo (SP)	Teresina (PI)	Uberlândia (MG)	Vitória (ES)
Governador Valadares - MG	1743	851	3912	601	1054	986	832	2420	914	1984	884	439
Guaratinguetá - SP	2487	488	3759	265	1798	249	86	3129	178	2731	749	709
Imperatriz - MA	1904	2023	4332	2657	1930	2406	2413	636	2334	777	1768	2747
Ipatinga - MG	1845	745	3806	661	1156	880	833	2522	808	2086	778	401
Itabira - MG	1946	626	3690	542	1258	761	714	2624	689	2189	659	465
Itabuna - BA	1143	1636	4426	1272	420	1705	1542	1859	1633	1423	1393	754
Itajaí - SC	3287	900	3888	1056	2594	689	709	3449	617	3362	1161	1509
Itumbiara - GO	2522	411	2888	1125	1843	794	815	2254	722	2186	154	1227
João Pessoa - PB	120	2699	5356	2448	949	2842	2679	1660	2770	1224	2459	2001
Joinville - SC	3205	818	3806	974	2512	607	637	3367	535	3280	1079	1427
Juazeiro do Norte - CE	658	2575	5121	2324	866	2715	2555	1029	2643	593	2348	1916
Juiz de Fora - MG	2201	676	3826	184	1512	578	415	2874	506	2438	798	519
Lages - SC	3442	1005	3993	1216	2753	844	879	3554	772	3467	1266	1664
Limeira - SP	2634	179	3454	568	1946	228	231	2820	156	2639	440	1016
Londrina - PR	3067	478	3293	953	2378	600	621	2928	528	2860	716	1406
Maceió - AL	285	2382	5039	2131	632	2525	2362	1672	2453	1236	2143	1684
Marília - SP	2871	282	3332	862	2182	515	509	2732	450	2664	520	1291
Maringá - PR	3161	574	3319	1061	2486	708	729	3007	636	2939	795	1514
Montes Claros - MG	1811	910	3667	850	1122	1074	1022	2488	1002	2052	639	943
Mossoró - RN	540	2966	5380	2715	1216	3109	2946	1330	3037	894	2702	2268
Natal - RN	297	2876	5533	2625	1126	3019	2859	1607	2947	1171	2636	2178
Novo Hamburgo - RS	3742	1305	4199	1516	3053	1144	1179	3854	1072	3767	1566	1964
Ourinhos - SP	2918	350	3325	796	2230	443	464	2825	371	2757	611	1249
Palmas - TO	2058	1491	3784	2124	1454	1848	1879	1386	1776	1401	1210	2214
Paranaguá - PR	3112	747	3771	881	2414	514	549	3422	442	3197	999	1334
Parnaíba - PI	1287	2839	5256	2935	1519	3220	3167	501	3148	335	2568	2527
Passo Fundo - RS	3636	1115	3974	1405	2943	1038	1073	3664	966	3577	1376	1858
Patos de Minas - MG	2133	503	3260	840	1445	830	891	2694	758	2326	232	945
Paulo Afonso - BA	443	2174	4831	1923	442	2308	2154	1448	2236	898	1935	1515
Pelotas - RS	4042	1605	4459	1816	3353	1444	1479	4154	1372	4067	1866	2264
Petrolina - PE	770	2178	4661	1927	513	2318	2158	1088	2246	658	1940	1519
Petrópolis - RJ	2280	759	3949	66	1591	535	377	2957	463	2523	896	502
Picos - PI	815	2508	4773	2257	841	2648	2488	766	2576	330	2084	1849
Poços de Caldas - MG	2525	237	3520	504	1837	375	316	2876	270	2699	491	952
Ponta Grossa - PR	3179	575	3563	949	2481	595	615	3124	523	3037	836	1401

Tabela nacional de distâncias

Por terra, em quilômetros*	Recife (PE)	Ribeirão Preto (SP)	Rio Branco (AC)	Rio de Janeiro (RJ)	Salvador (BA)	Santos (SP)	S. José dos Campos (SP)	São Luís (MA)	São Paulo (SP)	Teresina (PI)	Uberlândia (MG)	Vitória (ES)
Ponta Porã - MS	3520	1017	3013	1614	2832	1189	1214	3383	1117	3240	1171	1995
Porto Alegre - RS	3779	1342	4196	1553	3090	1181	1216	3891	1109	3804	1603	2001
Porto Seguro - BA	1419	1479	4540	1120	653	1553	1390	2135	1481	1699	1512	613
Porto Velho - RO	4712	2759	544	3473	4023	3142	3145	4434	3070	4366	2504	3575
Presidente Prudente - SP	2961	458	3136	1055	2273	630	655	2824	558	2756	612	1436
Recife - PE	-	2589	5243	2338	842	2732	2569	1573	2660	1137	2349	1891
Ribeirão Preto - SP	2589	-	3293	725	1900	391	408	2659	319	2483	281	1048
Rio Branco - AC	5243	3293	-	4007	4457	3676	3679	4968	3604	4900	3038	4109
Rio de Janeiro - RJ	2338	725	4007	-	1649	501	343	3015	429	2579	979	525
Rio Verde - GO	2563	610	2689	1324	1874	993	1014	2285	921	2217	355	1426
Rondonópolis - MT	3045	1092	2205	1806	2356	1475	1496	2767	1403	2699	837	1908
Salvador - BA	842	1900	4457	1649	-	2034	1880	1599	1962	1163	1661	1207
Santa Maria - RS	3929	1408	4171	1673	3236	1331	1366	3957	1259	3870	1669	2151
Santana do Livramento - RS	4272	1749	4512	2040	3577	1668	1703	4298	1596	4211	2010	2488
Santos - SP	2732	391	3676	554	2034	-	169	3042	72	2864	662	954
São Carlos - SP	2681	116	3366	656	1996	316	319	2732	244	2578	382	1147
São José do Rio Preto - SP	2777	189	3189	869	2089	529	528	2555	451	2487	343	1240
São José dos Campos - SP	2569	408	3679	343	1880	169	-	3049	97	2810	669	791
São Luís - MA	1573	2659	4968	3015	1599	3042	3049	-	2970	446	2404	2607
São Paulo - SP	2660	319	3604	429	1962	72	97	2970	-	2792	590	882
Sinop - MT	3757	1804	2461	2518	3068	2187	2190	3479	2115	3411	1549	2620
Sobral - CE	1038	2869	5286	2842	1384	3250	3074	832	3178	374	2598	2434
Sorocaba - SP	2743	324	3615	512	2045	159	180	2959	87	2775	574	957
Taubaté - SP	2532	445	3716	306	1843	206	43	3086	134	2775	706	754
Teresina - PI	1137	2483	4900	2579	1163	2864	2810	446	2792	-	2212	2171
Tubarão - SC	3503	1116	4104	1272	2810	905	635	3662	833	3578	1377	1725
Tucuruí - PA	2246	2505	4814	3139	2272	2888	2895	978	2816	1119	2250	3229
Uberaba - MG	2558	178	3141	917	1870	559	566	2507	487	2314	113	1022
Uberlândia - MG	2349	281	3038	979	1661	662	669	2404	590	2212	-	1081
Uruguaiana - RS	4201	1680	4443	1970	3508	1603	1638	4229	1531	4142	1941	2423
Vilhena - RO	4008	2055	1238	2769	3319	2438	2441	3730	2366	3661	1800	2871
Vitória - ES	1891	1048	4109	525	1207	954	791	2607	882	2171	1081	-
Vitória da Conquista - BA	1216	1376	4166	1126	487	1511	1357	1893	1439	1457	1130	948
Volta Redonda - RJ	2351	629	3891	112	1653	390	227	3019	318	2585	890	564

Fonte: "Atlas Rodoviário 2000 Quatro Rodas", "Guia de Estradas 2000 Quatro Rodas".

*Distâncias no Estado de São Paulo em relação à capital

As distâncias são periodicamente atualizadas pelo DER e podem ser confirmadas no site do departamento: www.der.sp.gov.br

Município	Direção	km	Município	Direção	km
Adamantina	Noroeste	578	Arealva	Noroeste	347
Adolfo	Noroeste	455	Areias	Nordeste	257
Aguaí	Norte	193	Areiópolis	Noroeste	271
Águas da Prata	Norte	224	Ariranha	Noroeste	377
Águas de Lindoia	Norte	160	Artur Nogueira	Noroeste	145
Águas de Santa Bárbara	Oeste	294	Arujá	Nordeste	45
Águas de S.Pedro	Noroeste	184	Aspásia	Noroeste	607
Agudos	Noroeste	313	Assis	Oeste	434
Alambari	Oeste	154	Atibaia	Norte	64
Alfredo Marcondes	Oeste	585	Auriflama	Noroeste	568
Altair	Noroeste	464	Avaí	Noroeste	367
Altinópolis	Norte	333	Avanhandava	Noroeste	472
Alto Alegre	Noroeste	490	Avaré	Oeste	267
Álvares Florence	Noroeste	537	Bady Bassitt	Noroeste	450
Álvares Machado	Oeste	567	Balbinos	Noroeste	400
Álvaro de Carvalho	Noroeste	422	Bálsamo	Noroeste	463
Alvinlândia	Oeste	416	Bananal	Leste	326
Alumínio	Oeste	79	Barão de Antonina	Oeste	379
Americana	Noroeste	127	Barbosa	Noroeste	492
Américo Brasiliense	Noroeste	283	Bariri	Noroeste	322
Américo de Campos	Noroeste	526	Barra Bonita	Noroeste	267
Amparo	Norte	133	Barra do Chapéu	Sudoeste	350
Analândia	Noroeste	214	Barra do Turvo	Sudoeste	322
Andradina	Noroeste	627	Barretos	Noroeste	423
Angatuba	Oeste	214	Barrinha	Noroeste	337
Anhembi	Noroeste	225	Barueri	Oeste	30
Anhumas	Oeste	550	Bastos	Noroeste	536
Aparecida	Nordeste	180	Batatais	Norte	352
Aparecida d'Oeste	Noroeste	629	Bauru	Noroeste	329
Apiaí	Sudoeste	325	Bebedouro	Noroeste	381
Araçariguama	Oeste	53	Bento de Abreu	Noroeste	563
Araçatuba	Noroeste	527	Bernardino de Campos	Oeste	326
Araçoiaba da Serra	Oeste	122	Bertioga	Sudeste	103
Aramina	Norte	438	Bilac	Noroeste	523
Arandu	Oeste	279	Birigui	Noroeste	507
Arapeí	Nordeste	308	Biritiba-Mirim	Leste	79
Araraquara	Noroeste	273	Boa Esperança do Sul	Noroeste	301
Araras	Noroeste	168	Bocaina	Noroeste	298
Arco-Íris	Noroeste	532	Bofete	Oeste	192

Distâncias no Estado de São Paulo em relação à capital

Município	Direção	km	Município	Direção	km
Boituva	Oeste	121	Capão Bonito	Oeste	231
Bom Jesus dos Perdões	Nordeste	76	Capela do Alto	Oeste	136
Bom Sucesso de Itararé	Sudoeste	351	Capivari	Noroeste	137
Borá	Oeste	487	Caraguatatuba	Leste	173
Boraceia	Noroeste	316	Carapicuíba	Oeste	26
Borborema	Noroeste	377	Cardoso	Noroeste	559
Borebi	Noroeste	309	Casa Branca	Norte	229
Botucatu	Noroeste	238	Cássia dos Coqueiros	Norte	304
Bragança Paulista	Norte	85	Castilho	Noroeste	641
Braúna	Noroeste	499	Catanduva	Noroeste	385
Brejo Alegre	Noroeste	514	Catiguá	Noroeste	399
Brodowski	Norte	338	Cedral	Noroeste	424
Brotas	Noroeste	246	Cerqueira César	Oeste	291
Buri	Oeste	257	Cerquilho	Oeste	140
Buritama	Noroeste	531	Cesário Lange	Oeste	150
Buritizal	Norte	436	Charqueada	Noroeste	185
Cabrália Paulista	Noroeste	358	Chavantes	Oeste	354
Cabreúva	Noroeste	78	Clementina	Noroeste	516
Caçapava	Nordeste	116	Colina	Noroeste	406
Cachoeira Paulista	Nordeste	212	Colômbia	Noroeste	467
Caconde	Norte	288	Conchal	Norte	172
Cafelândia	Noroeste	412	Conchas	Noroeste	179
Caiabu	Oeste	558	Cordeirópolis	Noroeste	158
Caieiras	Norte	38	Coroados	Noroeste	496
Caiuá	Oeste	627	Coronel Macedo	Oeste	345
Cajamar	Noroeste	41	Corumbataí	Noroeste	201
Cajati	Sudoeste	230	Cosmópolis	Noroeste	135
Cajobi	Noroeste	422	Cosmorama	Noroeste	501
Cajuru	Norte	298	Cotia	Oeste	31
Campina do Monte Alegre	Oeste	223	Cravinhos	Norte	292
Campinas	Noroeste	93	Cristais Paulista	Norte	414
Campo Limpo Paulista	Norte	53	Cruzália	Oeste	480
Campos do Jordão	Nordeste	181	Cruzeiro	Nordeste	227
Campos Novos Paulista	Oeste	415	Cubatão	Sudeste	56
Cananeia	Sudoeste	256	Cunha	Leste	231
Canas	Nordeste	205	Descalvado	Noroeste	243
Cândido Mota	Oeste	431	Diadema	Sul	21
Cândido Rodrigues	Noroeste	352	Dirce Reis	Noroeste	607
Canitar	Oeste	375	Divinolândia	Norte	264

Distâncias no Estado de São Paulo em relação à capital

Município	Direção	km	Município	Direção	km
Dobrada	Noroeste	318	General Salgado	Noroeste	545
Dois Córregos	Noroeste	262	Getulina	Noroeste	453
Dolcinópolis	Noroeste	599	Glicério	Noroeste	490
Dourado	Noroeste	276	Guaiçara	Noroeste	440
Dracena	Noroeste	634	Guaimbê	Noroeste	449
Duartina	Noroeste	367	Guaíra	Norte	432
Dumont	Noroeste	331	Guapiaçu	Noroeste	440
Echaporã	Oeste	465	Guapiara	Oeste	264
Eldorado	Sudoeste	243	Guará	Norte	400
Elisiário	Noroeste	397	Guaraçaí	Noroeste	606
Elias Fausto	Noroeste	126	Guaraci	Noroeste	459
Embaúba	Noroeste	417	Guarani d'Oeste	Noroeste	579
Embu	Oeste	27	Guarantã	Noroeste	405
Embu-Guaçu	Sudoeste	49	Guararapes	Noroeste	545
Emilianópolis	Noroeste	603	Guararema	Leste	79
Engenheiro Coelho	Noroeste	158	Guaratinguetá	Nordeste	187
Espírito Santo do Pinhal	Norte	189	Guareí	Oeste	184
Espírito Santo do Turvo	Noroeste	325	Guariba	Noroeste	337
Estiva Gerbi	Norte	168	Guarujá	Sudeste	86
Estrela do Norte	Oeste	595	Guarulhos	Norte	16
Estrela d'Oeste	Noroeste	570	Guatapará	Noroeste	297
Euclides da Cunha Paulista	Oeste	702	Guzolândia	Noroeste	577
Fartura	Oeste	360	Herculândia	Noroeste	498
Fernando Prestes	Noroeste	362	Holambra	Noroeste	133
Fernandópolis	Noroeste	553	Hortolândia	Noroeste	109
Fernão	Noroeste	384	Iacanga	Noroeste	378
Ferraz de Vasconcelos	Leste	45	Iacri	Noroeste	533
Flora Rica	Noroeste	620	Iaras	Noroeste	285
Floreal	Noroeste	521	Ibaté	Noroeste	247
Flórida Paulista	Noroeste	592	Ibirá	Noroeste	417
Florínea	Oeste	475	Ibirarema	Oeste	395
Franca	Norte	400	Ibitinga	Noroeste	347
Francisco Morato	Norte	48	Ibiúna	Oeste	69
Franco da Rocha	Norte	47	Icém	Noroeste	496
Gabriel Monteiro	Noroeste	529	Iepê	Oeste	516
Gália	Noroeste	393	Igaraçu do Tietê	Noroeste	287
Garça	Noroeste	404	Igarapava	Norte	446
Gastão Vidigal	Noroeste	538	Igaratá	Nordeste	77
Gavião Peixoto	Noroeste	306	Iguape	Sudoeste	200

Distâncias no Estado de São Paulo em relação à capital

Município	Direção	km	Município	Direção	Km
Ilhabela	Leste	198	Itobi	Norte	236
Ilha Comprida	Sudoeste	207	Itu	Noroeste	101
Ilha Solteira	Noroeste	660	Itupeva	Noroeste	73
Indaiatuba	Noroeste	98	Ituverava	Norte	413
Indiana	Oeste	546	Jaborandi	Noroeste	418
Indiaporã	Noroeste	597	Jaboticabal	Noroeste	342
Inúbia Paulista	Noroeste	565	Jacareí	Leste	84
Ipaussu	Oeste	344	Jaci	Noroeste	463
Iperó	Oeste	126	Jacupiranga	Sudoeste	218
Ipeúna	Noroeste	191	Jaguariúna	Norte	123
Ipiguá	Noroeste	457	Jales	Noroeste	585
Iporanga	Sudoeste	303	Jambeiro	Leste	120
Ipuã	Norte	411	Jandira	Oeste	34
Iracemápolis	Noroeste	157	Jardinópolis	Norte	329
Irapuã	Noroeste	429	Jarinu	Norte	68
Irapuru	Noroeste	616	Jaú	Noroeste	287
Itaberá	Oeste	324	Jeriquara	Norte	439
Itaí	Oeste	287	Joanópolis	Nordeste	112
Itajobi	Noroeste	393	João Ramalho	Oeste	494
Itaju	Noroeste	333	José Bonifácio	Noroeste	481
Itanhaém	Sul	106	Júlio Mesquita	Noroeste	430
Itaoca	Sudoeste	344	Jumirim	Noroeste	152
Itapecerica da Serra	Sudoeste	34	Jundiaí	Noroeste	58
Itapetininga	Oeste	172	Junqueirópolis	Noroeste	624
Itapeva	Oeste	290	Juquiá	Sudoeste	159
Itapevi	Oeste	40	Juquitiba	Sudoeste	72
Itapira	Norte	164	Lagoinha	Leste	201
Itapirapuã Paulista	Sudoeste	379	Laranjal Paulista	Noroeste	159
Itápolis	Noroeste	353	Lavínia	Noroeste	587
Itaporanga	Oeste	365	Lavrinhas	Nordeste	233
Itapuí	Noroeste	308	Leme	Noroeste	188
Itapura	Noroeste	677	Lençóis Paulista	Noroeste	287
Itaquaquecetuba	Leste	36	Limeira	Noroeste	151
Itararé	Oeste	345	Lindoia	Norte	154
Itariri	Sudoeste	152	Lins	Noroeste	431
Itatiba	Norte	84	Lorena	Nordeste	198
Itatinga	Oeste	226	Lourdes	Noroeste	541
Itirapina	Noroeste	212	Louveira	Noroeste	71
Itirapuã	Norte	420	Lucélia	Noroeste	573

Distâncias no Estado de São Paulo em relação à capital

Lu→Os

Município	Direção	km	Município	Direção	km
Lucianópolis	Noroeste	381	Monte Alegre do Sul	Norte	130
Luiz Antônio	Noroeste	273	Monte Alto	Noroeste	356
Luiziânia	Noroeste	509	Monte Aprazível	Noroeste	474
Lupércio	Oeste	428	Monte Azul Paulista	Noroeste	400
Lutécia	Oeste	470	Monte Castelo	Noroeste	677
Macatuba	Noroeste	301	Monte Mor	Noroeste	117
Macaubal	Noroeste	511	Monteiro Lobato	Nordeste	131
Macedônia	Noroeste	567	Morro Agudo	Norte	380
Magda	Noroeste	530	Morungaba	Norte	107
Mairinque	Oeste	71	Motuca	Noroeste	307
Mairiporã	Norte	37	Murutinga do Sul	Noroeste	615
Manduri	Oeste	308	Nantes	Oeste	525
Marabá Paulista	Oeste	638	Narandiba	Oeste	580
Maracaí	Oeste	462	Natividade da Serra	Leste	195
Marapoama	Noroeste	407	Nazaré Paulista	Nordeste	64
Mariápolis	Noroeste	587	Neves Paulista	Noroeste	470
Marília	Noroeste	435	Nhandeara	Noroeste	509
Marinópolis	Noroeste	622	Nipoã	Noroeste	494
Martinópolis	Oeste	539	Nova Aliança	Noroeste	447
Matão	Noroeste	305	Nova Campina	Sudoeste	311
Mauá	Sudeste	27	Nova Canaã Paulista	Noroeste	646
Mendonça	Noroeste	448	Nova Castilho	Noroeste	565
Meridiano	Noroeste	545	Nova Europa	Noroeste	317
Mesópolis	Noroeste	620	Nova Granada	Noroeste	471
Miguelópolis	Norte	441	Nova Guataporanga	Noroeste	658
Mineiros do Tietê	Norte	268	Nova Independência	Noroeste	658
Miracatu	Sudoeste	138	Novais	Noroeste	408
Mira Estrela	Noroeste	587	Nova Luzitânia	Noroeste	547
Mirandópolis	Noroeste	594	Nova Odessa	Noroeste	122
Mirante do Paranapanema	Oeste	610	Novo Horizonte	Noroeste	399
Mirassol	Noroeste	452	Nuporanga	Norte	373
Mirassolândia	Noroeste	466	Ocauçu	Oeste	427
Mococa	Norte	262	Óleo	Oeste	317
Mogi das Cruzes	Leste	57	Olímpia	Noroeste	438
Mogi Guaçu	Norte	164	Onda Verde	Noroeste	463
Mogi Mirim	Norte	151	Oriente	Noroeste	457
Mombuca	Noroeste	149	Orindiúva	Noroeste	524
Monções	Noroeste	528	Orlândia	Norte	365
Mongaguá	Sul	89	Osasco	Leste	22

Distâncias no Estado de São Paulo em relação à capital

Município	Direção	km	Município	Direção	km
Oscar Bressane	Oeste	483	Pindamonhangaba	Nordeste	156
Osvaldo Cruz	Noroeste	558	Pindorama	Noroeste	378
Ourinhos	Oeste	378	Pinhalzinho	Norte	112
Ouroeste	Noroeste	588	Piquerobi	Oeste	604
Ouro Verde	Noroeste	664	Piquete	Nordeste	217
Pacaembu	Noroeste	603	Piracaia	Nordeste	88
Palestina	Noroeste	493	Piracicaba	Noroeste	160
Palmares Paulista	Noroeste	394	Piraju	Oeste	334
Palmeira d'Oeste	Noroeste	613	Pirajuí	Noroeste	384
Palmital	Oeste	414	Pirapora do Bom Jesus	Oeste	55
Panorama	Noroeste	672	Pirapozinho	Oeste	564
Paraibuna	Leste	124	Pirangi	Noroeste	379
Paraíso	Noroeste	396	Pirassununga	Norte	211
Paranapanema	Oeste	261	Piratininga	Noroeste	336
Paranapuã	Noroeste	606	Pitangueiras	Noroeste	364
Parapuã	Noroeste	559	Planalto	Noroeste	510
Paraguaçu Paulista	Oeste	466	Platina	Oeste	425
Pardinho	Oeste	207	Poá	Leste	42
Pariquera-Açu	Sudoeste	214	Poloni	Noroeste	487
Parisi	Noroeste	533	Pompeia	Noroeste	467
Patrocínio Paulista	Norte	412	Pongaí	Noroeste	415
Pauliceia	Noroeste	670	Pontal	Noroeste	351
Paulínia	Noroeste	117	Pontalinda	Noroeste	579
Paulistânia	Noroeste	341	Pontes Gestal	Noroeste	533
Paulo de Faria	Noroeste	537	Populina	Noroeste	610
Pederneiras	Noroeste	320	Porangaba	Oeste	173
Pedra Bela	Norte	117	Porto Feliz	Noroeste	118
Pedranópolis	Noroeste	547	Porto Ferreira	Norte	228
Pedregulho	Norte	437	Potim	Noroeste	195
Pedreira	Norte	137	Potirendaba	Noroeste	432
Pedrinhas Paulista	Oeste	482	Pracinha	Noroeste	575
Pedro de Toledo	Sudoeste	145	Pradópolis	Noroeste	315
Penápolis	Noroeste	479	Praia Grande	Sul	71
Pereira Barreto	Noroeste	623	Pratânia	Noroeste	264
Pereiras	Oeste	168	Presidente Alves	Noroeste	383
Peruíbe	Sul	135	Presidente Bernandes	Oeste	580
Piacatu	Noroeste	535	Presidente Epitácio	Oeste	645
Piedade	Oeste	99	Presidente Prudente	Oeste	558
Pilar do Sul	Oeste	150	Presidente Venceslau	Oeste	611

Distâncias no Estado de São Paulo em relação à capital

Município	Direção	km
Promissão	Noroeste	451
Quadra	Oeste	163
Quatá	Oeste	489
Queiroz	Noroeste	494
Queluz	Nordeste	244
Quintana	Noroeste	484
Rafard	Noroeste	144
Rancharia	Oeste	508
Redenção da Serra	Leste	174
Regente Feijó	Oeste	546
Reginópolis	Noroeste	397
Registro	Sudoeste	188
Restinga	Norte	389
Ribeira	Sudoeste	356
Ribeirão Bonito	Noroeste	263
Ribeirão Branco	Sudoeste	295
Ribeirão Corrente	Norte	422
Ribeirão dos Índios	Noroeste	605
Ribeirão do Sul	Oeste	393
Ribeirão Grande	Sudoeste	241
Ribeirão Pires	Sudeste	55
Ribeirão Preto	Norte	313
Rifaina	Norte	464
Rincão	Noroeste	291
Rinópolis	Noroeste	548
Rio Claro	Noroeste	173
Rio das Pedras	Noroeste	159
Rio Grande da Serra	Sudeste	50
Riolândia	Noroeste	555
Riversul	Oeste	360
Rosana	Oeste	748
Roseira	Nordeste	169
Rubiácea	Noroeste	558
Rubineia	Noroeste	632
Sabino	Noroeste	464
Sagres	Noroeste	561
Sales	Noroeste	435
Sales Oliveira	Norte	363
Salesópolis	Leste	101
Salmourão	Noroeste	583
Saltinho	Noroeste	173
Salto	Noroeste	101
Salto de Pirapora	Oeste	124
Salto Grande	Oeste	383
Sandovalina	Oeste	603
Sta. Adélia	Noroeste	371
Sta. Albertina	Noroeste	615
Sta. Bárbara d'Oeste	Noroeste	135
Sta. Branca	Leste	95
Sta. Clara d'Oeste	Noroeste	637
Sta. Cruz da Conceição	Noroeste	197
Sta. Cruz da Esperança	Norte	316
Sta. Cruz das Palmeiras	Norte	241
Sta. Cruz do Rio Pardo	Oeste	346
Sta. Ernestina	Noroeste	324
Sta. Fé do Sul	Noroeste	625
Sta. Gertrudes	Noroeste	167
Sta. Isabel	Nordeste	61
Sta. Lúcia	Noroeste	290
Sta. Maria da Serra	Noroeste	217
Sta. Mercedes	Oeste	661
Santana da Ponte Pensa	Noroeste	613
Santana de Parnaíba	Oeste	40
Sta. Rita d'Oeste	Noroeste	629
Sta. Rita do Passa Quatro	Norte	248
Sta. Rosa de Viterbo	Norte	283
Sta. Salete	Noroeste	601
Sto. Anastácio	Oeste	589
Sto. André	Sul	24
Sto. Antônio da Alegria	Norte	331
Sto. Antônio do Aracanguá	Noroeste	557
Sto. Antônio do Jardim	Norte	201
Sto. Antônio de Posse	Norte	138
Sto. Antônio do Pinhal	Nordeste	171
Sto. Expedito	Oeste	599
Santópolis do Aguapeí	Noroeste	523
Santos	Sudeste	72
São Bento do Sapucaí	Nordeste	173

Distâncias no Estado de São Paulo em relação à capital

Município	Direção	km	Município	Direção	km
São Bernardo do Campo	Sudeste	19	Suzano	Leste	44
São Caetano do Sul	Sudeste	14	Suzanápolis	Noroeste	626
São Carlos	Noroeste	232	Tabapuã	Noroeste	409
São Francisco	Noroeste	606	Tabatinga	Noroeste	331
São João da Boa Vista	Norte	216	Taboão da Serra	Sudoeste	30
São João das Duas Pontes	Noroeste	572	Taciba	Oeste	544
São João de Iracema	Noroeste	563	Taguaí	Oeste	347
São João do Pau d'Alho	Noroeste	665	Taiaçu	Noroeste	370
São Joaquim da Barra	Norte	382	Taiuva	Noroeste	363
São José da Bela Vista	Norte	393	Tambaú	Norte	255
São José do Barreiro	Nordeste	280	Tanabi	Noroeste	477
São José do Rio Pardo	Norte	254	Tapiraí	Sudoeste	135
São José do Rio Preto	Noroeste	438	Tapiratiba	Norte	276
São José dos Campos	Nordeste	97	Taquaral	Noroeste	362
São Lourenço da Serra	Sul	54	Taquaritinga	Noroeste	334
São Luiz do Paraitinga	Leste	182	Taquarituba	Oeste	328
São Manuel	Noroeste	259	Taquarivaí	Oeste	268
São Miguel Arcanjo	Oeste	184	Tarabai	Oeste	573
São Pedro	Noroeste	192	Tarumã	Oeste	456
São Pedro do Turvo	Oeste	362	Tatuí	Oeste	141
São Roque	Oeste	66	Taubaté	Nordeste	140
São Sebastião	Leste	191	Tejupá	Oeste	350
São Sebastião da Grama	Norte	250	Teodoro Sampaio	Oeste	653
São Simão	Norte	278	Terra Roxa	Noroeste	406
São Vicente	Sudeste	65	Tietê	Noroeste	143
Sarapuí	Oeste	150	Timburi	Oeste	356
Sarutaiá	Oeste	347	Torre de Pedra	Oeste	175
Sebastianópolis do Sul	Noroeste	504	Torrinha	Noroeste	237
Serra Azul	Norte	302	Trabiju	Noroeste	308
Serrana	Norte	313	Tremembé	Nordeste	147
Serra Negra	Norte	139	Três Fronteiras	Noroeste	622
Sertãozinho	Noroeste	333	Tuiuti	Norte	112
Sete Barras	Sudoeste	203	Tupã	Noroeste	514
Severínia	Noroeste	419	Tupi Paulista	Noroeste	646
Silveiras	Nordeste	231	Turiúba	Noroeste	546
Socorro	Norte	134	Turmalina	Noroeste	597
Sorocaba	Oeste	99	Ubarana	Noroeste	468
Sud Mennucci	Noroeste	613	Ubatuba	Leste	226
Sumaré	Noroeste	118	Ubirajara	Oeste	399

Distâncias no Estado de São Paulo em relação à capital

Município	Direção	km	Município	Direção	km
Uchoa	Noroeste	416	Várzea Paulista	Noroeste	54
União Paulista	Noroeste	503	Vera Cruz	Noroeste	421
Urânia	Noroeste	594	Vinhedo	Noroeste	79
Uru	Noroeste	417	Viradouro	Noroeste	398
Urupês	Noroeste	419	Vista Alegre do Alto	Noroeste	370
Valentim Gentil	Noroeste	535	Vitória Brasil	Noroeste	588
Valinhos	Noroeste	85	Votorantim	Oeste	105
Valparaíso	Noroeste	564	Votuporanga	Noroeste	521
Vargem	Norte	96	Zacarias	Noroeste	523
Vargem Grande do Sul	Norte	234			
Vargem Grande Paulista	Sul	44			

* Percurso calculado priorizando a menor distância por rodovias estaduais.
Fonte: Site DER (Departamento de Estradas de Rodagem) - www.der.sp.gov.br

Distâncias entre cidades do Estado de São Paulo

Em quilômetros

Cidades	Araçatuba	Araraquara	Assis	Barretos	Bauru	Campinas	Cubatão	Itapetininga	Pres. Prudente	Ribeirão Preto	Rio Claro	S. J. do Rio Preto	São Paulo	Taubaté
Araçatuba		291	197	252	198	459	584	415	167	333	374	160	527	661
Araraquara			303	152	124	186	330	258	404	85	100	167	273	377
Assis				349	184	408	491	281	125	341	354	258	434	568
Barretos					253	337	480	408	364	121	250	96	423	527
Bauru						260	385	216	280	208	176	198	328	463
Campinas							150	155	531	226	87	351	93	193
Cubatão								229	614	370	230	495	56	186
Itapetininga									404	316	158	423	172	307
Pres. Prudente										446	456	273	558	692
Ribeirão Preto											158	188	313	417
Rio Claro												265	173	278
S. J. do Rio Preto													438	542
São Paulo														140
Taubaté														

Mapa do Estado de São Paulo

Principais cidades

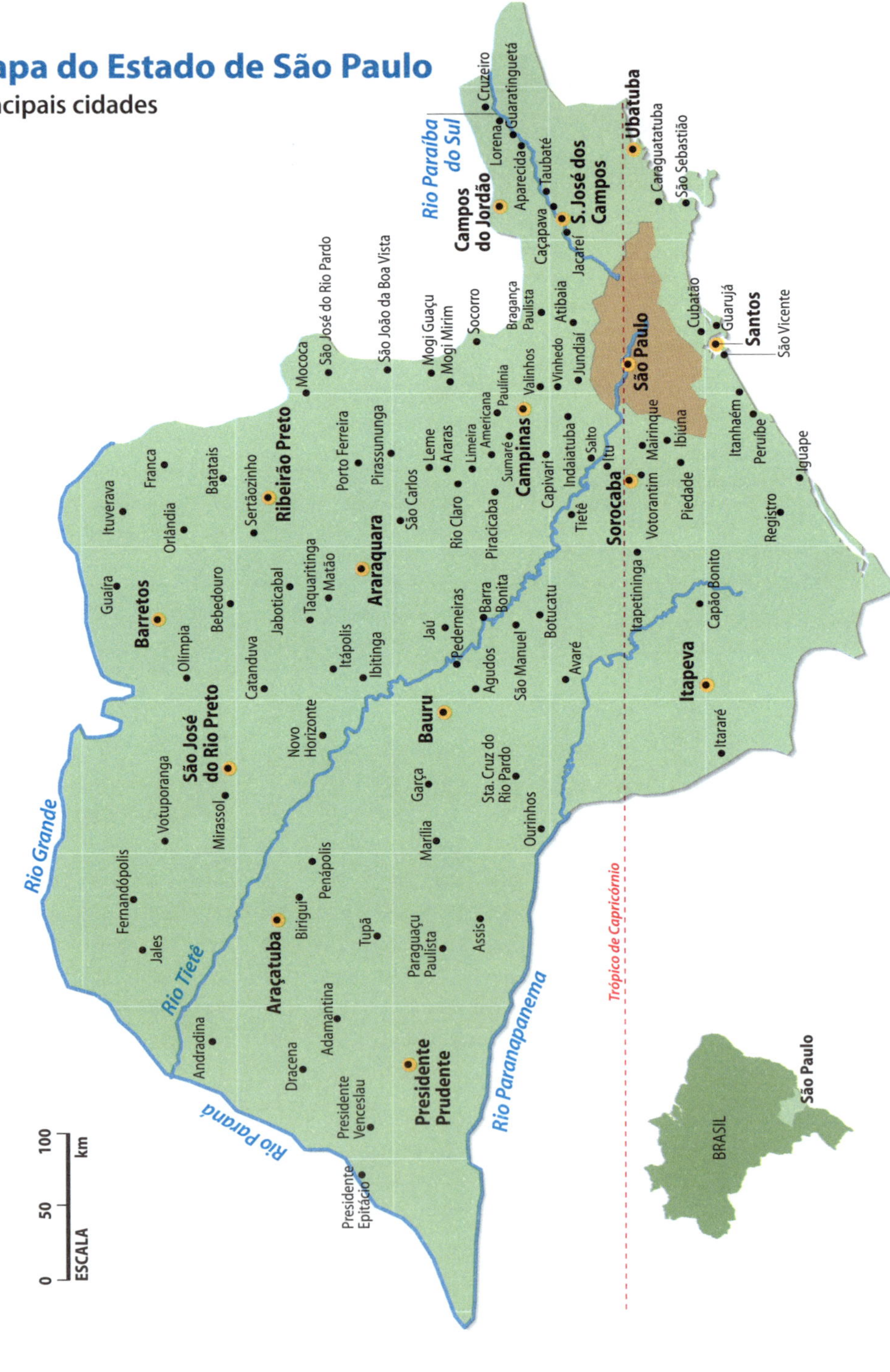

Mapa da Grande São Paulo

Divisão por municípios

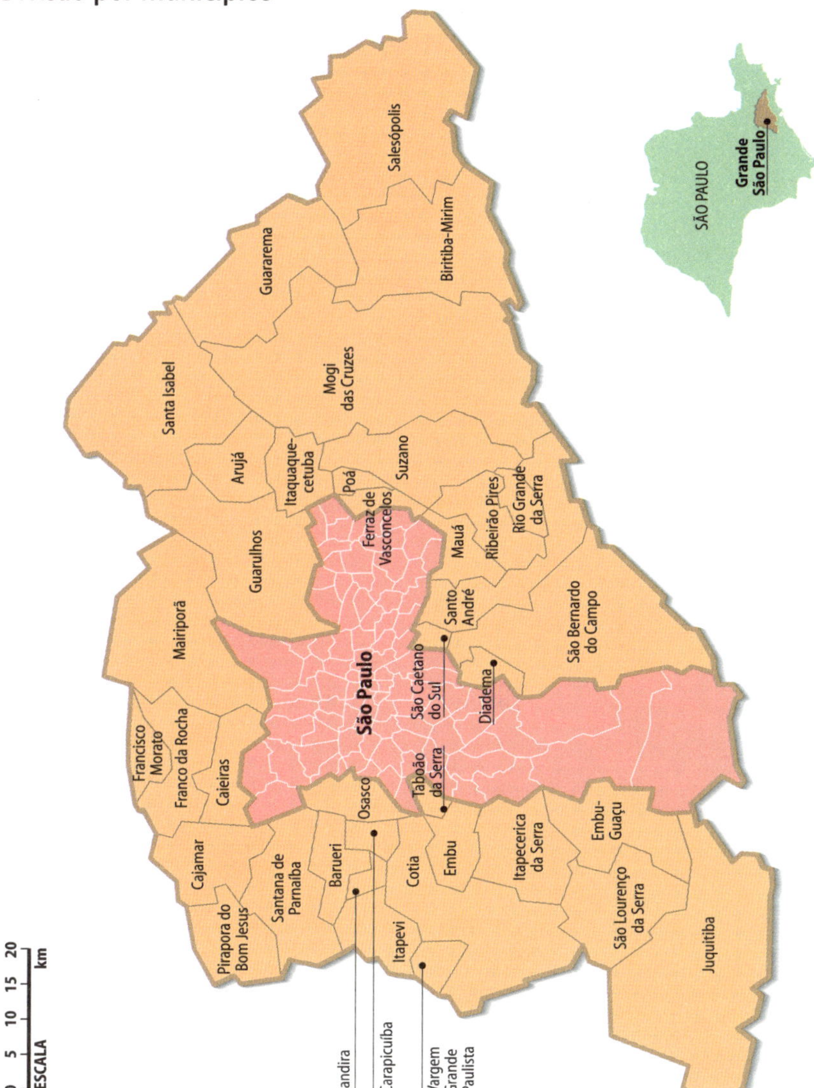

ANEXO geográfico - mapas

Mapa da cidade de São Paulo

Divisão por distritos

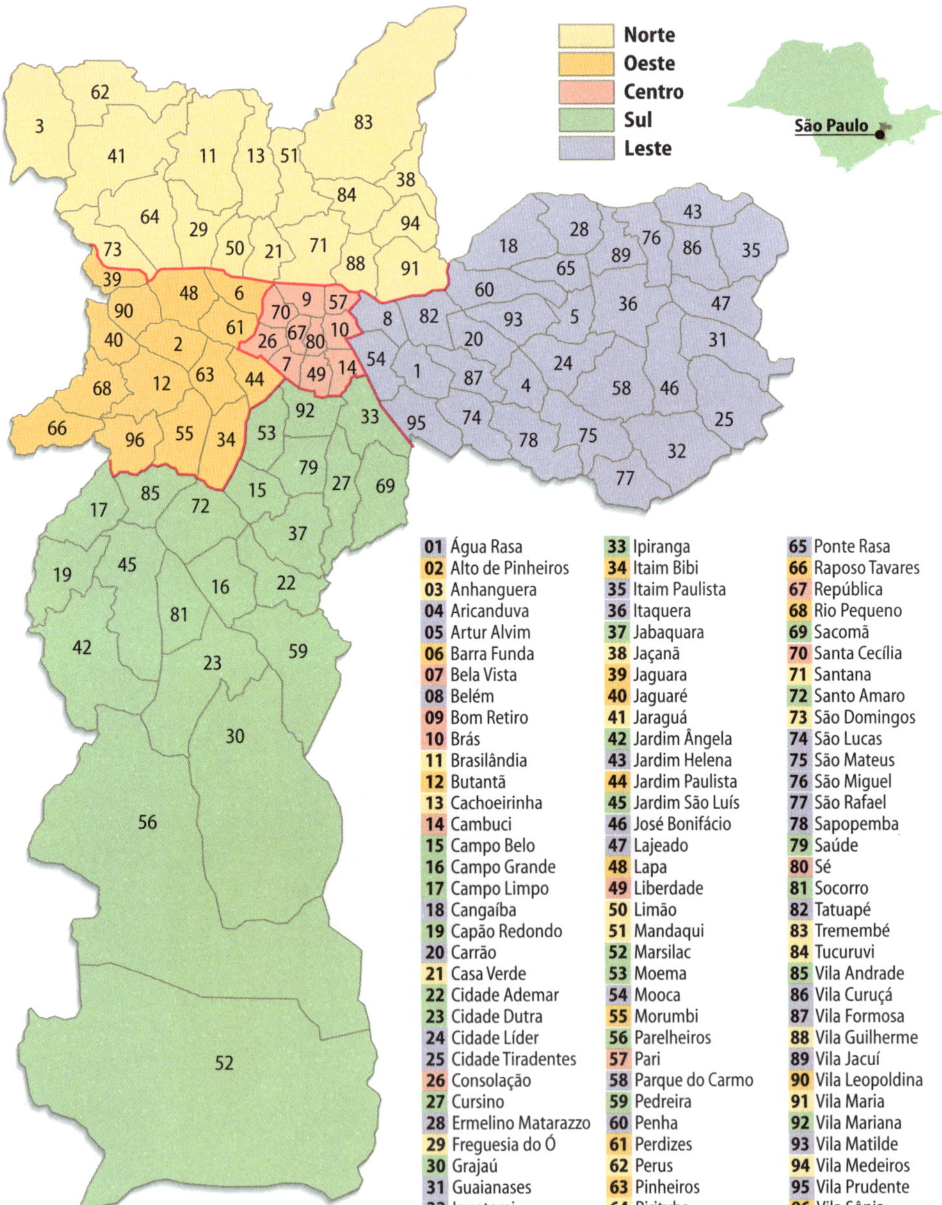

01 Água Rasa
02 Alto de Pinheiros
03 Anhanguera
04 Aricanduva
05 Artur Alvim
06 Barra Funda
07 Bela Vista
08 Belém
09 Bom Retiro
10 Brás
11 Brasilândia
12 Butantã
13 Cachoeirinha
14 Cambuci
15 Campo Belo
16 Campo Grande
17 Campo Limpo
18 Cangaíba
19 Capão Redondo
20 Carrão
21 Casa Verde
22 Cidade Ademar
23 Cidade Dutra
24 Cidade Líder
25 Cidade Tiradentes
26 Consolação
27 Cursino
28 Ermelino Matarazzo
29 Freguesia do Ó
30 Grajaú
31 Guaianases
32 Iguatemi
33 Ipiranga
34 Itaim Bibi
35 Itaim Paulista
36 Itaquera
37 Jabaquara
38 Jaçanã
39 Jaguara
40 Jaguaré
41 Jaraguá
42 Jardim Ângela
43 Jardim Helena
44 Jardim Paulista
45 Jardim São Luís
46 José Bonifácio
47 Lajeado
48 Lapa
49 Liberdade
50 Limão
51 Mandaqui
52 Marsilac
53 Moema
54 Mooca
55 Morumbi
56 Parelheiros
57 Pari
58 Parque do Carmo
59 Pedreira
60 Penha
61 Perdizes
62 Perus
63 Pinheiros
64 Pirituba
65 Ponte Rasa
66 Raposo Tavares
67 República
68 Rio Pequeno
69 Sacomã
70 Santa Cecília
71 Santana
72 Santo Amaro
73 São Domingos
74 São Lucas
75 São Mateus
76 São Miguel
77 São Rafael
78 Sapopemba
79 Saúde
80 Sé
81 Socorro
82 Tatuapé
83 Tremembé
84 Tucuruvi
85 Vila Andrade
86 Vila Curuçá
87 Vila Formosa
88 Vila Guilherme
89 Vila Jacuí
90 Vila Leopoldina
91 Vila Maria
92 Vila Mariana
93 Vila Matilde
94 Vila Medeiros
95 Vila Prudente
96 Vila Sônia

Mapa da cidade de São Paulo

Divisão por zonas

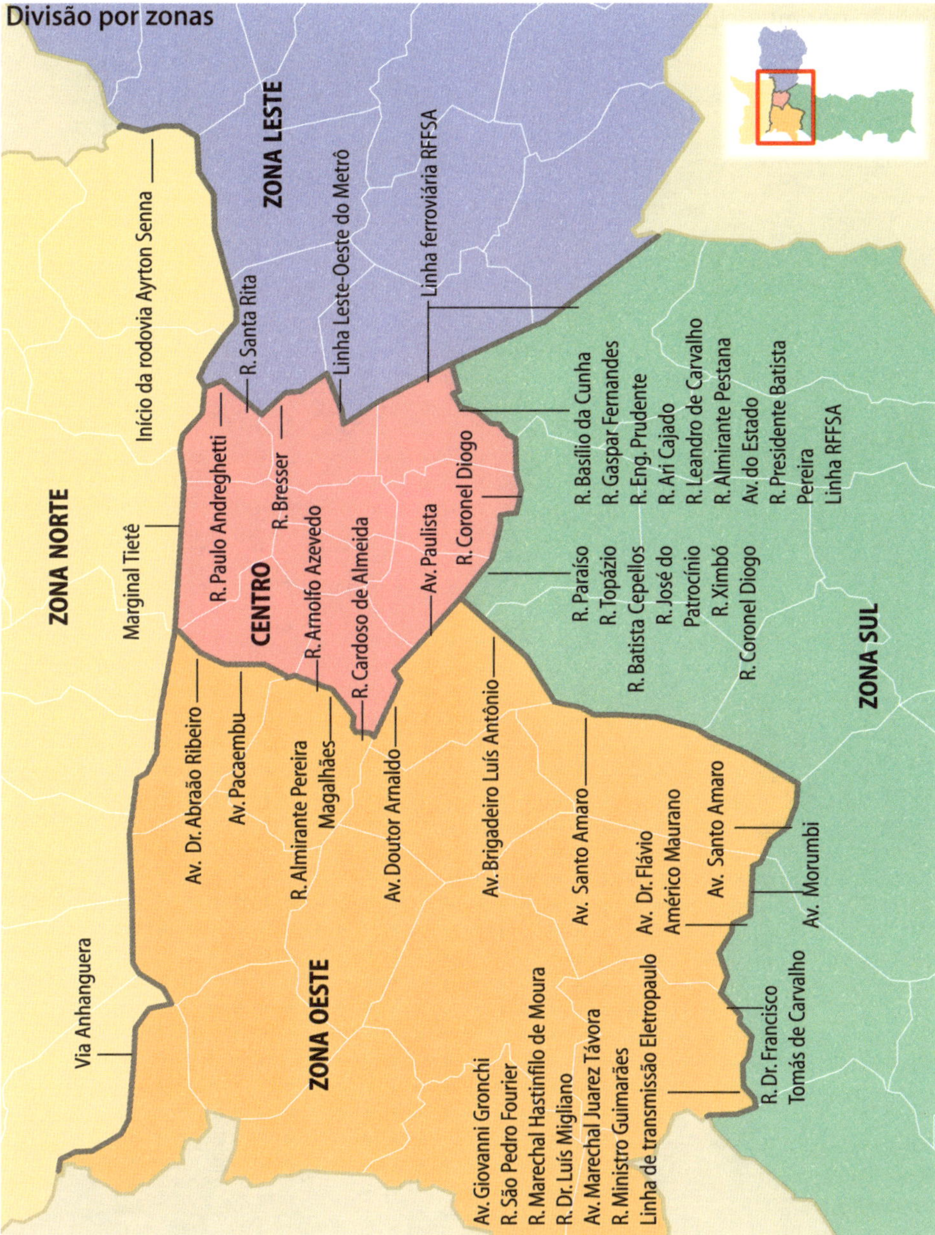

Fonte: Secretaria Municipal de Planejamento

ANEXO geográfico - mapas

Mapa da região metropolitana do Rio

Divisão por municípios

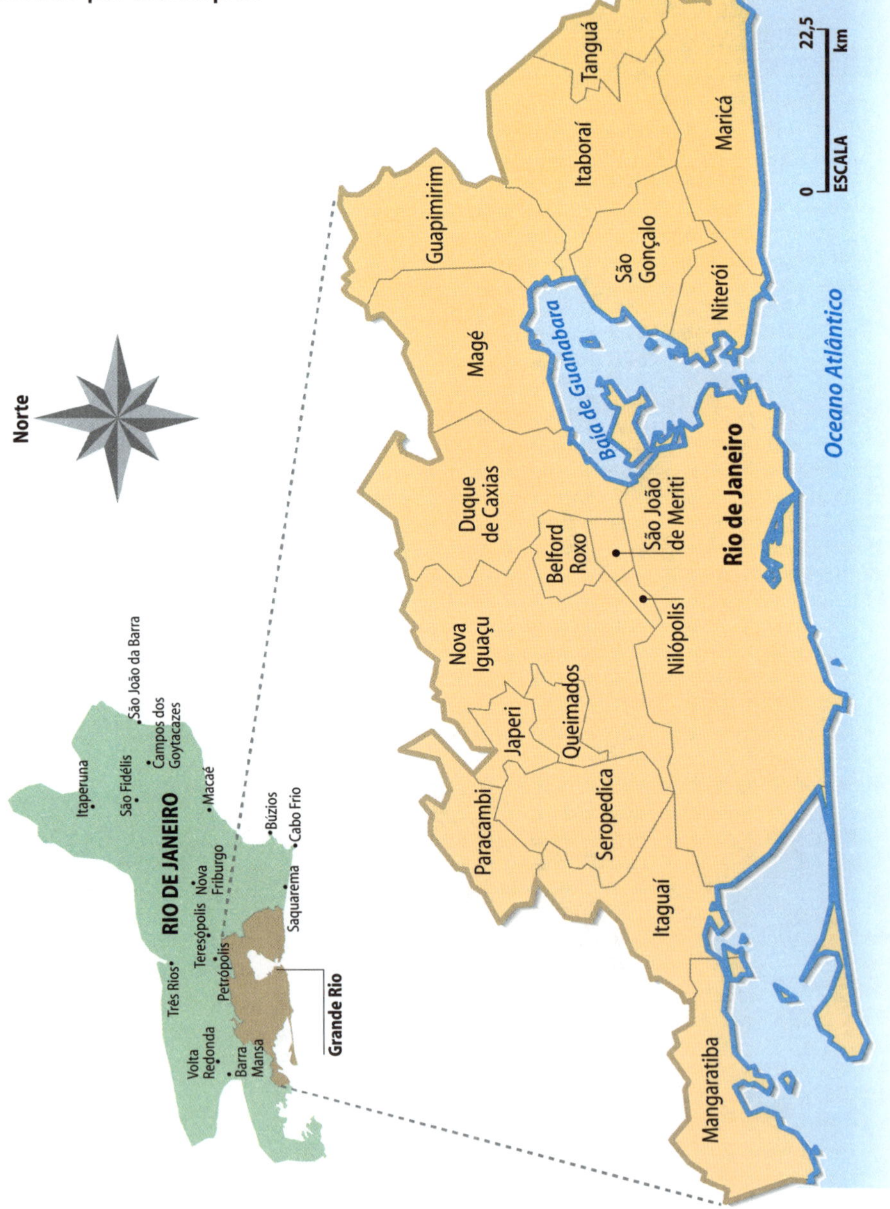

ANEXO geográfico - mapas

Mapa do Brasil

Físico

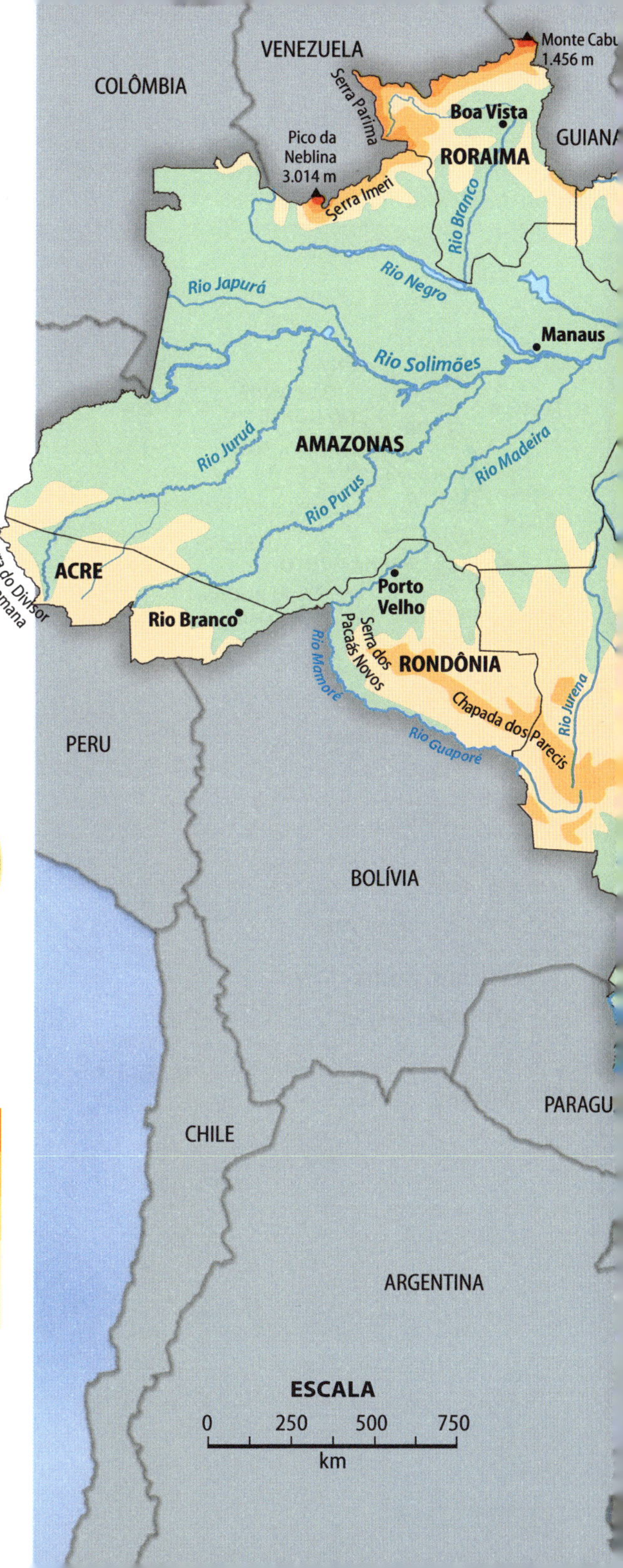

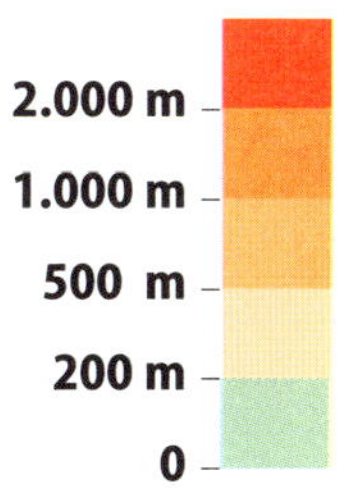

Mapa do Brasil

Divisão de regiões e Estados

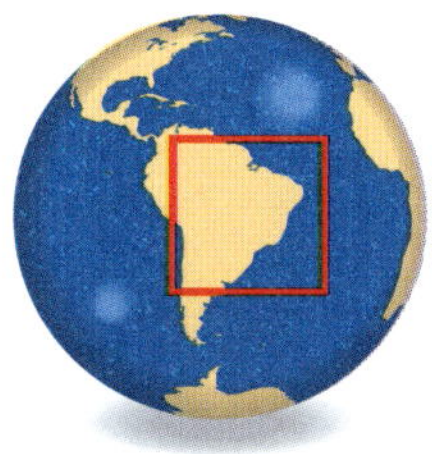

Grandes regiões

Área em km²

	Área em km²
NORTE	3.869.637,9
NORDESTE	1.561.177,8
CENTRO-OESTE	1.612.077,2
SUDESTE	927.286,2
SUL	577.214,0

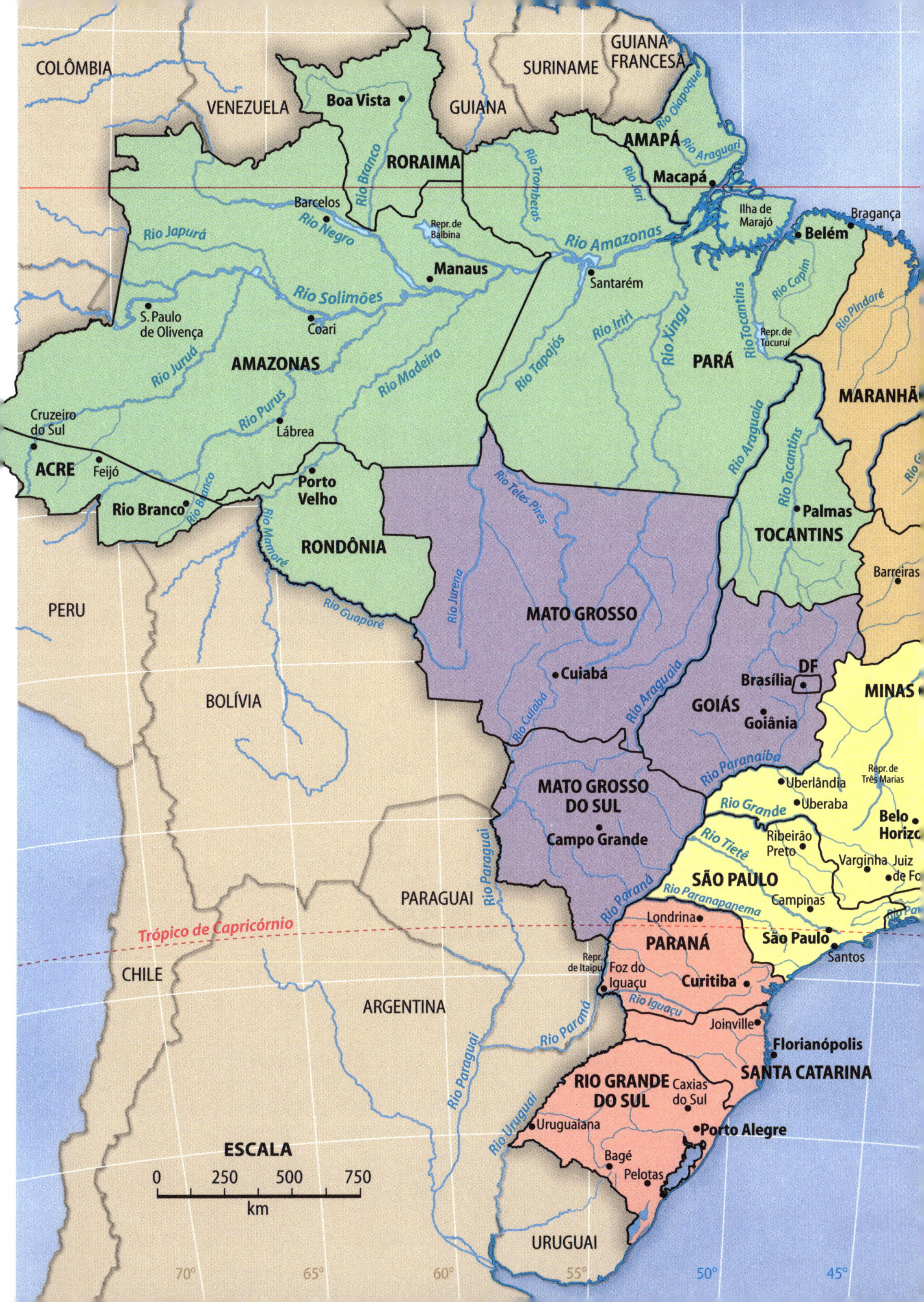

COLÔMBIA
VENEZUELA
GUIANA
SURINAME
GUIANA FRANCESA
Boa Vista
RORAIMA
Rio Branco
AMAPÁ
Macapá
Rio Oiapoque
Rio Araguari
Rio Jari
Rio Trombetas
Barcelos
Rio Negro
Repr. de Balbina
Rio Japurá
Manaus
Rio Solimões
Rio Amazonas
Ilha de Marajó
Bragança
Belém
Santarém
S. Paulo de Olivença
Coari
AMAZONAS
Rio Juruá
Rio Madeira
Rio Purus
Lábrea
Rio Tapajós
Rio Iriri
Rio Xingu
Rio Tocantins
Rio Capim
Repr. de Tucuruí
Rio Pindaré
PARÁ
MARANHÃO
Cruzeiro do Sul
ACRE
Feijó
Rio Branco
Porto Velho
RONDÔNIA
Rio Mamoré
Rio Guaporé
Rio Teles Pires
Rio Araguaia
TOCANTINS
Palmas
Barreiras
PERU
Rio Juruena
MATO GROSSO
Cuiabá
Rio Cuiabá
BOLÍVIA
DF
Brasília
GOIÁS
Goiânia
MINAS
Rio Paranaíba
Repr. de Três Marias
MATO GROSSO DO SUL
Campo Grande
Uberlândia
Uberaba
Rio Grande
Belo Horizo
Rio Tietê
Ribeirão Preto
Varginha
Juiz de Fo
SÃO PAULO
Rio Paranapanema
Campinas
Rio Paraguai
PARAGUAI
Rio Paraná
Trópico de Capricórnio
Londrina
PARANÁ
São Paulo
Santos
CHILE
Repr. de Itaipu
Foz do Iguaçu
Curitiba
Rio Iguaçu
ARGENTINA
Joinville
Florianópolis
SANTA CATARINA
RIO GRANDE DO SUL
Caxias do Sul
Rio Uruguai
Uruguaiana
Porto Alegre
Bagé
Pelotas
ESCALA
0
250
500
750
km
URUGUAI
70°
65°
60°
55°
50°
45°

SURINAME
GUIANA FRANCESA
Rio Oiapoque
Serra Tumucumaque
AMAPÁ
Rio Trombetas
Rio Jari
Macapá
Ilha de Marajó
Rio Amazonas
Belém
São Luís
Rio Capim
Rio Pindaré
Rio Parnaíba
Serra da Ibiapaba
Fortaleza
Fernando de Noronha
Atol das Rocas
Arquipélago de São Pedro e São Paulo
Rio Iriri
Rio Xingu
Rio Tapajós
Serra dos Caraiás
Rio Tocantins
MARANHÃO
Teresina
CEARÁ
Chapada do Apodi
RIO GRANDE DO NORTE
Natal
PARÁ
Serra do Cachimbo
Rio Araguaia
Rio Gurgueia
PIAUÍ
Chapada do Araribo
PARAÍBA
João Pessoa
Planalto da Borborema
Recife
PERNAMBUCO
Chapada das Mangabeiras
ALAGOAS
Maceió
Palmas
Ilha do Bananal
Serra do Roncador
TOCANTINS
Rio São Francisco
Chapada Diamantina
BAHIA
SERGIPE
Aracaju
Serra Geral de Goiás
Salvador
MATO GROSSO
Serra Geral
Cuiabá
Rio Cuiabá
DF
Brasília
GOIÁS
Goiânia
Serra do Espinhaço
Rio Jequitinhonha
MINAS GERAIS
Rio Paranaíba
Arquipélago de Abrolhos
MATO GROSSO DO SUL
Campo Grande
Rio Grande
Belo Horizonte
Pico do Sol 2.107 m
Pico da Bandeira 2.107 m
Vitória
ESPÍRITO SANTO
Ilha da Trindade
Ilhas Martim Vaz
Rio Tietê
Pico das Agulhas Negras 2.787 m
SÃO PAULO
Rio Paraná
Rio Paranapanema
Serra da Mantiqueira
RIO DE JANEIRO
São Paulo
Rio de Janeiro
Serra do Mar
PARANÁ
Curitiba
Rio Iguaçu
SANTA CATARINA
Florianópolis
Oceano Atlântico
RIO GRANDE DO SUL
Rio Uruguai
Porto Alegre
URUGUAI
Arroio Chuí

América do Sul

América Central

FOLHA DE S.PAULO

América do Norte

Europa

30º
10º
0º
10º
40º
60º
55º
50º
45º
40º
35º
Círculo Polar Ártico
Reykjavík
ISLÂNDIA
Mar da Noruega
ILHAS FAROË (Dinamarca)
Torshavn
SUÉCIA
FINLÂNDIA
Oulu
Trondheim
NORUEGA
Bergen
Golfo da Bótnia
Tampere
Turku
Helsinque
Oslo
Uppsala
Estocolmo
Stavanger
Tallinn
ESTÔNIA
RÚSSIA
REINO UNIDO
Aberdeen
ESCÓCIA
IRLANDA DO NORTE
Glasgow
Edimburgo
DINAMARCA
Gotemburgo
Mar Báltico
Riga
LETÔNIA
IRLANDA
Belfast
Dublin
Cork
Newcastle
Leeds
Liverpool
PAÍS DE GALES
Birmingham
Cardiff
INGLATERRA
Londres
Mar do Norte
Aarhus
Copenhague
Odense
Malmö
Klaipeda
LITUÂNIA
Kaunas
Vilnius
Kaliningrado (Rússia)
BELARUS
Rostock
Schwerin
Hamburgo
Gdansk
HOLANDA
Amsterd.
Berlim
Poznan
Varsóvia
Lódz
BÉLGICA
Bruxelas
ALEMANHA
Colônia
Leipzig
Dresden
Wróclaw
POLÔNIA
Cracóvia
UCRÂNIA
Oceano Atlântico
Le Havre
LUXEMBURGO
Frankfurt
Praga
REP. TCHECA
Paris
Rennes
Nantes
Estrasburgo
Stuttgart
Munique
ESLOVÁQUIA
Bratislava
Viena
LIECHTENSTEIN
ÁUSTRIA
Budapeste
MOLDOVA
ROMÊNIA
Iasi
FRANÇA
Berna
Genebra
SUÍÇA
Innsbruck
Graz
HUNGRIA
Cluj-Napoca
Bordeaux
ESLOVÊNIA
Liubliana
Pécs
Brasov
Lyon
Milão
Veneza
Zagreb
CROÁCIA
Timisoara
Constança
Bucareste
Toulouse
ITÁLIA
BÓSNIA-HERZEGÓVINA
Sarajevo
Belgrado
SÉRVIA
Varna
BULGÁRIA
Bilbao
Bragança
Porto
ESPANHA
ANDORRA
Andorra la Vella
Marselha
Nice
MÔNACO
Florença
SAN MARINO
Mar Adriático
MONTENEGRO
Sófia
PORTUGAL
Lisboa
Madri
Barcelona
CÓRSEGA (França)
VATICANO
Roma
Plovdiv
Istambul
Toledo
Évora
Skopje
MACEDÔNIA
Tirana
ALBÂNIA
Nápoles
Valencia
Córdoba
Sevilha
Sassari
Mar Tirreno
Salônica
TURQUIA
ILHAS BALEARES (Espanha)
Cagliari
SARDENHA (Itália)
GRÉCIA
Mar Egeu
Málaga
Gibraltar
Palermo
Patras
Atenas
SICÍLIA (Itália)
Catânia
Rodes
Valletta
MALTA
CRETA
Mar Mediterrâneo
ANTIGA IUGOSLÁVIA
ÁUSTRIA
Liubliana
ESLOVÊNIA
HUNGRIA
Zagreb
CROÁCIA
VOIVODINA
ROMÊNIA
Novi Sad
BÓSNIA-HERZEGÓVINA
Belgrado
Sarajevo
SÉRVIA
MONTENEGRO
Pristina
KOSOVO
Podgorica
ITÁLIA
Mar Adriático
MACEDÔNIA
ALBÂNIA
GRÉCIA
ESCALA (projeção cônica)
1:23.000.000
0
200
400
600
800
1000
km
1 cm = 230 km

África

Oceano Atlântico
Mar Mediterrâneo
Mar Vermelho
Oceano Índico
Trópico de Câncer
Equador
Trópico de Capricórnio
Canal de Suez
MARROCOS
Rabat
Casablanca
Fez
Meknes
Marrakech
ILHAS CANÁRIAS (Espanha)
Las Palmas
El Aaiun
SAARA OCIDENTAL
ARGÉLIA
Argel
Orã
Constantina
Ghardaia
Tindouf
Tamanrasset
TUNÍSIA
Túnis
LÍBIA
Trípoli
Benghazi
EGITO
Alexandria
Cairo
Assiu
Assuã
MAURITÂNIA
Nuakchott
MALI
Timbuktu
Nema
Bamaco
Rio Níger
NÍGER
Agadez
Zinder
Niamey
CHADE
Faia
Lago Chade
Ndjamena
SUDÃO
Porto Sudão
Omdurman
Cartum
Al Fachir
Rio Nilo
Nilo Branco
Nilo Azul
ERITREIA
Asmara
DJIBUTI
Djibuti
Berbera
Hargeissa
ETIÓPIA
Adis Abeba
SUDÃO DO SUL
Uau
Juba
SOMÁLIA
Mogadício
SENEGAL
Dacar
GÂMBIA
Banjul
GUINÉ-BISSAU
Bissau
GUINÉ
Conacri
SERRA LEOA
Freetown
LIBÉRIA
Monróvia
CABO VERDE
BURKINA FASSO
Uagadugu
COSTA DO MARFIM
Yamoussoukro
Abidjã
GANA
Acra
TOGO
Lomé
BENIN
Porto Novo
Lagos
NIGÉRIA
Kano
Maiduguri
Abuja
CAMARÕES
Duala
Iaundé
REPÚBLICA CENTRO-AFRICANA
Bangui
Bambari
Rio M'Bomu
GUINÉ EQUATORIAL
Malabo
Bata
São Tomé
SÃO TOMÉ E PRÍNCIPE
Libreville
GABÃO
CONGO
Brazzaville
Pointe-Noire
CABINDA (Angola)
Kinshasa
Rio Congo
CONGO (Ex-Zaire)
Kisangani
Rio Kasai
Kananga
Mbuji Mayi
Kalemie
Lubumbashi
Lago Alberto
UGANDA
Campala
Lago Vitória
QUÊNIA
Nairóbi
Mombaça
Lago Rodolfo
RUANDA
Kigali
Bujumbura
BURUNDI
Lago Tanganica
TANZÂNIA
Dodoma
Zanzibar
Dar-es-Salam
Mbela
Kasama
Lago Nyasa
ILHAS COMORES
Moroni
MAYOTTE (França)
Dzaydzi
ANGOLA
Luanda
Lobito
Luena
Namibe
ZÂMBIA
Lusaka
Kitwe
Lilongwe
MALÁUI
Nacala
Moçambique
Nampula
Rio Zambeze
Harare
ZIMBÁBUE
Bulauaio
Beira
MOÇAMBIQUE
Maputo
Mbabane
SUAZILÂNDIA
NAMÍBIA
Windhoek
Luderitz
BOTSUANA
Gaborone
Pretória
Johannesburgo
Maseru
LESOTO
Durban
ÁFRICA DO SUL
Cidade do Cabo
Port Elizabeth
MADAGÁSCAR
Mahajanga
Tomasina
Antananarivo
Finarantsoa
Toliara
30°
20°
10°
0°
10°
20°
30°
40°
50°
40°
30°
20°
0°
10°
20°
30°
40°
ESCALA (projeção azimutal)
1:54.000.000
0
400
800
1.200
1.600
2.000
2.400
km
1 cm = 540 km

Ásia ocidental

Mar Glacial Ártico
160°
140°
120°
100°
80°
VRANGUEL
Anadyr
Mar de Bering
ILHAS ANJU
Mar da Sibéria
TERRA DO NORTE
Mar da Laptev
Verkhoïansk
Magadan
IAKÚTIA (SAKHA)
Iakutsk
Mar de Okhotsk
ILHAS KURILAS
Rio Lena
SAKHALINA
Rio Ienissei
BURIÁTIA
Lago Baikal
Birobidjan
Khabarovsk
KHAKÁSSIA
Abakan
Tchita
Irkutsk
Ulan-Ude
TUVA
Kizil-Orda
Vladivostok
Mar do Japão
Repúblicas-membros da Federação Russa
1 - MORDÓVIA
2 - TCHUVÁCHIA
3 - REPÚBLICA DOS MARIS
4 - TATARSTÃO
5 - UDMÚRTIA
6 - BACHKORTOSTÃO
7 - ADIGUEIA
8 - KARATCHAIEV-TCHERKÁSSIA
9 - KABARDINO-BALKÁRIA
10 - OSSÉTIA DO NORTE
11 - INGUCHÉTIA
12 - TCHETCHÊNIA
ESCALA (projeção azimutal polar)
1:30.000.000
0
300
600
900
1.200
1.500
km
1 cm = 300 km

Ásia oriental e meridional

130°
140°
150°
160°
Mar de Okhotsk
Rio Amur
Qiqian
Hailar
Tsitsihar
Harbin
Jilin
Shenyang
Hohhot
Chengde
Pequim
Tianjin
Chongjin
Kimchaek
COREIA DO NORTE
Pyongyang
COREIA DO SUL
Seul
Pusan
Mar Amarelo
Tsingtao
Mar do Japão
Sapporo
HOKKAIDO
Sendai
HONSHU
Tóquio
Nagoya
Kawasaki
Kyoto
Osaka
Hiroshima
Fukuoka
Kitakyushu
Nagasaki
SHIKOKU
KYUSHU
JAPÃO
Oceano Pacífico
Hefei
Nanquim
Wuhan
Xangai
Hangzhou
Nanchang
Mar do Leste da China
Fuzhou
Taipé
TAIWAN
Trópico de Câncer
HONG KONG
LUZON
Mar do Sul da China
Baguio
Mar das Filipinas
Oceano Pacífico
Manila
Quezón
FILIPINAS
MINDORO
PANAY
Iloilo
Bacolod
PALAWAN
NEGROS
Cebu
MINDANAO
Davao
Bandar Seri Begawan
Manado
BORNÉU
Balikpapan
SULAWESI
Banjamarsin
Parepare
Arbon
Fakfak
NOVA GUINÉ
Equador
Mar de Java
Ujung Pandang
INDONÉSIA
Merauke
Malang
Dili
TIMOR
Kupan

Comunidade dos Estados Independentes

Oceania

120°
130°
140°
150°
160°
10°
10°
20°
30°
40°
Oceano Pacífico
Equador
NOVA GUINÉ
Wewak
PAPUA-NOVA GUINÉ
Madang
Lae
Daru
Popondetta
Port Moresby
ILHAS SALOMÃO
Honiara
Mar de Arafura
Mar de Timor
Darwin
Golfo da Carpentaria
Oceano Índico
Wyndham
Derby
Daly Waters
TERRITÓRIO DO NORTE
Cairns
Mar de Coral
Townsville
Mount Isa
VANUATU
Porto Vila
Dampier
Alice Springs
QUEENSLAND
NOVA CALEDÔNIA (França)
Nouméa
Trópico de Capricórnio
AUSTRÁLIA OCIDENTAL
AUSTRÁLIA
AUSTRÁLIA DO SUL
Toowoomba
Brisbane
South Port
Geraldton
Broken Hill
Rio Darling
NOVA GALES DO SUL
Kalgoorlie
Perth
Fremantle
Albany
Grande Baía Australiana
Elizabeth
Adelaide
Newcastle
Sydney
Wollongong
Rio Murray
Canberra
VICTORIA
Melbourne
Mar da Tasmânia
TASMÂNIA
Hobart
Auckland
New Plymouth
NOVA ZELÂNDIA
Greymouth
Wellington
Christchurch
Dunedin
ESCALA (projeção policônica)
1:42.000.000
0 400 800 1.200 1.600 2.000
km
1 cm = 420 km

Anexo econômico

Abaixo estão alguns dos termos econômicos com os quais o jornalista se defronta frequentemente. Os itens em **vermelho** são jargões que **devem ser evitados em texto noticioso e, se usados, ser acompanhados de explicação.** Estão em **azul** termos técnicos que **devem ser sempre seguidos de explicação.**

A

ação – Documento que representa a menor parcela do capital de uma empresa, que pode ser negociada em Bolsa de Valores. Sua classificação é a seguinte:
1) ordinária – Dá ao detentor direito a voto na empresa. O acionista só pode receber dividendos (lucros) depois que eles são pagos aos detentores de ações preferenciais. É menos negociada do que a preferencial.
2) preferencial – Garante ao acionista prioridade no recebimento de dividendos ou reembolso de capital (no caso de a empresa fechar), mas não dá direito a voto.
3) nominativa – Traz o nome de seu proprietário. Pode ser ordinária ou preferencial.

ACC – Adiantamento de Contrato de Câmbio. Operação bancária em que o exportador recebe antecipadamente em moeda nacional quantia correspondente a vendas em dólar ou em outra moeda estrangeira.

ADM – Cheque administrativo. É emitido por instituições financeiras e negociado entre elas. Serve como garantia de pagamento de quantia de grande valor porque o banco garante que há fundos.

ADR – American Depositary Receipt. Certificados de depósito de ações emitidos e negociados nos EUA. São negociados como se fossem ações. Empresas brasileiras, como a Vale do Rio Doce, já emitiram esses papéis.

ágio – Valor pago acima do preço de um produto, título ou taxa. Sobrepreço.

alavancagem – Utilização de recursos de terceiros com o objetivo de aumentar as possibilidades de lucro de uma empresa ou de um fundo de investimento, elevando o risco da operação. Nos bancos, representa quanto cada instituição tem de empréstimos em relação ao seu capital.

âncora cambial – Controle, pelo governo, da taxa de câmbio com a intenção de conter a inflação. O objetivo é estabilizar o valor da moeda local em relação às moedas estrangeiras, induzindo assim a confiança em sua estabilidade. Os preços em moeda local de mercadorias importadas (combustíveis, máquinas, alimentos etc.), em tese, ficariam estáveis.

andar de lado – Mercado sem tendência (à alta ou à baixa) de preço definida.

arbitragem – Operação que procura tirar proveito de uma diferença de preços entre dois ativos ou dois mercados. Por exemplo, comprar um ativo à vista e vendê-lo no mercado futuro.

ataque especulativo – Acontece quando grandes investidores acreditam que a moeda de um país vai se desvalorizar e procuram se livrar de seus investimentos nessa moeda de uma vez só, envolvendo grandes volumes de dinheiro. Como boa parte do dinheiro investido não está disponível imediatamente, os governos ou cedem, desvalorizando a moeda local, ou tentam resistir, elevando os juros para convencer os investidores a manter seu dinheiro no país.

ativo – Conjunto de bens, valores e créditos que formam o patrimônio de um agente econômico (indivíduo, empresa, família). Nos balanços, é importante observar o ativo circulante (dinheiro próprio, créditos a receber, valores que podem ser convertidos em dinheiro imediatamente) e o ativo fixo (imóveis, máquinas, patentes etc.).

ativo financeiro – Qualquer papel que represente parte patrimonial (ação de uma empresa) ou dívida (título do governo).

autuação/multa – *Autuação* é o procedimento ou a notificação de um processo aberto por autoridade para exigir pagamento de multa, imposto etc. A *multa* é a pena em dinheiro. Exemplo: "A Receita Federal autuou o Banco X, cobrando R$ 10 milhões em impostos não recolhidos. A multa pelo atraso é de 10% do valor devido".

B

balança comercial – Registro da compra e venda de mercadorias entre um país e os demais. O saldo pode ser positivo (superavit) ou negativo (deficit).

balanço – Demonstrativo contábil da situação econômico-financeira de uma empresa.

balanço de pagamentos – Registro das transações econômicas e financeiras realizadas por um país com os demais. Abrange quatro contas:
1) balança comercial – Registra o valor das exportações e o das importações.
2) balança de serviços – Receitas e despesas com transportes, viagens internacionais, seguros, lucros, juros, royalties, assistência técnica etc.
3) transferências unilaterais – Ingresso de recursos enviados por brasileiros residentes no exterior, envio de recursos para custeio de embaixadas etc.
O resultado das três primeiras contas é consolidado no item *transações correntes*.
4) movimento de capitais – Contabiliza a entrada e a saída de capitais.

banco central – Fixa as normas de funcionamento do sistema financeiro e tem poderes sobre todas as instituições financeiras de um país.

banda cambial – Intervalo entre os limites máximo e mínimo de variação da taxa de câmbio determinado pelo governo de um país em sistemas de câmbio controlado.

base monetária – É composta de moeda em circulação no país mais as reservas dos bancos no Banco Central.

BIS – Banco de Compensações Internacionais (Bank of International Settlements). Banco central dos bancos centrais, com sede na Suíça. Parte das reservas dos bancos centrais é depositada no BIS.

"blue chip" – Ação fácil de vender (tem liquidez), geralmente de grande empresa.

Bolsa de Valores – Entidade que organiza a negociação pública de títulos e valores mobiliários. Grafe sempre em caixa alta e baixa, mesmo em segunda menção ou no plural: "As Bolsas voltaram a cair ontem".

bonificação – Distribuição de ações ou dinheiro realizada por empresa em razão de aumento de capital, incorporação de reservas, dividendos etc. As novas ações são distribuídas na mesma proporção das ações possuídas.

C

calote – Dívida cujo devedor declara não ter intenção de pagar sem razão justificável. Não confundir com inadimplência.

câmbio – Operação financeira que consiste em vender, comprar ou trocar valores em moedas de países diferentes. Nessas operações são utilizadas moedas, cheques, ordens de pagamento etc.

capital de giro – Estoque de produtos e dinheiro disponível (a curto prazo) de uma empresa. Quando uma companhia toma empréstimo bancário para tocar os negócios do dia a dia, diz-se que o crédito é de capital de giro.

captação – Recebimento, por instituições financeiras, de depósitos e aplicações em geral.

carência – Prazo de espera dado pelo credor ao devedor, no qual são pagos apenas os juros, e não o principal da dívida. No caso de planos de saúde, período de espera para realizar determinados exames ou cirurgias.

carteira de ações – Conjunto de ações que formam o investimento de uma pessoa física ou jurídica.

cartel – Acordo comercial entre produtores de um mesmo produto ou serviço para determinar preços, quantidades e outras condições de comercialização.

CDB – Certificado de Depósito Bancário. Título que representa depósito a prazo fixo em bancos. Pode ter remuneração prefixada ou pós-fixada.

CDI – Certificado de Depósito Interbancário. Representa empréstimo de um banco a outro. A taxa de juro praticada no mercado interbancário serve de referência para os demais.

cesta básica – Conjunto de bens que fazem parte do consumo básico de uma família. Há cestas genéricas, como as que são distribuídas em programas de governos ou empresas, e as específicas, que são limitadas a um número determinado de produtos, como a utilizada pela Fundação Seade/Dieese para medir a variação de preços.

Cetip – Central de Custódia e de Liquidação Financeira de Títulos. Registra operações com títulos privados.

chamada de capital – Lançamento de ações para aumentar o capital de uma empresa.

"circuit breaker" – Mecanismo que interrompe movimentos bruscos de queda nas Bolsas de Valores. A interrupção ocorre por um certo período de tempo (meia hora, uma hora) a partir de um determinado número de pontos de queda do índice da Bolsa.

commodities – Produtos em estado bruto ou primários (metais, agrícolas etc.) de importância comercial. Commodities como petróleo, soja, café e ouro têm cotação internacional.

cota – Fração do patrimônio de um fundo de investimento em ações.

cotação – Preço registrado num dado momento de um dia de negociação. Aplica-se a ações, câmbio, commodities etc.

crack – Quebra da Bolsa de Valores de Nova York em outubro de 1929, causada pela queda dos preços das ações para níveis muito baixos. Após o crack, que empobreceu investidores e quebrou empresas, ocorreu a crise econômica mundial dos anos 30.

crash – Queda abrupta nas Bolsas de Valores, causada por vendas de grandes volumes de ações. Indica que o mercado está pessimista sobre o futuro da economia e acredita que não vale a pena apostar na valorização das ações das empresas. Dependendo da magnitude, pode afetar a economia de um ou vários países. A Bolsa de Nova York caiu 22,6% no crash de 19 de outubro de 1987, mas se recuperou rapidamente.

crescimento econômico – Aumento da produção de bens e serviços de um país. É medido pelo crescimento do PIB (Produto Interno Bruto).

crise sistêmica – Diz-se quando a quebra de um banco ou uma empresa desencadeia uma onda de desconfiança em relação a todos os outros bancos ou empresas de um ou mais setores.

curto prazo – Varia conforme a estabilidade monetária do país. No Brasil, período de até 30 dias.

custo de vida – Medida da variação dos preços de bens e serviços consumidos por parte da população de uma região. Os índices que medem o custo de vida no Brasil baseiam-se no orçamento de uma amostra de famílias, mas não são comparáveis porque empregam metodologias diferentes. Os itens que compõem os índices e sua ponderação são atualizados quando há mudanças significativas nos hábitos de consumo.

CVM – Comissão de Valores Mobiliários. Órgão federal que regula e fiscaliza o mercado de ações.

D

"day trade" – Operação de compra e venda casada de um mesmo título no mesmo dia. Quem faz a operação obtém a diferença financeira entre o preço de compra e o de venda, sem que o título passe por suas mãos.

debênture – Título de renda fixa emitido por uma empresa para captar recursos. Pode ou não ser conversível em ações.

deficit comercial – Surge quando o dinheiro gasto por um país na compra de produtos estrangeiros (importações) é maior do que o dinheiro recebido na venda de produtos locais (exportações).

deficit em conta-corrente – Ocorre quando os gastos de um país ultrapassam as receitas no resultado conjunto das contas de comércio, serviços e transferências.

deficit público – Acontece quando o governo (União, Estados, municípios e estatais) gasta mais do que arrecada em tributos. Para equilibrar suas contas a longo prazo, o governo precisa cortar gastos ou aumentar impostos. A curto e a médio prazos, pode tomar dinheiro emprestado, vendendo títulos que rendem juros no mercado financeiro. Não confundir com deficit federal (apenas da União).

deficit público nominal – Leva em conta todos os gastos públicos, incluindo o pagamento das dívidas interna e externa.

deficit público operacional – Não leva em conta a correção monetária embutida no pagamento de juros. Por exemplo: se a dívida passou de R$ 100 bilhões para R$ 150 bilhões, e a inflação foi de 40%, o deficit nominal é de R$ 50 bilhões, e o operacional, de R$ 10 bilhões.

deficit público primário – Não leva em conta os gastos com juros, medindo o desempenho do governo sem considerar o serviço de sua dívida interna e externa. Quando o setor público tem deficit primário, precisa fazer dívidas para cobrir gastos com pessoal, administração e investimentos.

deflação – Queda contínua dos preços, causada pela oferta excessiva de bens ou pela demanda escassa.

demanda reprimida – Consumo contido por fatores como escassez de oferta, alta de preços, falta de crédito, desemprego e políticas econômicas recessivas.

demonstrações financeiras – Mostram a situação do patrimônio da empresa e as mudanças ocorridas no exercício social (período de um ano). São quatro as demonstrações financeiras previstas em lei: balanço patrimonial, demonstração dos lucros ou prejuízos acumulados, demonstração do resultado do exercício e demonstração das origens e aplicações de recursos.

depósito a prazo – Dinheiro aplicado por um período fixo, rendendo juros.

depósito à vista – Dinheiro que fica disponível na conta corrente.

depósito compulsório – Parte do dinheiro captado do público que é obrigatoriamente depositado pelos bancos no Banco Central.

depressão – Período longo de contração da economia, de difícil mudança no curto prazo. A produção entra em queda acentuada, gerando redução dos lucros, perda do poder aquisitivo, falências e desemprego. A Grande Depressão norte-

-americana começou em 1929 e durou cerca de dez anos. Sua pior fase foi de 1929 a 1933, quando o Produto Nacional Bruto dos EUA caiu 30%; o país perdeu tudo o que havia ganho durante toda a década de 20.

derivativos – Contratos financeiros cujo rendimento resulta da variação de preços em mercados diferentes. Ex.: fundos de ações mistos, que combinam compra e venda no mercado à vista com operações no mercado futuro. São negócios mais arriscados porque, em geral, cada contrato é uma aposta do que pode ocorrer no futuro com o preço de determinado ativo. Ex.: o investidor compra um contrato de câmbio de US$ 100 mil com vencimento em dois meses, apostando que a cotação do dólar vai estar mais alta. No dia do vencimento, ele vende os dólares e embolsa a diferença, se acertou a aposta. Se a cotação estiver mais baixa, terá prejuízo.

descasamento – Nos bancos, ocorre quando ativo e passivo em uma operação financeira são corrigidos por índices diferentes ou vencem em prazos diferentes. Por exemplo, empréstimos habitacionais (ativo) e caderneta de poupança (passivo).

deságio – Diferença para menos entre o preço de venda e o valor nominal que seria alcançado em condições normais.

desemprego – Ausência de oportunidades de trabalho, em geral no mercado formal, sujeitas a contratos e direitos trabalhistas. No Brasil, as taxas de desemprego apresentam diferenças, dependendo da metodologia adotada pelo órgão que as apura. O jornalista deve explicar para o leitor as diferenças de cálculo sempre que escrever sobre o assunto.

devedor duvidoso – Que tem grande possibilidade de não pagar um empréstimo.

dívida consolidada – No setor público, reflete a soma das dívidas dos governos municipais, estaduais e federal, eliminadas as duplas contagens –o que cada governo deve para o outro.

dívida pública – Soma das dívidas interna e externa de União, Estados, municípios e estatais. Não confundir com a dívida federal (apenas da União).

dividendo – Parcela dos lucros de uma empresa, distribuída em dinheiro aos acionistas na proporção da quantidade de ações possuídas.

dumping – Venda de produtos a preços inferiores aos custos, com o objetivo de eliminar a concorrência.

duplicata – Título de crédito que corresponde a um compromisso do comprador –ele deve pagar ao vendedor num determinado prazo. Com garantia em duplicatas, bancos adiantam dinheiro a empresas (cobrando juros).

E

empoçamento – Quando o dinheiro ou os depósitos se concentram em poucos setores ou poucos bancos.

estagflação – Conjuntura econômica em que se combinam inflação e estagnação ou queda da produção e do emprego.

estar comprado – Assumir compromisso de compra em contrato futuro, apostando na alta do preço de ações, índices, moedas etc. Está comprado, por exemplo, o investidor que acredita que o dólar chegará a R$ 5 em maio e compra, em abril, um contrato futuro de câmbio de alguém que se dispõe a entregar determinada quantidade de moeda no final daquele mês por R$ 3, com a expectativa de embolsar lucro de R$ 2 por dólar. Se em maio o dólar fechar abaixo de R$ 3, ele perde.

estar vendido – Assumir compromisso de venda em contrato futuro, apostando na queda do preço de ações, índices, moedas etc. Está vendido, por exemplo, o investidor que acredita que o dólar vai cair para R$ 2 no final de maio e fecha contrato futuro em abril se comprometendo a vender a moeda por R$ 5 naquela data. Se em maio o dólar fechar acima de R$ 5, ele perde.

"exposure" – Grau de exposição ao risco de um banco ou empresa em relação a seus investimentos em vários países.

F

FCVS – Fundo de Compensação de Variações Salariais. Tem o objetivo de cobrir eventuais deficits no final de contratos regidos pelo sistema de equivalência salarial do Sistema Financeiro da Habitação. É formado por contribuições de mutuários e de agentes financeiros. Em caso de deficit, este é coberto pelo governo.

fechamento em alta/baixa – Quando o índice de fechamento da Bolsa é superior/inferior ao índice de fechamento do pregão anterior.

"fee" – No mercado financeiro, geralmente significa taxa de administração.

FGC – Fundo Garantidor de Créditos. Seguro bancário, com cobertura até determinado valor, para pessoas que tenham conta corrente, poupança e aplicações em letras ou CDBs.

FGTS – Fundo de Garantia do Tempo de Serviço. Formado por contas vinculadas de trabalhadores que recebem das empresas, mensalmente, depósito correspondente a 8% de cada salário.

fiança – Garantia dada por uma pessoa ou banco (fiador) de que pagará a dívida de outro se este não puder pagá-la.

"float" – Prazo entre o depósito de um cheque em um banco e seu pagamento. Com inflação alta, o "float" é fonte de lucros para bancos.

FMI – Fundo Monetário Internacional. Órgão da ONU (Organização das Nações Unidas) criado em 1944 para promover a cooperação monetária no mundo capitalista, coordenar a relação entre as moedas e levantar fundos para auxiliar países com dificuldades financeiras.

"funding" – Volume de recursos de que um banco dispõe numa operação. As cadernetas de poupança, por exemplo, são "funding" do crédito imobiliário.

fundos – Espécie de condomínio de investidores, gerido por instituição financeira que cobra uma taxa pelo serviço.

fundos de renda fixa – São constituídos na forma de FIF (Fundo de Investimento Financeiro) ou FAC (Fundo de Aplicação em Cotas). O patrimônio é aplicado em títulos públicos, emitidos pelos governos federal, estadual ou municipal, e privados de renda fixa, emitidos por bancos e empresas. As taxas que corrigem esses títulos são prefixadas ou pós-fixadas. Os fundos de renda fixa podem fazer operações especulativas ou de proteção para obter maior ganho.

O FIF, também conhecido como fundo-mãe, pode compor sua carteira com títulos de renda fixa, contratos do mercado futuro e outros papéis. Admite aplicações diretas do investidor ou do FAC, a critério da instituição financeira que o administra. O FAC só pode aplicar em cotas de FIF.

fundos de renda variável – São aqueles em que a renda não é dada de antemão. Concentram suas carteiras em ações de primeira linha (as que têm maior liquidez nas Bolsas de Valores, podendo ser compradas e vendidas rapidamente) ou de segunda linha (aquelas que, mesmo sendo de empresas lucrativas e eficientes, oferecem menor liquidez). Também podem concentrar seus investimentos em ações de empresas que atuam em determinados setores da economia (telecomunicações, siderurgia, transportes etc.).

fundos mútuos de investimento em ações – Mantêm, no mínimo, 51% de seu patrimônio aplicado em ações de emissão de companhias abertas. Não podem concentrar mais de um terço de sua carteira em ações de uma mesma companhia nem utilizar operações de derivativos, exceto para proteção contra oscilações adversas.

fundos de ações carteira livre – São obrigados a manter 51% de seu patrimônio aplicado em ações de emissão de empresas abertas, mas não estão sujeitos a restrições quanto à concentração dos investimentos em ações de uma mesma companhia. Podem se utilizar de contratos de derivativos, com o objetivo de aumentar o risco das aplicações ou de se proteger contra oscilações adversas. São adequados àqueles investidores que aceitam uma grande exposição ao risco, aliada à expectativa de maior rentabilidade.

fundos de derivativos – Aplicam seus recursos em papéis de renda fixa e fazem operações com derivativos (contratos futuros, opções, "swaps"), com o objetivo de aumentar sua lucratividade.

(a) fundo perdido – Diz-se de recurso empregado sem expectativa de receber de volta.

fusão – União de duas ou mais empresas ou instituições financeiras, geralmente sob controle administrativo e acionário da parte mais forte.

H

hedge – Proteção contra a flutuação de preços de mercadorias, ações, taxas de câmbio etc. Fazer hedge significa contratar uma operação visando neutralizar perdas em outra. Quem tem dívidas em dólar ou pretende viajar para o exterior, por exemplo, pode fazer hedge aplicando em um fundo com correção cambial.

hipoteca – Garantia de pagamento de uma dívida dada sob a forma de um bem imóvel (casa, apartamento, terreno etc.). Alguém só resgata a hipoteca e se torna proprietário do bem quando paga toda a dívida.

holding – Empresa que mantém controle sobre outras (as subsidiárias) pela posse da maioria das ações.

"hot money" – Empréstimo bancário de curto prazo tomado por empresas. Também designa capital especulativo.

I

Ibovespa – Índice que mede em pontos a evolução da média dos preços das ações mais negociadas na Bovespa (Bolsa de Valores de São Paulo).

inadimplência – Descumprimento temporário de um contrato ou de qualquer de suas condições. Não implica má-fé.

indexação – Correção de valores em dinheiro (salários, dívidas, aluguéis etc.) com base em indicadores de preços.

inflação – Alta contínua dos preços. Atenção: queda da inflação não significa que os preços caíram (deflação), mas sim que aumentaram em proporção menor.

insolvência – Incapacidade de pagar dívidas.

investimento externo – Dinheiro de fora do país aplicado na produção (construção de fábricas), na compra de empresas, no mercado de capitais (ações de empresas negociadas em Bolsa de Valores) ou no mercado financeiro (títulos públicos ou privados), com a expectativa de obter lucros.

J

"junk bond" – Título de alto risco, no mercado dos EUA.

juro/juros – Pagamento pelo uso temporário do dinheiro de terceiros. A taxa de juros varia de acordo com a oferta de dinheiro no mercado (quanto maior for a quantidade de moeda disponível, menor será a taxa de juros) e com o risco que o dono do dinheiro enfrenta para reaver seu capital (quanto maior for o risco para recuperar o empréstimo, maior será a taxa de juros).

juros compostos – Sistema de capitalização em que a taxa de juros incide sobre o capital inicial e também sobre os juros que vão se acumulando.

juro de mora – Decorrente do atraso no pagamento de uma obrigação.

juro nominal – Taxa de remuneração total. Na aplicação, abrange correção monetária (se houver) e juro real. Num empréstimo, cobre também custos, taxa de risco, lucro etc.

juro real – Diferença entre a taxa nominal e a inflação.

juros simples – Sistema de capitalização em que a taxa de juros incide apenas sobre o capital inicial.

L

leasing – Aluguel de máquinas, veículos etc., que leva em conta o valor do bem e uma taxa de juros, com opção de compra ao final do contrato.

letra de câmbio – Título emitido por financeiras, utilizado para financiar o crédito direto ao consumidor.

Libor – London Interbank Offered Rate. Taxa de juros do mercado londrino. Serve de referência para empréstimos no mercado internacional e regula parte da dívida externa brasileira.

liquidação extrajudicial – Fechamento de um banco ou de um consórcio, decidido pelo Banco Central. Pode seguir-se a uma fase de intervenção.

liquidez – Dinheiro disponível imediatamente. Diz-se também da facilidade de negociar títulos ou bens, convertendo-os em dinheiro.

longo prazo – O conceito varia conforme a estabilidade monetária de um país. No Brasil, período de no mínimo um ano.

lote padrão – É constituído por um número de ações definido pelas Bolsas de Valores e tem o objetivo de facilitar as negociações. Lotes inteiros são negociados no chamado mercado integral. Partes dos lotes são negociadas no mercado fracionário.

lucratividade – Ganho líquido proporcionado por um título. Nas empresas, relação do lucro com o patrimônio líquido.

lucro – Rendimento do capital investido. Lucro líquido é o obtido após o pagamento de impostos.

lucro inflacionário – Lucro provocado por distorções na economia inflacionária. Em épocas de inflação muito alta, os bancos têm lucros efetivos, chamados de inflacionários, com a aplicação de depósitos não remunerados.

M

macroeconomia – Área que trata de conceitos, medidas e políticas relativos ao conjunto da economia, como nível de renda e emprego, inflação, juros etc.

meios de pagamento – Papel-moeda, depósitos à vista ou a prazo, caderneta de poupança e títulos públicos que compõem a riqueza financeira de um país. São divididos em quatro conceitos:
M1 – Soma do papel-moeda em poder do público mais os depósitos à vista nos bancos.
M2 – Inclui o M1 mais os fundos de curto prazo e títulos públicos.
M3 – Inclui o M1, o M2 e a caderneta de poupança.
M4 – Inclui o M1, o M2, o M3 e os títulos privados.

mercado aberto – Onde o banco central de cada país regula a oferta de moeda, comprando ou vendendo títulos.

mercado de balcão – Compras e vendas de ações de empresas não registradas nas Bolsas e de outros títulos, realizadas por telefone ou por meio eletrônico entre instituições financeiras.

mercado futuro – Compromissos de compra e de venda numa data futura, a preços determinados, de lotes de ações, mercadorias, índices etc. realizados em Bolsas.

"mico" – Torna-se "mico" o título ou bem que não se consegue vender, a não ser por um preço irrisório.

microeconomia – Área que trata de conceitos, medidas e políticas relativos a mercados específicos e a empresas, como formas de concorrência, graus de concentração, custos, lucros etc.

moedas fortes – São as mais aceitas nas transações internacionais, por oferecer ampla garantia como meio de pagamento e reserva de valor. Embora todas as moedas apresentem desvalorização a longo prazo, o valor das moedas fortes é mais estável. Exemplo: dólar americano, euro, libra esterlina etc.

monopólio – Situação de mercado em que o produtor de um bem ou serviço atua sem concorrência, com poder de definir preços e quantidades vendidas.

moratória – Decisão unilateral de não pagar uma dívida na tentativa de forçar a renegociação.

O

oligopólio – Situação de mercado em que há concorrência, mas esta se dá com um número limitado de produtores.

opção – Direito de vender ou comprar ações em data futura, a preço predeterminado, conforme contrato firmado antes.

P

P/L (preço/lucro) – Preço de uma ação dividido por seu lucro líquido anual. Esse indicador estima o número de anos que o investidor teria de esperar para reaver o capital aplicado na compra de uma ação.

passivo – Dívidas e obrigações de uma empresa. Nos balanços, divide-se em passivo real (total de créditos de terceiros contra a empresa) e passivo não exigível (capital da empresa, reservas e saldo de lucros). No caso de bancos, passivo é o conjunto de depósitos à vista e a prazo, poupança etc., além de dívidas próprias (trabalhistas e fiscais) e com outros bancos. **Não pode ser chamado de rombo**.

patrimônio líquido – Diferença entre ativo e passivo (veja verbetes). Em caso de essa diferença ser negativa (patrimônio líquido negativo), chama-se *passivo a descoberto* ou *passivo líquido*.

política monetária – Medidas e meios usados pelo Banco Central para controlar variáveis macroeconômicas (nível de atividade, inflação etc.), por meio do controle da quantidade de moeda em circulação, dos juros e/ou do crédito.

portfólio/porta-fólio – Carteira de títulos ou ações.

pregão – Sessão, na Bolsa de Valores, em que as ações são negociadas.

prejuízo – Ocorre quando uma empresa ou um banco gasta mais do que recebe em um determinado período. Não pode ser chamado de rombo.

principal – Montante inicial de aplicações ou empréstimos, sobre o qual recaem os juros.

prime rate – Taxa de juros dos empréstimos a clientes preferenciais no mercado dos EUA.

provisão – Dinheiro reservado para cobrir compromissos futuros ou créditos de recebimento duvidoso. Procura prevenir prejuízos.

R

ração essencial – Conjunto de alimentos necessários ao sustento de um trabalhador durante um mês, definido pelo decreto-lei nº 399, de 1938.

"rating" – Serviço de avaliação de investimento financeiro em títulos ou do risco de crédito, feito por agências que classificam instituições atribuindo notas a elas.

realização de lucros – Movimento de venda de ações com a finalidade de embolsar lucro obtido após uma alta de preços anterior.

realização de prejuízos – Venda de ações com o objetivo de evitar perdas maiores em um mercado em queda.

recessão – Queda da atividade econômica por um período de dois ou mais trimestres consecutivos. Caracteriza-se por redução da produção, aumento do desemprego, diminuição dos lucros e crescimento das falências e das concordatas.

redesconto – Operação pela qual um banco, com falta momentânea de dinheiro, recorre ao Banco Central para tomar emprestados os recursos necessários para cobrir compromissos.

rentabilidade – No caso de uma aplicação financeira, é a relação do rendimento com o capital aplicado. Em empresas e bancos, é o lucro líquido dividido pelo patrimônio líquido. Mostra o ganho sobre recursos próprios.

reservas internacionais – Compostas por moedas estrangeiras e ouro, são acumuladas a partir de superavits de moeda forte, após o acerto de contas (balanço de pagamentos) com outros países.

resultado operacional – Lucro ou prejuízo de uma empresa decorrente das suas atividades, excluídos os ganhos ou as perdas com operações financeiras.

rombo – Termo que caracteriza situação em que o patrimônio líquido é significativamente negativo, mostrando que a empresa ou banco quebrou e não há como saldar a totalidade das dívidas.

S

SBPE – Sistema Brasileiro de Poupança e Empréstimo. Reúne os agentes financeiros que captam poupança e emprestam para o setor imobiliário.

Selic – Sistema Especial de Liquidação e de Custódia. Destina-se ao registro de depósitos interfinanceiros e de títulos emitidos pelo Banco Central, Tesouro Nacional, Estados e municípios.

Sisbacen – Sistema de Informações do Banco Central. Destina-se ao tratamento, armazenamento e recuperação on-line de dados e informações, com atualização em tempo real.

"smart money" – Capital "esperto" ou especulativo, que procura a maior rentabilidade no menor prazo possível.

sociedade anônima – Empresa que tem o capital dividido em ações com o mesmo valor nominal. A responsabilidade dos sócios é limitada ao preço de emissão das ações. A **Folha** usa a abreviatura S.A.

"spread" – Diferença entre valor de compra e valor de venda, entre juro cobrado no empréstimo e juro pago na aplicação, entre taxa de empréstimo e sobretaxa cobrada pelo risco etc.

subscrição – Lançamento de ações por uma sociedade anônima para o aumento de seu capital.

"swap" – Troca de um valor mobiliário por outro, de moedas ou outros indexadores de contratos, com a finalidade de contrabalançar o risco de perdas em uma operação financeira ou em uma dívida.

T

tarifa – Preço de serviço público, independentemente de ser prestado pelo Estado ou por empresa concessionária, permissionária ou autorizada privada. Difere da taxa porque o uso do serviço não é uma imposição do Estado –o indivíduo utiliza se quiser. Ex.: transporte coletivo, telefone, água, luz e correio.

taxa de câmbio – Preço de uma moeda expresso na moeda de outro país. A taxa de câmbio flutua de acordo com a oferta e a procura da moeda, mas está sujeita a mecanismos de controle do banco central de cada país. Por exemplo, quando crescem as compras de produtos estrangeiros, aumenta a procura por dólares para pagar essas importações. Com maior procura, o preço do dólar em moeda nacional sobe, provocando a desvalorização desta. Para evitar que ela se desvalorize e gere inflação, o banco central pode vender dólares das reservas do país.

TBF – Taxa Básica Financeira. Reflete a média ponderada das taxas de juros dos CDBs (Certificados de Depósito Bancário) prefixados. É a base de cálculo da TR (Taxa Referencial), aplicando-se sobre ela um redutor.

título – Qualquer papel negociável (ação, CDB, letra de câmbio etc.)

títulos brasileiros – Papéis que o governo e as empresas oferecem aos investidores estrangeiros em troca de uma soma em dinheiro, prometendo pagar uma certa taxa de juros até a data do vencimento. Há os C-bonds, emitidos pelo governo, e os eurobônus, lançados pelas empresas. Esses títulos são negociados no mercado externo por uma parte do seu valor na data do resgate, que varia de acordo com o grau de risco de não reaver o dinheiro que o investidor corre.

títulos podres – Títulos de pagamento duvidoso, normalmente de longo prazo, negociados com grande deságio.

TJLP – Taxa de Juros de Longo Prazo. Divulgada como taxa anual e revista a cada trimestre, é utilizada nos financiamentos do BNDES (Banco Nacional de Desenvolvimento Econômico e Social).

TR – Taxa Referencial. É calculada pelo Banco Central com base nos juros médios dos CDBs prefixados dos maiores bancos. Atualiza contas de poupança e dívidas habitacionais.

transações correntes – Contabilizam gastos e receitas das contas de comércio, serviços e transferências unilaterais de um país com os outros países. Quando um país apresenta deficit em transações correntes, precisa atrair capital externo para não perder reservas em moeda forte. É o principal indicador da vulnerabilidade externa de um país. Prefira o termo ***transações com o exterior***.

tributos – Valores pagos obrigatoriamente por lei aos governos municipal, estadual e federal. São de cinco espécies:
1) imposto – Não está vinculado a nenhuma prestação de serviço por parte do Estado. Pode ser:
a) direto – Incide sobre as pessoas, físicas ou jurídicas. O contribuinte de direito (que tem de pagar o imposto) e o contribuinte de fato (que paga o imposto) são a mesma pessoa. Ex.: Imposto de Renda.
b) indireto – Incide sobre coisas e operações relativas a elas. O contribuinte de direito (a empresa) repassa o imposto como custo para o preço do produto, que acaba sendo pago pelo contribuinte de fato (o consumidor). Ex.: ICMS, IPI, IPTU.

Os impostos direto e indireto podem ser:
a) progressivos – A alíquota aumenta de acordo com o valor tributável. Ex.: quanto maior for a renda, maior será o Imposto de Renda. Não confundir progressividade com tributação em cascata, que é a que incide sobre todas as etapas da produção até chegar ao consumidor final. Ex.: PIS, Cofins e CPMF. No caso de uma camiseta, esses três tributos são cobrados na compra de insumos agrícolas para o plantio do algodão, nas várias etapas da cadeia têxtil (fabricação do fio, do tecido, da camiseta), na venda para a loja e desta para o consumidor.
b) proporcionais – A alíquota é única para qualquer valor tributável. Ex.: IPTU.
c) regressivos – A alíquota diminui de acordo com o valor tributável. Ex.: quanto mais velho for o carro, menor será o IPVA. Do ponto de vista doutrinário, é regressivo o imposto que prejudica os contribuintes com renda mais baixa. É o caso dos impostos indiretos, como o ICMS, que incide sobre a cerveja com a mesma alíquota para as pessoas com maior ou menor renda.

d) declaratórios – Os que o próprio contribuinte declara. Ex.: declaração de ajuste do Imposto de Renda, ICMS, IPI.
e) não declaratórios – Os retidos na fonte. Ex.: CPMF, Imposto de Renda sobre aplicações financeiras e sobre os rendimentos do trabalho.
2) taxa – É devida pela prestação de serviço público específico (registro de empresa na junta comercial, autorização para porte de arma, cópias de processos judiciais etc.) ou pelo exercício da fiscalização (fornecimento de alvará de construção, alvará de demolição etc.). Tem de ser aprovada por lei.
3) contribuição social – Destina-se à seguridade social. Ex: PIS, Cofins e contribuição ao INSS, que dá direito a assistência médica e aposentadoria.
4) contribuição de melhoria – Destina-se a cobrir custos com obra pública que tenha resultado em valorização do imóvel do contribuinte. Raramente é cobrada, dada a dificuldade em fixar um valor.
5) empréstimo compulsório – Pode ser instituído pela União em caso de guerra, calamidade pública ou investimento público relevante. Deve ser sempre devolvido.

V

valor adicionado – Expressa o valor acrescentado em cada segmento de uma cadeia produtiva. Por exemplo: uma siderúrgica recebe aço por R$ 300 e o transforma em chapas no valor de R$ 1.000. O valor adicionado foi de R$ 700.

valores mobiliários – Papéis negociáveis em Bolsa.

volatilidade – Indicador da intensidade da variação das cotações de um título em relação às oscilações médias ou típicas do mercado em um determinado período.

W

"waiver" – Pedido de reconsideração pelo não cumprimento de um acordo ou de uma meta.

Anexo transliterações

Regras para a transliteração de algumas línguas

alemão – Mantenha o trema em nomes como Schröder, Schäfer e Günther. Substitua o ß por *ss*, como em Strasse (em vez de Straße).

árabe – Não elimine as consoantes duplas, que podem explicar assimilações e dissimilações importantes para quem conhece o árabe: Assafir, Annahar, Muhammad.

Cuidado com o artigo *al*. Em nomes próprios, nunca o elimine porque ele pode alterar o sentido do nome. Grafe-o em minúscula e sem hífen antes do nome que o segue: Faissal al Husseini, Salman al Khalifa. Em início de frase ou na segunda menção, o *a* de *al* deve ser escrito em maiúscula (Al Husseini, Al Khalifa).

Mantenha sempre o *H*. Embora essa letra possa causar alguma confusão na pronúncia para um brasileiro, ela marca na transliteração do árabe uma grande quantidade de nuances consonantais, cuja eliminação tornaria qualquer palavra irreconhecível para quem conhece a língua. Por exemplo, indica a diferença entre as letras *kha* (transliterada para KH) e *kaf* (transliterada para K).

No árabe, há vários sons guturais que devem ser diferenciados. Use a letra *Q* sem o *U* que necessariamente a segue em português: Qatar e não Catar, Qadir e não Cadir.

Substitua *ee* e *oo* por *i* e *u*, respectivamente, quando ler nomes árabes e persas grafados em inglês: Said (e não Saeed), Mahmud (e não Mahmood).

Árabes que vivem no Brasil ou em outros países ocidentais têm uma forma latinizada de escrever seus nomes. Ela deve ser mantida mesmo que vá de encontro às observações acima.

chinês – Há uma transliteração oficial na China, denominada Pinyin, que entrou em vigor em 1979. Ela substitui a antiga Wade-Giles, com a vantagem de eliminar os hifens e os apóstrofos. As agências internacionais de notícias costumam trazer os nomes em Pinyin.

Existem algumas exceções já consagradas em português que devem ser mantidas. Pequim e não Beijing, Nanquim e não Nanjing, Cantão e não Guangzhou, Tibete e não Xizang.

Outros nomes, não tão consagrados, devem ser grafados segundo o sistema Pinyin, mas indicando sempre a grafia pelo sistema Wade-Giles, por período a ser definido pelo editor de **Mundo**: Guangdong (Kwangtung), Xinjiang (Sinkiang), Fuzhou (Foochow).

Nomes consagrados na grafia Wade-Giles permanecem: Mao Tse-tung, Chou En-lai, Sun Yat-sen, Chiang Kai-shek. O segundo elemento da palavra hifenizada começa com minúscula.

A grafia Pinyin é válida para a China, incluindo Hong Kong; nomes de Taiwan não devem ser transliterados por esse sistema.

Em segunda referência ou títulos, é o primeiro nome que designa o nome de família: Deng Xiaoping (Deng), Mao Tse-tung (Mao).

espanhol – Em geral, o nome de família é o do meio. Em segunda referência ou em títulos, usa-se esse nome: Gabriel García Márquez é García, e não Márquez. Quando uma agência de notícias em espanhol trouxer a transliteração de línguas que não são escritas com o alfabeto latino (como árabe, persa e urdu), substitua o J por KH: Khalil (e não Jalil), Khaled (e não Jaled), Khamenei (e não Jamenei).

hebraico – Mantenha o CH, cujo uso já é consagrado, mas indique a pronúncia do nome: Mordechai (pronuncia-se morder-rai), Chabad (pronuncia-se rabád).

russo – Translitere com base na tabela a seguir, que inclui o alfabeto cirílico (usado por outras línguas eslavas, como sérvio e búlgaro) e as transliterações mais comuns para o inglês, o espanhol e o português.

Quando as transliterações inglesas e espanholas conflitarem e você não tiver acesso ao original russo, passe para o português por meio do inglês, cuja transliteração é geralmente mais uniforme que a espanhola.

Transliterações do russo

Russo	Inglês	Espanhol	Português
А	A	A	A
Б	B	B	B
В	V	V	V
Г	G	G/GU	G/GU*
Д	D	D	D
Е	E/O/YE/YO	E/O/IE/IO	E/O/IE/IO**
Ж	ZH	ZH	J
З	Z	Z	Z
И	I	I	I
Й	I	I/Y	I
К	K	K	K
Л	L	L	L
М	M	M	M
Н	N	N	N
О	O	O	O
П	P	P	P
Р	R	R	R
С	S	S	S/SS***
Т	T	T	T
У	U	U	U
Ф	F	F	F
Х	KH	J/H	KH
Ц	TS	TS	TS
Ч	CH	CH	TCH
Ш	SH	SH	CH
Щ	SHCH	SHCH	SCH
Ъ	-	-	-
Ы	Y	I	I
Ь	-	-	-
Э	E	E	E
Ю	YU	IU	IU
Я	YA	IA	IA

* Use GU antes de E e I.
** Pode soar como E, IE, ou IO. Após as consoantes TCH, CH, SCH e J, use sempre E ou O. Após vogais, as demais consoantes, espírito brando ou em posição inicial, use E, IE ou IO. A diferença entre E, IE e IO tem de ser conhecida de antemão. Em textos para iniciantes ou crianças, indica-se que o som é IO com um trema sobre a letra cirílica E.
*** Use SS em posição intervocálica.

Substitua CH por TCH quando ler nomes russos grafados em inglês: Tchernomirdin (e não Chernomyrdin), Tchubais etc.

Acentue os nomes de pessoas e os topônimos de acordo com as normas do português: Púchkin, Trótski, Lênin, Stálin, Dostoiévski, Tolstói, mas Gorbatchov, Khruschov, Gavriil. Se você não tiver certeza sobre a sílaba tônica, não use nenhum acento.

Normalmente, os russos têm três nomes. O de batismo (Mikhail), o patronímico (Sergueiévitch) e o nome de família (Gorbatchov). O patronímico e o sobrenome de mulheres possuem sufixos femininos: Raíssa Gorbatchova (e não Gorbatchov). A seguir, os principais sufixos de nomes no masculino e no feminino:

Principais sufixos de nomes

Masculino	Feminino
-ski	-skaia
-ev	-eva
-ov	-ova
-in	-ina
-ovitch	-ovna
-ievitch	-ievna

Alguns nomes russos se consagraram por uma outra transliteração. Muitos topônimos russos chegaram ao português por meio de outras línguas, e não diretamente da língua russa. Assim, escreve-se Moscou e não Moskva, São Petersburgo e não Sankt Peterburg.

Anexo estrangeirismos

Grafia adotada pela **Folha** e origem

Faz parte da evolução natural da língua incorporar palavras estrangeiras. Entretanto, o uso excessivo de estrangeirismos, muitas vezes desnecessários, torna o texto pedante, quando não incompreensível.

Termos de origem estrangeira que já estão aportuguesados aparecem sem aspas nesta lista. Não se fazem restrições ao seu uso. O mesmo vale para palavras que, embora mantenham a sua grafia original, já podem ser tidas como incorporadas à linguagem cotidiana. Os termos registrados entre aspas devem ser evitados.

Abreviaturas

al.	alemão
ár.	árabe
atrav.	através
esc.	escandinavo
esp.	espanhol
fr.	francês
flam.	flamengo
germ.	germânico
hebr.	hebraico
hol.	holandês
ingl.	inglês
it.	italiano
jap.	japonês
lat.	latim
red.	redução
sânsc.	sânscrito

A

"ad hoc" (lat.)
"affair" (ingl.)
"after hours" (ingl.)
allegretto (it.)
allegro (it.)
"Anschluss" (al.)
apartheid (africâner)
a priori (lat.)
a posteriori (lat.)
"approach" (ingl.)
"avant-première" (fr.)

B

baby beef (ingl.)
"babysitter" (ingl.)
"background" (ingl.)
"backup" (ingl.)
balé (ballet; fr.)
bandeide (band-aid; ingl.)
beisebol (baseball; ingl.)
best-seller (ingl.)
bijuteria (bijouterie; fr.)
birô (bureau; fr.)
bit (ingl.)
"black tie" (ingl.)
blazer (ingl.)
blitz (al.)
"Blitzkrieg" (al.)
blog (weblog; ingl.)
"blue chip" (ingl.)
bôer (boer; africâner)
"booking" (ingl.)
boom (ingl.)
brandy (ingl.)
briefing (ingl.)
bufê (buffet; fr.)
bug (ingl.)
bulevar (boulevard; fr.)
button (ingl.)
byte (ingl.)

C

cartum (cartoon; ingl.)
caubói (cowboy; ingl.)
chope (Schoppen; al.)
ciber (grego)
"ciberpunk" (ingl. atrav. do grego - ciber)
"circuit breaker" (ingl.)
clipping (ingl.)
clubber (ingl.)
"clubwear" (ingl.)
commodity (ingl.)
confer ou cf. (lat.)
"copy" (ingl.)
"copyright" (ingl.)
CPU (abrev. do inglês Central Processing Unit)
crack (ingl.)
crash (ingl.)
crayon (fr.)
cuchê (couché; fr.)
currículo (curriculum; lat.)
"curriculum vitae" (lat.)

D

dancing (ingl.)
"data venia" (lat.)
"day trade" (ingl.)
"deadline" (ingl.)
"débâcle" (fr.)
"de facto" (lat.)
deletar (to delete; ingl)

ANEXO estrangeirismos

"démarche" (fr.)
design (ingl.)
destróier (destroyer; ingl.)
derby (ingl.)
"détente" (fr.)
disc-jóquei (disc jockey; ingl.)
display (ingl.)
DJ (ingl.)
doping (ingl.)
"download" (ingl.)
drag queen (ingl.)
"dramatis personae" (lat.)
drive (ingl.)
drive-in (ingl.)
dumping (ingl.)
dúplex (duplex; lat.)

E

ecstasy
"encore" (fr.)
"Ersatz" (al.)
esfiha
esquete (sketch; ingl.)
establishment (ingl.)
estresse (stress; ingl.)
eureca (heurêka; grego)
"ex cathedra" (lat.)
"ex libris" (lat.)
"exposure" (ingl.)

F

fac-símile (fac simile; lat.)
"fair play" (ingl.)
"faits-divers" (fr.)
fast food (ingl.)
"feature" (ingl.)
"fee" (ingl.)
"feedback" (ingl.)
"feeling" (ingl.)
"ferryboat" (ingl.)
"fiat" (lat.)
"fiberglass" (ingl.)
flap (ingl.)
flash (ingl.)
flashback (ingl.)
"float" (ingl.)
"floppy" (ingl.)
"fog" (ingl.)
footing (ingl.)
free-lance (ingl.)
free-lancer (ingl.)
freezer (ingl.)
"frisson" (fr.)
"full-time" (ingl.)
"funding" (ingl.)

G

"game show" (ingl.)
"garçonnière" (fr.)
gay (ingl.)
"gentleman" (ingl.)
Gestalt (al.)
glamour
"glasnost" (russo)
"globe-trotter" (ingl.)
gourmand (fr.)
gourmet (fr.)
grife (griffe; fr.)
grisê (grisé; fr.)

H

habeas corpus (lat.)
habeas data (lat.)
habitat (lat.)
habituê (fr.)
hacker (ingl.)
hall (ingl.)
"handicap" (ingl.)
"happening" (ingl.)
"happy end" (ingl)
"happy few" (ingl.)
"hard news" (ingl.)
hardware (ingl.)
hedge (ingl.)
"high-tech" (ingl.)
hippie (ingl.)
hit (ingl.)
hobby (ingl.)
holding (ingl.)
holerite (hollerith; ingl.)
home page (ingl.)
honoris causa (lat.)
"hors-concours" (fr.)
"hors d'oeuvre" (fr.)
"hostess" (ingl.)
hot dog (ingl.)
"hot money" (ingl.)
"hype" (ingl.)

I

ibidem (lat.)
impeachment (ingl.)
"imprimatur" (lat.)
"in extremis" (lat.)
"in folio" (lat.)
"input" (ingl.)
"inside information" (ingl.)
intelligentsia (russo)
intermezzo (it.)
internet (ingl.)
"ipsis litteris" (lat.)
"ipsis verbis" (lat.)
"ipso facto" (lat.)

J

jogging (ingl.)
joint venture (ingl.)

"junk bond" (ingl.)
"jus sanguinis" (lat.)
"jus soli" (lat.)

K

Kaiser (al.)
kamikaze (jap.)
karaokê (jap.)
ketchup (ingl.)
kibutz (hebr.)
kitsch (al.)
know-how (ingl.)
"kyrie" (grego)

L

lady (ingl.)
"laisser-aller" (fr.)
"laissez-faire" (fr.)
laser (ingl.)
"lato sensu" (lat.)
layout (ingl.)
leasing (ingl.)
"leitmotiv" (al.)
lide (lead; ingl.)
"living" (ingl.)
link (ingl.)
lobby (ingl.)
"look" (ingl.)

M

"magnificat" (lat.)
"mainstream" (ingl.)
"make-up" (substantivo, do ingl.)
manicure (fr.)
marchand (fr.)
marketing (ingl.)
"mass media" (ingl.-lat.)
mea-culpa (lat.)
"media criticism" (lat.-ingl.)
"medium" (lat.)
"meeting" (ingl.)
"ménage" (fr.)
merchandising (ingl.)
mignon (fr.)
"mix" (ingl.)
moarê (moire; fr.)
mouse (ingl.)
mousepad (ingl.)
"mutatis mutandis" (lat.)

N

néon (grego)
"network" (ingl.)
new age (ingl.)
"New Deal" (ing.)
new wave (ingl.)
"nihil obstat" (lat.)
"no break" (ingl.)

O

"off" (red. de "off the record"; ingl.)
office-boy (ingl.)
"off the record" (ingl.)
off-line (ingl.)
offset (ingl.)
"offshore"
"on" (contrário de "off"; ingl.)
on-line (ingl.)
open market (ingl.)
opus (lat.)
outdoor (ingl.)
"output" (ingl.)
overnight (ingl.)

P

"page maker" (ingl.)
"pari passu" (lat.)
"paste-up" (ingl.)
pedigree (ingl.)
pen drive (ingl.)
"pendant" (fr.)
per capita (lat.)
perestroika (russo)
performance (ingl.)
persona (non) grata (lat.)
pit bull (ingl.)
playboy
playoff (ingl.)
playground (ingl.)
"plug-in" (ingl.)
pogrom (russo)
pole position (ingl.)
pool (ingl.)
pop (ingl.)
"portrait" (fr.)
"pot-pourri" (fr.)
"press clipping" (ingl.)
"press conference" (ing.)
"press kit" (ingl.)
press release (ingl.)
"preview" (ingl.)
prime rate (ingl.)
"princeps" (lat.)
"print" (ingl.)
"prêt-à-porter" (fr.)
pro forma (lat.)
promoter (ingl.)
"pub" (ingl.)
publisher (ingl.)
punk (ingl.)
putsch (al.)

Q

quiche (fr.)
"quid juris" (lat.)
"quiz show" (ingl.)

R

"raid" (ingl.)
"rating" (ingl.)
rave (ingl.)
raver (ingl.)
"rendez-vous" (fr.)
Réveillon (fr.)
rock and roll (ingl.)
rottweiler (al.)
round (ingl.)
royalty (ingl.)
rush (ingl.)

S

"savoir-faire" (fr.)
"savoir-vivre" (fr.)
self-service (ingl.)
sex appeal (ingl.)
sexy (ingl.)
shopping center (ingl.)
short (ingl.)
show (ingl.)
sic (lat.)
"side" (ingl.)
"sidecar" (ingl.)
"sine die" (lat.)
"sine qua non" (lat.)
sir (ingl.)
site (ingl.)
skate (ingl.)
slide (ingl.)
slogan (ingl.)
"smart money" (ingl.)
smoking (ingl.)
"soft news" (ingl.)
software (ingl.)
"soirée" (fr.)
sommelier
spalla
"sportswear" (ingl.)
spot (ingl.)
"spleen" (ingl.)
"spread" (ingl.)
squash (esquasser; fr. atrav. do ingl.)
standard (ingl.)
"stand by" (ingl.)
status (lat.)
"storyboard" (ingl.)
"streetwear" (ingl.)
"stricto sensu" (lat.)
striptease (ingl.)
"sui generis" (lat.)
"superstar" (ingl.)
surfe (surf; ingl.)
"swap" (ingl.)
swing (ingl.)

T

"talk show" (ingl.)
tecno (grego)
teipe (tape; ingl.)
teen
"teenager" (ingl.)
"tertius" (lat.)
"thrash" (ingl.)
"tory" (ingl.)
"tour de force" (fr.)
turnê (tournée; fr.)
"travelling" (ingl.)
"training" (ingl.)
trailer (ingl.)
"trash" (ingl.)
"t-shirt" (ingl.)

U

uísque (whisky; ingl.)
underground (ingl.)
"up-to-date" (ingl.)

V

"vade mecum" (lat.)
vendeta (vendetta; it.)
"verbi gratia" (lat.)
vernissage (fr.)
"vis-à-vis" (fr.)
vitrina, vitrine (fr.)
vodca (vodka, russo)

W

"waiver" (ingl.)
walkie-talkie (ingl.)
web (ingl.)
webdesign (ingl.)
webmaster (ingl.)
"welfare state" (ingl.)
"Weltanschauung" (al.)
western (ingl.)
"whig" (ingl.)
winchester (ingl.)
windsurfe (windsurf; ingl.)

X

xampu (shampoo; ingl.)

Anexo siglas

A seguir estão algumas siglas usadas com frequência no jornal e seus significados.

A

AA – Alcoólicos Anônimos.

Abav – Associação Brasileira de Agências de Viagens.

ABBC – Associação Brasileira de Bancos.

ABC – American Broadcasting Company.

Abdib – Associação Brasileira da Infraestrutura e Indústrias de Base.

Abecip – Associação Brasileira das Entidades de Crédito Imobiliário e Poupança.

Abecitrus – Associação Brasileira dos Exportadores de Cítricos.

Abecs – Associação Brasileira das Empresas de Cartão de Crédito e Serviços.

ABI – Associação Brasileira de Imprensa.

Abifarma – Associação Brasileira da Indústria Farmacêutica.

Abih – Associação Brasileira da Indústria de Hotéis.

Abimaq/Sindimaq – Associação Brasileira da Indústria de Máquinas e Equipamentos e Sindicato Nacional das Indústrias de Máquinas.

Abinee – Associação Brasileira da Indústria Elétrica e Eletrônica.

Abipeças/Sindipeças – Associação Brasileira da Indústria de Autopeças/Sindicato Nacional da Indústria de Componentes para Veículos Automotores.

ABL – Academia Brasileira de Letras.

ABNT – Associação Brasileira de Normas Técnicas.

Abras – Associação Brasileira de Supermercados.

Abrave – Associação Brasileira de Distribuidores de Veículos. Substituída pela Fenabrave em janeiro de 1989.

ABRH – Associação Brasileira de Recursos Humanos.

Abrinq – Associação Brasileira dos Fabricantes de Brinquedos.

Acesita – Companhia Aços Especiais Itabira.

Acie – Associação dos Correspondentes de Imprensa Estrangeira.

Acrefi – Associação Nacional das Instituições de Crédito, Financiamento e Investimentos.

Acresp – Associação das Empresas de Crédito Imobiliário e Poupança do Estado de São Paulo.

ACSP – Associação Comercial de São Paulo.

ADVB – Associação dos Dirigentes de Vendas e Marketing do Brasil.

AFP – Agência France Presse.

AI – Anistia Internacional (Amnesty International).

AID – Associação Internacional de Desenvolvimento (International Development Association).

AMB – Associação dos Magistrados Brasileiros.

AMB – Associação Médica Brasileira.

Anatel – Agência Nacional de Telecomunicações.

Anbid – Associação Nacional dos Bancos de Investimento. Em 2009, uniu-se com a Andima e foi criada a Anbima (Associação Brasileira das Entidades dos Mercados Financeiros e de Capitais).

Ande – Associação Nacional de Educação.

Andes – Sindicato Nacional dos Docentes das Instituições de Ensino Superior.

Aneel – Agência Nacional de Energia Elétrica.

Anfavea/Sinfavea – Associação Nacional dos Fabricantes de Veículos Automotores/Sindicato Nacional dos Fabricantes de Veículos Automotores.

ANJ – Associação Nacional de Jornais.

ANP – Agência Nacional do Petróleo, Gás Natural e Biocombustíveis.

Ansa – Agenzia Nazionale Stampa Associata.

AP – Associated Press.

APA – Associação Paulista de Avicultura.

Apae-SP – Associação de Pais e Amigos dos Excepcionais de São Paulo.

Apeoesp – Sindicato dos Professores do Ensino Oficial do Estado de São Paulo.

B

Banespa – Banco do Estado de São Paulo. Extinto em 2000, quando foi comprado pelo Banco Santander.

Banorte/Banco Bandeirantes – Banco Nacional do Norte. Em maio de 1996, o Banorte foi comprado pelo Banco Bandeirantes.

BB – Banco do Brasil.

BBC – British Broadcasting Corporation.

BC – Banco Central (a **Folha** não usa a abreviatura Bacen).

BID – Banco Interamericano de Desenvolvimento (Inter-American Development Bank).

Bird – Banco Internacional para a Reconstrução e o Desenvolvimento –

Banco Mundial (International Bank for Reconstruction and Development – World Bank).

BIS – Banco de Compensações Internacionais (Bank for International Settlements).

BMSP – Bolsa de Mercadorias de São Paulo. Extinta na fusão com a BM&F (Bolsa Mercantil & de Futuros) em maio de 1991.

BN – Biblioteca Nacional.

BNDES – Banco Nacional de Desenvolvimento Econômico e Social.

BNH – Banco Nacional de Habitação. Extinto em novembro de 1986 e incorporado à Caixa Econômica Federal.

Bovespa – Bolsa de Valores do Estado de São Paulo. Em 2008, foi criada a BM&F Bovespa, em uma integração com a BM&F (Bolsa de Mercadorias & Futuros).

Bradesco – Banco Brasileiro de Descontos.

BVRJ – Bolsa de Valores do Rio de Janeiro.

C

Cacex – Carteira de Comércio Exterior do Banco do Brasil. Extinta em 1990.

CAN – Correio Aéreo Nacional.

Capes – Coordenação de Aperfeiçoamento de Pessoal de Nível Superior.

CBA – Confederação Brasileira de Automobilismo.

CBAT – Confederação Brasileira de Atletismo.

CBB – Confederação Brasileira de Basketball.

CBDA – Confederação Brasileira de Desportos Aquáticos.

CBF – Confederação Brasileira de Futebol.

CBJ – Confederação Brasileira de Judô.

CBL – Câmara Brasileira do Livro.

CBM – Confederação Brasileira de Motociclismo.

CBS – Columbia Broadcasting System.

CBT – Confederação Brasileira de Tênis.

CBTU – Companhia Brasileira de Trens Urbanos.

CBV – Confederação Brasileira de Voleibol.

CCSP – Centro Cultural São Paulo.

CDDPH – Conselho de Defesa dos Direitos da Pessoa Humana.

CDHU – Companhia de Desenvolvimento Habitacional e Urbano do Estado de São Paulo.

Ceagesp – Companhia de Entrepostos e Armazéns Gerais do Estado de São Paulo.

Ceasa – Centro Estadual de Abastecimento S.A. Extinto em maio de 1969, na fusão com a Cagesp (Companhia de Armazéns Gerais de São Paulo) que formou a Ceagesp.

Cebrap – Centro Brasileiro de Análise e Planejamento.

CEF – Caixa Econômica Federal.

Ceme – Central de Medicamentos. Extinta pelo Ministério da Saúde em julho de 1997.

Cepam – Centro de Estudos e Pesquisas da Administração Municipal.

Cepedisa – Centro de Estudos e Pesquisas do Direito Sanitário.

Cesp – Companhia Energética de São Paulo.

CET e DSV – Companhia de Engenharia de Tráfego e Departamento de Operação do Sistema Viário.

Cetesb – Companhia Ambiental do Estado de São Paulo.

Cetran – Conselho Estadual de Trânsito.

CFM – Conselho Federal de Medicina.

CGT – Central Geral dos Trabalhadores.

CGT – Confederação Geral dos Trabalhadores. Em 2007, unificou-se com a SDS (Social Democracia Sindical) e a CAT (Central Autônoma dos Trabalhadores) e foi criada a UGT (União Geral dos Trabalhadores).

Chesf – Companhia Hidrelétrica do São Francisco.

CIA – Agência Central de Inteligência (Central Intelligence Agency).

Ciesp – Centro das Indústrias do Estado de São Paulo.

Cimi – Conselho Indigenista Missionário.

CMB – Conselho Mundial de Boxe (Consejo Mundial de Boxeo).

CMI – Conselho Mundial das Igrejas (World Council of Churches).

CMN – Conselho Monetário Nacional.

CMTC – Companhia Municipal de Transportes Coletivos. Extinta e substituída pela empresa SPTrans (São Paulo Transportes) em março de 1995.

CNA – Confederação da Agricultura e Pecuária do Brasil.

CNBB – Conferência Nacional dos Bispos do Brasil.

CNC – Confederação Nacional do Comércio de Bens, Serviços e Turismo.

CNDM – Conselho Nacional dos Direitos da Mulher.

CNE – Conselho Nacional de Educação.

CNEN – Comissão Nacional de Energia Nuclear.

CNI – Confederação Nacional da Indústria.

CNN – Cable News Network.

CNPCP – Conselho Nacional de Política Criminal e Penitenciária.

CNPq – Conselho Nacional de Desenvolvimento Científico e Tecnológico.

CNS – Conselho Nacional de Saúde.

CNTI – Confederação Nacional dos Trabalhadores na Indústria.

COB – Comitê Olímpico Brasileiro.

Codesp – Companhia Docas do Estado de São Paulo.

Cofecon – Conselho Federal de Economia.

Cohab – Companhia Metropolitana de Habitação de São Paulo.

COI – Comitê Olímpico Internacional (International Olympic Committee).

Colsan – Associação Beneficente de Coletas de Sangue.

Comam – Coordenação Geral da Marinha Mercante.

Comgás – Companhia de Gás de São Paulo.

Concine – Conselho Nacional de Cinema. Extinto em abril de 1990.

Condephaat – Conselho de Defesa do Patrimônio Histórico, Arqueológico, Artístico e Turístico do Estado de São Paulo.

Confen – Conselho Federal de Entorpecentes.

Conin – Conselho Nacional de Informática e Automação. Extinto e substituído pela Secretaria de Política de Informática.

Contag – Confederação Nacional dos Trabalhadores na Agricultura.

Copersucar – Cooperativa dos Produtores de Cana-de-Açúcar, Açúcar e Álcool do Estado de São Paulo.

Corecon-SP – Conselho Regional de Economia de São Paulo.

Cosipa – Companhia Siderúrgica Paulista.

CPFL – Companhia Paulista de Força e Luz.

Cptec – Centro de Previsão do Tempo e Estudos Climáticos.

CPTM – Companhia Paulista de Trens Metropolitanos.

Crea-SP – Conselho Regional de Engenharia, Arquitetura e Agronomia de São Paulo.

CRM-SP – Conselho Regional de Medicina de São Paulo.

CSN – Companhia Siderúrgica Nacional.

CTA – Veja DCTA.

CTNBio – Comissão Técnica Nacional de Biossegurança.

CUT – Central Única dos Trabalhadores.

CVM – Comissão de Valores Mobiliários.

CVRD – Companhia Vale do Rio Doce S.A.

D

DAC – Departamento de Aviação Civil.

Daee – Departamento de Águas e Energia Elétrica.

Dataprev – Empresa de Processamento de Dados da Previdência Social.

DCTA – Departamento de Ciência e Tecnologia Aeroespacial, nome adotado em 2009 pelo antigo CTA (Centro Técnico Aeroespacial).

DDC – Departamento de Defesa Comercial.

Decap – Departamento de Polícia Judiciária da Capital.

Decon – Departamento de Polícia do Consumidor. Extinto em dezembro de 1999.

Degran – Departamento das Delegacias Regionais de Polícia da Grande São Paulo. Extinto em setembro de 1991 e substituído pelo Decap (Departamento de Polícia Judiciária da Capital).

Deic – Departamento de Investigações sobre o Crime Organizado.

Denatran – Departamento Nacional de Trânsito.

Dentel – Departamento Nacional de Telecomunicações. Extinto em janeiro de 1990.

DER – Departamento de Estradas de Rodagem de São Paulo.

Dersa – Desenvolvimento Rodoviário S.A.

Dest – Departamento de Coordenação e Governança das Empresas Estatais.

Detran – Departamento Estadual de Trânsito.

Dieese – Departamento Intersindical de Estatística e Estudos Socioeconômicos.

Dnaee – Departamento Nacional de Águas e Energia Elétrica.

DNER – Departamento Nacional de Estradas de Rodagem. Em 2002, foi extinto e então criado o Dnit (Departamento Nacional de Infraestrutura de Transportes).

Dnocs – Departamento Nacional de Obras contra as Secas.

DNPDC – Departamento Nacional de Proteção e Defesa do Consumidor.

DNPM – Departamento Nacional de Produção Mineral.

DOI – Departamento de Operações Internacionais.

Dops – Departamento Estadual de Ordem Política e Social. Extinto em março de 1983.

E

Efe – Agência espanhola de notícias (Agencia Efe S.A.). (atenção, Efe não é sigla).

Eletrobras – Centrais Elétricas Brasileiras S.A.

Eletropaulo – Eletricidade de São Paulo.

Embrafilme – Empresa Brasileira de Filmes S.A. Extinta em abril de 1990.

Embrapa – Empresa Brasileira de Pesquisa Agropecuária.

Embratel – Empresa Brasileira de Telecomunicações.

Embratur – Instituto Brasileiro de Turismo.

Emplasa – Empresa Metropolitana de Planejamento.

Emurb – Empresa Municipal de Urbanização.

ESG – Escola Superior de Guerra.

F

Faap – Fundação Armando Álvares Penteado.

FADC – Fundação Abrinq pelos Direitos da Criança.

FAE – Fundação de Assistência ao Estudante. Extinta na fusão com o FNDE (Fundo Nacional de Desenvolvimento da Educação), em junho de 1998.

Faesp – Federação da Agricultura do Estado de São Paulo.

FAO – Organização das Nações Unidas para a Agricultura e a Alimentação (Food and Agriculture Organization).

Fapesp – Fundação de Amparo à Pesquisa do Estado de São Paulo.

FBI – Birô Federal de Investigação (Federal Bureau of Investigation).

Febem – Fundação Estadual do Bem-Estar do Menor. Extinta em 2006, quando passou a se chamar **Fundação Casa**.

Febraban – Federação Brasileira de Bancos.

Fecomercio-SP – Federação do Comércio do Estado de São Paulo.

Fed – Federal Reserve (banco central dos EUA). (atenção, Fed não é sigla).

Fenabrave – Federação Nacional da Distribuição de Veículos Automotores.

Fepasa – Ferrovia Paulista S.A.

Fetaesp – Federação dos Trabalhadores na Agricultura do Estado de São Paulo.

FGTS – Fundo de Garantia do Tempo de Serviço. Não é correto usar Fundo de Garantia por Tempo de Serviço.

FGV – Fundação Getulio Vargas.

FIA – Federação Internacional de Automobilismo (Fédération Internationale de l'Automobile).

Fiergs – Federação das Indústrias do Rio Grande do Sul.

Fiesp – Federação das Indústrias do Estado de São Paulo.

Fifa – Federação Internacional de Futebol Association (Fédération Internationale de Football Association).

Finame – Agência Especial de Financiamento Industrial.

Finasa – Banco Mercantil Finasa. Ex-BMSP (Banco Mercantil de São Paulo), foi comprado pelo Bradesco em 2002.

Finep – Financiadora de Estudos e Projetos.

Fipe – Fundação Instituto de Pesquisas Econômicas.

FIT – Federação Internacional de Tênis (International Tennis Federation).

FMI – Fundo Monetário Internacional (International Monetary Fund).

FPF – Federação Paulista de Futebol.

FPM – Federação Paulista de Motociclismo.

Funabem – Fundação Nacional do Bem-Estar do Menor. Extinta em 1990.

Funai – Fundação Nacional do Índio.

Funarte – Fundação Nacional de Artes. Extinta em março de 1990 e recriada em setembro de 1994.

Funasa – Fundação Nacional de Saúde. Embora a sigla oficial seja FNS, use Funasa, para evitar confusão com o Fundo Nacional de Saúde.

Funbec – Fundação Brasileira para o Desenvolvimento do Ensino de Ciências. Extinta em julho de 1997.

Fundap – Fundação do Desenvolvimento Administrativo.

Funrural – Fundo de Assistência e Previdência do Trabalhador Rural. Extinto com a promulgação da Constituição de 1988.

G

Gapa – Grupo de Apoio e Prevenção à Aids.

H

HC – Hospital das Clínicas.

HSBC – Bank Brasil S/A (Hong Kong and Shanghai Banking Corporation)

HSPE – Hospital do Servidor Público Estadual.

HSPM – Hospital do Servidor Público Municipal.

I

IAA – Instituto do Açúcar e do Álcool. Extinto em junho de 1990.

IAB – Instituto dos Advogados Brasileiros.

IAB – Instituto de Arquitetos do Brasil.

Iapas – Instituto de Administração Financeira da Previdência e Assistência Social. Extinto na fusão com o INSS (Instituto Nacional do Seguro Social), em junho de 1990.

Ibama – Instituto Brasileiro do Meio Ambiente e dos Recursos Naturais Renováveis.

Ibase – Instituto Brasileiro de Análises Sociais e Econômicas.

IBC – Instituto Brasileiro do Café. Extinto em abril de 1990.

IBDF – Instituto Brasileiro de Desenvolvimento Florestal. Extinto em janeiro de 1989.

IBGE – Fundação Instituto Brasileiro de Geografia e Estatística.

Ibope – Instituto Brasileiro de Opinião Pública e Estatística.

Imaflora – Instituto de Manejo e Certificação Florestal e Agrícola.

Imazon – Instituto do Homem e Meio Ambiente da Amazônia.

IML – Instituto Médico Legal.

INB – Indústrias Nucleares do Brasil S.A.

Incra – Instituto Nacional de Colonização e Reforma Agrária.

Infraero – Empresa Brasileira de Infraestrutura Aeroportuária.

Inocoop – Instituto de Orientação às Cooperativas Habitacionais de São Paulo.

Inpa – Instituto Nacional de Pesquisas da Amazônia.

Inpe – Instituto Nacional de Pesquisas Espaciais.

Inpi – Instituto Nacional da Propriedade Industrial.

INPS – Instituto Nacional de Previdência Social. Extinto na fusão com o INSS (Instituto Nacional do Seguro Social), em junho de 1990.

INSS – Instituto Nacional do Seguro Social. Criado com a fusão do Iapas e do INPS.

Ipam – Instituto de Pesquisa Ambiental da Amazônia.

Ipen – Instituto de Pesquisas Energéticas e Nucleares.

IPT – Instituto de Pesquisas Tecnológicas do Estado de São Paulo.

ISA – Instituto Socioambiental.

ISO – Organização Internacional de Normatização (International Organization for Standardization).

ITA – Instituto Tecnológico de Aeronáutica.

ITV – Instituto Teotônio Vilela.

L

LBA – Fundação Legião Brasileira de Assistência. Extinta em dezembro de 1994.

M

MAC – Museu de Arte Contemporânea.

MAM – Museu de Arte Moderna de São Paulo.

Masp – Museu de Arte de São Paulo.

MEC – Ministério da Educação e do Desporto.

MIS – Museu da Imagem e do Som.

MIT – Instituto de Tecnologia de Massachusetts (Massachusetts Institute of Technology).

MST – Movimento dos Trabalhadores Rurais Sem Terra.

Mube – Museu Brasileiro da Escultura.

N

Nasa – Administração Nacional de Aeronáutica e Espaço dos EUA (National Aeronautic and Space Administration).

NBC – National Broadcasting Company.

NIH – Institutos Nacionais de Saúde dos EUA (National Institutes of Health).

Noaa – Administração Nacional Atmosférica e Oceânica dos EUA (National Oceanic and Atmospheric Administration).

O

OAB – Ordem dos Advogados do Brasil.

OEA – Organização dos Estados Americanos (Organization of American States).

OIC – Organização Internacional do Café (International Coffee Organization).

OIT – Organização Internacional do Trabalho (International Labour Organization).

OLP – Organização para a Libertação da Palestina.

OMC – Organização Mundial do Comércio (World Trade Organization). Substituiu o Gatt (General Agreement on Tariffs and Trade, Acordo Geral de Tarifas e Comércio) em 1995.

OMS – Organização Mundial da Saúde (World Health Organization).

ONU – Organização das Nações Unidas (United Nations Organization).

Opep – Organização dos Países Exportadores de Petróleo (Organization of the Petroleum Exporting Countries).

Otan – Organização do Tratado do

Atlântico Norte (North Atlantic Treaty Organisation).

P

PC do B – Partido Comunista do Brasil.

PDT – Partido Democrático Trabalhista.

Petrobras – Petróleo Brasileiro S.A.

PF – Polícia Federal.

PFL – Partido da Frente Liberal. Extinto em 2007, quando deu origem ao DEM (Democratas).

PL – Partido Liberal.

PMDB – Partido do Movimento Democrático Brasileiro.

PMN – Partido da Mobilização Nacional.

PM-SP – Polícia Militar do Estado de São Paulo.

PPB – Partido Progressista Brasileiro.

PPS – Partido Popular Socialista.

PRN – Partido da Reconstrução Nacional.

Procon – Fundação de Proteção e Defesa do Consumidor.

Prodam – Empresa de Tecnologia de Informação e Comunicação.

Prodesp – Companhia de Processamento de Dados do Estado de São Paulo.

Proer – Programa de Estímulo à Reestruturação e ao Fortalecimento do Sistema Financeiro Nacional, instituído pelo Banco Central em 1995.

Prona – Partido da Reedificação da Ordem Nacional.

PSB – Partido Socialista Brasileiro.

PSC – Partido Social Cristão.

PSDB – Partido da Social Democracia Brasileira.

PSDC – Partido Social Democrata Cristão.

PST – Partido Social Trabalhista.

PT – Partido dos Trabalhadores.

PTB – Partido Trabalhista Brasileiro.

PUC – Pontifícia Universidade Católica.

R

Radiobrás – Atual ECB (Empresa Brasil de Comunicação).

RAI – Radiotelevisione Italiana.

Reuters – Agência de notícias britânica.

RFFSA – Rede Ferroviária Federal S.A. Extinta em 2007.

S

Sabesp – Companhia de Saneamento Básico do Estado de São Paulo.

Seae – Secretaria de Acompanhamento Econômico.

Seap – Secretaria Especial de Abastecimento e Preços. Extinta em 1990.

Sebrae – Serviço Brasileiro de Apoio às Micro e Pequenas Empresas.

Secovi – Sindicato das Empresas de Compra, Venda, Locação e Administração de Imóveis Residenciais e Comerciais.

SEI – Secretaria Especial de Informática. Extinta em setembro de 1990.

Senac – Serviço Nacional de Aprendizagem Comercial.

Senai – Serviço Nacional de Aprendizagem Industrial.

Serpro – Serviço Federal de Processamento de Dados.

Sesc – Serviço Social do Comércio.

Sest – Secretaria de Orçamento e Controle das Empresas Estatais. Extinta em janeiro de 1999 e substituída pelo Dest (Departamento de Coordenação e Controle das Empresas Estatais).

SFH – Sistema Financeiro da Habitação.

Siderbrás – Siderúrgica Brasileira S.A. Extinta em agosto de 1997.

Simpi – Sindicato da Micro e Pequena Indústria do Estado de São Paulo.

Snaem – Serviço Nacional de Erradicação da Malária. Incorporado à Sucam (Superintendência de Campanhas de Saúde Pública) em maio de 1970.

Sopral – Sociedade dos Produtores de Açúcar e Álcool.

SPC – Serviço de Proteção ao Crédito.

SPTrans – São Paulo Transportes.

SRB – Sociedade Rural Brasileira.

SRPV – Serviço Regional de Proteção ao Voo.

STF – Supremo Tribunal Federal.

STJ – Superior Tribunal de Justiça.

STM – Superior Tribunal Militar.

Sucam – Superintendência de Campanhas de Saúde Pública. Incorporada à Funasa (Fundação Nacional de Saúde) em 1991.

Sucen – Superintendência de Controle de Endemias.

Sucesu – Associação de Usuários de Informática e Telecomunicações.

Sudam – Superintendência do Desenvolvimento da Amazônia.

Sudeco – Superintendência do Desenvolvimento do Centro-Oeste. Extinta em 1990.

Sudelpa – Superintendência do Desenvolvimento do Litoral Paulista. Extinta em setembro de 1993.

Sudene – Superintendência do Desenvolvimento do Nordeste.

Sunab – Superintendência Nacional de Abastecimento. Extinta em julho de 1997.

Sunamam – Superintendência Nacional da Marinha Mercante. Extinta em janeiro de 1989 e substituída pelo Comam.

Susan – Superintendência do Saneamento Ambiental. Em abril de 1975, mudou de nome, para Sucen.

Susep – Superintendência de Seguros Privados.

T

TCE – Tribunal de Contas do Estado.

TCM – Tribunal de Contas do Município.

TCU – Tribunal de Contas da União.

Telebrás – Telecomunicações Brasileiras S.A.

Telefônica – Telecomunicações de São Paulo S.A.

TFP – Sociedade Brasileira de Defesa da Tradição, Família e Propriedade.

TRF – Tribunal Regional Federal.

TRT – Tribunal Regional do Trabalho.

TSE – Tribunal Superior Eleitoral.

TST – Tribunal Superior do Trabalho.

TVE – Televisão Educativa.

U

Ubes e UNE – União Brasileira de Estudantes Secundaristas e União Nacional dos Estudantes.

Udemo – Sindicato de Especialistas de Educação do Magistério Oficial do Estado de São Paulo.

UDR – União Democrática Ruralista.

UE – União Europeia (European Union).

Uefa – União Europeia de Futebol Association (Union of European Football Association).

UFPR – Universidade Federal do Paraná.

UFRJ – Universidade Federal do Rio de Janeiro.

UnB – Universidade de Brasília.

Unesco – Organização das Nações Unidas para a Educação, a Ciência e a Cultura (United Nations Educational, Scientific and Cultural Organization).

Unesp – Universidade Estadual Paulista Júlio de Mesquita Filho.

Unicamp – Universidade Estadual de Campinas.

Unicef – Fundo das Nações Unidas para a Infância (United Nations Children Fund).

Unifesp – Universidade Federal de São Paulo.

UNSP – União Nacional dos Servidores Públicos Civis do Brasil.

UPU – União Postal Universal (Universal Postal Union).

Usiminas – Usinas Siderúrgicas de Minas Gerais S.A.

USP – Universidade de São Paulo.

V

Varig – Viação Aérea Rio-Grandense S.A. Comprada pela Gol em 2007.

Vasp – Viação Aérea São Paulo. Extinta em 2005.

W

WWF – Fundo Mundial para a Natureza (World Wildlife Fund).

Índice analítico

A

N

O

Este livro foi composto nas fontes
Folha Minion e Folha Myriad e impresso
em setembro de 2011 pela Cromosete,
sobre papel offset 90 g/m².